# A LONGA
# Capa Negra

*Rubens Saraceni*

# A LONGA Capa Negra

© 2022, Madras Editora Ltda.

*Editor*:
Wagner Veneziani Costa (*in memoriam*)

*Produção e Capa*:
Equipe Técnica Madras

*Revisão*:
Elaine Garcia Maria
Maria Cristina Scomparini
Neuza Aparecida Rosa Alves

**Dados Internacionais de Catalogação na Publicação (CIP)**
**(Câmara Brasileira do Livro, SP, Brasil)**

Aruanda, Pai Benedito de (Espírito).
A longa capa negra / Pai Benedito de Aruanda ;
[psicografada por] Rubens Saraceni. – 4. ed. –
São Paulo : Madras, 2022.
ISBN 978-85-370-0537-8
1. Romance brasileiro 2. Umbanda (Culto)
I. Título.
09-09401 CDD-299.672

Índices para catálogo sistemático:
1. Romances mediúnicos : Umbanda 299.672

Proibida a reprodução total ou parcial desta obra, de qualquer forma ou por qualquer meio eletrônico, mecânico, inclusive por meio de processos xerográficos, incluindo ainda o uso da internet, sem a permissão expressa da Madras Editora, na pessoa de seu editor (Lei nº 9.610, de 19.2.98).

Todos os direitos desta edição reservados pela

**MADRAS EDITORA LTDA.**
Rua Paulo Gonçalves, 88 – Santana
CEP: 02403-020 – São Paulo/SP
Tel.: (11) 2281-5555 – (11) 98128-7754
**www.madras.com.br**

*Ao meu Amigo e Irmão, Wagner Veneziani Costa,
um Guardião dos ensinamentos transmitidos pelos Mestres
da Luz e do Saber. Que os Guardiões do Universo
sejam sempre um escudo para sua proteção e abram os
caminhos para as suas realizações.*

# Índice

**Capítulo I**
A Filha Renegada ................................................................. 9
   A Primeira Lição ........................................................... 13

**Capítulo II**
Um Grande Amor .............................................................. 19

**Capítulo III**
O Padre Benini .................................................................. 25
   Inquisição e Dor ............................................................ 33

**Capítulo IV**
A Herança ......................................................................... 43

**Capítulo V**
A Família Neri ................................................................... 52

**Capítulo VI**
Duas Cartas e um Mistério ................................................ 65

**Capítulo VII**
O Corcel Negro ................................................................. 70

**Capítulo VIII**
Os Templários ................................................................... 80

**Capítulo XIX**
A Iniciação ........................................................................ 92

**Capítulo X**
Ciro Vespasiano ................................................................ 98

**Capítulo XI**
Inspiração e Dúvida .......................................................... 102

**Capítulo XII**
Preparando a Partida ........................................................ 111

**Capítulo XIII**
Milão ................................................................................................ 118

**Capítulo XIV**
O Tesouro de Benini ........................................................................ 129

**Capítulo XV**
Jogos do Poder ................................................................................ 138
   Negócios, Armas, Livros e Sedução ........................................... 146

**Capítulo XVI**
A Grande Prova ............................................................................... 162

**Capítulo XVII**
Rosa e Helena .................................................................................. 168
   A Arte da Guerra no Jogo do Amor ............................................ 176

**Capítulo XVIII**
O Cavaleiro Cruzado ....................................................................... 187

**Capítulo XIX**
Alegria e Solidão ............................................................................. 205

**Capítulo XX**
Traição em Família .......................................................................... 219

**Capítulo XXI**
O Cavaleiro Kadosh ........................................................................ 226

**Capítulo XXII**
A Mulher Árabe ............................................................................... 240

**Capítulo XXIII**
O Encontro com o Divino Mestre ................................................... 252

**Capítulo XXIV**
De Volta a Milão ............................................................................. 259

**Capítulo XXV**
A Próspera Mansão Benini .............................................................. 282

**Capítulo XXVI**
Um Novo Amor ............................................................................... 295

**Capítulo XXVII**
Novas Perdas ................................................................................... 304

**Capítulo XXVIII**
O Reencontro ................................................................................... 316

# Capítulo I

# A Filha Renegada

Na Idade Média, havia uma infinidade de problemas sociais afligindo os reinos europeus. Um deles era a política praticada pelos reis, príncipes, barões, duques e o clero romano-católico. Os reis não paravam de lutar entre si e contra os seus próprios súditos. A anarquia era completa e generalizada.

Este caos era controlado pela Igreja, que jogava uns contra os outros no intuito de, ao mantê-los frágeis e dependentes, não os deixar escapar de seu controle político. E caso algum escapasse ao seu controle, era excomungado e lhe lançavam o anátema de herege. Era um tempo em que a vida de um ser humano pouco valia, pois podia acontecer de deitar-se senhor de terras e acordar com os grilhões de escravo atados à perna esquerda. Nada era realmente sólido, e a política era tão movediça quanto os areais dos pântanos venezianos.

Era a lei do mais esperto unida à do mais forte e só havia uma classe que remunerava por tantos desmandos. A plebe, em último caso, pagava em dor, pranto e miséria o tipo de lei que imperava em toda a Europa. E tudo devido à fraqueza dos reinos europeus imposta pela política desenvolvida pela Santa Igreja e seus bispos, todos representantes do poder temporal do clero romano.

Ao povo em geral só restava uma coisa a fazer: tentar sobreviver da melhor forma possível, em meio a esse inferno causado por aqueles que alegavam querer salvá-lo do "dito cujo" após a morte.

Era um tempo não muito diferente dos anteriores, ou dos posteriores, mas muito pior devido à fraqueza política dos reis europeus que dependiam, em tudo, dos barões da terra e dos favores papais.

Estávamos vivendo no ano da graça de 1140.

Eu pouco entendia de política, pois era um camponês ignorante que mal sabia ler e escrever. Ainda conseguira isso graças à boa vontade do padre de nossa pequena aldeia, que era um tanto delicado e, pensava eu, ao me convidar a aprender a ler e escrever, tinha em mente outra coisa, que não era me ver um pouco mais instruído. Seus olhares, um tanto lânguidos, arrepiavam-me, e também suas mãos, um tanto ousadas para o meu gosto, fizeram com que eu me afastasse não só dele como também da paróquia.

Eu alegava sempre o trabalho no campo como desculpa, quando ele passava por nossa pobre casa e perguntava por que não ia mais tomar aulas com ele. Sua voz tornava-se quase a de uma donzela no cio. Eu o olhava com medo, pois de uma hora para outra ele podia convocar-me para ajudá-lo na paróquia. E aí eu não poderia mais fugir das suas insinuações.

Eu tinha 14 anos na época em que tudo isto acontecia e já estava cansado do assédio do padre Benini. Mas fiquei feliz quando, ao visitar nossa casa, convidou-me a ir nos finais de semana até a paróquia aprender um pouco de leitura e escrita. Via a oportunidade de me livrar da vida quase escrava que levávamos trabalhando nas terras do príncipe bolonhês chamado Pietro Neri.

Meu pai era velho, tendo pouco mais de 40 anos. Minha mãe era parcialmente paralítica. Não tive mais irmãos, pois ela quase morreu ao dar-me à luz. Acredito que meu pai não mais a tenha tocado para evitar que isso viesse a acontecer num outro parto.

Ela era linda como um dos anjos pintados na capela da paróquia. Até tinha o mesmo olhar triste. Não sei se era triste devido à paralisia parcial, ou pelo fato de não poder ter mais filhos, já que era uma mãe muito carinhosa, ou porque, segundo corria de boca em boca, era filha do pai do príncipe Pietro Neri. Eu não tinha como saber se era verdade ou não, mas os rapazes da minha idade viviam lançando isso na minha cara como forma de me magoar.

— Olha lá o filho da filha rejeitada do velho Giovanini!
— É o neto rejeitado! — dizia outro.

A tudo eu ouvia calado e por isso tinha uma vida solitária.

Como poderia me sentir à vontade entre eles, se eu era o alvo principal de suas gozações?

Nas horas vagas, eu costumava ir à casa de uma parteira rezadeira. Era uma mulher de uns 35 a 40 anos de idade. Não posso dizer que era bonita, mas tinha uma aparência que me despertava certos pensamentos, próprios aos de minha idade.

Eu não ia até a casa dela para aprender suas rezas, mas sim com outras intenções. Acho que ela sabia, pois dava um jeito de me provocar um pouco mais a cada vez que eu ia visitá-la. Sempre deixava uma perna à mostra ao sentar-se de qualquer jeito para descascar batatas, convidando-me a ajudá-la, ou pedindo a mim para catar piolhos em sua vasta cabeleira, entre outras coisas.

Para ela, eu fazia tudo com prazer. Chegava a cuidar da sua pequena plantação de cereais e de sua horta depois de um dia todo ajudando o meu pai. Voltava depois do sol se pôr, ou ficava até mais tarde, quando ela preparava uma gostosa refeição para mim. Mas a melhor parte era quando eu chegava ou ia embora, pois ela me dava um abraço apertado e um beijo no rosto. Eu, um tanto tímido e inseguro, não tinha coragem de abraçá-la também e me satisfazia em sentir no meu corpo magro o contato do seu.

Tudo eu fazia para agradá-la e acho que ela sabia que eu gostava dela, ou esperava algo mais que ouvir e falar de suas rezas e habilidades ao realizar os partos na região. Eu não havia feito parto algum, mas sabia como fazê-lo só de ouvi-la contar como eu deveria proceder no caso de um dia precisar realizar um com urgência. Ajudava-a no preparo dos seus medicamentos e sabia de cor todas as suas rezas poderosas.

— São rezas especiais, Ciro. Cada uma serve para uma situação. Não se esqueça nunca disso, certo?
— Certo, dona Tereza. Mas, como vou saber quando usá-las?
— Você é muito menino ainda. Quando crescer um pouco mais, vai saber. O convívio com os outros irá lhe mostrar como e, principalmente, quando usá-las.
— Mas eu quase não falo com os outros! Como vou saber?
— Ah, Ciro! Você tem tantas coisas para aprender ainda.

Quando ela falou isso eu engoli em seco e, olhando para suas pernas cruzadas e à mostra, falei:
— É verdade, mas há algumas que eu gostaria de aprender logo. Os de minha idade sabem muitas coisas que eu só vivo sonhando em aprender.

Eu estava sentado à sua frente, ajudando-a a cortar legumes. Ela deu uma de suas gargalhadas costumeiras e perguntou:
— Quais por exemplo?

Seu olhar ficou tão sério quando perguntou isso, que eu levei um susto e cortei o dedo com a faca.
— Ai, cortei o dedo, dona Tereza. Vou para casa cuidar disso.
— Venha comigo, seu bobinho, vou cuidar de estancar o sangue.

Bem, eu me assustei tanto que até esqueci de dizer o que eu queria aprender logo. Quando ela terminou o curativo, falou:
— Agora vá para casa e amanhã você me diz o que é que tanto deseja aprender.

Deu-me o abraço apertado e o beijo, que não foi na face e sim nos lábios. Fiquei com tanta vergonha, que senti meu rosto queimar. E fiquei vermelho como uma brasa.

Eu saí, de costas, gaguejando um "até amanhã", quase caindo ao enroscar meus pés na soleira da porta de sua casa.

Naquela noite, pois o sol já se ocultara há muito, eu só voltei bem tarde para casa. Ao entrar, vi meu pai sentado ao lado do leito de minha mãe segurando as mãos dela. Seus olhos estavam vermelhos. Devia ter chorado, mas não me contou nada.

Só quando fui lhes pedir a bênção para dormir, vi que mamãe não estava passando bem.
— O que há com a senhora, mamãe?
— Estou doente, Ciro. Mas não é nada, não! Vá dormir. Amanhã estarei boa.

Ao pegar em sua mão, ela viu o meu dedo enfaixado e perguntou com a voz muito fraca:
— Onde se machucou?
— Eu o cortei, mas foi só a pele. Não doeu nada!
— Cuidado com seu corpo, pois você é muito descuidado. Não deixe isso inflamar senão, aí sim, irá sentir muita dor.
— Não se preocupe mamãe, ele está bem cuidado. Dona Tereza pôs uma das suas ervas sobre o corte e disse que amanhã estará fechado.
— Você não disse que foi só a pele?
— Sim, mas com um pouquinho de carne também.
— Entendo! Vá dormir, seu pai precisará de sua ajuda logo cedo.

— Boa-noite, mamãe. A sua bênção!
— Que Deus o abençoe, Ciro. Vamos, me dê um beijo, pois faz tempo que você não o faz. Até parece que sua mãe não existe mais, você não sai da casa de Tereza.
— Não, mamãe! É que ela vive sozinha e eu procuro ajudá-la um pouco. Mas eu gosto muito da senhora.
— Então beije-me e vá dormir.

Eu fui dormir. Demorou para o sono vir, pois eu me lembrava do beijo de dona Tereza e ouvia de vez em quando alguns gemidos de dor que minha mãe emitia.

Já era madrugada quando fui acordado pelo pranto do meu pai Giusepe. Acordei um pouco atordoado, sem saber a causa do seu choro tão dolorido, mas logo eu também pranteava o corpo de minha querida mamãe.

Ela morreu no seu leito, e eu nem fui avisado por meu pai. Uma crise forte tomou conta de mim e meu pai me abraçou procurando consolar-me, embora ele também chorasse muito.

Nós dois gostávamos muito dela. Apesar de sua deficiência congênita e de ter um semblante sempre triste, ela era muito carinhosa conosco.

Não tinha um sorriso nos lábios, mas transmitia uma simpatia incomparável.

Parte da tristeza dela, e disso eu tenho certeza, provinha do fato de ter sido rejeitada ao nascer. Seus pais, vendo uma filha semiparalítica, deram algumas moedas e isenção de taxas a um casal de vassalos para que a criassem como filha. Mas como nada fica oculto, principalmente a aparição repentina de uma filha, tendo ainda o estigma da paralisia a chamar a atenção, logo todos sabiam. Porém ninguém ousava falar porque tinham medo do príncipe Neri, irmão de minha mãe. Todos o temiam e ninguém jamais dizia nada na sua frente.

Papai tinha um ar taciturno e não cultivava muito a amizade dos vizinhos. Creio que agia assim para preservar minha mãe dos comentários maldosos.

Quando o dia clareou, nossa casa já estava cheia de pessoas.

Papai estava sentado ao lado do corpo de mamãe e eu estava em pé acariciando o seu rosto e cabelos.

Ela havia assumido uma aparência angelical. Mesmo agora, seu nome lhe era ainda mais apropriado: Angelina!

Mamãe parecia um anjo, de vestes brancas e um ramalhete de flores amarelas preso mas mãos. Creio que foi assim que ela entrou no paraíso. Creio também que o próprio mestre Jesus veio recebê-la no portal luminoso que dá acesso a ele.

O padre Benini rezou junto ao corpo e todos nós o acompanhamos na missa em intenção de sua alma.

Acho que mamãe não aceitou suas preces já que ele, fingindo me consolar, abraçava-me alisando meu rosto e dizendo:

— Não chore, meu querido Ciro! Ela agora descansa no paraíso de Deus.
— Eu amo muito mamãe, não vou esquecê-la nunca, padre!
— Se sentir muita tristeza, vá até a paróquia que eu o consolo.
— Sim, senhor.

E assim mamãe foi enterrada sob muitos prantos. Mas os únicos verdadeiros eram os de papai, dona Tereza e o meu, pois as outras mulheres jamais haviam nos visitado. Eu anotei isso em minha mente: "as pessoas sabem ser falsas e fingidas quando assim lhes convém".

## A Primeira Lição

Os dias se passaram, e eu comecei a ficar mais tempo em casa, pois agora era minha obrigação fazer a limpeza e a comida. Eu procurava caprichar o máximo que podia, papai não comia quase nada e, em poucos meses, estava magro e desnutrido. Eu tentava animá-lo, mas era só tocar no assunto e ele cobria o rosto com as mãos e chorava a ausência de mamãe.

Acho que ele não se casou com ela para alcançar o prazer e sim porque a amava muito. Agora eu sabia o que era o amor de um homem por uma mulher.

Mamãe era tudo para ele e sua morte estava consumindo-o muito rapidamente.

Pela primeira vez após a morte de mamãe, fui à casa de dona Tereza. Ela me recebeu com o tradicional e apertado abraço e o beijo no rosto, porém sem as gargalhadas habituais. Ela também sentira a morte de mamãe.

— Como vai, Ciro?

— Triste, dona Tereza. Acho que a vida perdeu o encanto para mim.

— Não diga isso. Você ainda é uma criança e não sabe o que está dizendo.

— Isso é porque a senhora não viu como está meu pai. Acho que ele também vai morrer!

Após dizer isso, comecei a chorar.

— Acalme-se e me conte o que está acontecendo com seu pai. Venha, sente-se aqui e pare de chorar. Você já não é tão criança assim.

Contei-lhe o que estava acontecendo com papai. Quando terminei, ela falou:

— Amanhã mesmo vou falar com ele, sinto que ele perdeu o gosto pela vida. Mas você não deve deixar isso acontecer, Ciro. A vida é muito preciosa para deixarmos de vivê-la.

— Eu estou muito triste, dona Tereza. É por isso que eu não tenho vindo aqui. Vou voltar a ajudá-la na sua horta.

— Gostaria de ir comigo apanhar alguns legumes?

— Sim.

— Então apanhe esta cesta e traremos o bastante para você levar um pouco para sua casa.

— Obrigado, dona Tereza, a senhora é muito bondosa!

— Nem tanto, Ciro. Apenas dou um pouco do que tenho para quem eu gosto.

Nós sorrimos do modo como ela falou. Logo estávamos em sua horta colhendo os legumes.

— Ela já não está tão limpa como no tempo em que você vinha me ajudar, Ciro.

— Amanhã mesmo eu a limpo para a senhora.

— Ótimo. Assim não terá tempo para ficar pranteando a sua querida mamãe, que só quer vê-lo sorrindo e não, chorando.

— Como sabe o que ela quer?

— Eu sei e é só. Chega de chorar e comece a sorrir. Só assim ela sorrirá no lugar onde está, lá no céu.
— Se a senhora diz...
— Eu sei que é verdade. Agora vamos voltar para casa e preparar um gostoso cozido com carne e legumes. Você me ajuda?
— Com muito prazer.
— Só não vá se cortar desta vez, está bem?
— Sim, senhora. Vou tomar mais cuidado.
— E não precisa ficar envergonhado. Está na hora de você perder um pouco da sua timidez.
— Não consigo ser diferente. Acho que vou ser sempre assim.
— É por isto que gosto de você, Ciro. Eu sempre sei quando você está sentindo algo, seu rosto logo o denuncia. Precisa mudar, ou terá muitos problemas no futuro.
— Não sei como mudar.
— Eu vou ensiná-lo a como controlar suas emoções.
— Verdade?
— Sim. Vai ver como depois disso se sentirá outro, Ciro. Um Ciro muito mais maduro e não tão tímido!
— Como vai fazer, dona Tereza? Tem alguma reza para o meu problema?
— Não é bem uma reza, Ciro, mas funciona até melhor que ela no seu caso.
— Então é uma simpatia?
—Também não. Vamos, deixe esta cesta aí em cima da mesa e me acompanhe.

Eu deixei a cesta com os legumes sobre a mesa e a segui até seu quarto. Ela se sentou na beira da cama e mandou-me sentar ao seu lado. Eu olhei para seu rosto e perguntei:
— O que vai fazer, dona Tereza? É algo que desconheço?
— Esqueça as orações, promessas e simpatias, Ciro. O que vou lhe ensinar vai acabar com vários dos seus problemas.
— Mas meu único problema é meu rosto ficar em chamas quando sinto vergonha de algo.
— Como você é tolo, Ciro! Lembra-se por que cortou o dedo?

Eu abaixei a cabeça, pois meu rosto esquentou imediatamente.
— Eu não sabia o que estava dizendo. Perdoe-me, dona Tereza, acho que lhe faltei com o respeito naquela noite.

Ela tomou minhas mãos entre as suas e apertando-as contra os seus seios perguntou:
— Por que pede perdão quando deveria estar olhando nos meus olhos e repetindo o que me disse naquela noite?
— Eu... eu...
— Ciro! Olhe nos meus olhos. Vamos, olhe nos meus olhos!

Eu, a muito custo, olhei nos olhos dela.
— Agora repita exatamente o que me disse naquela noite.

Desviei os meus olhos e falei:
— Não posso!

— Por que não?
— Eu tenho vergonha. Só falei aquilo porque...
— Vamos, Ciro! Olhe para mim e não desvie mais os olhos dos meus.
Eu olhei novamente para seu rosto, sua voz estava áspera.
— Agora não os desvie mais enquanto falamos, certo?
— Sim, senhora!
— Agora repita. Estou ouvindo!
Gaguejando e com medo, eu repeti.
— Mais uma vez, Ciro. Fale com confiança na voz e sem medo nos olhos, pois eu só estou tentando ajudá-lo.
— Sim, senhora.
Eu repeti várias vezes ainda. Ela só parou de me mandar repetir quando eu já estava me divertindo com a situação. Então ela tomou novamente minhas mãos e as colocou sobre seus volumosos seios. Eu desviei meus olhos dos dela e olhei para onde estavam minhas mãos.
— Isso lhe agrada, Ciro?
— Sim.
— O que mais o agrada?
— Bem.
— Não olhe para o lado. Olhe nos meus olhos ao dizer o que mais lhe agrada e pode pôr suas mãos onde quiser, que não vou ficar brava com você. Lembre-se que só quero ajudá-lo.
Bem lentamente, fui pondo a mão nos lugares que me agradavam e só parei quando ela falou:
— Agora vou pôr minhas mãos onde me agrada em você. Faça o mesmo em mim, está certo?
— Sim, senhora.
Eu já não ficava vermelho ao conversarmos ou nos tocarmos. O que posso dizer é que ela e eu nos conhecemos de outra forma que não a de só olhar ou tocar. Foi uma forma bem mais íntima de se conhecer algo ou alguém. Eu já ia saindo de sua casa quando ela me chamou e falou séria.
— Ciro, há muitas formas de um menino tornar-se um homem e hoje você conheceu uma. Outra maneira é não ser como esses tolos que não conhecem o que você conhece e vivem falando asneiras só para impressionar os outros. Certas coisas, um homem só as pratica, mas nunca comenta. E a que você praticou comigo não é para ser comentada, compreende?
— Sim, senhora. Ninguém saberá de nada.
— Ótimo. Uma mulher não gosta que a tornem alvo de comentários maliciosos. Lembre-se do que eu disse e deixe os tolos ficarem ladrando como os cachorros vadios e famintos. Você não precisa agir como eles. Compreende isto, Ciro?
— Sim, senhora!
— Então, dê-me um beijo e um abraço e vá levar estes legumes para sua casa.
Bem, logo fui para casa contente pelo acontecido. Ao chegar, vi papai sentado em sua cadeira e com os olhos fechados.

— Olá, papai! Trouxe legumes frescos da horta de dona Tereza. Vou preparar um ótimo cozido que ela me ensinou a fazer. Ela nos deu até a carne para cozinhar. Logo estará pronto.

— Não estou com fome, Ciro. Faça só para você.

— Quando estiver pronto, garanto-lhe que vai querer um pouco.

Eu preparei o cozido com esmero, mas nem assim ele o apreciou. Mal tocou no prato que lhe servi e foi dormir.

Como eu não tinha o que fazer, fui dormir também.

No dia seguinte, logo ao amanhecer, dona Tereza veio até nossa casa e pediu-me para ir limpar sua horta pois queria falar com meu pai. O que falou eu não sei. Mas quando voltou, seu semblante não era de alegria. Não me disse nada, mas percebi que tinha sido em vão sua tentativa de animar meu pai.

Por volta das dez horas, ela me chamou para comer um pouco.

Quando já havíamos terminado de comer, ela me disse:

— Leve o que sobrou ao seu pai.

— Volto mais tarde para terminar com sua horta, dona Tereza!

— Eu o espero, Ciro.

Fui rápido levar a comida ao meu pai, mas quem acabou comendo foi o nosso cãozinho, pois ele mal tocou no prato que lhe servi.

Deixei a casa em ordem e voltei para a casa de dona Tereza.

— O seu pai comeu o que lhe mandei?

— Só umas duas ou três colheradas e nada mais. Agora vou terminar de limpar sua horta.

— Eu preparo o jantar para seu pai, assim não precisará fazê-lo.

— Poderei comer mais uma vez com a senhora, dona Tereza?

— Repita quantas vezes quiser até se fartar, Ciro!

Ela deu uma de suas risadas gostosas de se ouvir e mandou-me terminar com a limpeza da horta. Terminei rapidamente e voltei para a casa dela.

— Vá tomar um banho, Ciro, pois uma mulher não gosta de ter perto de si alguém cheirando a suor. Lembre-se disso também e verá como elas vão gostar de tê-lo por perto. Não seja como esses cães vadios e famintos, que só tomam banho quando chove.

— Sim, senhora.

Eu fui me lavar. Quando voltei, ela também havia tomado banho e cheirava gostoso. Após a ceia e a refeição, ela me disse:

— Ciro, terei de ir até o outro lado da aldeia fazer um parto.

— Quando?

— Amanhã cedo virão me buscar. Caso queira vir mais tarde e passar a noite comigo, fale com seu pai primeiro.

— Sim, senhora. Vou vir assim que ele for se deitar.

— Não venha muito tarde senão acabo pegando no sono e não gosto de ser acordada.

Eu fui embora. Ela ficou me olhando da porta de sua casa e falou:
— Seu pai pode ter perdido a vontade de viver, Ciro. Mas eu não vou deixar que o mesmo aconteça a você. De jeito nenhum isso irá acontecer. Vou fazê-lo amar a vida e gostar de amar.

Eu voltei ao anoitecer e passei a noite na casa dela. Só acordei com o sol bem alto, e ela já havia partido.

Eu arrumei a casa e a tranquei, depois fui para a minha e me surpreendi ao ver o padre Benini sentado a nossa porta.

— Como vai, padre?
— Bem. E você, Ciro?
— Vou indo, padre.
— Não apareceu mais na paróquia para tomar lições. Por quê?
— Eu tenho de cuidar da casa agora que mamãe morreu. Também não sinto mais vontade de ler ou escrever, padre.
— Mas isso será muito bom para você, Ciro! Ainda é jovem e eu pressinto que, se aprender, terá um futuro melhor que o de um simples camponês.
— O senhor tem toda razão. Mas não posso abandonar minha casa, pois meu pai está doente também. Estou com medo de que ele possa vir a morrer.
— É. Eu o vi quando saiu para trabalhar. Está com uma aparência horrível. Você não passou a noite em sua casa?
— Não. Eu fui à casa de dona Tereza e, como fiquei até tarde, ela me deixou dormir lá. Assim eu limpei sua casa e tratei dos animais. Ela partiu muito cedo para o outro lado da aldeia, onde há um parto a ser feito.
— Você dormiu na cama dela, Ciro?

Sua voz era melíflua e insinuante. Eu fiz uma cara de espanto e menti-lhe descaradamente. Como eu não gostava daquele homem!

— Como insinua uma coisa dessas, padre? Dona Tereza foi quem fez o parto de minha mãe e salvou-lhe a vida. Eu vou à casa dela desde que me lembro de ser gente. Eu a tenho como uma segunda mãe e acho que ela gosta de mim como o filho que não teve. Como pode um homem como o senhor insinuar uma coisa dessas?
— Eu estava brincando com você, Ciro. Não sabia da sua amizade com a feiticeira Tereza.
— Dona Tereza não é uma feiticeira, padre. Ela fez todos os partos aqui na aldeia e é uma rezadeira, nada mais.
— Bom, deixa isto para lá, Ciro, parece que você está azedo hoje.
— É a tristeza. Depois que mamãe morreu, perdi a alegria e agora estou com medo de que meu pai morra também.
— Você precisa se divertir um pouco, Ciro. Por que não vai à paróquia no sábado à noite? Vai haver uma festa. Teremos um casamento. Assim você poderá dançar um pouco.
— Eu não sei dançar, padre.
— Você nunca dançou em sua vida?
— Não, senhor. Só vi danças uma vez, e ainda de longe.

— Então vá lá no sábado que aprenderá a dançar. Vou arrumar alguém que lhe ensine.

— Eu tenho vergonha, padre. Acho que não vou não!

— Você precisa perder essa vergonha e descobrir como é bom se divertir um pouco. Se não fizer isso, nunca se casará. Moça alguma irá querer um homem que não sabe dançar ou se divertir. Há coisas que você tem de aprender, Ciro.

— Mas eu sei fazer muitas coisas, padre. Sei cuidar da casa, lavar roupas...

— Isso uma mulher faz muito bem.

— Uma mulher?

— Sim, uma mulher. Você não conhece uma mulher e suas qualidades?

— Mamãe lavava nossa roupa muito bem. Acho que não há outra como ela.

— Vá à festa de casamento e conhecerá muitas mulheres iguais a sua mãe.

— Não há outra mulher igual à minha mãe, padre! — eu exclamei com a voz alterada.

— É, hoje você está azedo mesmo. Espero-o no sábado. Não falte!

— Sim, senhor.

Ele se despediu, montou no seu cavalo e se foi. Como seria bom se o cavalo empinasse e o lançasse ao solo. Mas isso não aconteceu até ele sumir numa curva já ao longe.

Entrei em minha casa, fui cuidar de limpá-la e fazer o almoço.

# Capítulo II

# Um Grande Amor

No sábado, fui até a paróquia da aldeia e fiquei num canto, observando a realização do casamento. Após a cerimônia religiosa, todos saíram da igreja e dirigiram-se ao pátio coberto que havia ao lado.

Eu não fui com eles. Quando me vi a sós no interior da igreja, comecei a admirar as pinturas que havia em suas paredes. Como eram lindas. Na certa um gênio as pintara, pois pareciam ter vida. Uma a uma, eu voltava a admirá-las após tanto tempo afastado da paróquia devido às insinuações do padre Benini. Como eram bonitos os ícones bem moldados pelas mãos dos artistas.

Após admirar todo o interior da paróquia, parei diante do altar e comecei a orar. Primeiro por meu pai, depois por dona Tereza e, finalmente, pela alma de mamãe. Fiquei quase uma hora orando diante da cruz sagrada em tamanha concentração, que nem notei a presença de alguém sentado no banco de trás.

Só percebi quando ouvi um leve tossir. Assustei-me, pois pensava estar a sós, e nem ousei olhar para trás. Preferi me levantar e sair sem ver quem estava ali. Caminhava para a saída oposta ao lado onde estavam cantando e dançando os aldeões, quando uma voz delicada me interrompeu:

— Não vai dançar também, menino?

Virei-me um tanto embaraçado, pois a voz era delicada e logo presumi ser de uma jovem.

— Não sou um menino e não vou dançar porque não gosto de danças. — respondi num tom de voz indelicado.

Mas ao ver como ela era bonita, arrependi-me do tom usado e das palavras ditas. Com ela certamente eu dançaria a noite toda, mesmo sem saber como mover meus pés.

— Desculpe! Não quis ofender ao chamá-lo de menino.

— Não tem importância, senhorita. Acho que só não estou lá porque na verdade não sei dançar. Com licença, pois já terminei minhas orações e vou voltar para minha casa.

— Onde você mora e como se chama?

— Meu nome é Ciro e moro nas terras do príncipe Pietro Neri que ficam do outro lado do rio. Com licença, senhorita!

Eu saí da paróquia e sentei-me em um banco que havia no jardim e fiquei lembrando do rosto dela. Como era bonita! E nem havia perguntado o seu nome. Que idiota eu havia sido. Então, exclamei alto:

— Ciro, seu idiota! Só você mesmo para ser assim!
— Por que se acha idiota, Ciro?

Meu susto foi tão grande que a cor sumiu toda do meu rosto. Depois veio o rubor característico. Eu a olhava como um perfeito idiota, sem saber o que dizer. Gaguejei muito.

— Eu... eu... eu... Bem! Deixa pra lá. Acho que não importa mesmo.
— O que não importa?
— O seu nome. Você faz cada pergunta, senhorita!
— Oras! Você disse que ia embora e sentou-se aqui. Então eu vim até você para conversar um pouco, pois não quero dançar com os aldeões.
— Por que não?
— São muito chatos e só pensam em ficar à minha volta.
— Mas eu também sou um aldeão!
— Você é diferente deles e não fica com ar de que é o mais galanteador da aldeia.
— Isso é porque não sou o mais bonito e muito menos sei dizer galanteios a uma mulher.
— Já notei isso, Ciro. Acho que não gosta de minha companhia.
— Não é nada disso. Eu só estou confuso e não sei o que conversar com você. Já lhe disse quem sou, como me chamo e onde moro. O que mais teria a dizer?
— Então pergunte, oras!
— O quê, por exemplo?
— Sei lá. Meu nome, onde moro!
— Está bem. Como se chama e onde mora a senhorita?
— Moro em Bolonha e me chamo Mariana. O que mais quer saber?
— Nada, Mariana. Isso já é o bastante.
— Só isso lhe interessa saber sobre mim?
— Sim, pois eu noto que é de família nobre e não vou alimentar ilusões já que é de uma classe superior à minha. O que adianta eu achá-la a moça mais linda que já vi, se não posso beijá-la?
— Para alguém que não é um galanteador, até que você é bastante ousado!
— O que eu disse não tem nada a ver com galanteios, é o que eu acho, penso e sinto vontade de fazer. Mas eu sei o meu lugar e não vou me iludir. Deixo os outros rapazes sonharem com o impossível.
— Puxa! Como você é direto no que diz. Do jeito que fala até parece um desiludido com a vida, descrente de suas possibilidades futuras.
— Que possibilidades? Meu pai nasceu nas terras do pai do príncipe, e meu avô também. Eu estou no mesmo lugar em que viveu meu avô e não acho que seja mais inteligente que ele para alterar minha vida. Assim como ele preferiu ser um agricultor a ser um pedinte em Bolonha, eu também prefiro.
— Mas ao menos você podia tentar.

— De que jeito? Não há alternativa, Mariana! Se eu sair daqui, irei para as terras de outro nobre e talvez em condições piores. Melhor continuar aqui onde já conheço como é o nosso proprietário.

— O príncipe é seu proprietário?

— Mais ou menos. Somos vassalos e nada podemos ter além da nossa casa, que fica nas terras dele. Na verdade, somos como escravos. Só que ele não precisa de guardas para nos vigiar.

— Você é muito ácido com a vida, Ciro. Por que não me convida para dançar? Com você eu dançaria com prazer.

— Já lhe disse que não sei dançar, senhorita Mariana!

— Eu ensino.

— Para os outros ficarem se divertindo com meus tropeços? Não!

— Vamos ficar deste lado que não há ninguém. Assim, poderá aprender os passos certos sem ninguém nos ver. O que acha?

— Não sei, não. Acho que sou tímido demais para dançar.

Mariana tomou minhas mãos e falou:

— Vamos lá. Daqui nós podemos ouvir a música muito bem.

— Eu não sei como começar, senhorita.

— Dê os mesmos passos que eu e logo os coordenará com a música. Vamos, Ciro. Mexa-se!

— Está bem, senhorita.

— Mariana é um nome feio?

— Não. Eu, pelo menos, acho-o bonito. Quase tão bonito quanto você, Mariana!

Ela deu um sorriso e puxou minhas mãos para que eu começasse a dançar. Pouco a pouco fui me soltando e logo aprendia a dar os primeiros passos. Nós ficamos bastante tempo "dançando" a sós e ao som distante das canções de dança.

— Vamos parar um pouco, Mariana. Eu já estou cansado.

— Só mais esta, é muito gostosa de se dançar. Depois vamos nos sentar um pouco até você descansar!

— Ainda mais essa?

— Sim, senhor. Mais essa dança!

Nós a dançamos. Quer dizer, ela dançava e eu a acompanhava. Depois nos sentamos no banco. Ela não soltou minhas mãos e ficou com elas presas entre as suas.

— Viu como foi fácil, Ciro?

— Não é tão difícil assim. Eu é que sou muito tímido, Mariana.

— Por que está me olhando assim?

— Estou com vontade de beijá-la. Não sei como me segurei até agora.

— O que o está impedindo é sua timidez?

— Não. A única coisa que me impede é não ser compreendido por você, pois pode pensar que sou abusado. Mas, acredite, eu estou apaixonado por você.

— Hummm! Então seu coração foi trespassado pela flecha do cupido!

— O seu não?

— Bom, eu não sei dizer ao certo. Mas quem sabe, não...

Eu não a deixei falar mais e a beijei demoradamente. Nesse meio tempo, eu a envolvi nos meus braços e a apertei contra mim. Quando separamos nossos lábios, quem estava corada era ela, que comentou quase sem fôlego:

— Puxa, ainda bem que você é tímido, Ciro!

— Eu não sei fazer galanteios, mas sei como beijar uma moça bonita como você, Mariana. E não conseguiria dormir em paz e sonhar com você se não experimentasse o sabor dos seus lábios.

— Qual o sabor deles?

— É o sabor de ver a primavera chegar bem florida e inundar nossos olhos com sua beleza e nossos sentidos com o seu perfume. Mas o verdadeiro sabor deles, só num sonho é possível sentir.

— Por quê?

— Porque na hora em que você se for, só restarão lembranças, saudades e recordações para um tímido aldeão chamado Ciro. Acho que vou sentir tanta saudade de você, que meu coração vai chorar a sua ausência tanto quanto a de minha mãe.

— Já me compara à sua mãe?

— Sim. Você é como ela. Cheia de amor e bela como uma flor.

— Como você é romântico. Até parece um poeta apaixonado.

— Apaixonado sei que estou. Isso eu sei com toda a certeza. Mas poeta não posso ser, pois não sei escrever ou ler.

— Então é um inspirado apaixonado. Quantos anos tem, Ciro?

— Dezesseis para dezessete — eu mentia a idade, mas que importância teria isso.

— E você, Mariana?

— Quinze anos completos.

Quis beijá-la novamente, mas ela pousou delicadamente sua mão no meu peito e disse-me:

— Só lhe darei outro beijo se for dançar comigo lá no pátio, junto com todos os outros aldeões.

— Isso não. Eu não tenho coragem!

— Meu beijo não vale esse esforço de sua parte?

— Sim, mas é que...

— Quando as danças terminarem, nós voltamos aqui e trocamos outro beijo. Assim terá motivos suficientes para vencer sua timidez, isto é, caso ache que é um sonho me beijar.

— Está certo. Vou fingir que estou sonhando e nem vou prestar atenção às pessoas a nossa volta. Só verei você e ouvirei as canções.

— Então vamos, Ciro, estão cantando uma música muito bonita.

Ela já havia se posto de pé e me puxava pelas mãos. Eu segurei nas delas e a puxei para mim, trocando um longo beijo.

— Você não deixa nada para depois, não é, Ciro?

— Só assim eu vou entrar na dança sonhando.

Nós fomos sorrateiramente e, sem que percebessem, entramos na roda de danças. Não larguei a mão dela enquanto durou o bailado. Por incrível que pareça, eu não fiz feio, junto a ela, e só uma vez desviei os olhos dos dela. E quem eu vi?

— O padre Benini!
— O que tem o padre?
— Está olhando para nós.
— Você tem medo dele?
— Não, mas não gosto dele. Se pudesse, não olharia nunca mais no rosto dele.
— Então olhe só para o meu e esqueça-o.

Foi isso mesmo que eu fiz. Olhei o tempo todo para ela e só soltei suas mãos quando encerraram a música, terminando com nossa alegria. Saímos sorrateiros como entramos e logo estávamos sentados no mesmo banco. Assim que nos beijamos, um grupo de rapazes começou a debochar de mim.

— Olha lá o filho da manqueta! Está tentando conquistar sua primeira mulher na vida.
— Garanto que ele não falou para ela que é filho de um vassalo do príncipe Pietro e não tem nem um palmo de terra para cair morto.
— É, e nem falou para ela que sua mãe parecia uma mula manca ao caminhar.

Eu fiquei mais vermelho que um pimentão e já ia me atracar com eles, quando o padre Benini apareceu e os enxotou dali.

— O que aconteceu, Mariana?
— Nada, tio. Só uns rapazes tolos fazendo gracejos por me verem conversando com Ciro.
— É melhor você entrar, Mariana. Já está escuro e não a quero fora da paróquia à noite.
— Já vou, tio. Deixe eu me despedir dele que me recolho.
— Despeça-se que eu a levo para dentro.

Ela olhou para mim e nada falou. Só deu um leve beijo no meu rosto e se foi com o padre para dentro da paróquia.

Fiquei olhando-a até entrar. Depois, caminhando lentamente, voltei para casa. Lágrimas de revolta desciam pelas minhas faces. Eles haviam ofendido minha querida mãe só para me humilhar na frente de Mariana. Eu ficara com tanto ódio que, se não fosse a aparição do padre, esganaria o que minhas mãos agarrassem primeiro.

Como ia devagar, cheguei tarde da noite em casa e logo tive outro motivo forte para chorar. Meu pai agonizava no seu leito e acho que só esperava a minha chegada para morrer.

— Papai! O que há com o senhor?
— Estou morrendo, Ciro. Meu peito dói muito e acho que já não aguento mais nem respirar. Cuide-se, filho, e me perdoe por não ter sido um bom pai.
— Mas o senhor é um bom pai. É o melhor pai do mundo e eu o amo muito. O senhor sabe disso!
— Eu sei, filho. Por isso peço perdão por abandoná-lo ainda criança neste mundo cruel, mas não consigo mais viver sem sua mãe por perto. Perdoe-me, filho. Diga que me perdoa, pelo amor de Deus!

— Eu não sei por que devo perdoá-lo, mas se isso o deixa mais tranquilo, eu o perdoo, papai.

— Não me ache um, covarde, filho, e cuide-se bem.

Estas foram as suas últimas palavras. Deu um gemido rouco e ficou todo negro de um lado do rosto. Eu comecei a gritar sem parar de tanto desespero. Meu pai partia e eu me sentia mais vazio que quando mamãe morrera. Já não tinha a quem me agarrar.

Aos prantos, fui até a casa de dona Tereza. Talvez ela já tivesse voltado.

Mas assim que atravessei o pequeno bosque e vi sua casa às escuras, dirigi-me a outro vizinho, e assim que cheguei fui recebido por um dos rapazes que haviam me humilhado na frente de Mariana.

— O que você quer aqui, Ciro?

Preciso falar com seu pai.

— Maricas! Ainda está chorando desde a paróquia? Acaso pensa que meu pai irá consolá-lo. Vá embora, nós não gostamos de vocês.

— Eu preciso de ajuda, Sérgio. Meu pai morreu e não tenho mais ninguém para me ajudar.

— Bem-feito para você. Quem mandou serem tão isolados das outras pessoas. Vá procurar ajuda com outros vizinhos, pois meu pai não vai querer ajudar você.

Eu saí amargurado. Tinha sido enxotado mesmo com ele sabendo que meu pai havia morrido. Resolvi ir até a paróquia pedir ajuda ao padre Benini.

# Capítulo III

# O Padre Benini

Só cheguei à paróquia com o dia clareando. Bati na porta da casa do Padre Benini, que ficava nos fundos da igreja. Como não saía ninguém, bati mais forte e gritei o seu nome.
— Padre Benini! Padre Benini! Ajude-me, por favor.
Uma voz sonolenta gritou do interior da casa.
— Espere um pouco! E não precisa gritar tanto que não sou surdo.
Pouco depois, ele abria a porta.
— Ciro! O que houve? Por que veio até aqui?
— Meu pai morreu, padre Benini. Não sei o que fazer!
— Entre, entre. Que coisa! Há pouco tempo foi sua mãe e agora o seu pai. Sente-se aí que já volto.
Eu me sentei e comecei a chorar. Nisso Mariana entrou na saleta e, ao ver-me, perguntou:
— Ciro, o que houve? Por que está chorando?
— Meu pai morreu pouco depois que cheguei em casa.
— Sinto muito, Ciro, meus pêsames! Não chore, não poderá revivê-lo com seu pranto.
Eu nada falei, apenas chorei mais ainda.
— Vamos, Ciro, já estou pronto. Vou com a carroça e traremos o corpo dele para cá.
— Obrigado, padre.
Fomos até minha casa e, assim que chegamos, o padre enrolou o corpo numa mortalha e nós o colocamos na sua carroça. O corpo ficou sendo velado na paróquia até a tarde e depois foi enterrado ao lado de mamãe. Depositei flores nos dois túmulos e fiquei pranteando os dois seres mais queridos para mim. Padre Benini pôs sua mão nos meus ombros e convidou-me a ir embora.
— Mais tarde eu vou, padre. Obrigado por sua ajuda.
— Vá me procurar na paróquia, Ciro.
— Eu vou depois, padre. Agora quero ficar aqui com meus pais.
— Venha conosco, Ciro. Não pode ficar aqui chorando por ele a noite toda!       — era Mariana quem falava agora.

— Depois eu vou, Mariana. Quero ficar a sós e chorar sua morte.

Eles se foram e fiquei sozinho no pequeno cemitério da aldeia. Todos tinham medo de passar por ali à noite, mas eu não pensava em nada disso, e já era noite quando um senhor vestido com uma longa capa negra aproximou-se de mim.

— Boa-noite, rapaz!

— Boa-noite, senhor.

— Por que está soluçando defronte a esses túmulos?

— São dos meus pais, senhor.

— Não acha que já é tarde demais para ficar aqui?

— Se meus pais estão aqui, eu também quero ficar.

— Mas não pode ficar aqui. Este é o lugar dos mortos descansarem. Seu pranto incomoda-os em seus túmulos.

— Que se danem, eu choro pelos meus pais. Eles que tapem os ouvidos se isso os incomoda.

— Você é bem mais corajoso que a maioria dos moradores desta aldeia.

— São todos uns covardes que só sabem nos humilhar. Nem vieram se despedir do corpo de meu pai.

—É, eu vi! Só tinha o padre e aquela mocinha bonita ao seu lado, além do coveiro.

— Como viu se eu não o vi por perto?

— Eu estava mais embaixo, observando o enterro. Por que não volta para sua casa?

— Não há mais ninguém a me esperar naquela casa, senhor!

— Então vá para a casa do padre.

— Eu não gosto dele.

— Por que não?

— Ele é um afeminado que vive se insinuando para mim. Qualquer dia eu perco a cabeça e vou direto para o inferno, pois vou agredi-lo e certamente serei excomungado.

— Não faça isto, Ciro.

— Como sabe meu nome?

— Eu ouvi você ser chamado por este nome.

— Ah!

— Pois bem! O que você tem na vida?

— Nada. Tudo o que eu tinha está enterrado aí nesses túmulos.

— Então consiga alguma coisa com o padre. Dê a ele o que ele quer e arranque dele tudo o que precisa.

— Eu não preciso de nada, senhor.

— Mas amanhã irá precisar.

— Como assim?

— Sabe por que Tereza não estava em sua casa ontem nem hoje?

— Não.

— Ela foi presa e acusada de feitiçaria.

— O que disse?

— Foi o que você ouviu. Ela realizou o parto, mas a criança já estava morta há dias. Ela rezou para salvar a mãe, tal como fez quando você nasceu, mas desta vez suas rezas não funcionaram. Então o marido da mulher morta começou a gritar, dizendo que ela era feiticeira e que havia provocado a morte de sua esposa! Ele não entendeu que ela falecera por causa do feto morto há dias no seu útero.

— Como está ela?

— Sofreu um pouco. Foi levada para Bolonha logo a seguir. No cárcere, foi torturada para que confessasse que era uma feiticeira.

— Mas ela não é uma feiticeira, senhor!

— Eu sei e você sabe disso. Mas quem somos nós para salvá-la?

— Quem poderá salvá-la de ser queimada?

— O padre poderá fazê-lo, se você o convencer a isto.

— Como posso pedir para ele ajudá-la, se ele já a chamou diversas vezes de feiticeira só porque suas rezas ajudam as pessoas?

— Finja, Ciro. Dê a ele o que deseja e logo ela estará de volta. Não custa nada a você fazê-lo libertar Tereza. E também ajudá-lo a ter algo na vida!

— Como o quê, por exemplo?

— Conhecimento, Ciro. Sabedoria e cultura. Só assim você sairá deste lugar miserável. Com a ajuda dele terá tudo isso e, quando achar que já tem bastante, largue-o e vá embora, pois, como você mesmo disse há pouco, as únicas coisas que tinha estão enterradas aí nesses túmulos.

— Como o senhor sabe de tudo isso a meu respeito, do padre e de Tereza?

— Eu sei de muitas coisas, Ciro. Quando quiser conversar comigo, venha ao cemitério próximo da meia-noite e me chame, que eu apareço. Mas nunca venha acompanhado, pois não me mostrarei a mais ninguém.

— O senhor não é deste mundo?

— Isso o assusta?

— Não.

— Ótimo! Então tome este anel e nunca o perca, pois bastará esfregar sua pedra negra, chamar-me, que eu me mostro a você.

— Está certo, senhor...?

— Chame-me de "Senhor da Longa Capa Negra" e só. Nunca diga isso para ninguém, Ciro. É um segredo nosso, está bem assim?

— Sim, senhor!

— Então não conte a ninguém o que lhe falei sobre Tereza, pois ainda não sabem de nada por aqui. Só amanhã depois do meio-dia a notícia chegará a esta aldeia. Finja, Ciro. Salve Tereza, ela não merece ser queimada viva depois de cuidar de tantas vidas. Não acha que depois do que fez por você, ela merece ser poupada desse fim?

— Sim, merece e vou salvá-la, com a ajuda do padre Benini.

— Pague o preço dele e evitará o suplício dela. Tome o meu anel. Diga a quem lhe indagar sobre ele que pertenceu ao seu avô, e que agora você vai usá-lo, pois seu pai o guardou todos esses anos.

— Sim, senhor.

— Não falhe, Ciro, senão Tereza será queimada na semana que vem. Até outra vez e só me procure se realmente não tiver outros meios para se livrar dos perigos.

— Até outra noite, Senhor da Longa Capa Negra.

Eu o vi caminhar por sobre os túmulos e desaparecer na escuridão. Coloquei o anel no dedo e ele se ajustou bem. Até parecia que havia sido feito para mim. Levantei-me e fui embora para casa. Só depois de haver caminhado um bom trecho do caminho, comecei a pensar no Senhor da Longa Capa Negra. Quem seria ele?

Estranho! Mas como ele sabia de tudo a nosso respeito? Eu nunca o vi antes! Na certa é um dos fantasmas que todos dizem habitar o cemitério. Ah, deixa pra lá. Que me importa quem seja ele?

Eu dizia isso para me acalmar, pois um medo muito grande estava tomando conta de mim. Comecei a correr e só parei depois que entrei em minha casa e acendi uma lamparina. Não consegui dormir até o sol surgir no horizonte.

Por volta das nove horas da manhã, acordei assustado e lembrei-me de que ele havia dito que Tereza corria perigo e que depois do meio-dia a notícia chegaria a nossa aldeia. Tomei um banho rápido, troquei de roupa e fui até lá. Cheguei por volta das onze horas e me dirigi à paróquia. Pelo menos iria rever Mariana. Bati na porta e foi ela quem veio me receber.

— Ciro, que bom que você veio! Entre, pois íamos almoçar. Você come conosco?

— Não estou com fome, Mariana.

— Você passou a noite toda acordado, não?

— Sim. Não consegui dormir senão um pouco, depois que o sol surgiu.

— Você não come nada desde a festa aqui na paróquia, não é?

— Sim, mas não estou com fome.

— Está pálido como uma imagem de gesso. Venha sentar-se e coma um pouco.

— Já lhe disse que não estou com fome, Mariana!

— Está bem, eu vou lhe dar o restante do beijo que lhe devo e depois você vai comer, pois não vai querer morrer sabendo que o quero vivo. Você faz isso por mim, Ciro?

— Faço. Mas não precisa me beijar.

— Mas eu quero dar o que lhe devo.

Ela veio mais perto, apanhou meu rosto com suas mãos macias e deu-me um beijo demorado.

— Hoje você não está como na festa, Ciro!

— Hoje eu já não tenho mais o meu pai, Mariana.

— Esqueça da morte e coma para que possa viver.

Segui-a, sentei-me à mesa e comi um pouco.

O padre olhava para mim com o olhar de sempre e eu senti um arrepio percorrer-me o corpo ao lembrar das palavras do homem misterioso: "Pague o preço, Ciro, e arranque dele tudo o que precisar".

Sorri levemente e notei como ele ficou todo feliz.

— Nossos destinos estão se cruzando cada vez mais, não, Ciro?

— Sim, senhor. Pena que seja sempre da pior forma possível, padre Benini.

— A vida é assim mesmo. Às vezes a gente descobre que a melhor forma de viver é não evitar as pessoas, mas aproximar-se mais delas. Você vivia muito isolado.
— Era por causa de minha mãe. O senhor sabe muito bem disso.
— É, eu sei. As pessoas não compreendem as deficiências dos outros e acham melhor evitá-los. Eu sei bem como são as pessoas, Ciro.
— Acredito nas suas palavras, o senhor me parece um homem muito sábio.
— Titio conhece o mundo todo, Ciro. Conte-lhe, tio Benini!
— Bom, isso é verdade. Eu já viajei por muitos países e falo muitas línguas. Aprendi Matemática com os melhores mestres, Filosofia com os maiores sábios, e muitas outras coisas.
— O senhor está sendo modesto, titio. Por que não mostra os seus livros ao Ciro? Eu os acompanho.
— Então, venham. Ciro, não comente com mais ninguém que tenho tantos livros. Não entenderiam a minha natureza. Assim como meu irmão não a compreende.
Ele tirou uma chave do bolso da sua veste e abriu uma porta. O interior do pequeno quarto estava repleto de livros ainda amarrados. Soltou uma correia e apanhou um dos volumes, dando-o para mim.
— Abra-o, Ciro.
Eu o abri e não entendi nada do que estava escrito nele.
— Não sei ler, padre Benini.
— Isto aí não é latim, Ciro. Este é um livro clássico dos gregos.
— O senhor o lê?
— Sim. Vivi alguns anos na Grécia e tanto leio como escrevo. E falo tão bem como qualquer grego. Eu o apanhei de uma biblioteca que há em Corinto.
— Titio, por que o senhor não toma Ciro como seu discípulo e lhe ensina um pouco! Acho que ele tem algo dos poetas, mas falta-lhe o principal instrumento, que é a cultura.
— Você quer mesmo aprender comigo, Ciro?
Pensei um pouco, e logo me veio à mente as palavras do senhor misterioso: "Pague o preço e tire tudo o que ele tem a oferecer-lhe".
— Vou pensar um pouco, padre Benini. Não sei ainda se vou ficar por aqui, agora que meus pais se foram.
Mariana fez uma cara triste e disse:
— Eu o proíbo de ir embora, Ciro! Você vai aprender com o meu tio e no futuro não precisará mais cultivar a terra, como os outros aldeões. Tenho certeza de que poderá ir a Bolonha e ser um bom mestre.
— Não sei se é isso que eu quero na vida.
Então, padre Benini falou:
— Como pode um rapaz de 14 anos saber o que quer da vida. Ainda não sabe qual será a cor de sua barba! Então como pode saber o que é bom para seu futuro?
Eu fiquei com o rosto vermelho imediatamente.

— Não precisa ficar vermelho só porque lhe disse essas palavras, Ciro. Eu só quero o seu bem.

— Eu sei disso, padre, mas não foi por causa de suas palavras que fiquei com o rosto em chamas. Foi porque eu...

Mariana interrompeu o que eu ia dizer.

— Titio, deixe-me conversar a sós com Ciro e verá como ele vai acabar aceitando sua tutela e será um ótimo discípulo.

— Está certo, Mariana. O que você não consegue?

— Até hoje, consegui tudo o que tentei. Veremos se com Ciro não falharei!

Ela tomou minha mão e me arrastou para o jardim da paróquia. Quando ficamos a sós, tentei me justificar.

— Mariana, eu só menti para não parecer tão criança.

— Eu sei disso, seu bobo. Já havia perguntado sua idade ao meu tio na noite em que o deixei no jardim, pois tinha certeza de que você não tinha quase 17 anos. Mas é muito mais maduro que os de sua idade.

— É, mas agora você é mais velha que eu.

— Quem se importa com a idade?

— Eu me importo!

— Eu continuo gostando de você do mesmo jeito que antes.

— Você disse "gostando?"

— Sim. Não percebe que se ficar com titio eu poderei vir vê-lo sempre, ou irá me ver quando ele for nos visitar?

— Então não é só o meu coração que está trespassado pela flecha do cupido?

— Você não me deixou falar se estava ou não, lembra-se?

— É, mas eu sou mais novo que você. Isso é uma grande diferença no nosso caso. Além do mais, eu não sou um nobre para que possa ficar esperando para casar-se comigo.

— Eu o espero, mas antes se instrua com titio. Assim não será um nobre mas sim um sábio. Nobres existem aos montes. Mas e quanto aos sábios? Têm mais prestígio que os nobres quando realmente o são. Estude com ele e eu o espero até que possa se casar comigo.

— É só um sonho, Mariana. Será que não percebe que está sendo mais infantil que eu?

— Não é bom sonhar?

— Sim, mas com algo que seja verdadeiro. Não com ilusões.

— Quem disse que é ilusão, Ciro? Você está aí e eu aqui. Somos reais e nos gostamos de verdade. Prometo esperar por você até que possa se casar comigo. E se gosta de verdade de mim vai se instruir com meu tio. No tempo certo, ele até nos ajudará a convencer meu pai a permitir o nosso casamento. O que me diz?

— Não sei se devo alimentar essa ilusão.

— Não diga ilusão e sim sonho. Você pode tornar real o nosso sonho se realmente quiser.

— Mas eu sou...

Ela não me deixou completar o que estava começando a dizer e me deu um longo beijo. Bem, eu retribuí. Não custava viver um pouco do sonho, estando acordado. Quando separamos nossos lábios, ela perguntou:

— E então? Vai tornar mais real que isto o nosso sonho?

Não tive tempo de responder, pois um tropel de cavalos encheu o ar e ela não me deixou dizer que sim, pois exclamou:

— Olha, é meu pai.

Ela saiu correndo ao encontro da tropa que se aproximava da paróquia. Fiquei parado, assistindo a tudo a distância.

O pai de Mariana era ninguém menos que o príncipe Pietro Neri, irmão de minha falecida mãe. Ele apeou do seu cavalo e a abraçou demoradamente. Conversaram e entraram na paróquia, indo ao encontro do padre Benini.

Então o padre é irmão do príncipe! E Mariana é sua filha! Nós somos primos e ela nem sabe disso. Bom, como iria saber se tudo fora ocultado por nosso avô? Eu ia pensando enquanto observava a escolta do príncipe. Sentei-me novamente no banco e comecei a lembrar-me das palavras do homem misterioso: "Depois do meio-dia a aldeia receberá notícias de Tereza."

Fui até a paróquia para ouvir algo a respeito.

Ao entrar, o príncipe falava justamente sobre ela com o padre.

— Então você tinha uma feiticeira na sua jurisdição e não sabia de nada?

— Como assim, Pietro?

— Uma tal Tereza que fazia partos aqui na aldeia. Ela foi levada até Bolonha e vai ser queimada na próxima quinta-feira. Foi isso o que me disse o bispo Manfredo.

Eu fui à frente do príncipe e o saudei. Depois falei-lhe:

— Com licença, meu nobre senhor. Peço desculpas, mas não pude deixar de ouvir o que dizia. Dona Tereza não é uma feiticeira!

— Como uma criança como você pode saber dessas coisas?

— Foi ela quem me ajudou a nascer e é uma segunda mãe para mim. Todos os rapazes um pouco mais velhos que eu também nasceram pelas suas mãos. E de lá para cá só ela realizou os partos nesta aldeia. Que ela tinha o hábito de rezar, todos nós sabíamos, mas o padre Benini também reza e nem por isso é um feiticeiro. Não deixe que a matem, meu senhor, pois ela é inocente dessa acusação tão baixa. Dona Tereza não é uma feiticeira. Não ela!

— Você a defende com muita veemência, rapaz! Como se chama?

— Ciro, meu senhor.

— Nada mais pode ser feito, Ciro. O tribunal eclesiástico já a condenou.

— O seu irmão, o padre Benini, conhecia-a e sabe que ela não é uma feiticeira, não é mesmo, padre?

— Não sei, Ciro. Não assisti ao processo dela.

— Mas o senhor a conhece e sabe que ela só fez o bem ajudando todos nós a nascer. Se benzia alguma criança, é porque confiava no poder dos santos!

Eu falava com tal veemência, que ele pediu licença ao irmão e levou-me até a sua casa, nos fundos da paróquia.

— Escute aqui, Ciro, você está me deixando embaraçado na frente do meu irmão.
— É que o senhor poderá salvá-la da fogueira, padre.
— Mas se ela é uma feiticeira, como salvá-la?
— O senhor pode ir até o bispo e dizer quem realmente é dona Tereza. Ele acreditará no senhor.
— Como pode saber se ele acreditará em mim ou não?
— O senhor é o padre dessa aldeia e irmão do príncipe Pietro Neri. Ele certamente ouvirá o senhor.
— Não sei se devo tentar.
— E eu ainda estava pensando que podia aprender com o senhor. Para que saber ler todos aqueles livros, se não serve para salvar a vida de uma inocente. Eu ia só perder o meu tempo!
— Você ia ser meu pupilo, Ciro?
— Ia, mas não vou mais. Se queimarem dona Tereza, eu me matarei pois não restará mais ninguém que goste de mim neste mundo.
— Eu gosto de você. E Mariana também gosta.
— Dona Tereza é como minha mãe. Se ela morrer, eu também vou me lançar no fogo.
— Se eu tentar salvá-la, você promete estudar comigo?
— Se a trouxer viva, eu juro estudar com o senhor, padre Benini. Só não quero me tornar um padre!
— Está certo. Vou falar com meu irmão e depois irei até o bispo. Então verei se posso salvá-la da fogueira.
— Se a salvar, eu farei tudo o que o senhor quiser.
— Tudo, Ciro?
— Sim, senhor.
— Até vir morar na paróquia e estudar dia e noite?
— Sim, senhor. Tornar-me-ei o mais dedicado pupilo que possa existir.
— Está bem! Agora vá para sua casa e não incomode mais o meu irmão. Não quero que ele saia daqui irritado.

Eu beijei as mãos dele e pedi sua bênção. Nem me despedi de Mariana. Só quando já estava longe é que me lembrei dela. Ia voltar, mas algo me fez continuar no caminho para casa.

"O padre Benini a salvará desde que você pague o preço, Ciro." Era o que havia me dito o estranho homem com a capa negra, e o melhor era confiar nele.

Em dado momento, parei e pensei: "Eles terão de passar pela estrada até chegar à bifurcação que conduz a Bolonha. Posso muito bem ficar esperando que eles passem por lá e ver Mariana mais uma vez. E também, se o padre Benini vai cumprir com a palavra dada e ir junto com o príncipe. Talvez tenha me mandado para casa, mas não irá até Bolonha salvar dona Tereza."

Voltei no caminho até a bifurcação e sentei-me. Quem sabe eles passariam logo?

Fiquei o restante da tarde e a noite toda também, e ninguém passou. Meu estômago doía, pois eu não comia direito há três dias e meu corpo tremia com o frio e o sereno.

Que noite horrível. Cheguei a arrancar alguns talos de capim e mordê-los na tentativa de matar a fome e a sede que sentia. Em alguns momentos, um pensamento assaltava minha mente. E se eles já tivessem passado por ali depois de eu ter deixado a bifurcação na tarde de ontem? Mas ainda assim não arredei o pé. Quem sabe passariam logo ao amanhecer.

Assim fiquei até as oito horas mais ou menos. Foi quando vi um grupo de cavaleiros surgir no horizonte.

— São eles! — cheguei a gritar.

Comecei a caminhar como se tivesse indo na direção da aldeia. Não ia demonstrar que havia passado a noite na beira da estrada.

Pouco a pouco os rostos foram se tornando visíveis e divisei Mariana e o padre Benini junto deles. Apesar de faminto e enfraquecido, procurei dar a impressão de que estava bem.

Mas para meu desespero, os dois adiantaram-se pelo outro lado da tropa no exato momento em que iam passar por mim e nem pude ver o rosto de Mariana. Fiquei olhando a comitiva meio abobalhado, no meio da estrada, com o pó cobrindo o meu rosto.

Quando sumiram na longa curva da bifurcação, voltei para casa caminhando lentamente. Não pelo desânimo e tristeza. Era a fraqueza que sentia que me impedia de maiores esforços.

Ao chegar em casa, preparei uma refeição e me senti melhor depois de alimentar-me.

## Inquisição e Dor

Os dias passaram-se e nada de ver dona Tereza novamente. Passou a quinta-feira e nem sinal do padre Benini.

— Devem tê-la queimado! — lamentava eu a toda hora.

Só no domingo vi o padre chegar em sua carroça. Corri ao encontro dele e fiquei chocado ao ver o estado de dona Tereza.

Seu corpo estava todo marcado pelos sinais de tortura. E seu rosto, cheio de hematomas. Eu a abracei e comecei a chorar.

— Não chore, Ciro. Agora estou ao seu lado novamente e não vou mais deixá-lo sozinho. Como você está com a aparência horrível! Até parece um desses cães vadios que vagam por aí.

— Eu estava preocupado com a senhora. É a última pessoa que me resta na vida.

— Eu não sou a única nem a última. Conheci uma moça muito bonita que veio se despedir do padre e até mandou-lhe um beijo. Acho que ela está apaixonada por você.

— Bobagem, dona Tereza. Ela é filha do príncipe senhor dessas terras. Certamente estava apenas se divertindo comigo.

— Acho que não o ensinei muito bem, Ciro. Há muitos modos de saber quando uma mulher está falando a verdade. Pena que eu vá morrer logo e não lhe possa ensinar isso também.

— A senhora não vai morrer, dona Tereza. Vou fazer curativos e logo estará boa novamente. Já chegamos! Vou ajudá-la a descer.

O padre Benini impediu-me de fazê-lo.

— Deixe que eu a tiro da carroça, ela está muito ferida.

— Foi tão torturada assim, dona Tereza?

— Muito mais do que imagina, querido Ciro. Conheci o inferno sem nunca ter estado nele.

O padre tomou-a nos braços e só então eu vi suas pernas enfaixadas e com duas ripas de madeira a mantê-las.

— O que fizeram com suas pernas, dona Tereza?

— Quebraram as duas, Ciro. Isso depois que souberam que eu havia sido perdoada de heresia e feitiçaria pelo bispo.

Pouco depois, ela estava em seu leito e gemia muito com o esforço de deitar-se. Comecei a chorar ao ver lágrimas em seu rosto por causa das dores que sentia.

— Um dia eu mato quem lhe fez isso, dona Tereza! Os culpados irão pagar com a vida, eu lhe prometo.

— Para que fazer tal coisa, minha criança amada? O mal já foi infligido e não adianta abrigar em seu coração o ódio que apenas irá marcar sua alma para sempre. Deixe nas mãos de Deus que Ele sabe como castigar os culpados. Ciro, vá à sua casa buscar seus pertences, pois quero que fique comigo até o dia de minha morte.

— A senhora não vai morrer, dona Tereza.

— Faça o que estou lhe mandando.

— Sim, senhora. Volto logo para ficar ao seu lado.

Assim que saí, ela falou com o padre.

— O senhor poderá descansar que Ciro tomará conta de mim agora. Eu agradeço o que fez por mim, mas chegou muito tarde. Só não faça com Ciro o que ele me disse a seu respeito.

— O que ele lhe disse?

— Algo sobre o senhor ficar se insinuando para ele. Procure outro garoto para suas diversões, se bem que eu não aprove isso num homem.

— Vou lhe contar uma longa história e depois não achará estranho o meu procedimento. Mas antes vou trancar a porta, pois não quero que Ciro fique sabendo por que tenho agido desta forma com ele.

Quando voltei e vi a porta travada, bati, mas o padre Benini mandou esperar. Somente depois de meia hora é que ele veio abri-la.

— O que houve, padre?

— Nada, Ciro! Só estávamos conversando um pouco.

— Ah! Já estava com medo de que algo de ruim tivesse acontecido.

— Vou voltar à paróquia. Cuide bem dela, Ciro!

Ele foi até o quarto despedir-se e ainda ouvi quando ela lhe pediu para voltar dois dias depois.

Eu guardei minhas poucas peças de roupas, tecidas por minha finada mãe, e fui para junto dela.

— Ciro, gostaria de me lavar. Você faz isso por mim?

— Sim, senhora, dona Tereza.

— Desde que saí desta casa, só vi água quando me davam um pouco, para que não morresse de sede. Sinto o corpo todo dolorido, portanto lave-me com cuidado.

— Vou pôr água no fogo e enquanto ela esquenta vou tirar-lhe esta roupa malcheirosa. Justo com a senhora que gosta tanto de limpeza foram fazer uma coisa dessas!

— Isso não foi o pior que me fizeram, Ciro. Não se impressione com o que irá ver ao me despir.

Eu comecei a tirar suas vestes e lágrimas brotaram nos meus olhos ao ver as queimaduras feitas na sua carne com ferro em brasa. Havia também cortes superficiais nas suas costas e coxas, feitos com chicote. Só não tirei as ataduras de suas pernas, pois estas doíam muito.

Depois eu trouxe água morna e com um pano umedecido fui limpando o seu corpo. Havia manchas secas de sangue misturadas com o pó da prisão.

Ela chorava em consequência das dores, e eu, por ver o seu estado e sofrimento. Acho que demorei umas três horas para limpá-la toda e colocar bálsamo sobre suas chagas. À medida que eu a tratava com o bálsamo, suas dores diminuíam. Então ela começou a conversar comigo.

— Guarde sempre com você uma coisa, Ciro. Jamais deixe que o ódio tome conta do seu coração, pois estará se afastando de Deus e da Luz. Entenda sempre o porquê das coisas e poderá viver em paz no meio dos maiores tormentos.

— Mas como explicar o que fizeram, se era tão boa com todos?

— Há um risco em tudo o que fizermos na vida. Qualquer que venha a ser o caminho que decida trilhar, sempre terá um risco e você sempre estará sujeito a sofrer as consequências. Eu sabia que corria o risco de ser confundida com as feiticeiras que praticam toda espécie de sortilégios. Só estou nesse estado devido ao risco que corri deliberadamente. Eu não desconhecia que de uma hora para outra uma acusação qualquer me lançaria na fogueira. É o preço a ser pago por ter exercido o meu dom, que livrou tantos da morte e trouxe outros tantos à luz. Eu não sou uma feiticeira que usa de sortilégios e maldade, mas sim uma mulher que aprendeu desde criança a direcionar os dons naturais para o bem comum dos moradores desta aldeia.

— Então tudo tem um preço a ser pago?

— Sim, Ciro. Você, no seu tempo, pagará um preço também e não conseguirá fugir dele quando vier a cobrança.

— Então é melhor não fazer nada e nem sair desta aldeia!

— Neste caso você já estará pagando o preço da inércia e verá sua vida sufocada pelo modo de ser das pessoas que não o agradam. Já tem pago um preço por ter tido como mãe uma mulher maravilhosa, mas com uma deficiência física. Não percebe que este já é um preço que paga há muito ao sentir-se magoado com as ofensas e brincadeiras que lhe fazem?

— É verdade. E minha mãe pagou muito mais do que eu, pois viveu presa à nossa casa desde que se casou. Ninguém ia nos visitar ou nos convidava para visitá-los. Fico imaginando quanto não deve ter sofrido com as humilhações.

— Então já entendeu o que eu quero dizer quando falo em compreender as causas das coisas que julgamos ruins, e não só o preço a ser pago. Portanto, não dê abrigo ao ódio em seu coração, senão pagará dois preços. Um será aqui nesta terra abençoada e o outro será do lado de lá, o mundo onde vão residir os espíritos dos mortos. Naquele mundo, só os que cultivaram a vida aqui terão uma boa vida quando nele ingressarem.

— Eu não deixarei que isso aconteça comigo, dona Tereza.

— Espero que não se esqueça nunca desta nossa conversa, Ciro. Eu sinto estar jogada a uma cama e saber que logo morrerei. Gostaria de lhe ensinar mais coisas, mas use bem o que já lhe ensinei e poderá sobreviver em qualquer lugar. Pelo que vi no rosto daquela jovem, você já começou a usar um pouco do que aprendeu.

— É, acho que não me saí mal, apesar de não ser um nobre.

— Qual a importância de ser ou não um nobre?

— Mas ela é de uma família de nobres. O pai dela é o príncipe Pietro Neri, o senhor dessas terras. Desde o princípio, eu percebi algo diferente nela. Só quando a vi abraçar o pai é que tive certeza das minhas suspeitas.

— Você também gostou dela?

— Sim! Quero dizer, mais ou menos. Eu sei que ela não é uma mulher que eu possa pensar seriamente. Mas pelo menos eu dancei com ela, abracei-a e beijei-a. Coisa que os cães vadios não conseguem fazer! Mas assim mesmo conheço o meu limite e sei que ela não é a mulher para o meu futuro. Na certa já há algum pretendente à sua mão, melhor classificado que um simples vassalo como eu.

— Lute por aquilo que lhe interessar, Ciro. Ainda é muito jovem e tem a vida toda pela frente. Não é porque seus pais morreram, que tudo terminou. Agora vá preparar um pouco de comida como somente você sabe. Não sou só eu que não tenho me alimentado ultimamente. Sua aparência está pior que a minha e se eu não o conhecesse, diria que está igualzinho a um cão vadio e faminto, desses que a gente vê rondando as casas.

Eu sorri um pouco com suas palavras. Como era forte a dona Tereza. Toda ferida, marcada e dolorida e ainda achava motivos para me fazer sorrir. Preparei uma saborosa refeição e lhe servi na boca, pois ela não podia mover os braços pelos maus-tratos recebidos. Só depois fui comer um pouco. Quando terminei, ela me falou:

— Ciro, limpe a cozinha e depois sente-se ao meu lado que eu quero conversar com você. Temos muito a nos dizer antes que eu parta.

— A senhora não vai morrer. Eu vou fazer as orações que me ensinou e logo ficará boa.

— É sobre isso que temos muito a conversar, Ciro. Vou lhe ensinar todas as minhas orações fortes.
— Mas eu já sei todas de cor.
— Ainda não. Há algumas que só agora irá conhecer.
— Para que servem, dona Tereza?
— Quando as tiver na cabeça, saberá como e quando usá-las.

Eu limpei a cozinha e depois lhe levei um chá, que ela tomou com prazer. Ficamos conversando até tarde da noite. Várias de suas orações eu aprendi naquela noite e muitas outras nas noites seguintes. Mas, no dia em que o padre veio, ela me pediu um beijo e pouco depois exalava o seu último suspiro. Eu ouvi sua confissão ao padre Benini, e vi quando ela, numa última e muda recomendação, olhou bem nos meus olhos e manteve o olhar fixo em mim, mesmo depois de morta.

O corpo dela foi lavado por nós e ele fez uma mortalha com o cobertor de sua cama. Depois o colocamos na carroça e levamos para ser velado na paróquia. No outro dia cedo, nós a enterramos. Mais uma vez eu voltava àquele cemitério e via alguém que me era querido ser coberto pela terra. Ela foi enterrada ao lado do meu pai.

Eu estava me acostumando da pior forma possível ao aspecto depressivo dos cemitérios.

— Vamos voltar para a paróquia, Ciro. Lá poderá curtir a sua mágoa em silêncio.
— Tenho de ir cuidar de algo que prometi a dona Tereza.
— Lembre-se de que amanhã mesmo vou começar a ensiná-lo. De agora em diante, você morará comigo e será meu pupilo.
— Sim, senhor. Amanhã cedo estarei aqui.

Eu fui para a casa de dona Tereza fazer o que lhe havia prometido. Assim que cheguei, acendi uma fogueira na frente da casa e comecei a queimar suas roupas e as ervas que ela guardava para qualquer emergência. Quando vi que não havia mais nada além dos móveis, tranquei a casa e fui para a minha apanhar o restante de minhas roupas que não havia levado para a casa dela.

Ao me aproximar, estranhei ver a porta aberta. Eu não a deixaria dessa maneira. Assim que entrei, vi qual havia sido a causa. Tinham roubado todos os móveis, as roupas de meus pais e tudo o mais.

A casa estava completamente vazia. Comecei a me lamentar:

— Como não abrigar o ódio no coração, dona Tereza? Tudo me fazem, tomam ou tiram e ainda quer que eu não os odeie? Nada tinha de especial, mas agora sim, eu nada tenho além desta roupa no corpo e mais duas peças nesta trouxa. Quem sou eu agora, dona Tereza? Mais que um cão vadio e faminto, sou um cão sem rumo e perdido no mundo. Tudo me foi tirado. Mãe, pai, amiga, casa! O que mais vão tirar de mim? Agora vou ter de corromper-me por ter aceitado salvá-la da fogueira. Como não odiar se quem mais me causa antipatia agora é o meu dono? Meu Deus, como eu gostaria de morrer e ir para junto de papai e mamãe. Lá sim, eu voltaria a ser feliz, pois eles me amavam.

Eu estava mais vazio que nunca. Como um menino de 14 anos podia ser tão infeliz?

Comecei a chorar de tanta tristeza e solidão. Pensei em me matar, mas nem uma faca havia ficado na casa.

Caminhei até a porta, mas não tive coragem de continuar; sentei-me na soleira e fiquei chorando. Passei o resto do dia ali, sem sair do lugar, com o olhar perdido no campo.

Como eu desejava ver chegar meu pai, como todos os dias, desde a mais tenra idade. Ou então, ouvir minha mãe chamar-me do interior da casa, dizendo: "Ciro, venha comer logo, senão seu prato vai esfriar!"

Como era doce a voz de minha mãe. Cada vez que me lembrava dela, mais triste ficava. Não havia mais lágrimas em meus olhos vermelhos e inchados, só o pranto forte do desespero e soluços entrecortados por suspiros profundos eu emitia.

Anoiteceu e todas as minhas esperanças de ver surgir meu pai ou minha mãe se apagaram como a luz do sol. Então, apanhei a minha trouxa de roupas e me pus a caminhar. A aldeia ficava numa direção, mas eu tomei a direção oposta.

— Para que voltar até onde está o meu purgatório? Que se dane o padre. Pelo menos não vou lhe dar esse prazer. Vou ser um cão vadio e faminto, mas não me corromperei com ele.

Eram mais ou menos umas sete horas e caminhei até tarde da noite.

De repente, vi um cavaleiro cavalgando em minha direção. Como era uma noite de lua cheia, divisei o seu vulto a distância. Afastei-me do meio da estrada para não ser atropelado e continuei caminhando.

Quando ele chegou perto de mim, parou o seu cavalo todo negro, tal como suas vestes. Eu me assustei com a aparência dele e de sua montaria.

— Aonde pensa que vai, menino?

— A lugar nenhum, senhor.

— Então por que caminha na direção oposta à da aldeia?

— Eu estou indo embora deste lugar.

— Não acha que é muito novo para fugir de sua gente?

Eu tomei coragem e falei:

— Não tenho ninguém que chore minha ausência, senhor. Não tenho pai ou mãe e muito menos amigos. Não tenho nada além desta roupa no corpo e estas peças na mão. Já não como há dois dias e não durmo pelo mesmo período. Nem lágrimas nos olhos eu tenho mais para derramar. Nada sou e nada significo para ninguém. E caso sinta vontade de me matar, então o faça logo porque estará me prestando um grande favor. Se após morrer for para o céu, orarei agradecido pelo favor que me fará. E se for para o inferno, guardarei um lugar para quando lá você chegar. Agora com sua licença, pois está atrasando minha jornada para lugar nenhum.

— Você é mais corajoso do que eu imaginava, menino.

— Não sou corajoso, senhor. Apenas nada mais possuo. Quando isso acontece, então a morte é uma grande dádiva, e o causador dela deixa de ser uma pessoa má e assume o lugar do mais caridoso dos homens. Adeus, senhor! Continue com sua cavalgada, que eu vou caminhar.

— Ei, menino, não me vire as costas assim. Não vê que não sou deste mundo?

— Então, de onde vem?

— Eu venho do inferno. Será que não percebeu isso?

— Se está fugindo dele, veio ao lugar errado, pois ainda continua nele. Não se impressione com a falsa beleza, é tudo ilusão. É só uma forma de enganar os que são obrigados a viver nele. Volte ao inferno, senhor, ao menos lá terá certeza de que não estará num lugar falso e ilusório.

— Ou você está realmente desiludido deste mundo ou é o mais corajoso encarnado que já encontrei até hoje.

— Adeus, senhor. Siga o meu conselho e volte ao seu mundo, com certeza será mais feliz lá do que aqui.

— Meu chefe não vai gostar de ouvir o que ouço de você, menino!

— Então mande-o para este mundo e será o mesmo que eu mandar alguém para o inferno.

Eu continuei caminhando e nem olhei mais para trás. Pouco depois, surgiu à minha frente o Senhor da Longa Capa Negra.

— Como vai, rapaz?

— Melhor impossível, senhor do anel negro. Foi bom ter vindo até aqui, assim não precisarei ir até um cemitério mais uma vez, ainda com vida. Só farei isso quando, e se, levarem meu corpo para algum.

Tirei o anel do dedo e o estendi na sua direção.

— Tome, senhor, é seu de novo. Não o quero.

— Mas você viu que tudo o que lhe falei aconteceu, rapaz. Por que não cumpre o trato que fez com o padre?

— O senhor falou que ele podia salvar dona Tereza da morte e hoje ela está enterrada ao lado do meu pai.

— Ele a salvou da fogueira, como eu havia lhe dito que faria. Não falei que ele a livraria da morte.

— Então não tenho nada a cumprir, pois entendi que ela viveria. Foi tudo um mal-entendido, senhor. Estamos quites neste caso.

— Não compreende que seria injusto ela ser queimada? Seu nome entraria para os livros de julgamento da Igreja como se fosse uma mulher má, coisa que ela não foi. Quanto a morrer, morreu com dignidade e não reclamou do seu destino. Ela pagou o seu preço até a última moeda e agora sua alma descansa o sono dos justos.

— Melhor para ela que já não tem de viver neste mundo cruel, senhor!

— Por acaso esqueceu-se das coisas que ela lhe ensinou?

— Para que praticá-las? No final de tudo, um maldito qualquer pode me chamar de bruxo e serei lançado numa fogueira depois de ser violentado, torturado e queimado. Que os que vivem neste inferno padeçam suas dores, tristezas e doenças sem ter ninguém a consolá-los. No fundo, só sabem procurar os que podem ajudá-los no momento em que estão necessitados. Depois, viram-lhe as costas e nem mais se lembram de que alguém os ajudou por amor à vida. E que também gostaria de dividir a alegria que a vida diz nos dar. Eu não amo a vida, Senhor da Capa Negra, ou seja lá qual for o seu nome. E pouco me importo com ela! Se não apanhar o seu anel, vou deixá-lo cair no chão, pois continuarei minha caminhada rumo a lugar nenhum.

— Não faça isso, rapaz. Agindo desta forma não me ajudará a reparar uma grande injustiça que cometi quando ainda tinha um corpo de carne. Só reparando-a eu também poderei ter um pouco de descanso em espírito.

— Bem-feito para o senhor. Quem sabe não foi como os rapazes lá da aldeia que viviam me atormentando com suas zombarias e humilhações? E se foi igual a eles, é muito bem-feito que esteja nas trevas, pois é para lá que eu espero que sejam levados quando morrerem.

— Não posso lhe dizer o que fiz, pois isso não me é permitido. Mas posso garantir que o que eles fizeram com você não é nada comparado ao que eu fiz. E só você pode me ajudar a reparar o erro que cometi.

— Por que eu deveria ajudá-lo se odeio todo mundo?

— Eu o ajudarei em troca do seu auxílio. Você volta à aldeia e aceita a proteção do padre. Tira dele tudo e ficará muito bem na vida.

— Não vou voltar, pois eu o odeio também.

— Mas ele tem algo que ama.

— Os livros? Eu nem ligo para eles, senhor.

— Não são os livros, rapaz!

— Então o que é?

— Uma sobrinha chamada Mariana. Ou vai me dizer que a odeia também!

— Não a odeio, mas também não a amo. Ela é neta do homem que renegou minha mãe. Tem o mesmo sangue dele e, no fundo, pensa como ele. Não quero nada com ela, senhor. Minhas lágrimas de tristeza e solidão secaram os meus olhos e também o meu coração. Nele não há lugar para mais ninguém. Todos os que amei já se foram e ninguém mais vai habitar no meu interior. Adeus, senhor, vou-me embora!

— Não me abandone, rapaz. Se fizer isso, estará me lançando para sempre na escuridão do inferno. Um dia eu prometi ajudá-lo e assim reparar um pouco o erro que cometi. Mas se não pagar o seu preço, eu perco a oportunidade de sair dele. Você não gostaria de me ajudar? Entenda que o que está sentindo agora não é nada comparado ao que sinto. E além do mais, sua tristeza e solidão são passageiras e a minha será eterna se você não voltar à paróquia. Pense bem! Se é ruim o que está sentindo há dois dias, imagine o que sinto, se já faz muitos anos que estou sozinho e abandonado, sem ninguém para se lembrar de mim. Além do mais, se continuar com este ódio no coração, logo acabará vindo para onde estou. E não para o lugar em que está sua mãe, seu pai e a Tereza. Eles não morreram com ódio no coração, por isso hoje descansam em paz na Luz Divina.

— Eu não penso assim, meu senhor. Se eu morrer, minha mãe virá buscar minha alma e me levará para junto dela.

— Era isso que eu pensava que aconteceria comigo quando morresse. Mas quem veio me buscar foram uns seres das trevas. Se pensa que aqui é ruim, verá o que o aguarda quando passar desta vida para a outra.

— Bem, só vendo para acreditar! Quando eu trocar de lado, saberei a verdade. Adeus, senhor!

Eu virei as costas e dei alguns passos, mas quando ouvi um grito pavoroso virei-me assustado e vi umas figuras horrendas agarrando-o. Meu coração acelerou a mil batidas por minuto. Ajoelhei-me e comecei a orar uma das rezas fortes de dona Tereza.

Os estranhos seres caíram ao solo. Davam uns guinchos horrendos e quanto mais eu orava, mais eles reduziam de tamanho.

— Salve-me deles, Ciro! — gritou o homem com a longa capa negra.

— Estou tentando, senhor. Acalme-se.

De repente, eles sumiram de minha vista e o homem pôs-se a chorar.

Eu estava tão assustado que não fazia outra coisa senão rezar as orações muito fortes que quebravam as forças dos seres das trevas. Só parei quando senti que não havia mais ninguém por perto, além do Senhor da Longa Capa Negra. Então falei:

— Pode parar de chorar, senhor. Eles já se foram.

— Outros virão assim que você se for. Eles só estavam esperando você me virar as costas. Assim que o fez, pularam sobre mim.

— Mas por quê?

— É a Lei. Se não conseguimos reparar uma injustiça, voltamos ao inferno. E só nos é dada uma oportunidade!

— Entendo. Mas que injustiça quer reparar?

— A que o pai do padre cometeu com sua mãe ao rejeitá-la como filha.

— Mas ela já morreu! Agora não poderá reparar o erro.

— Posso, se você aceitar a proteção do padre. Ele o instruirá e protegerá até que possa seguir sua vida sozinho. Nesse tempo, eu deixarei esta veste negra e irei viver na Luz, pois terei reparado uma injustiça.

— Como sabe que irá viver na Luz?

— Sua mãe me pediu para ajudá-lo e, se eu fizer isso, ela me levará para o lugar onde está vivendo hoje.

— Está bem, eu vou ajudá-lo. Se minha mãe assim quer, então está bom para mim. Mas se aquele padre exigir algo mais do que eu posso lhe dar, largo tudo e vou-me embora.

— Ele não vai exigir de você o que está pensando. Será algo muito diferente.

— O que é então?

— Ele vai querer torná-lo um homem culto e refinado. Alguém cheio de sabedoria.

— Se é só isto, eu aceito. Dê-me o anel de volta que eu aprenderei com o padre.

Ele me deu o anel e pude ver em seu rosto um sorriso de alegria. Tirou sua longa capa negra e jogou-a num lado da estrada, desaparecendo na minha frente. Fui até onde estava a capa e a apanhei.

— Bem, pelo menos a capa é real. Vou levá-la comigo pois servirá caso chova.

Enrolei a capa e a enfiei na trouxa com minhas roupas. Dei meia volta e, com passos rápidos, tomei a direção que me conduziu à paróquia.

Puxa, que noite! Vi um cavaleiro fantasma vindo das Trevas. Vi um fantasma arrependido e vi uns seres que, se não eram o demônio, no mínimo eram seus auxiliares. E ainda tenho na minha trouxa de roupas a capa negra que pertenceu ao fantasma chorão. Puxa vida! Se eu falar isso, vão dizer que sou um biruta ou um feiticeiro. É melhor não falar para ninguém. Acho que nada mais me mete medo depois desta noite. Além do mais, as rezas de dona Tereza funcionam mesmo! É melhor não esquecê-las jamais para o caso de aqueles seres voltarem.

# Capítulo IV

# A Herança

Amanhecia quando cheguei à paróquia. Vi o padre sentado no banco do jardim e fui até ele.

— Olá, padre Benini. Aqui estou, como prometi.
— O que houve com você? Está com a aparência de um cadáver.
— Eu não como ou durmo há dias padre. Além do mais, chorei quase dois dias.
— Não dormiu esta noite?
— Não, senhor. Roubaram tudo na minha casa.
— Vá se lavar e trocar de roupas enquanto eu preparo algo para você comer.

Pouco depois, eu estava limpo e alimentado.

— Padre Benini, posso dormir um pouco, está me dando sono.
— Venha comigo que já tenho um quarto para você. Não é muito grande, mas será o suficiente.

Eu o segui e gostei do quarto.

— É muito bom, padre. É melhor que onde eu dormia.
— Ali tem um armário. Guarde suas roupas nele.
— Não tenho muitas roupas. Só me restaram estas duas peças.

Ao abrir a pequena trouxa, a longa capa negra caiu no chão. Apressei-me a apanhá-la, mas ele a viu e perguntou:

— Era de seu pai esta capa?
— Não. Eu a encontrei à beira do caminho quando vinha para cá.
— E este anel com pedra negra?
— É uma herança de família. Meu pai me disse para usá-lo, pois me daria sorte. Ele não o usou e foi muito azarado.
— Você acredita realmente nisso?
— Quando alguém se vê reduzido ao estado em que me encontro, acredita em tudo. Até em fantasmas e demônios, padre!

Ele deu uma risada e saiu do quarto deixando-me a sós. Deitei-me na cama, muito macia, e logo dormia profundamente.

Só acordei no fim da tarde. Lavei o rosto e fui procurar o padre Benini.

Encontrei-o ajoelhado diante do altar da paróquia orando. Em silêncio, ajoelhei-me também e fiz minhas preces. Quando ele se levantou, eu o acompanhei.

— Está melhor agora, Ciro?
— Sim, senhor. Ainda sinto uma certa indisposição, mas acho que é pelo tempo que fiquei sem dormir.
— Em poucos dias estará bem. Agora vamos cuidar da nossa horta?
— Eu gosto de trabalhar na horta.
— Muito bem! Então sua função aqui será a de cuidar que ela esteja sempre limpa e produzindo alimentos para nós.
— Só isso? Não preciso de mais que uma ou duas horas por dia para fazer esta tarefa.
— Ótimo, Ciro! Assim terá mais tempo para estudar.
— Isso é tudo o que terei de fazer para me tornar seu discípulo?
— Sim.
— Não terei de fazer nada mais mesmo?
— Nem pense em fazer outras coisas, pois não terá tempo. Vou exigir muito de você nos estudos e quero crer que você irá se dedicar a eles com muito prazer e boa vontade.
— Não vou decepcioná-lo, padre Benini. O senhor tem mais discípulos aqui na aldeia?
— Não, e nem quero. Um só é o suficiente e se eu conseguir torná-lo um mestre, já me sentirei o mais feliz dos mestres.
— Então eu serei um mestre como o senhor.

Nós conversávamos enquanto colhíamos verduras e legumes. Ele me ensinou como organizar minha mente para o estudo e o trabalho. Explicou o que pretendia e o que eu teria de estudar. Primeiro seria o latim clássico e popular, mais os dialetos itálicos, pois seria impossível ser entendido ou fazer-me entender sem saber estas coisas.

No dia seguinte, comecei, com muita boa vontade, os estudos. Foram três meses em que eu só interrompia os estudos para cuidar da horta, ajudá-lo a celebrar as missas, batizados, casamentos e funerais, e dormir um pouco. Das vinte e quatro horas do dia, eu passava dezoito em plena atividade. E destas, quatorze eu estava estudando.

Quando ia dormir, até sonhava com letras e números. Mesmo nos sonhos, eu via o padre Benini me ensinando regras gramaticais ou me fazendo conjugar verbos ou criar orações e pequenos textos em latim. Mesmo dormindo, eu o ouvia dizer: "Vamos Ciro, solte sua mente da apertada prisão em que ela está contida e mostre-lhe como o saber é imenso e gostoso de se conquistar".

Quando terminou o terceiro mês, ele me sabatinou por três dias seguidos. Minha mente quase explodiu de tanto esforço. Eu tinha de acompanhá-lo na leitura rapidíssima que fazia dos textos, tanto clássicos como populares, e era interrompido constantemente por ele com a sua frase já habitual aos meus ouvidos:

— Explique o que acabamos de ler, Ciro! Quero uma interpretação criativa e longa. Quanto mais palavras usar na sua fala, mais ágil e capacitada se tornará sua mente.

Eu era bem mais criativo, pois havia momentos em que ele dizia:

— Está bem, Ciro! Você já se parece com os oradores romanos: falam, falam e não dizem coisa alguma.

— Mas isso não é bom, padre Benini?

— É muito bom porque os ouvintes se esquecem do tema que deu início à discussão e acabam envolvidos pelo orador, que impõe o rumo dos debates e os deixa sem ação.

Quando terminei a sabatina, ele me olhou sério, sem nada dizer. Ficou me olhando por um bom tempo. Eu estava angustiado com a sua demora em dizer algo, e então falei:

— Puxa vida, padre Benini! Estou aflito para ouvir sua avaliação e o senhor fica aí, só me olhando como se eu fosse uma imagem de gesso?

— Está bem, Ciro. Você acaba de ganhar umas férias em Bolonha. Foi aprovado com louvor, e se houvesse um grupo de discípulos, certamente você seria o primeiro deles.

— Vai me levar para conhecer Bolonha?

— Isso mesmo. Amanhã chegará aqui um novo padre e nós partiremos na próxima segunda-feira. Quero passar o Natal no castelo do meu irmão.

— Viva! Vou poder rever Mariana. Até que enfim uma coisa que não me lembre latim!

— Nada disso! Poderá revê-la, e até conversar com ela, mas no final das suas férias vou querer ver este livro em branco todo escrito, com a mais clássica das letras, suas impressões sobre o que viu, fez ou ouviu. Descreva-me também a cidade de Bolonha, seus habitantes, comércio, enfim: tudo sobre tudo!

— Mas são trezentas folhas, padre, e das grandes!

— Não vale fazer letras grandes. E não terá um só livro à mão. Quero ver se realmente aprendeu um pouco de latim.

— Quer ver se aprendi? Pois então diga o número da página deste livro e lhe direi o que está escrito do alto até embaixo.

— Isso eu sei muito bem que sabe, pois tem uma memória muito boa e decorou tudo. Mas, como ficará sem os livros, tudo vai se misturar na sua cabeça. Então dela sairá somente o que é seu e não dos livros.

— Não irá se decepcionar, padre Benini.

— De agora em diante, você não será Ciro aldeão e sim meu sobrinho e discípulo Ciro Neri.

— Mas meu segundo nome não é Neri, e meu pai não era seu irmão.

— Então será o de sua mãe, que era minha irmã, e você emprestou o sobrenome dela para se manter ligado à família.

— Mas...

— Não se discute mais isso. Eu já decidi e sei o que é melhor para você.

— O senhor é quem sabe, mas não acho direito uma coisa dessas, pois não passo de um aldeão.

— Qual o aldeão que fala o latim como você e tem uma oratória tão inflamada como a sua?

— Mas isso não me faz deixar para trás minhas origens.

— Essas coisas nós discutiremos quando recomeçarmos os estudos em janeiro próximo, quando então iniciará o estudo da ética civil e religiosa e muitas outras matérias ligadas à vida das pessoas. Elas sempre têm uma justificativa para certas atitudes que somos tentados ou induzidos a tomar.

— Elas justificam tudo, então?

— É mais ou menos isso. Venha comigo que tenho algo que recebi de Milão há poucos dias e gostaria de lhe dar.

— O que é, padre Benini?

— Venha ver primeiro. Se gostar, serão suas.

Nós fomos até seu quarto e ele abriu um baú. No interior havia muitas peças de roupas masculinas. Todas de finíssima qualidade.

— Para quem são, padre Benini?

— São suas, se as achou bonitas.

— Não posso usá-las.

— Por que não?

— Eu não estou acostumado a elas. Vou me sentir estranho.

— Leve o baú ao seu quarto e vista uma delas para ver como ficam em você.

Eu arrastei o baú até o meu quarto, escolhi a mais discreta das peças e a vesti. Senti-me como um pavão dentro dela. Voltei ao seu quarto com o rosto queimando.

— Pode ir tirando esta cor do rosto, pois as roupas lhe caíram muito bem. Está melhor vestido do que um príncipe. É isso! Você é o príncipe Ciro Neri, sobrinho do bispo Benini.

— Vai mudar de cargo também, padre Benini?

— Não. Eu sou realmente um bispo. Só vim para cá como padre porque queria encontrar o discípulo ideal num meio em que não imperasse a impostura e a falsidade.

— Quer dizer que o senhor ocultou sua posição tanto tempo e ninguém suspeitou de nada?

— Eu tinha de fazê-lo se quisesse encontrar a pessoa certa para ser meu discípulo. Se eu dissesse em Milão, ou mesmo em Bolonha ou Veneza, que procurava alguém, todo tipo de charlatão ou trapaceiro mal-intencionado iria me procurar e então eu não saberia qual escolher. Por isso eu pedi ao meu irmão Pietro que me deixasse ficar aqui nesta região até encontrar o discípulo ideal.

— Mas o que significa tudo isto afinal, padre, digo, bispo Benini?

— Tio Benini, Ciro!

— Está bem, tio Benini. O que é um discípulo ideal?

— Será o meu herdeiro quando eu morrer.

— Mas não é certo nem justo. Não sou seu filho!

— É o meu sobrinho Ciro Neri, filho de minha irmã Angelina Neri, e discípulo ideal que eu escolhi para herdar minhas terras e outros bens quando eu morrer.

— Não acredito. Então ele tinha razão.

— Ele quem, Ciro?

— Ah, o sonho! — quase denunciei o homem da longa capa negra.

— Que sonho?

— Eu sonhei que vestia aquela capa que encontrei na estrada e cavalgava um cavalo negro por uma grande cidade.

— Foi realmente um sonho profético, Ciro. É agora o príncipe Ciro Neri. Tome estes papéis e os decore bem, pois aí tem a sua genealogia completa. Quando eu o levar para Milão, terá de ter toda ela mais bem decorada do que as regras de latim.

— Quando será isso, padre Benini?

— Em janeiro, Ciro, e não sou padre, mas sim bispo. Se não consegue me chamar de tio, pelo menos não se esqueça de me chamar de bispo. Quando sairmos desta aldeia, tudo estará morto e enterrado como algo que nunca existiu. Eu serei daí em diante o bispo Ângelo Benini Neri. Estude estas cartas até chegarmos a Bolonha.

— Está certo, tio Benini. Posso agradecer-lhe ao meu modo de aldeão?

— Pode, Ciro.

Eu o abracei forte e beijei-lhe o rosto. Ele também abraçou-me comovido e beijou meu rosto. De repente, começou a chorar muito forte.

— O que houve, tio Benini? Não compreendo o que o fez chorar!

Entre soluços, mandou-me sair e fechar a porta do seu quarto.

Eu saí e tranquei a porta atrás de mim. Fiquei sentado perto da janela e meus olhos também derramaram lágrimas. Como tudo era tão estranho!

—Deve ser o homem da longa capa negra quem está me ajudando a conseguir isso. Preciso falar com ele. Esta noite irei ao cemitério chamá-lo.

Pouco depois, o bispo Benini saiu do quarto, já refeito da crise de choro mas ainda com os olhos vermelhos e brilhantes, e falou:

— Desculpe tê-lo tocado do meu quarto, Ciro. Eu me emocionei com o seu agradecimento.

— O senhor também me emocionou por adotar-me como seu discípulo ideal, bispo Benini. Tudo é tão estranho que acho que estou sonhando e vou me arrepender quando acordar e ver que nada disso é real.

— Não é um sonho, Ciro, tudo é muito real. Real até demais, pois, depois de tantos anos, eu chorei de alegria.

— Espero que seja, senão vou me decepcionar muito. Imagine só uma pessoa como eu, que nasceu nesta pobre aldeia, órfão de pai e mãe, sair dela como sobrinho do bispo e do príncipe que era, até há pouco, senhor das terras que eu cultivava e que agora é meu tio. Não posso acreditar numa coisa dessa! É impossível que tudo isso seja verdade! Compreende o que estou sentindo, bispo Benini?

— Eu compreendo, Ciro. Mas apegue-se a esta nova vida e assuma a sua condição de meu sobrinho herdeiro e também de meu discípulo, pois só assim eu serei um homem feliz.

— E eu que um dia cheguei a pensar que o senhor queria algo de mim que eu não lhe poderia dar.

— Refere-se ao modo que eu o tratava?

— Sim. Mas o senhor não é o que eu pensava que fosse.

— Vou lhe dizer porque agi daquela forma, Ciro. Quando cheguei aqui e comecei a procurar o meu discípulo, falaram que você era um maricas e que não saía da barra da saia de sua mãe. Resolvi testá-lo para ver se era verdade. Bem, eu estava à procura de alguém que pudesse ser esta pessoa, mas quando o elegi e procurei me informar, disseram-me estas coisas a seu respeito. Já estava acreditando, pois você fugia de todas as provocações como uma galinha amedrontada.

— Isso porque o senhor nunca viu como eles me agrediam quando me pegavam para ser a vítima de suas brincadeiras estúpidas.

— Por que faziam isso?

— Eu não aceitava que fizessem gozações com a deficiência de minha querida mãe e um dia agredi um deles. Daí para a frente não mais faziam gracejos, e sim provocações, que geralmente terminavam em agressões. Não foram poucas as vezes em que, depois de sair da missa dominical, eu tinha de ir correndo para minha casa. Dona Tereza chamava-os de cães vadios e famintos.

— Por quê?

— Ela dizia que como cães vadios, não prestavam para nada. E famintos porque tinham fome de me ver sofrendo. Só não apanhava quando estava com ela ou meu pai, pois do contrário era surra certa. Só pararam um pouco quando eu comecei a ler e escrever com o senhor. Acho que ficaram com medo que eu lhe dissesse algo, pois chegaram a me ameaçar caso os denunciasse ao senhor.

— Tanta ignorância só porque você defendia sua mãe dos gracejos deles?

— Sim.

— Bem, pelo menos sua mãe teve alguém que a defendeu enquanto viveu no meio dos cães vadios e famintos, Ciro.

— Se eu fosse maior ou mais forte, teria revidado as ofensas. Mas nem isso eu era.

— Ainda vai crescer muito e não precisará ser o mais forte, mas sim o mais sábio para vencer seus adversários. Seja ágil nos raciocínios e destruirá todas as ofensas que receber de hoje em diante com argumentos inteligentes. Quanto às agressões físicas, aprenderá a defender-se com os melhores mestres nas artes marciais que podem existir. Eu os conheço e eles o instruirão.

— Aprenderei como me defender, bispo Benini.

— Gosto mais quando me chama de tio.

— Está certo, tio Benini. Vou até os túmulos dos que me amaram levar umas flores, pois talvez eu não os reveja por muito tempo. Se eu demorar para voltar, não se preocupe. O cemitério é um lugar calmo e gosto de ficar lá até tarde da noite.

— Não tem medo dos que o habitam?

— Eles não nos agridem ou ofendem. A única coisa que fazem é implorar por uma prece ou pela nossa companhia.

— Está bem, Ciro, deixo a porta só encostada.

— Não farei barulho algum quando voltar para não acordá-lo, tio Benini.

— Ótimo! Eu não tenho a sua idade e estou muito cansado depois de um dia tão incomum como este que está se findando.

— Durma em paz, tio. Até amanhã, e sua bênção!

— Que Deus o abençoe, sobrinho.

Eu fui ao meu quarto e apanhei a longa capa negra, depois passei pelo jardim e colhi uma porção de flores que daria para ornar os três túmulos. Quando cheguei ao cemitério, já estava escuro.

Abri o portão que rangia sempre que era movimentado e fui até os túmulos dos meus entes queridos. Já estavam todos cobertos por mudas de flores que eu havia plantado. Coloquei mais esses ramalhetes e orei por muito tempo às almas de mamãe, papai e dona Tereza. Quando terminei, já era bem tarde. Então, passei a palma da mão direita sobre a pedra negra do anel e chamei por ele.

— Apareça, Senhor da Longa Capa Negra!

Da escuridão, um homem surgiu e saudou-me:

— Como vai, Ciro?

— Muito bem, senhor. Vejo que já não se veste de negro.

— Consegui algum progresso na caminhada rumo à Luz. Cada vez que você progride um pouco, o mesmo acontece comigo.

— Eu lhe trouxe de volta a longa capa negra, pensei que talvez precisasse dela.

— Já não preciso mais dela, Ciro.

— Posso ficar com ela para mim?

— É sua e poderá usá-la quando quiser a partir de agora.

— Vou ver se fica boa para mim.

Levantei-me e a vesti.

— É, ficou um pouco comprida e meio larga!

— Ainda crescerá mais um pouco e então ela cairá bem no seu corpo.

— Como sabe que vou crescer?

— Já cresceu um pouco depois do nosso último encontro, e também está mais encorpado.

— O bispo exige que me alimente bem. Sabia que ele não é padre e sim bispo? Aposto como não sabia disso!

— Eu sabia, Ciro. Por isso lhe disse para tirar tudo dele.

— Não acho justo fazer isso com ele. A mim parece ser um bom homem.

— Ele pode ser hoje, mas no passado já foi muito ruim. Portanto, não tenha piedade dele e tome-lhe tudo! Só assim eu terei cumprido o que prometi fazer. E não dê ouvidos ao que disserem seus novos parentes. Terá uns primos muito ruins e precisará lutar por seus direitos como herdeiro do bispo Benini. Não se deixe intimidar como fizeram com você aqui, pois o bispo estará ao seu lado em todas as discussões que travar com eles. Assim que chegarem a Bolonha, peça a ele para comprar um cavalo negro bem bonito para você e cavalgue com ele vestindo esta longa capa negra.

— Por que devo fazer isso?

— Faça e não discuta minhas ordens. São para seu próprio bem.

— Mas eu nem sei como cavalgar!

— Mariana o ensinará. Ela cavalga melhor do que a maioria dos homens.

— Está certo, farei isso. O senhor tem visto mamãe, papai e dona Tereza?

— Só os vi uma vez.

— Como estão?

— Seu pai ainda está um pouco triste por ter se deixado morrer como um covarde, mas logo se recuperará. Quanto a sua mãe, ela não tem deficiência alguma neste lado da vida e está muito feliz por você ter aceitado a proteção do bispo. Quanto a dona Tereza, mandou-me avisá-lo para não se esquecer das preces dela e pediu que, agora que sabe escrever, escreva-as para que, em caso de necessidade, tenha-as à mão e também para que, com o tempo, não as perca de sua memória.

— Já fiz isso uma noite dessas, senhor. Estão todas anotadas num pequeno caderno.

— Então não tenho mais nada para lhe dizer, Ciro. Quer saber de mais alguma coisa?

— Não, mas quando voltar a vê-los, diga-lhes que estou bem, que mando um beijo aos três e que os amo muito!

— Se eu voltar a vê-los, direi.

— Diga também a dona Tereza que sinto saudades das lições dela.

— Que lições?

— Certamente ela irá se lembrar das lições a que me refiro.

Ele deu uma gargalhada e antes de desaparecer ainda falou:

— Você não nega que tem o sangue do seu avô!

Assim como veio, sumiu. Então eu me levantei e fui para a paróquia.

Ao entrar, levei um susto: o bispo estava sentado na saleta da casa anotando algo no seu caderno e me viu vestido com a longa capa negra. Ele também se assustou.

— O que é isso, Ciro?

— Oh, desculpe, tio Benini. Lá fora está frio e eu levei esta capa para me cobrir enquanto orava e meditava diante dos túmulos.

— Pensei ter visto um fantasma quando você entrou em silêncio pela porta. Quando vir a lamparina acesa, bata pelo menos.

— Vou procurar não o assustar mais, tio Benini.

— Você gosta de usar esta capa negra?

— Ela é um pouco grande, mas eu gosto dela. Quando eu crescer um pouco mais, vou usá-la sempre.

— Eu lhe compro uma apropriada para seu tamanho.

— Que tal em vez de comprar uma capa, dar-me um bonito cavalo negro?

— Por que um cavalo negro e não de outra cor qualquer?

— Acho que fica bonito cavalgar um cavalo negro vestindo esta bela capa negra.

— Sabe cavalgar bem?

— Não. Nunca tive um cavalo, mas aprenderei logo.

— Se eu achar um bonito, então será seu.

— Obrigado, tio Benini, o senhor é muito bom comigo. Não sei como agradecer.

— Só de vê-lo feliz já me sinto gratificado.

Dias depois, partíamos da aldeia, eu sentando na boleia da carroça e o bispo ao lado. Todos os aldeões estavam presentes à despedida do padre Benini, que havia sido o pastor deles por um ano e meio. Eu olhava na cara dos que haviam me agredido, humilhado e ofendido chamando-os em silêncio de cães vadios e famintos. Não havia esquecido de nada. Não os odiava, pois no fundo eu me divertia com suas expressões de inveja na minha partida. Primeiro haviam perdido o alvo predileto dos seus gracejos, agora viam eu partir ao lado do meu protetor, o bispo Benini. Sim, ele saiu da aldeia com as vestes de bispo e usando a sua insígnia no peito.

# Capítulo V

# A Família Neri

Quando nos aproximamos de Bolonha, impressionou-me o tamanho da cidade. As construções eram imensas e eu jamais imaginara que existissem tantas pessoas assim. Tudo despertava minha atenção. Castelos, igrejas, pessoas, enfim tudo chamava minha atenção e deixava-me inquieto na boleia da carroça. Só me aquietei quando o bispo chamou minha atenção:

— Ciro, observe tudo, mas procure não chamar a atenção das pessoas com sua curiosidade. Seja o mais discreto possível, está bem?

— Sim, tio Benini. Acho que me empolguei. Não imaginava que houvesse um lugar como este, e tantas pessoas!

— Você terá o restante da sua vida para se cansar de tudo isso e desejar voltar à pacata aldeia onde vivia. Olhe à sua direita: esta é a catedral de Bolonha!

— Puxa, como é grande!

— Quer visitá-la rapidamente?

— Sim, senhor. Deve ser linda por dentro.

— É muito bonita. Quem a decorou foi um homem de mesmo nome que você. Ele se chamava Ciro, o grego. Não vi artista algum que o igualasse na criatividade religiosa. Sua arte sacra é imitada por todos os mestres pintores.

Ele mandou que encostassem a carroça e descemos. Eu o segui até o grande portal da igreja matriz de Bolonha. Ao adentrá-la, fiquei impressionado com o tamanho de sua nave de orações. Nela cabiam várias paróquias iguais à de nossa aldeia.

Eu seguia o bispo Benini um tanto inibido diante da grandeza da catedral.

— Como é linda, tio Benini. Nunca imaginei que houvesse uma paróquia tão linda e grande.

— Não é uma paróquia, Ciro, e sim a igreja matriz da arquidiocese de Bolonha. É aqui que mora o bispo de Bolonha.

— Como ele se chama, tio Benini?

— Bispo Giusepe Mariano. Mas não o chame de bispo Giusepe, pois ele não gosta que o chamem senão de bispo Mariano.

— Por quê? Ele tem algo contra o nome Giusepe?

— Acho que ele gostaria de se chamar Ciro, está bem!

Eu dei uma risada com sua resposta e falei:

— Já entendi! Nada de perguntas cretinas.

— Isto mesmo, Ciro, e comporte-se como se estivesse no interior da nossa pequena paróquia, pois não é por ela ser grande que se deve deixar de lado o ar circunspecto e respeitoso.

— Entendo, tio Benini! Minha curiosidade é tão grande que não posso nem me concentrar direito no altar.

— Vamos fazer uma prece, depois vamos até os aposentos do bispo Mariano.

Ajoelhamo-nos diante do altar e oramos. Quando ele se levantou, eu o acompanhei, terminando minha prece no caminho até a residência do bispo de Bolonha. Pouco depois, eu era apresentado a ele.

— Sua bênção, reverendíssimo bispo Mariano. Estou muito feliz por estar aqui — falei.

— Muito prazer, Ciro, e que Deus o abençoe. Quantos anos tem?

— Vou fazer 15 no dia 1º de janeiro.

— Ótimo! Então logo teremos mais um religioso na família Neri, não é bispo Neri?

— Talvez, meu amigo, talvez! Ciro parece gostar mais das pinturas da catedral que das missas.

Como eu fiquei corado com a observação, eles riram de mim.

— Vai ficar muito tempo aqui em Bolonha, bispo Neri.

— Só um mês, depois volto a Milão e descanso um pouco.

— Irá reassumir o seu cargo religioso?

— Acho que não. Vou me dedicar a ensinar Ciro. Eu o tomei como discípulo e o nomeei meu herdeiro. Penso que já fiz demais pela Igreja e é hora de me aposentar. O bispo Ângelo está fazendo um ótimo trabalho em Milão e não serei eu quem irá podar sua ascensão. Agora, com sua licença, bispo Mariano! Só parei para apresentar Ciro Neri ao senhor. Não vou tomar mais o seu tempo.

— Venha visitar a catedral numa hora em que não haja muitas pessoas e eu lhe mostrarei toda ela, Ciro!

— Sim, senhor. Isto é, se não for incômodo, pois eu fiquei encantado com ela.

— Ficarei aguardando sua visita, Ciro Neri!

Saímos da imensa catedral por uma lateral e logo estávamos novamente a caminho do castelo do príncipe Pietro Neri. O frio já era insuportável no princípio de dezembro e ao entardecer era pior.

— Estou com muito frio, tio Benini.

— Entre na carroça e vista algo por cima desta roupa, Ciro!

Eu fiz o que ele mandou e a primeira peça que me veio à mão foi a longa capa negra.

— É, vai ser ela mesmo.

— O que disse, Ciro?

— Eu apanhei a capa negra logo que enfiei a mão no baú, tio. Ela até que é um bom agasalho e irá cobrir minhas pernas. Essa roupa que o senhor me deu não as protege do frio.

— Logo chegaremos. Pietro mora do outro lado da colina, e lá haverá uma lareira para nos aquecermos.

Eu vesti a capa e cobri minhas pernas com ela. Logo me senti aquecido. Mas continuei sob a cobertura da carroça até ouvir o bispo gritar:

— Chegamos, Ciro! Finalmente um lugar agradável para ficarmos por uns dias. Venha para a boleia conhecer o castelo do seu tio Pietro Neri.

Eu pulei rápido para a boleia e apreciei a frente do castelo. Era maior que a catedral e mais alto também.

— Isto é uma fortaleza, tio Benini?

— Um castelo, Ciro. Um castelo!

— Certo, tio, não vou me esquecer disso.

Uma imensa porta abriu-se e entramos no castelo Neri. Era assim que o chamavam em Bolonha.

Ele desceu da carroça. Eu pulei de cima dela e quase caí, pois me enrosquei na capa negra. Várias pessoas vieram receber o bispo Benini. Quanto a mim, ninguém notaria se não fosse pela minha estranha veste.

— Vamos entrar, bispo Neri! — dizia um.

— Que prazer em revê-lo, querido tio! — exclamava outro.

Todos tinham uma frase para ele, mas quem eu esperava ver e ouvir, nem sinal. Ele foi envolvido no meio do grupo de pessoas e entrou por uma porta, sumindo no interior do castelo. Eu fui até um canto coberto e fiquei aguardando. Sabia que logo ele perceberia que não estava junto do grupo.

— Ei, rapaz, entre aqui no estábulo, pois aí está muito frio.

— Obrigado, senhor. Realmente estou com frio. Acho que este será um inverno muito rigoroso.

— Não tenha dúvida, rapaz. O frio vai mesmo ser muito forte. Como se chama?

— Ciro, senhor.

— Já, já eu vou mostrar-lhe onde poderá se alojar. Ajude-me a tirar os pertences do bispo Neri da carroça?

— Pois não.

Eu subi na carroça e fui passando os baús com roupas, objetos pessoais e livros do bispo. Já estava terminando, quando uma voz melodiosa me chamou:

— Ciro! Onde está você?

— Aqui no estábulo, Mariana!

Ela veio até onde eu estava e, quando me viu, correu ao meu encontro com os braços abertos. Eu a olhava encantado sem poder mover-me do lugar.

— Ciro, como estava com saudades de você!

Desta vez foi ela quem me abraçou e beijou longamente. Quando me soltou, eu estava sem fôlego.

— Não diz nada e ainda fica duro como uma estátua?

— Eu estou tentando encontrar palavras bonitas para dizer. Mas minha mente está paralisada pela minha visão.

— Então diga qualquer coisa!

— Meu Deus! Como você está linda! Muito mais que da última vez que a vi.

Não sei por que, mas meus olhos derramaram algumas lágrimas e ela as viu. Foi até discreta ao perguntar:

— Por que tem os olhos tão brilhantes, Ciro?

— Acho que é de alegria por revê-la. Não sei dizer por que, mas me sinto tão contente em poder estar ao seu lado novamente. Quanta saudade senti nesses meses, Mariana!

— Você está apaixonado por mim?

— Se o que sinto é amor, então estou.

— Então me beije desta vez e me abrace bem forte.

Bem, eu a abracei e beijei e só a soltei quando ela falou:

— Vamos entrar? Estão curiosos em conhecer o primo Ciro Neri.

— Você viu só no que deu eu ter lhe prometido ser discípulo do seu tio? Já sou da família! É uma loucura!

— Só vou ficar completamente feliz quando você for a minha família. E loucura será se não me quiser como a sua família.

— Não posso acreditar, Mariana! Ele até me nomeou seu herdeiro. Veja só se isto é algo que alguém normal faria. Adota um estranho e o torna seu discípulo, sobrinho e herdeiro. Só vou acreditar que não é um sonho quando nos casarmos.

— Então vamos conhecer o restante da sua futura família. Não vai ficar com vergonha, não?

— Não vou, se você ficar ao meu lado e me ajudar.

— Na frente deles temos que manter um pouco as aparências, mas assim mesmo eu ficarei ao seu lado.

— Obrigado, Mariana! Você é o meu anjo da guarda.

— Dê-me a sua mão que eu o conduzo até os seus algozes, mas não precisa tremer tanto.

Bem, eu entrei e fui caminhando atrás dela. Minha vontade era de fugir do encontro obrigatório e tomá-la em meus braços. Que loucura! Eu ia ser apresentado assim, sem mais nem menos, como o novo primo ou sobrinho.

Entramos numa sala muito bonita e decorada com armas de todos os tipos. Era ali o meu primeiro teste. Mariana fez uma apresentação teatral.

— Papai, mamãe, queridos tios e primos, meus irmãos, este jovem aqui é Ciro Neri, a ovelha desgarrada que volta ao rebanho.

Eu não fiquei vermelho, mas acho que roxo, tão grande a vergonha e o mal-estar. O príncipe Pietro Neri levantou-se e veio até onde eu estava, petrificado e gelado.

— Bem-vindo à família, Ciro Neri!

— É... é... é um prazer senhor... digo, príncipe Pietro... quero dizer, tio Pietro. Ou seja lá como devo chamá-lo, pois estou tão envergonhado que nem sei dizer a saudação que o bispo, digo, tio Benini mandou-me fazer ao encontrá-lo.

Bom, meu modo estabanado de falar quebrou a solenidade e todos caíram na gargalhada. Eu sorria como um bobalhão, ou seja, continuava sem ação alguma.

Tio Pietro deu-me um forte abraço e falou qualquer coisa que eu nem ouvi, pois estava olhando para minha nova família, atrás dele. Depois veio outro tio, tias, primos e primas.

Bem, após toda a procissão de parentes, Mariana abraçou-me também, e eu, já mais à vontade, finalmente retribuí o abraço.

Como estávamos demorando muito para nos soltarmos, o bispo Benini chamou-me e tomou o lugar de Mariana.

— Bem-vindo à família, Ciro Neri!

— Obrigado, tio Benini! Mas acho que o senhor se preocupou demais comigo.

— Já passou o frio que sentia?

— Que frio? Aquele tremor era por causa do meu nervosismo.

— Então, tire esta capa, pois temos outra surpresa agradável para um estômago vazio como o seu, que não recebeu alimento algum desde cedo.

Eu tirei a longa capa negra e uma senhora bastante idosa a apanhou das minhas mãos para guardá-la, mas ficou olhando para ela com muita atenção. Então, comentou:

— É igual à do Giovanini. Aposto que é a mesma. Você até se parece com ele quando era menino.

— Tia, deixe esta capa em algum lugar, pois agora é hora de comer, não de falar — era o bispo quem ralhava com a senhora.

— Mas é igual à dele, Benini! Vou colocá-la no mesmo lugar.

— Venha, Ciro, pois uma mesa farta nos espera.

— Ótimo, tio Benini! Estou mesmo com fome.

Já íamos saindo quando vi todos olhando a senhora muito velha pendurar a capa num cabide próximo à porta de entrada da sala principal. Parecia um ritual macabro. Todos ficaram em silêncio observando-a pendurar a longa capa negra. Tio Benini cortou o mal-estar ao dizer:

— Pietro, vamos logo à mesa? Se vocês não estão com fome, quero que saibam que Ciro e eu não comemos nada o dia todo.

— Venham todos, vamos, vamos! — era o tio Pietro quem o ajudava a desfazer o silêncio sepulcral que tomou conta de todos.

Eu não entendi, pois desconhecia o hábito de Giovanini Neri em deixar sua longa capa negra pendurada naquele lugar. Mas eles conheciam muito bem o ritual. E todos viam no ato simbólico da irmã dele um sinal de que seu espectro pairava no ar. Só mais tarde eu iria conhecer a história do meu avô materno.

Quando a velha senhora voltou para perto de nós, ficou olhando muito para meu rosto. Eu procurava desviar os olhos, pois ela parecia hipnotizada pela minha aparência.

Todos passaram à sala de refeições e tomaram os seus lugares à mesa. Era uma mesa muito comprida e comportou as mais de quarenta pessoas que formavam a família Neri de Bolonha. Tio Pietro sentou-se à cabeceira; no outro extremo, sentou-se tia Rosa, sua esposa. Ao seu lado direito, sentou-se tio Benini e eu fui conduzido à cadeira à sua esquerda. Mariana sentou-se ao meu lado e a velha senhora, logo depois dela. O tio Pietro fez um discurso sobre a minha vinda e a importância dos laços familiares na vida das pessoas. Depois pediu a tio Benini que falasse algo. Ele falou alto para que todos o ouvissem bem claramente:

— Ciro Neri não só é um membro da família, como é aquele que escolhi como meu discípulo e herdeiro. Ainda que ninguém aqui tenha conhecido sua mãe, minha irmã Angelina, que Deus a tenha, ele sempre foi nosso parente afastado. Eu gosto muito, mas muito mesmo, dele e se ouvir qualquer insinuação sobre sua origem, quem a fizer vai ouvir um bom sermão de mim. Ciro é mais um dos nossos e como tal deve ser tratado!

Neste momento a tia dele, a velha, perguntou-lhe:
— Benini, você ainda é dono de meia Milão?
— Acho que sim, titia Marieta. Por quê?
— Vai deixar tudo para o seu herdeiro Ciro?
— Sim, foi isso que eu disse há pouco. Algum problema, titia?
— Não quanto à pessoa escolhida, mas como ele vai cuidar de suas propriedades se a mim parece mais envergonhado do que um palerma perdido?
— Disso eu mesmo me encarrego, titia. No tempo certo, a senhora verá que não há com que se preocupar. Isto é, se ainda estiver viva até lá, pois eu não pretendo morrer logo.
— Está insinuando que vou morrer logo? Está muito enganado, pois vou viver mais que você, Benini!

Eu estava só ouvindo as farpas trocadas entre eles. Se isso era o espírito da família, eu teria muito problema para me adaptar a ele. A velha era linguaruda mesmo e não media as palavras para dizer o que pensava, apesar de não estar errada, pois esta era a impressão que eu passava a todos.

O tio Pietro interrompeu a troca de gentilezas entre os dois com uma frase:
— Está bem, tia Marieta! Benini, deixe que Ciro nos diga a que veio e o que pretende fazer agora que é seu discípulo e herdeiro legal.

O silêncio voltou à mesa. Todos os olhares se voltaram para mim da mesma forma que todos haviam olhado para a longa capa negra. O bispo Benini olhava sério para mim, como a dizer: "Lute com sua arma, Ciro! Use o poder das palavras, foi por isto que eu passei três meses obrigando-o a aprender o latim tão bem como qualquer professor."

Meus brios ofendidos impeliram-me a tomar a palavra.

— Bem, tio príncipe Pietro Neri, tio Benini e demais parentes. Não sei se sou aceito como um igual a vocês ou não. Até eu ainda não me convenci de tudo o que está acontecendo comigo. Há poucos meses, eu era um simples aldeão, filho de uma mulher infeliz, que trazia no corpo a marca de sua tristeza, e de um homem que a amava muito, mas que jamais fez algo para modificar tal situação. Ele poderia ter tentado fazer algo para deixar de ser um simples e infeliz aldeão, mas não ousou porque minha mãe dizia que desejava morrer próxima dos olhos do seu pai só para que ele não se esquecesse de que havia tido como filha alguém com um defeito físico e não com uma alma defeituosa. Mesmo sendo ofendida por todos, ela não quis sair de perto dos olhos dele até que morresse. Logo a seguir, morreu o meu pai. Então eu fiquei só e teria ido embora daquela aldeia se o padre Benini não tivesse me convencido a ficar, e isso com o auxílio de Mariana. Eu estava disposto a ir embora de qualquer maneira, mas ao pensar que talvez o padre não me perdoasse por não ter cumprido com minha palavra, resolvi voltar à paróquia e aceitar o encargo de estudar, estudar e estudar. Eu só conhecia o padre e a filha do príncipe. Amava a filha do príncipe e detestava o padre, mas ainda assim eu cumpri minha palavra empenhada.

Mas eis que logo eu descubro que o padre é irmão do príncipe e também que é um bispo. Bem, assim mesmo eu lutei com todas as minhas forças para me adaptar à nova situação, pois já não era só o discípulo de um padre e sim o herdeiro de um bispo. Pensei: "Ciro, olhe a fortuna que este homem tanto aprecia! Ela cabe em alguns baús, mas ele a tem na sua memória. São livros importantes que o tornaram um verdadeiro mestre e esta é a sua herança. Cuide bem dela porque se ele tem a paciência suficiente para procurar um aldeão e tentar torná-lo um sábio, você poderá honrá-lo da melhor forma possível, que é amando e guardando o seu tesouro para que ele não se perca." Eu vim para cá, temendo os parentes que o bispo havia me arranjado. Estou realmente com cara de palerma abobalhado. Não sei se sorrio ou fico calado, pois não os conheço e não me conhecem. Portanto, não sei como me tornar simpático aos seus olhos! Mas assim como eu um dia detestei o padre e hoje amo o bispo, talvez vocês, no futuro, amem-me também.

Talvez a tia Marieta tenha razão em se preocupar com a fortuna do tio Benini, pois eu não só a ignorava como não sei o que é uma fortuna. E nem sei ainda como conservá-la. Mas se o tio Benini a possui, foi o tesouro que eu aceitei colocar em minha mente que permitiu ele acumulá-la. Então, quem sabe um dia eu possa dirigi-la tão bem como ele, e até aumentá-la! O que eu quero dizer com tudo isso é que, assim como eu só amei o padre Benini depois de aceitá-lo, talvez vocês me amem depois de me aceitarem. Do contrário, eu serei como minha mãe: uma mulher com a alma perfeita, mas com uma deficiência física. Por isso ela foi rejeitada por todos e alvo dos gracejos mais desagradáveis. Não quero ser como minha mãe, alvo de tais gracejos. Sou um membro ainda deficiente na família Neri e sou obrigado a permanecer nela, a mercê de uma promessa a Mariana e um juramento a um padre que era, na verdade, um bispo. Bem, o juramento eu o cumprirei, pois serei um discípulo aplicado do bispo Benini, e a promessa eu a cumpri quando resolvi aceitar o auxílio dele.

Tia Marieta tem razão ao se preocupar com a fortuna do tio Benini. Quem sabe, assim que ele morrer, eu não me afaste da família Neri e vá dilapidá-la como um mal-agradecido qualquer! Portanto, eu tenho algo a propor, não à tia Marieta e sim ao príncipe, e se isto contar com a bênção do tio Benini. Só não sei se a hora é esta. Mas como tudo está acontecendo tão rapidamente e de maneira tão estranha e fulminante para mim, acho que toda a família vai ficar tranquila quanto à fortuna do tio Benini.

Parei de falar por uns instantes e dei uma olhada no rosto de todos. Um a um eu os encarei rapidamente. Demorei um pouco mais no de tio Benini e quando cheguei finalmente no de tio Pietro, ele explodiu:

— Fale logo, Ciro, estamos todos curiosos.

— Pelo que já disse ou pelo que tenho a propor, tio Pietro?

— A última parte é mais importante para todos, pois é o laço forte da família. Fale, logo Ciro! E não faça como Benini, que fica horas falando sem dizer nada, até nisso você prova que é um bom discípulo. Olha só como estão todos ansiosos para conhecer o futuro de sua imensa fortuna. Veja como são laços muito fortes os que nos unem!

— Então eu vou dizer, tio Pietro. Mas antes gostaria de ouvir a opinião de Mariana, pois ela evitará que eu venha a virar as costas para a família e levar comigo a fortuna do tio Benini.

Ela olhava para mim e acho que sabia o que eu ia dizer. Já que se levantou e falou:

— Eu concordo, primo Ciro. Acho que é a melhor maneira de manter os laços familiares.

— Mas ainda não sabe qual é a minha proposta!

— Eu concordo e pronto! Agora fale de uma vez. Eu estou tão curiosa como qualquer um para ouvi-lo. Talvez até mais.

— Está certo, Mariana. Bem, tio Pietro, eu proponho que me conceda a honra de me casar com Mariana assim que o tio Benini terminar minha preparação como seu discípulo. Assim não só manterei os laços da família, como os fortalecerei muito mais com nossa união!

— Quantos anos tem, Ciro?

— Quinze, tio Pietro.

— Não acha que é muito ousado nos seus lances?

— Como eu disse antes, tio, ou me torno um membro forte e útil à família ou serei um inútil e rejeitado. Mariana será o elo, mas para que tal aconteça, tenho de lhe pedir que me conceda tal honra, pois só assim poderei me considerar um membro verdadeiro dos Neri de Bolonha e Milão. Duas casas, uma só família.

— Quer dizer que se eu disser não, sentir-se-á um membro deficiente e rejeitado e acabará se ligando a outra moça e outra família. Então serão duas casas e duas famílias?

— Não digo que isso irá acontecer, mas como não quero deixar ninguém preocupado com o destino da fortuna do tio Benini, esta é a melhor forma de deixar todos tranquilos quanto aos laços que unem a família Neri. Imaginem se eu for a Milão e correr a notícia de que eu sou o herdeiro legal de tio Benini! Como não irão ficar tentados os pais de jovens moças de Milão? Por outro lado, se souberem que Mariana já é minha prometida, irão se conter e não ficarão tentando um jovem tolo e apalermado como eu com a promessa de união com suas filhas.

— Então quer evitar que eles o desliguem da família tentando-o com suas belas filhas?

— Sim, imagine só que se eu for para lá e ficar só estudando, estudando e estudando, sem ter em quem pensar nos momentos de descanso, serei presa fácil para caça-dotes, e não terei com o que me defender de suas investidas ardilosas. E como disse tia Marieta, como um palerma abobalhado como eu irá cuidar da fortuna do tio Benini após sua morte, se todos estarão torcendo para que tal aconteça só para se apossarem dela? Eu só quero evitar que tais pensamentos os preocupem, estando tão distantes de mim, sem poder me avisar que eles só estarão interessados na fortuna de tio Benini.

— Então, você quer que eu o ajude, Ciro?

— Sim, tio Pietro! Como saberei distinguir no meio de tantas jovens em Milão uma que não esteja interessada na herança de tio Benini? É muito perigoso para um tolo apalermado como eu, de apenas 15 anos de idade, não estar comprometido com alguém que possa me manter unido à família. E assim evitar que acabem existindo duas casas e duas famílias Neri! Só o senhor pode ajudar a livrar-me da tentação que o tio Benini me tornou. Sinto-me como uma raposa que vai ser caçada nos vastos campos da nobreza de Milão. Todos estarão interessados em exibir a pele da presa apanhada na mais sutil e ardilosa das armadilhas. O senhor, como bom caçador, sabe que as raposas ainda novas são muito tolas e fáceis de se abater, pois não têm a malícia das velhas raposas, que sabem distinguir um simples passante de um experimentado caçador.

— Então acha que corre perigo em Milão estando descompromissado?

— Sim, senhor. Muito perigo mesmo! E depois todos dirão: "Está vendo só! Ciro foi tornado Neri pelo tio Benini, mas não honrou os sagrados e valiosos laços da família e hoje nem vem mais nos visitar em Bolonha, e prefere passar suas férias junto à família de fulano. Olhem só que parente mais ingrato! Deixou de ser um Neri e prefere ser outro qualquer."

— Então seu futuro depende de mim?

— Mais do que nunca, tio Pietro. Só o senhor poderá evitar que essas coisas ruins venham a me afastar da família.

— É, já estou preocupado com o seu futuro, Ciro. De fato tem razões de sobra para pensar assim, pois certamente irão caçá-lo como uma pequena e indefesa raposa que ainda não aprendeu a ocultar-se dos caçadores experientes e das armadilhas mais sutis colocadas no seu caminho.

Não era só eu quem jogava com as palavras. Tio Pietro também sabia manejá-las bem e tinha um raciocínio rápido. Todos estavam acotovelados na mesa ouvindo a esgrima verbal.

Quanto a tio Benini, bem, ele havia se recostado na cadeira e fechado os olhos dando a impressão de estar cochilando, mas eu sabia que este era um costume seu. Fingia estar dormindo quando o que fazia era sair de cena só para melhor apreciar tudo. Eu sabia disso, pois observava os seus lábios nas aulas e quando eu ia mal, ele os retesava, mas, quando ia bem, sorria de forma imperceptível ao mau observador. Eu era bom observador e o via sorrir à sua maneira.

— É isso mesmo, tio Pietro. Só assim eu poderei lembrar-me todas as noites, nas minhas preces a Deus, de pedir bênçãos ao senhor. Pois assim como tio Benini, que ao me tomar como discípulo me conduziu à fortuna, o senhor ao me aceitar como futuro esposo de Mariana evitará que alguém com interesses escusos, e muito mal-intencionado, venha a me lançar novamente na miséria.

— É tão grande assim o risco que imagina correr, a ponto de orar a Deus pelo meu bem-estar, Ciro?

— Sim senhor, tio Pietro! O meu presente está nas mãos do tio Benini, mas o futuro está nas suas mãos.

— Isso me torna muito importante para seu bem-estar futuro!

— Não tenho dúvida disso, tio Pietro. E se eu não puder contar com a sua inestimável e valiosa ajuda, a quem irei pedir? A um dos experimentados caçadores? Seria o mesmo que a raposa pedir proteção a seu caçador.

— Bem, Ciro, você me deixa numa posição incômoda e delicada. Se eu não protegê-lo selando o compromisso entre você e Mariana, na certa vou lançá-lo às feras de Milão. Mas uma outra alternativa é selar o compromisso para que não se sinta um membro rejeitado e deficiente da família Neri. Será que não estarei exigindo muito de um jovem de apenas 15 anos ao selar tal compromisso e obrigá-lo a manter-se fiel por um bom tempo à palavra empenhada? E se você se sentir prisioneiro da palavra empenhada e disser que só se mantém fiel a ela para não magoar Mariana ou ofender seu tio? Será algo muito difícil de ser cumprido o que exige de mim e não quero que no futuro venha a dizer que aceitou tal sacrifício só para agradar os seus parentes de Bolonha.

— Nem pense tal coisa, tio. Eu lhe serei eternamente grato por ter me auxiliado num momento tão difícil e perigoso de minha vida. Quanto mais eu amadurecer, mais e mais vou me lembrar do bondoso, generoso e sábio tio Pietro que evitou que eu cometesse qualquer ação impensada e irresponsável, levando-me a dividir a família Neri e quebrar seus tão valiosos laços familiares, ao agir como um membro ingrato.

— Dê-me então a sua palavra de um Neri de que jamais dirá que seu tio Pietro o obrigou a casar-se com sua filha Mariana só por causa de sua herança.

— Tem a minha palavra de honra que de meus lábios jamais sairão palavras tão ingratas e ofensivas ao meu querido tio e futuro sogro Pietro Neri.

— Já que não serei acusado de ser um experiente caça-dotes que se aproveitou de um inocente rapaz de apenas 15 anos, sem experiência alguma, então tome a mão direita de Mariana que eu selarei o compromisso de matrimônio entre vocês dois, que se casarão assim que o meu irmão Benini terminar sua preparação como discípulo dele.

Eu peguei a mão direita de Mariana e a coloquei sobre a minha e ficamos no aguardo de suas palavras. Então ele chamou o tio Benini como testemunha, dizendo:

— Eu, Pietro Neri, concedo a honra a Ciro Neri, meu querido sobrinho, discípulo e herdeiro de meu irmão bispo Benini, de contrair matrimônio com minha filha Mariana assim que o seu protetor o liberar para tal compromisso. Assim, fica selado o compromisso entre Mariana e Ciro, que não poderá ser quebrado sem que o causador de ato tão indigno repare o outro pelos danos morais que causará. Os noivos aceitam?

— Sim! — nós respondemos juntos.

Tio Benini então falou:

— Eu, como testemunha desse compromisso, rogo a Deus que os abençoe e os proteja de todos os perigos e tentações até que venham a contrair núpcias diante do altar sagrado da Santa Igreja Católica Apostólica Romana.

Então tio Pietro falou aos parentes:
— Brindemos aos noivos!
As taças foram enchidas com um saboroso vinho e todos deram vivas ao nosso compromisso. Depois, foi servida uma farta refeição. Todos estavam alegres, pois os laços valiosos da família Neri estavam assegurados. As farpas entre tio Benini e tia Marieta ainda continuaram por algum tempo. Eu ainda me lembro quando ela disse:
— Acho que o palerma abobalhado não é o menino Ciro e, sim, o seu tutor.
— Saiba que se eu fosse um palerma abobalhado, não poderia ter escolhido um discípulo tão sábio como Ciro.
— É, mas meu irmão Giovanini, o seu falecido pai, conquistou a sua mãe com a ousadia que só ele possuía. Invadiu este castelo, encostou sua espada na garganta do senhor dele e exigiu sua mãe como esposa. Aquilo sim é que foi romântico.
— Cada um luta com a arma que melhor domina. Ciro chegou até aqui como um palerma abobalhado e agora é, na sua visão, um espertalhão. Não pediu Mariana, mas fez Pietro fazer um favor ao concedê-la. O que me diz de tudo isso?
— Acho que sua fortuna estará bem guardada, mas quanto à de Pietro, não sei se está tão segura como antes da chegada dele.
— Então admita que se enganou mais uma vez, titia?
— Eu não admito nada, Benini. Só depois de ver o que ele fará com a herança que deixar, eu direi se estava enganada ou não.
— Mas para isso eu terei que morrer primeiro, tia!
— Azar o seu Benini, pois eu pretendo viver o suficiente para ver como ele se sairá quando não tiver você para ensiná-lo a envolver os outros com esta retórica que você tão bem sabe usar.
Eu intervi nesta altura da disputa verbal.
— Tio Benini, eu vou provar a tia Marieta que o senhor está certo em confiar em mim ainda em vida. Esta discussão envolve minha pessoa e acho que compete a mim dar um final feliz a ela.
— É isso mesmo, rapazinho! Quero vê-lo provar se é sábio como Benini diz ser, ou tolo como eu afirmo. Quero só ver como este jovenzinho todo tímido e delicado vai fazer quando tiver que lidar com as duras coisas da vida, e não com tolos como Benini ou Pietro.
Tio Benini então olhou-me sério e perguntou:
— Como pretende provar isso a ela, Ciro?
— Dividindo com o senhor as atenções dela, tio Benini. Assim já estarei ajudando o senhor nesta disputa sem fim.
— Só isso?
— Já é um começo, tio!
— Sim, mas com tia Marieta tanto faz ser amado como odiado, você sempre será criticado.
— Então não adianta discutir com ela?
— Não. Ela sempre sustenta suas críticas com seus afiados argumentos.
— Vou fazer uma bela poesia para tia Marieta!

Virei-me para ela e perguntei:
— A senhora gosta de criticar os outros, tia. Então permita que lhe dedique a mais bela das minhas poesias.
— Foi Benini quem lhe ensinou a fazê-las?
— Não. Isso ele ainda irá ensinar no futuro, pois ainda não teve tempo.
— Com que intuito vai me dedicar esta poesia?
— Ou se torna minha amiga ou minha inimiga. Temos que definir os campos em que teremos de lutar e as armas que usaremos para preservar os valiosos laços de família.
— Eu ouvirei sua poesia e direi se estava certa ou não quando eu disse a Pietro que você era um palerma abobalhado.
— Mas como saberei se irá deixar clara a sua resposta ou só irá postergá-la para depois de minha morte?
— Eu prometo que saberá logo após recitar sua poesia.
Então ela bateu palmas e pediu silêncio a todos.
— Silêncio! Vamos ouvir se Ciro é um Neri ou um farsante que já embrulhou tio Benini, tio Pietro e a bela e doce Mariana com seu jeito muito peculiar de espertalhão disfarçado de palerma abobalhado. Estou ouvindo, Ciro!
— Lá vai, tia Marieta:

*Tia Marieta é bela mas*
*Não sabe ser bonita, pois*
*Quanto mais ela fala,*
*Mais afiada sua língua fica!*

*Tia Marieta é idosa, mas*
*Não é o que parece.*
*Quanto mais velha fica,*
*Mais a sua língua cresce!*

*Tia Marieta, tia Marieta!*
*És nobre, boa e pura.*
*Mas de nós isto oculta,*
*Só por causa da sua língua dura!*

*Mas com tia Marieta*
*Não há ninguém que possa*
*Pois quanto mais ela fala,*
*Mais a sua língua engrossa!*
*Porém! Tia Marieta é*
    *Doce como o mel, a*
        *Única coisa que a estraga*
*É a sua língua, amarga como fel!*

— E chega de elogiá-la, titia, senão irá ficar muito vaidosa!
O silêncio era total, mas todos estavam segurando o riso à espera de sua reação.

— Quando você fez esta poesia, Ciro?
— Agora, tia Marieta. E então?
Ela não se conteve e desatou a dar gargalhadas. Então a sala veio abaixo, pois até os pequeninos entenderam a poesia.

Tio Benini quase caiu da cadeira de tanto rir. Eu também não resisti e dei boas risadas.

Quando diminuiu a intensidade do riso, ela se levantou de sua cadeira, veio até meu lado e deu-me um beijo.

— Então? — perguntei-lhe.
— É o mais belo elogio que já recebi em toda a minha vida. Poderá escrevê-la para mim depois?
— Ainda não definiu o campo em que nos bateremos, titia.
— Está pedindo muito, Ciro! Eu já defini o campo: será de uma Neri para um Neri.
— Ou seja?
— Uma disputa entre amigos.
— Ótimo, tia. Então vai receber de viva voz mais um verso.

*Tia Marieta, sua língua corta*
*Como o frio.*
*Mas se eu não fosse*
*Considerado seu amigo,*
*Derramaria tantas lágrimas*
*Que logo formariam um caudaloso rio.*

Após dizer isso, levantei-me, beijei-a e abracei-a longamente. Como o jantar já havia terminado, tio Pietro contou várias anedotas e os mais falantes também contaram as suas.

# Capítulo VI

# Duas Cartas e um Mistério

    Só tarde da noite, todos, muito alegres, retiraram-se para seus quartos. Eu ainda fiquei sentado pensando se realmente tinha conquistado a família ou não. Só haviam ficado à mesa tio Benini, tio Pietro e sua esposa, tia Genoveva, Mariana e eu.
    Foi tio Benini quem interrompeu meus pensamentos.
    — Ciro, dou-lhe um mês de folga nos estudos, se revelar seus pensamentos. Mas só se disser a verdade.
    — Está bem, tio Benini. Eu estava pensando assim: "Ciro, você perdeu sua família e ficou só no mundo. De repente ganhou um tutor, um nome honrado e nobre, uma família rica e poderosa. Veio até ela só com sua longa capa negra, seu anel com uma pedra negra e sua tristeza. Hoje, deixou-se levar pela ilusão e deu vazão ao seu espírito. Mas será que não será só um sonho e amanhã ou depois despertará e verá que não devia ter tentado tornar realidade uma ilusão?"
    — Acha que tudo não passa de um sonho?
    — Sim, senhor. Eu ainda me lembro do dia em que vi esta capa negra e pensei: "Bem, já que seu dono não precisa mais dela, talvez eu possa me proteger da chuva e do frio, pois tenho apenas esta roupa no corpo." Mas sentia medo de estar vestindo o luto pelo resto de minha vida. Dali em diante, eu entrei num sonho. Não sei ainda como tive coragem de dizer tudo o que disse aqui hoje. Talvez seja o desejo de ter uma família ou de querer conquistá-la para não ser rejeitado novamente. Não mais numa aldeia abandonada, mas sim no seio da família que Deus me deu para substituir a que Ele levou para habitar o Seu castelo de luz lá nas alturas. Talvez tenha sido só uma defesa baseada no ataque ou o desejo de não mais ser agredido. Enfim, o que eu disse pode ser a mais pura verdade, mas eu ainda acho que tudo é tão estranho e incomum que só pode ser um sonho. Talvez eu devesse ter deixado a capa lá na estrada e continuado meu caminho sozinho. Assim estaria vivendo uma realidade e não um sonho. Como posso dizer para mim mesmo que não sou um aldeão simples e solitário, mas Ciro Neri, sobrinho do bispo Benini Neri, e do príncipe Pietro Neri, se eu sei que é só um sonho? Eu não devia ter apanhado a longa capa negra que aquele desconhecido deixou à beira do caminho.

— Você o conhecia?
— Não.
— Então use-a, Ciro. É sua e a ela outros bens eu adicionarei.
— Mas qual será o preço? Será que valerá a pena?
— Bem, tem uma família à qual pertence, e muito mais do que possa imaginar. Se há reparos à vida que teve até pouco tempo atrás, não há sobre sua origem. Basta que a assuma, agora que a sua família o aceitou como mais um membro. Só depende de você torná-la real e aceitar como real tudo o que eu tenho para lhe oferecer. Agora vá dormir que deve estar cansado. Amanhã verá que não precisa modificar o seu modo de ser e pensar para ser aceito. Você só foi escolhido por sempre ter sido assim. Eu sei que é um tanto enigmático, mas um dia eu lhe falo de uma forma clara.

— Está certo, tio Benini. Vou sonhar que é tudo verdade e não um sonho.

Tio Pietro então decidiu tomar a palavra.

— Escute bem isto, Ciro Neri! Você ainda é muito jovem e tem muitas dúvidas. Espero que não nos decepcionemos por causa delas, pois, aí sim, estará vestindo o luto da capa negra. Talvez o dono dela a tenha abandonado devido ao imenso peso que ela representava e você tenha de assumir este encargo. Se em algum momento se sentir fraco para carregá-la, peça-nos auxílio e lhe daremos. Apenas não a jogue à beira do caminho e mergulhe sua alma no luto das trevas. Neste caso não será somente você quem irá ficar só com a roupa do corpo, mas seu tio Benini também. Ele prometeu algo a alguém, e este alguém o cobrará por não ter cumprido sua promessa.

— O que foi que o senhor prometeu, tio Benini?

— Um dia eu lhe conto, Ciro. Hoje foi um dia feliz e não vamos estragar a noite com coisas tristes. Genoveva, conduza Ciro ao quarto dele que ainda tenho de conversar com Pietro.

— Eu o levo até o quarto, mamãe! — pediu Mariana.

— Está bem, filha, vou ficar mais um pouco com seu tio e seu pai.

Ela saiu. Antes de sair, também pedi a bênção deles.

— Que Deus o abençoe, Ciro Neri.

Eu saí e eles conversaram entre si.

— Ainda tem alguma dúvida, Pietro?

— Não. Papai está por trás de tudo, e deste rapaz também. Eu conheci a mãe dele só de vista, mas você pôde conhecê-la pessoalmente e não iria se enganar.

— Eu tenho certeza de que Angelina era a nossa irmã rejeitada, e Ciro é nosso sobrinho. O que mais me intriga é como ele conseguiu a capa de papai. Nós mesmos a vestimos no cadáver dele e assistimos ao seu sepultamento aqui, neste castelo mesmo. Seu túmulo não foi violado. Então, como ele a encontrou à beira do caminho quando já ia fugir do compromisso.

— O anel é igual ao de papai também. Só não pude ver se tem a marca que lhe deixou o golpe de espada.

— Isso é fácil de saber. Amanhã tiraremos esta dúvida. Mas uma coisa eu sei: Ciro é nosso sobrinho e é a ele que papai quer que acolhamos como membro de nossa família. Sabe o que ele me pediu?
— O que foi?
— Um cavalo negro. Até parece que papai o inspirou nesse desejo.
— Eu tenho um cavalo igual ao de papai. Vou presenteá-lo a Ciro. Vamos ver o que ele fará depois.

Enquanto isso, eu e Mariana conversávamos também.
— Vai gostar do seu quarto, Ciro. Eu mesma o arrumei para você.
— Eu durmo bem em qualquer lugar, Mariana.
— Agora não dormirá em qualquer lugar e sim num quarto aconchegante e numa cama macia.
— Vou ter de voltar até a sala principal, Mariana, esqueci de apanhar a capa negra.
— Deixe-a lá que eu a guardo para você. O que acha de selarmos o nosso compromisso com um beijo?
— Não quero me aproveitar da confiança do seu pai, mas acho que isso faz parte do compromisso. Só espero que o tio Benini não me prenda à sua batina por muitos anos.
— Eu não me incomodo de esperar. Principalmente agora que estou livre das investidas dos pretendentes que viviam rondando o castelo de papai. Todos vão ficar decepcionados quando souberem que já estou comprometida com você.
— Bem que eu imaginei isso e me antecipei por medo de algum cão vadio e faminto chegar primeiro.
— Vamos ficar falando por muito tempo? Logo mamãe irá até meu quarto e, se não me encontrar, ficará brava comigo.

Então abracei-a e beijei-a. Mariana era a moça mais bonita que eu já vira em minha vida. Estávamos apaixonados e se não fosse por causa de sua mãe, não a largaria mais.

Após ela sair do quarto, preparei-me para dormir. Minha mente estava longe naquele momento. Eu pensava no passado recente, e no remoto também.

Enquanto isso, tio Benini e tio Pietro, mais tia Genoveva, iam deixando a sala principal quando viram a capa negra.
— Olhe, Benini, a capa negra! Vou olhá-la melhor agora.
— Já a examinei mais de uma vez, Pietro!

Tio Pietro apanhou a capa e olhou tanto por dentro como por fora. De repente, ele falou:
— Benini, há algo dentro do forro dela e parece ser um papel. Temos de abrir esta capa para saber do que se trata.
— Ciro poderá perceber que a descosturamos.
— Vamos ao meu quarto. Lá pediremos a Genoveva que a descosture para nós. Ela saberá fazê-lo sem deixar vestígios. Então nós a traremos de volta e Ciro não saberá de nada.

— Está bem, mas vamos logo.

Tia Genoveva descosturou a capa e retirou o papel. Era uma longa carta, amarelada pelo tempo. Tia Genoveva costurou novamente a capa e tio Benini a recolocou no cabide, retornando logo a seguir ao quarto de tio Pietro.

— Há duas cartas, Benini. Estavam coladas uma na outra. Quer ler para nós?

— Dê-me as duas, Pietro, vou lê-las.

"*Caro senhor Giovanini Neri. Eu fiz o que o senhor me ordenou. Falei com os pais de Angelina. A troco de algumas moedas, casei-me com ela. É uma moça calada e triste.*

*Nosso primeiro filho nasceu há um mês e se chama Ciro, tal como o senhor ordenou que eu o nomeasse caso fosse homem. Só não poderei levá-la para o seu castelo porque tanto ela como todos por aqui sabem que o senhor a rejeitou. Além disso, sofreu muito para dar à luz o pequeno Ciro. Já está fora de perigo, mas ainda não é aconselhável viajarmos. Peço-lhe que daqui a dois meses me envie o auxílio para que eu possa levá-la à sua propriedade em Milão.*

*Eu já falei a Angelina que iremos embora desta aldeia onde todos a evitam e fazem gracejos devido à sua deficiência.*

*Fico aguardando novas ordens e que me envie o auxílio necessário para nos mudarmos para Milão, pois eu não sei como trabalhar a terra. É muito difícil para mim, um professor de latim, fazer tal coisa. Portanto, envie-nos auxílio logo ou passaremos por sérios apuros. Os vizinhos a odeiam só porque é sua filha. Eu nem posso contar com a ajuda deles.*

*Ass. Giuseppe Vespasiano. 1125, maio."*

— Leia a outra agora, Benini.

— Está bem, Pietro, mas acalme-se. Você está muito nervoso.

"*Caro senhor Giovanini Neri.*

*Eu recebi sua carta e o auxílio que me enviou. Isso nos ajudou muito. Angelina é uma criatura maravilhosa, mas está muito triste porque não poderá ter outro filho senão morrerá. Eu já estou começando a amá-la; ela é uma mulher muito inteligente, apesar de não ter estudado. Também me contou que sofre muito, porque não o vê visitar mais as suas terras nesta aldeia já há muito tempo. Ela não o odeia pelo que o senhor lhe fez. Só diz não compreender como um pai pode ser tão cruel para rejeitar uma filha e tão insensível ao ponto de passar por ela e fingir que não a vê.*

*Nada posso dizer a ela sobre seu desejo de reparar o seu erro, senão irei magoá-la ainda mais.*

*Quanto a Ciro, está melhor agora e é muito inteligente. E quando crescer será o seu orgulho, pois eu sei distinguir as crianças excepcionais na inteligência.*

*Assim que receber os papéis de doação de suas propriedades em Milão no nome dela, iremos para lá.*

*Ass. Giuseppe Vespasiano. 1126, dezembro."*

— Esta segunda carta foi escrita quando papai já estava morto, Benini. Como ela veio parar aqui no forro da capa e ainda estar grudada à anterior?

— É um mistério muito grande, Pietro. Amanhã abriremos o túmulo de papai para ver se ele está com ou sem sua capa.

— Não deixe ninguém saber disso. Logo depois de tirarmos nossas dúvidas, lacrá-lo-emos novamente.

Enquanto eles discutiam outras providências a serem tomadas, em outro quarto do castelo, alguém também estava nervoso. Era o primo Mário, filho de tia Eliza. Eu o tinha visto vagamente na mesa. Estava sentado próximo de tia Genoveva e foi o único que não achou graça na poesia dedicada a tia Marieta. Eu não percebi nada de anormal nele, mas o coloquei na lista dos que deviam ser melhor estudados.

— Não é justo uma coisas dessas, mamãe. Passo um ano todo bajulando Mariana e vem um aldeão qualquer, eleito por tio Benini, e a tira de mim. Isso não vai ficar assim, de jeito nenhum!

— Vá com calma, Mário. Tio Benini é muito astuto e saberá de algo, caso tramemos contra o protegido dele. Não cometa nenhuma imprudência, senão tio Pietro nos põe para fora deste castelo. Não temos nada além da generosidade dele. O tolo do seu pai teve o capricho de perder tudo o que papai me deixou como herança. Que idiota fui arranjar como marido!

— Mamãe, se não houver outra alternativa, peço a uns amigos meus que eliminem este aldeão idiota que veio me tirar a fortuna quando eu já a estava quase alcançando.

— Precisa ver se Mariana irá aceitá-lo como esposo, sua fama já penetrou as paredes deste castelo.

— Eu não quero o amor de Mariana, e sim, a fortuna do tio Pietro. Ciro não irá me deixar na miséria! Não agora que eu estava tão próximo dela.

— Muito cuidado, Mário. Se tio Pietro suspeitar de alguma trama de nossa parte, por-nos-á para fora de sua propriedade.

— Eu serei cauteloso, mamãe. Ninguém saberá de meus planos quando eu os colocar em prática. Nesse tempo, Ciro voltará a ser o aldeão que sempre foi ou irá fazer companhia ao vovô, lá no inferno.

Eu não conseguia dormir, porque me recordava do passado; Mário e sua mãe por se preocuparem com o futuro, e os tios Pietro e Benini com o presente.

# Capítulo VII

# O Corcel Negro

Só acordei às oito horas da manhã. Fiz minha higiene pessoal. Troquei de roupa e arrumei o meu quarto. Para mim isto era natural, já que na paróquia eu limpava tanto o meu quarto como toda ela.

Depois, apanhei meus pertences na bagagem e os arrumei no quarto, de acordo com meu gosto e praticidade. Depois de tudo pronto, apanhei o grosso livro em branco e comecei a escrever. Já havia escrito várias páginas, quando bateram à porta. Fui abri-la e sorri ao ver Mariana com uma bandeja cheia de queijos, pães e doces nas mãos.

— Para quem é tudo isso, Mariana?
— Eu lhe trouxe a refeição já que não desceu para comer conosco.
— Não sabia que havia uma ceia logo ao amanhecer!
— Eu não comi só por sua causa. Vejo que já arrumou tudo por aqui.
— É, eu faço isso todas as manhãs ao me levantar.
— Não se preocupe com este tipo de dever, Ciro. Os servos fazem-no aqui no castelo.
— Bem, podem fazer no restante dele, pois em meu quarto não entrarão. Ou cuido dele ou ninguém cuida.
— Nem eu?
— Um dia poderá fazê-lo. Nesse tempo será o seu quarto também.
— Posso pelo menos ficar no "seu" quarto um pouco?
— Não irão censurá-la por isso?
— Que importa? Você se incomoda?
— Eu não, mas não quero lhe causar problemas com minha presença aqui.
— Eu avisei mamãe que vinha lhe trazer o café da manhã e que lhe faria companhia.
— Então fique à vontade e vamos comer, parecem tão apetitosas que despertaram minha fome.

Sentamo-nos e comíamos, quando tia Marieta entrou, depois de bater na porta que eu deixara aberta. Levantamo-nos e a cumprimentamos.

— Quer se servir, titia? — era Mariana quem perguntava.
— Já comi, Mariana. Só vim aqui para ver se minha poesia já está escrita.

Você já a escreveu, Ciro?

— Sim, senhora! Vou apanhá-la, mas escrevi mais algumas coisas para a senhora. Espero que aprecie, tia Marieta.

— Coma primeiro. Eu não tenho nada para fazer mesmo, então para que a pressa?

— Não aceita nem uma fatia de bolo?

— Está bem, dê-me uma, pois na minha idade preciso alimentar-me bem se quiser viver por muitos anos.

— Ótimo, tia Marieta. Creio que sem a senhora por perto a vida de muitos parentes perderia o sentido.

— O que insinua, Ciro?

— Nada, tia Marieta. Foi só uma observação.

— Eu sei que sou o chicote que faz uns lombos arderem de vez em quando. Mas, se não fosse minha língua, todos estariam sentados sobre a herança de Giovanini e nada fariam para manter os Neri como a família mais ilustre de Bolonha.

— Quando eu puder levar Mariana para Milão, será a mais ilustre de lá também, tia Marieta. Todos dirão: "Lá é o castelo onde Ciro Neri esconde dos olhos indiscretos a bela Mariana."

— Vai me ocultar num castelo?

— Sim.

— Mas tio Benini não tem castelo. Ele mora numa grande casa, toda cercada por jardins, no meio de um bosque.

— Eu construirei um enorme castelo que terá no seu interior o bosque, o jardim e a casa do tio Benini. Assim terá tudo o que é bonito, gostoso e agradável no interior do seu castelo.

— Ah! Finalmente um sobrinho ambicioso como Giovanini. Ninguém acrescentou nada ao que ele deixou e alguns ainda dilapidaram sua parte muito rapidamente. Espero que faça mesmo o que prometeu, pois senão na próxima geração os Neri serão todos vassalos, e não senhores de terras.

— Bom, eu ainda não entendo de nada, mas tio Benini prometeu que me arranjará os melhores mestres em tudo, portanto logo estarei apto a dar meus passos com total segurança.

— Você é inteligente, Ciro. Use o seu nome e a influência de Benini e logo, logo será tão poderoso como Giovanini foi no tempo dele. Eu ainda sinto saudades daqueles dias, quando toda a nobreza de Bolonha disputava um lugar à nossa mesa.

— Mas o tio Pietro é um homem poderoso, tia Marieta.

— Sim, mas já não é o mais poderoso desta cidade. Há outros muito mais ricos e influentes. São os que controlam o comércio. Eles manipulam os príncipes, barões, duques e outros nobres de títulos menores. Todos estão endividados com eles e são dependentes dos humores desta gente. Os nobres detêm apenas os títulos, pois o poder verdadeiro está nas mãos deles. Controlam a manufatura e deixam a lavoura para os tolos dos castelões que só enxergam as terras à volta das suas fortalezas, esquecendo-se de que as moedas correm de mão em mão nas cidades, que formigam de tantas pessoas. Pense nisso, Ciro!

— Vou pensar, tia Marieta. No tempo certo, eu lhe contarei o que vier a fazer ou tiver feito.

— Dê-me minha poesia que quero ficar a sós para melhor me deliciar com ela.

Eu lhe entreguei as folhas que havia escrito. Ela sorriu e ainda disse algo a Mariana antes de se retirar.

— O que ela lhe falou em voz baixa?
— Preocupa-se com o que ela diz?
— Sim, ela é muito esperta.
— Ela me disse para não perdê-lo de vista.
— Não entendi o motivo da observação dela.
— Se eu não fizer isto, outra poderá lançar sua sutil armadilha e tomá-lo de mim.

— Vai ser muito difícil, Mariana. Você é a única que se compara a mamãe. Tem os mesmos cabelos, a mesma cor de olhos e o sorriso, apesar de ela ter sido triste. Tem a mesma voz doce e meiga e é tão carinhosa como ela, se bem que num outro sentido. Vocês se parecem, mas eu as vejo de formas diferentes.

— Bom, agora sim, senão eu iria pensar que você quer outra mãe.
— Num certo sentido sim, mas só para substituir o amor filial por um amor mais romântico e apaixonante.

— Você anda lendo muito os livros do tio Benini.
— Já os leu também?
— Só alguns, mas já foi suficiente para eu me apaixonar por alguém sonhador.
— Eu sou este alguém, ou já teve outro sonhador em sua vida?
— Você é o único sonhador que eu conheci, e não precisarei procurar outro.
— Bom, então saiba que você também é uma sonhadora, e muito romântica.
— Como pode saber disso?
— Eu olho para você e quando a vejo quieta, só observando tudo à volta, sem dizer nada, imagino que esteja pensando, pensando e sonhando.

— Sempre lê o que passa na mente dos outros?
— Só de quem me atrai ou chama minha atenção.
— Então o que me passa agora pela mente?
— Se eu não tivesse que terminar com a tarefa, eu a levaria para passear. Se bem que não sei se me é permitido fazer tal coisa com minha noiva.

— Eu decido o que é permitido ou não e isto está implícito no compromisso selado ontem à noite.

— Então termino de escrever quando voltarmos.
— Iria deixar-me triste se preferisse escrever a levar-me a um passeio.

Ainda nos beijamos antes de sairmos para passear. Mariana mostrou-me todo o castelo e só voltamos na hora do almoço, quando a família se reuniu novamente.

Desta vez fui menos eloquente e muito, mas muito discreto. Só procurei ouvir as observações de cada um. Tio Benini cochichava muito com tio Pietro e só raramente se dirigiam aos outros membros da família. Eu não sabia o porquê, mas discutiam o achado no túmulo de vovô.

— Ainda não acredito no que encontramos no túmulo de papai, Benini. Como todas aquelas cartas foram parar no interior dele?

— Acho que ele só quer nos lembrar de que nós esquecemos de cumprir o prometido antes de sua morte. Vou levar comigo estas cartas, Pietro. Acho que elas me ajudarão a entender o tamanho do erro cometido por nós dois. Temos de acertar muitas contas com papai quando o encontrarmos no inferno.

Tio Pietro estava sério e tio Benini preocupado. Sorriam de vez em quando, mas eu sabia que algo muito grave os incomodava. Como eu era muito discreto, nunca perguntava nada de pessoal a ele. Portanto, eu não saberia nunca do que se tratava e o melhor era só observar.

Em dado momento, tio Benini falou:

— Ciro, você já ganhou o seu cavalo negro. Pietro tinha um muito lindo e quando soube que eu procurava um para você, presenteou-o com ele.

— Obrigado, tio Pietro, Eu já havia me esquecido dele. Puxa! Esqueci a capa negra! Não posso perdê-la nunca!

Eu pedi licença e saí da mesa, indo até a outra sala. Foi um alívio quando vi a capa pendurada na parede. Tirei-a de lá e a dobrei com cuidado para guardá-la junto às minhas roupas. Se alguém a tirasse de lá ou levasse embora, o homem estranho poderia não gostar. Assim que voltei à sala de refeições, tio Pietro perguntou:

— Onde exatamente você achou esta capa, Ciro?

— Jogada à beira do caminho, tio.

— Você viu o homem que a deixou lá?

— Sim.

— Como era ele?

— Não pude vê-lo bem, pois era noite.

— Descreva mais ou menos o que você conseguiu ver.

Eu descrevi e, após dar as características que eu conseguira me lembrar, ele me perguntou:

— Foi ele que jogou este anel também?

— Não, senhor. Este anel ele me deu antes de lançar fora a sua capa.

— Ele lhe deu? O que ele falou quando o deu a você.

— Só me disse que nunca o tirasse do dedo e que se alguém perguntasse como um aldeão como eu tinha conseguido um anel desses, era para dizer que pertenceu ao meu avô, que o deixou para mim como herança de família. Disse que era para eu dizer que essa era a única coisa que eu herdei de meu pai.

— Só isso?

— Sim. Depois ele jogou a capa negra fora. Perguntei se não ia precisar mais dela e ele disse que não. Como ele sumiu na estrada, eu a apanhei e a guardei na minha trouxa de roupas.

— Esta capa tem alguma relação com o cavalo negro?

— Sim. Ele disse que se eu a usasse montado num cavalo negro, ficaria muito bonita e imporia respeito, como quando ele montava um fogoso corcel negro.
— Vamos dar uma olhada no seu cavalo?
— Como quiser, tio Benini!
Fomos até o estábulo e lá estava ele: o mais belo corcel negro que se podia imaginar. Fui até ele e o acariciei primeiro no focinho, depois as longas crinas e todo o corpo.
— Como é belo, tio Pietro! Nunca vi um cavalo igual a este em minha vida. Deve ser o mais veloz cavalo do mundo. Posso montá-lo?
— É todo seu. Mas eu o aconselho a tomar cuidado, já que só o montei uma vez e não tive mais coragem, pois ele é um tanto agitado.
— Eu nunca montei um cavalo, mas ele me parece calmo.
Olhei bem nos olhos dele. Parecia até que já nos conhecíamos. Vesti a longa capa negra na sua frente e ele se empinou nas patas traseiras diversas vezes, relinchando sem parar, até que se acalmou.
— Ensine-me como prepará-lo para ser montado, tio.
— Ajude a apanhar a sela que seu avô usava no corcel dele.
— O seu pai também montava um cavalo negro?
— Sim e era tão bonito e fogoso como este. Até parece o mesmo.
Nós fomos até uma sala da cavalaria e num canto havia uma sela toda enfeitada com detalhes de prata. O bridão também tinha argolas de prata e o chicote longo tinha o cabo de prata maciça.
— Ajude-me a polir todas as peças, Ciro. Esta sela vai ficar muito bonita no corcel negro.
— O senhor vai me dar esta sela também?
— Sim. É toda sua a partir de agora.
— O seu pai não vai gostar que dê a sela dele.
— Ele já morreu, Ciro. É seu finado avô também. Você é um Neri e Giovanini Neri foi o mais ilustre de todos. Não houve outro igual a ele antes e acho que não haverá outro depois dele.
Ficamos conversando sobre vovô Giovanini enquanto políamos os arreios. Tio Benini veio para junto de nós. Logo tia Marieta juntou-se a nós.
— O que é que vão fazer agora os três Neri, aqui na cavalariça?
— Ciro vai montar o corcel negro, tia.
— Você está louco, Pietro? Quase o matou quando você quis sair com ele dias atrás.
— Com Ciro será diferente. O cavalo já o identificou como o único que ele respeitará.
— Como pode saber disso?
— Eu conheço cavalos melhor que ninguém e sei quando um se identifica com alguém. Ele irá cavalgar como um corisco ao ter Ciro montado.
— Você é um louco, Pietro! Benini, não permita uma coisa dessas! Ciro é só uma criança inexperiente e não saberá controlar esta besta fera negra.

— Antes vamos ensiná-lo a cavalgar num cavalo manso, tia Marieta. Fique tranquila, pois Ciro ainda lhe fará muitos versos antes que venha a morrer.

— Já lhe disse que vou ao seu enterro, Benini!

Ela saiu resmungando e entrou na ala residencial do castelo.

— Venha cá, Ciro. Vou ensiná-lo a usar o chicote. Este é o principal artigo de um cavaleiro. Sabendo usá-lo, fará seu corcel andar à velocidade que desejar.

Depois vem o bridão. Se quiser segurar o cavalo, puxe-o contra si e se quiser que corra como o vento, solte-o um pouco e use o chicote levemente. Pressão no seu focinho e força nas chicotadas são as coisas que impõem o ritmo de uma montaria.

— Não me esquecerei disso, tio Pietro. E qual é a terceira coisa importante?

— Os arreios. Jamais monte num cavalo sem vistoriá-los. Olhe se as barrigueiras estão bem amarradas e se há pressão suficiente para o cavalo poder correr sem sentir-se mal, mas não as deixe frouxas senão a sela escorregará com o suor dele e você fatalmente cairá do seu lombo.

— Só isso, tio?

— Não. Também tem a questão do equilíbrio. Tem de balançar o seu corpo com o de sua montaria. Cavalo e cavaleiro têm de ser um só corpo. Um não deve atrapalhar o outro.

Eu aprendi a estalar o chicote de couro do vovô Giovanini e só quando eu o senti como uma extensão do meu próprio pulso, tio Pietro deu-se por satisfeito. Nós não havíamos notado, mas Mariana nos observava a distância. Tinha vindo porque tia Marieta falara da loucura que tio Pietro ia fazer. Quando saímos do local onde haviam guardado a sela de vovô, ela nos olhava.

— Olá, Mariana. Mande o cavalariço arrear o seu cavalo para Ciro treinar um pouco nele. Assim estará apto a montar no Corisco.

— Não acha precipitado Ciro montar este cavalo sem ter muita prática, papai?

— Vamos ver primeiro como ele se sai no seu cavalo. Só depois o montará. Agora vamos ver como ficará esta sela no lombo do Corisco. Quem sabe ele me recusou por não o ter enfeitado como gostaria?

Eu ajudei tio Pietro e ia aprendendo como arrear um cavalo. Quando terminamos, ficou o mais lindo corcel negro do mundo.

Mariana trouxe seu cavalo para perto. O cavalo dela também era lindo. Era branco como a neve. Sua alvura brilhava com os raios do sol.

— Monte-o, filha! Assim Ciro saberá como fazê-lo corretamente.

Ela o montou e deu uma volta no pátio do castelo. Eu observei como fazia para deter ou acelerar sua marcha. Dei uma olhada e vi a ponte levadiça abaixada. Era por lá que eu passaria com Corisco. Enquanto os tios Pietro e Benini olhavam Mariana cavalgar, fui até Corisco, acariciei seu focinho, falei com ele e depois soltei suas rédeas.

— Venha comigo, Corisco. Vamos mostrar que você voa como um pássaro. Você não vai fazer feio, não é?

Suas narinas soltavam o ar com violência. Era um corcel fogoso. Se eu o dominasse agora, ele nunca mais me recusaria.

Tio Benini viu o que eu ia fazer e tentou me impedir.
— Não o monte, Ciro! Ele é indomável e você não tem prática alguma!
— Vou montá-lo, tio Benini. Ele não foi montado e eu não sei como fazê-lo. Assim, nós dois empatamos logo de saída. Se nos dermos bem, logo saberei e, se não, todos assistirão o primeiro tombo de Ciro Neri. Olha só a assistência! Acha que vou dar a eles o prazer de ver Mariana me ensinando como montar e cavalgar? Ou saio com Corisco ou não monto cavalo algum, pois não vou ser humilhado nunca mais com gracejos pouco lisonjeiros feitos à guisa de brincadeiras que no fundo dizem: "Olha o neto rejeitado de Giovanini Neri. É tão deficiente como sua mãe manqueta!"
— Por que diz isso?
— Porque estou vendo nos olhos deles essas palavras. Eu vou montá-lo e mostrar a todos que Ciro Neri é tão bom quanto Giovanini Neri. Chega de imaginar que estejam falando coisas depreciativas às minhas costas.
— Como pode dizer uma coisa dessas, Ciro?
— Eu podia ver nos olhos deles durante o almoço. Essas coisas eu não aprendi em livros, tio, mas com minha própria sensibilidade. Diga que posso montá-lo ou então irá me humilhar na frente de todos.
— Está bem, Ciro, monte-o, mas antes tire esta capa pois só irá atrapalhar os seus movimentos. Ela é muito grande para você.
— Vou com ela, tio. Ou consigo ou caio com ela.

Eu passei pelo pescoço de Corisco as rédeas do bridão e coloquei o pé esquerdo no estribo. De uma só vez eu o montei. Ele relinchou e empinou-se todo nas patas traseiras. Boleava como uma serpente nervosa. Reclinava-se todo e relinchava sem abaixar as patas dianteiras.
— Meu Deus! — gritou tio Benini.
— Use o chicote, Ciro! — gritou tio Pietro.

Segurei firme as rédeas e estalei o chicote no ar. Não foi preciso bater. Ele lançou-se à frente e disparou como um corisco. Agarrei-me fortemente na sela com a mão direita e com a esquerda controlava o bridão. Ele avançou rapidíssimo na direção da ponte levadiça e a pulou por inteiro, jogando-se à frente como um bólido incontrolável. Eu não caí como todos imaginavam, ou torciam para que acontecesse. Deixei-o correr solto até onde a estrada atingia o topo de uma colina. Lá eu puxei o bridão e ele empinou-se todo parando sobre as patas traseiras. A capa negra esvoaçava com o vento cortante e a sela brilhava com os raios do sol.
— É o espírito de Giovanini Neri que voltou do inferno! — falou tia Marieta, assustada com a visão no topo da colina.
— É Ciro Neri, tia. É só Ciro Neri! — exclamou tio Benini. — Ainda acha que eu errei na escolha do discípulo?
— Não, Benini. Pela primeira vez você fez algo certo na sua vida. Giovanini Neri está de volta!

Mariana chicoteou o seu cavalo e logo alcançava o topo da colina. Com um forte puxão nas rédeas fez o seu cavalo reclinarse nas patas traseiras e depois gritou:

— Siga-me se conseguir, Ciro. Duvido que Corisco seja mais rápido que meu Floco de Neve.
— Vá na frente, pois não conheço as estradas.
— Vamos até a cidade?
— Você é quem sabe. O compromisso selado permite isso?
— O que ele não permitir, nós desrespeitaremos, certo?
— Certo. Mas todas as cláusulas?
— Nem todas. Só algumas. Olha lá a assistência na porta do castelo!

Eu olhei e vi quase toda a família Neri debaixo do portal de entrada. Mariana reclinou seu corcel sobre as patas traseiras e o chicoteou com força. Ele deu um salto à frente e correu como o vento. Fiz o mesmo com Corisco e quase fiquei para trás, tamanha a força e extensão do salto. Logo a alcançava e, lado a lado, corríamos como dois ginetes disputando a mais férrea corrida. Enquanto a capa negra esvoaçava às minhas costas, os longos cabelos de Mariana formavam uma cauda negra a partir da sua cabeça, como a cauda de um cometa negro cortando o ar. Pouco depois, entrávamos em Bolonha, numa tarde fria do início do mês de dezembro de 1141.

Quando entramos nas ruas da cidade, seguramos a marcha dos cavalos, que agora trotavam, formando uma bela parelha. Os dois cavalos chamavam a atenção dos moradores e transeuntes. Nós também atraíamos os olhares, pois éramos uma dupla de cavaleiros diferentes. Mariana cavalgava melhor que a maioria dos homens e eu, com um cavalo todo negro e vestindo a longa capa, também chamava a atenção.

— Vamos até a catedral, Mariana?
— Quer ir lá agora?
— Sim, deu-me vontade.
— Então me siga, Ciro Neri — ela chicoteou levemente o seu alvo e brilhante Floco de Neve e Corisco o acompanhou no galope.

Logo estávamos diante da Catedral. Apeamos e subimos os seus degraus depois de amarrar os cavalos no jardim defronte a ela. Quando entramos, fui até a frente do altar e fiz uma prece ao estranho dono da longa capa negra.

Eu havia feito o que ele mandara e tinha certeza de que todos deviam ter ficado impressionados com a estranha figura do cavaleiro e sua montaria.

Quando terminamos, Mariana falou:
— Um dia viremos diante deste altar não para orar, mas para consumar o que começamos lá naquela paróquia da aldeia onde você nasceu.
— Espero que o tempo passe logo, Mariana!
— Ele voará como os nossos cavalos, Ciro. Chegará tão rápido que nem perceberemos a sua passagem.
— Assim espero. Se não estivéssemos numa igreja, eu a beijaria agora mesmo.
— Vamos para um lugar onde possamos fazê-lo sem incomodar ou desrespeitar ninguém?

— Você conhece os lugares. Eu só a sigo, Mariana Neri.
— Então, siga-me, Ciro Neri. Vou levá-lo ao paraíso.
Pouco depois já estávamos montados nos cavalos e correndo pelos campos. Só paramos à beira de um lago que se formava aos pés de uma bela cachoeira.
Ali nos abraçamos e beijamos à vontade.
— Até onde iremos, Mariana?
— Só até onde o compromisso selado permite, Ciro!
— Talvez seja difícil não quebrar todas as cláusulas.
— Aceitaria uma mulher que cedesse tão facilmente aos seus encantos como a companheira ideal para passar o resto de sua vida ao lado dela?
— Não, ela perderia todo o encanto.
— Então não me force a quebrar as cláusulas proibidas não apenas em nosso compromisso, mas em todos os que são selados como o nosso foi.
— Vou me conter, mas não vai ser fácil.
— Eu sei, mas não vou permitir que o encanto do nosso romance seja quebrado. Mas no dia em que chegar este momento, saciaremos nossa fome e sede como dois seres que, acima de se amarem, respeitam-se. Só assim eu entenderei o amor de alguém ou por outro alguém. Ele tem de conter o desejo, a paixão, a volúpia e a ansiedade, mas nunca romper o selo do compromisso. Entende isso no meu amor, Ciro Neri?
— Sim. É um amor encantado e não quebrarei este encanto, Mariana Neri.
— Vamos voltar?
— Antes, você me dá um beijo?
— Sim. Depois iremos direto para o castelo, senão papai vai ficar preocupado.
Beijamo-nos longamente. Depois fiquei olhando o rosto dela, os luzidios e brilhantes olhos negros, os lábios vermelhos, os cabelos negros como a pedra do meu anel, e acariciei suas faces macias e rosadas.
— Como você é linda, Mariana!
— Você também, Ciro. Não há outro como você em todo o mundo.
— Mas não conhece o mundo!
— Que importa, se no meu mundo está você! Não preciso conhecer o mundo para saber que não encontrarei outro como você em lugar algum. Bendito foi o dia em que tio Benini me convidou para visitar a paróquia da aldeia. Jamais me esquecerei daquele dia que dançamos sozinhos no jardim da igreja.
—Sim. Tal como hoje, naquele dia só precisou você mostrar como eu devia fazer, para poder acompanhá-la.
— Um dia haverá algo que não poderei mostrar-lhe como fazer para que dancemos ou cavalguemos juntos e compassados.
— Nesse dia, ensaiaremos juntos os primeiros passos ou a primeira cavalgada. Nesse dia, um não precisará ensinar o outro, pois nos conheceremos e entenderemos tão bem que só o brilho dos nossos olhos será suficiente para que saibamos como fazê-lo. Como você é linda, Mariana!

— Vamos, senão só chegaremos ao castelo ao anoitecer.
— Eu ficaria aqui o restante de minha vida.

Montamos nos cavalos e cavalgamos lentamente, já mais controlados. Agora queríamos nos olhar, conversar e deliciar nossas vistas com as paisagens.

# Capítulo VIII

# Os Templários

Só galopamos com rapidez quando já estávamos próximos do castelo. Ao entrarmos, demos uma volta no pátio e entramos nos estábulos. Eu mesmo os desarreei e os conduzi à cocheira. Só depois de deixá-los para o cavalariço é que entramos na ala principal. Já estavam jantando. Pedimos licença e nos sentamos nos nossos lugares.

— Como foi com Corisco, Ciro?

— Venci um dos meus medos, tio Benini. Já não temo mais montar um cavalo.

— Era tão grande assim o seu medo?

— Sim. Quando eu era pequeno, um cavaleiro passou com seu cavalo por cima de mim. Tenho as marcas dos cascos de seu cavalo em meu corpo. Uma nas costas e outra na cabeça.

— Por que você disse que o chamavam de "o neto bastardo de Giovanini Neri?"

— Como mamãe era uma mulher delicada e muito bonita, diziam que era a filha dele e que papai era seu protegido, porque os coletores sempre eram generosos com ele. Viviam dizendo que eu era o neto não reconhecido, mas que assim mesmo recebia a sua proteção.

Este era um dos motivos de eu viver segregado na aldeia.

— Entendo. E quis provar hoje que não seria um Neri alvo do gracejo dos parentes.

— Sim, senhor, mas também precisava provar para mim que podia vencer os meus temores, desde que a vontade de vencer fosse maior que o medo.

— Sei! Mas não percebeu que deixou de lado toda a prudência?

— Sim, tio Benini. Mas como eu poderia dizer para mim mesmo que não serei eternamente uma pessoa que evitará os perigos só para não correr os riscos que uma vitória pessoal traz implícita? Em outras palavras, um covarde!

— Eu digo que não vou permitir ou admitir essas atitudes de sua parte.

— Sim, senhor, tio Benini. Só espero que me perdoe por tê-lo desagradado.

— Não me desagradou ver você vencer um medo seu. Mas a forma que usou para vencê-lo. Há muitas formas de se derrotar um adversário e quero que aprenda as mais sutis e menos perigosas.

— Sim, senhor. Desculpe, tio Benini!
— Está certo. Eu o desculpo, mas só desta vez. Agora coma, todos já terminaram.

Tio Benini levantou-se da mesa e foi dar uma volta pelo pátio. Para mim, ele tinha ido olhar o cavalo.

— Tio Benini tem razão, Ciro, mas há momentos em que um homem tem de deixar de lado a razão e se guiar pelos instintos. Você seguiu os seus e provou sua força interior. Se souber dosar sabedoria e instinto apurado, será invencível — disse tio Pietro.

— Obrigado pelo apoio, tio. O problema é que tanto o senhor como tio Benini estão certos, mas sou eu quem tem de escolher a forma de vencer os obstáculos.

— Então balanceie instinto e sabedoria que se sairá bem em todas as pelejas que entrar.

— Vou procurar aplicar suas teorias, tio Pietro.

Ainda conversamos um pouco. Assim que terminei de comer, recolhi-me ao meu quarto. Voltei a escrever e fiquei até tarde da noite debruçado sobre o grande livro. Quando resolvi parar, tinha umas trinta folhas manuscritas em letras miúdas. Apanhei a lamparina e fui até a janela do quarto, ficando um bom tempo a olhar as estrelas. Quando resolvi dormir, já era madrugada. Acordei cedo e voltei ao livro, escrevendo mais umas dez folhas.

Só saí do quarto quando ouvi barulhos no pátio. Eram umas sete horas da manhã. Fui direto ao estábulo ver Corisco. Assim que me viu, relinchou. Entendi como um sinal de alegria da parte dele. Acariciei o seu focinho e suas longas crinas.

— Você gosta disso, não é, meu amigo? Eu também gosto de acariciá-lo. Mais tarde daremos outra volta.

Voltei para o pátio e sentei-me sob uma marquise. Eu meditava quando tio Benini me chamou.

— Ciro, vou até a cidade. Vem comigo?
— É importante que eu vá, tio?
— Seria bom conhecer outras pessoas além da família.
— Eu o acompanho, tio. Posso ir no meu cavalo?
— Vá arreá-lo enquanto atrelam uma carroça para mim.

Pouco tempo depois saíamos. O cavalo estava fogoso, mas não teria as rédeas soltas. Eu o manteria ao passo dos cavalos da carroça de tio Benini. Corisco a princípio pedia rédeas soltas, mas eu me mantinha firme. Pouco tempo depois, ele cedeu e manteve a marcha dos cavalos da carroça, e assim permaneceu até a cidade.

Tio Benini foi direto à mansão de um amigo dele. Aquilo era maçante para mim, mas me mantive ao seu lado o tempo todo. Achei melhor ficar atento à conversa, pois era hora de aprender a unir os negócios à amizade. Eles possuíam negócios em comum, e um dia eu teria de assumi-los.

Só voltamos ao castelo no fim da tarde. Tio Benini trazia em sua carroça duas bolsas de moedas de ouro. Era a união do útil ao agradável. Útil eram os negócios, e agradável, a amizade.

Mais tarde um pouco, nós jantamos e fui dar uma volta pela ala externa do castelo. Subi numa de suas muralhas e vesti minha capa negra para me proteger do frio que a cada dia aumentava de intensidade. A temperatura caía rapidamente.

Levantei a gola da capa e fiquei observando ao longe. Do alto das muralhas, avistava-se Bolonha, logo depois da colina.

— Lá está a fortuna, Ciro Neri. É lá que você irá vencer!
— Falando sozinho, Ciro?

Eu levei um susto, imaginava estar sozinho.

— Como vai, primo Mário?
— Bem, mas um tanto impressionado com você, Ciro.
— Por quê?
— Conquistou tio Benini, Mariana, tia Marieta e tio Pietro de uma só vez.
— Está enganado, primo. Mariana conquistou-me e tio Benini comprou-me. Tio Pietro aceitou-me e tia Marieta encantou-me.
— Ela o encantou? Como, se você lhe fez a maior sátira?
— Não foi uma sátira e sim uma poesia alegre. Eu a fiz em homenagem à sua língua que não a deixa mentir. Pode falar o que quiser, pouco importando se é certo ou errado, mas é sincera ao exteriorizar o que pensa. Eu gosto das pessoas sinceras, pois delas não precisamos temer nenhuma falsidade.
— É, você tem muita sorte mesmo. Todos o têm em alta consideração por ser discípulo do tio Benini.
— Ele me escolheu, primo Mário. Não tenho culpa se a sorte resolveu sorrir para mim.

Como alguém se aproximava, calamo-nos. Era Mariana quem vinha juntar-se a nós.

— Estou atrapalhando?
— Não, Mariana, eu já ia me retirar. Até amanhã, primo Ciro.
— Até lá, primo Mário. Gostaria de cavalgar conosco amanhã?
— Não amanhã, pois vou encontrar com uns amigos na cidade logo cedo e não posso me atrasar. Talvez um outro dia, primo Ciro.
— Está certo. Só me diga quando estiver disposto.

Depois que ele se afastou, eu sorri para Mariana e falei:
— Que bom tê-la por perto depois de um dia todo sem vê-la.
— Eu também senti saudades.
— Pior será depois da minha partida. Só de pensar que não a verei por muitos meses já fico triste. Bem que o tio Benini podia ficar por aqui mesmo.
— Ele já está afastado há muito tempo de Milão, Ciro. Lá é que estão sua fortuna e seu poder. Quando chegarem lá, você vai ver realmente quem é tio Benini. Aqui todos o respeitam, mas lá ele é muito mais que isso. Lá ele é temido, pois é juiz do tribunal eclesiástico.
— O que significa este cargo?
— Quem o possui é mais poderoso do que os bispos em geral e só é inferior, na hierarquia, ao próprio papa.

— Tanto assim?
— Isso mesmo. Você será amado ou odiado, tal como ele é.
— Preciso aprender a conhecer toda a hierarquia da Igreja e da Realeza.
— Não se preocupe com isso. Ele mesmo o introduzirá nas duas, se bem conheço tio Benini. Tem amigos e aliados nas duas hierarquias. Só não se elegeu papa porque não quis. Tinha tudo a seu favor e assim mesmo ficou fora da sucessão.
— Qual o motivo?
— Ninguém soube dizer. Papai sabe, mas não diz. Os dois são como carne e unha. O que um faz, o outro sabe. Se você não tivesse me pedido em casamento, na certa eles iriam forçar-nos a nos casar de qualquer jeito. Pelo sorriso de meu pai, penso que facilitamos o trabalho que teriam em convencer-nos do compromisso.
— Então é por isso que a deixam tão livre ao meu lado?
— Sim. E foi por isso que lhe pedi para respeitar certas cláusulas. Tudo o que fizermos de errado só irá aumentar a desconfiança de papai. Tio Benini tem certa reserva, pois quer torná-lo realmente um discípulo à sua altura, mas meu pai quer ter certeza de que você não irá me deixar por outra moça, assim perderia o controle sobre seus passos.
— Por que me conta tudo isso, Mariana?
— Quero que saiba que não participo dos planos dele. Se quero me casar um dia com você é só pelo amor e não porque meu pai ou tio Benini queriam isso.
— Bom, pelo menos não seremos como a maioria que se casa por interesses. Conosco os interesses vêm como presente de casamento. Observe lá adiante, Mariana. O que vê?
— A cidade, Ciro.
— Não há só a cidade ali, e sim um grande poder. Tia Marieta estava certa ao dizer aquelas coisas ontem. Eu já havia notado a diferença que existe quando passei por lá com tio Benini. Tornei a ver quando fui passear ao seu lado e confirmei hoje ao ir com titio novamente. É ali que está um poder que não depende de títulos e sim de quem controla o comércio. É ali que vou vencer minha maior luta, Mariana. Vou aprender como conquistar uma cidade sem precisar de soldados. Vamos visitá-la amanhã?
— Pensei que não ia me convidar!
— Está muito frio, aproxime-se que eu a cubro com a capa.
— Alguém pode estar nos vendo lá do castelo. Eu mesma vi você do meu quarto.
— Qual o lugar onde não seremos vistos?
— Siga-me, que eu o conduzo.
— Você vai ter de conduziu-me por muito tempo, Mariana.
— Só até você conhecer tudo por aqui. Depois será mais fácil.

Mariana me conduziu para um lugar no alto das muralhas em que não éramos vistos e ficamos muito tempo juntos. Como eu dividia a capa negra com ela, mas sem tirá-la do corpo, passamos a maior parte desse tempo com os rostos colados.

No dia seguinte, após escrever mais uma porção de páginas, fomos até a cidade, visitamos a catedral e o bispo Mariano. Ele ficou muito feliz ao rever Mariana e a mim também. Conheci não só a igreja toda como a maioria dos padres que nela prestavam serviços religiosos. Tanto ficamos, que o bispo nos convidou para almoçar com ele.

Por volta das duas horas, resolvemos voltar ao castelo. Ao passarmos numa rua, um homem já idoso nos acenou:

— O que deseja, senhor?

— Sou Tiago Zago e fui eu quem vendeu este belo cavalo ao príncipe Pietro. Ele ia devolvê-lo, pois o animal era indomável, mas vejo que mudou de ideia.

— Tio Pietro presenteou-me com ele, senhor Zago. Ele até que não é tão indomável assim. O senhor tem outros cavalos?

— Só mais alguns. Gostaria de vê-los, príncipe?

— Não sou nenhum príncipe. Sou Ciro Neri e esta é Mariana, a filha do tio Pietro. Ele sim é o príncipe.

Virei-me para Mariana e perguntei:

— Gostaria de ir ver os cavalos dele comigo?

— Conduza-me, Ciro. Agora eu o sigo!

Fomos com o senhor Zago e logo estávamos em seu estábulo. Havia uns poucos cavalos, todos muito bonitos.

— Não gostaria de comprar outro, senhor Ciro?

— Sou só Ciro, senhor Zago. Gostaria de comprar um e dar ao tio Pietro, mas não trouxe dinheiro comigo. Voltarei outro dia e levarei o melhor que tiver.

— Se eu ainda os tiver!

— Sim, se ainda os possuir.

— Se eu tivesse mais dinheiro, tornar-me-ia o maior negociante de cavalos de Bolonha. Conheço os maiores e melhores criadores do sul. É de lá que eu trago meus belos animais. Por aqui há poucos cavalos.

— Custa muito caro um cavalo no sul, senhor Zago?

— Não, no máximo umas cinco moedas de ouro.

— Quanto cobrou por este cavalo negro?

— Vinte peças.

— Quantas peças de ouro precisa para se tornar o maior negociante de cavalos de Bolonha?

— Quinhentas peças. Assim, a cada viagem o lucro seria imenso e poderia vendê-los por toda a região.

— Como é que outros não tiveram esta ideia antes?

— Medo de perder dinheiro. Há muitos assaltantes do sul até aqui e poucos conseguem vir até Bolonha sem perder alguma coisa.

— Então como iria trazer tantos cavalos sem perdê-los?

— Eu conheço todos os templários que há na península e, quando viajo, eles me dizem onde há e onde não há bandidos.

— Templários? Quem são?

— É uma longa história, mas, para simplificar, direi que são homens que juraram defender com suas vidas o Santo Sepulcro em Jerusalém.

— Ainda não entendi, senhor Zago.

— São cavaleiros que participam das cruzadas, Ciro Neri. Os que voltaram criaram uma ordem a partir da França. Eles estão por todas as partes do Sacro Império, nos reinos ibéricos, francos e normandos. É uma irmandade fraterna e se um membro é prejudicado, os outros o socorrem. Os salteadores respeitam os templários, porque sabem que terão todos contra eles, caso molestem algum. Os melhores cavaleiros da Itália são templários.

— Puxa! É ótimo assim! Creio que já arranjou um sócio, senhor Zago. Só vai depender do meu tio Benini me emprestar as quinhentas peças de ouro.

Mariana que só ouvia até então, interveio:

— Ciro, como vai prometendo algo que não sabe se tio Benim permitirá? Você não conhece este senhor e vai confiar a ele tanto dinheiro assim? Acredita mesmo que tio Benini é tão louco que chegaria a este ponto?

— Eu o conheço, Mariana. Quanto ao senhor Zago, eu vi nos seus olhos que é honesto e irá multiplicar as quinhentas peças muitas e muitas vezes.

— Como pode saber disso?

— Eu sei, Mariana, só isto!

— Obrigado pelo crédito, jovem Neri. Se conseguir esta quantia com o bispo Benini, você a terá multiplicada muitas e muitas vezes. Isso eu lhe garanto, com minha palavra de templário.

— Onde posso encontrá-lo, senhor Zago?

— Minha casa é humilde, mas digna o bastante para recebê-lo, jovem Neri.

— Conduza-nos que o seguiremos.

Logo mais estávamos em sua casa. Era humilde, mas muito limpa e organizada. Na parede, eu vi uma bela espada.

— Olhe só, Mariana, que bela espada!

— Sabe usá-la, jovem Neri?

— Nunca toquei numa. Posso pegá-la?

— Eu a tirarei da parede, espere um pouco.

Ele a apanhou e deu-me para que eu visse.

— Tire-a da bainha, Ciro Neri. Verá a mais forte lâmina que pode existir.

Soltei a correia que a prendia e puxei a espada com cuidado.

— Nossa! Como é bela!

— Esta espada conheceu a Terra Santa. O próprio bispo de Paris a abençoou, assim como o da igreja do Santo Sepulcro. É por isso que somos chamados de templários. Somos os guardiões do Santo Sepulcro.

— Mas tão longe dele, senhor Zago? — agora era Mariana quem estava curiosa.

— Sim, senhorita. Nós preparamos cavaleiros, mantemos acesa a chama da libertação da Terra Santa e esperamos a próxima cruzada.

— Como preparam novos cavaleiros, senhor Zago?

— Primeiro ele tem de ser iniciado na Ordem para que um mestre de armas o prepare. Os melhores espadachins, lanceiros ou cavaleiros são cruzados iniciados. Só se tornarão templários se forem à Terra Santa.

— Entendo. Poderia me iniciar como cruzado?

— Sim.

— Mesmo que meu tio não me empreste as quinhentas peças de ouro?

— Mesmo assim eu o inicio como cruzado e futuro templário. Venha aqui em casa esta noite que eu o submeto ao ritual de iniciação. Guarde consigo esta espada cruzada. É a melhor do gênero e foi forjada junto com muitas outras por encomenda do rei de França. Jamais conseguiram outra forja igual a esta desde então.

Eu a amarrei na cintura e ela quase chegava a tocar sua ponta no chão.

— É muito comprida, senhor Zago. Acho que é muito grande para mim.

— Com o tempo aprenderá como manejá-la. Além do mais, ainda irá crescer bastante.

— Venha conosco ao castelo do príncipe Pietro, tio Benini está hospedado lá. Eu falarei com ele. Se conseguir convencê-lo, terá ainda hoje as quinhentas peças de ouro.

— Não vou deixá-lo mal com o seu tio, jovem Ciro?

— Tentar não custa nada, senhor Zago! Vamos?

Montamos e partimos. Passávamos por uma praça, quando alguém gritou o meu nome. Como não conhecia ninguém, não dei importância.

— Hei, Ciro Neri, também é surdo ou só parvo abobalhado?

— Quem é o idiota que está gritando estas palavras ofensivas?

— Não ligue para ele, Ciro. É só o convencido do Gilberto Sarre, sobrinho do monsenhor Sarre.

— Como ele pode ficar me ofendendo assim? Vou saber por que me ofende desta forma. Siga-me!

Eu fui até onde estava um grupo de rapazes mais velhos que eu. O primo Mário estava entre eles. Eu logo percebi qual era a causa e a intenção do amigo dele. Provocava-me com segundas intenções. Seu intuito era humilhar-me, pois assim ajudaria o primo Mário.

— Como pode chamar alguém assim sem ao menos conhecê-lo, meu amigo?

— Ouvi umas histórias sobre você e acho que é apenas um tolo.

— Devem ter falado "muito bem" de mim, pelo que deduzo de suas palavras.

— Pelo que vejo, tem a pretensão de substituir ou tomar o lugar do seu avô Giovanini.

— Meu avô é insubstituível e seu lugar permanecerá vago para sempre. Ele foi o mais valente dos homens, e não serei eu quem tentará tal proeza.

— Então é um parvo abobalhado, pois anda num cavalo igual ao dele.

— Só estou usando a capa que ganhei, o cavalo que ganhei, e nada mais.

Nesse momento, o tio dele chegou, e eu reconheci sua insígnia de monsenhor. Então, ele falou:

— Tio Sarre, apresento-lhe Ciro Neri, o maior parvo abobalhado que já apareceu em Bolonha.
— Não fale desta forma sobre Ciro Neri, Gilberto! É muita falta de respeito.
— Não é nada disso, tio. Olhe só a figura no cavalo negro. É só um parvo todo empoado sentado na glória do avô. Aposto como não passa de um covarde também, já que nem carrega sua espada na cintura. Como é possível uma coisa dessas? Só pode ser um covarde que se oculta sob o manto negro do avô. Duvido que o covarde tenha coragem de descer do cavalo, tirar sua espada da bainha e defender sua honra, pois não a tem.
Seu tio repreendeu-o:
— Cale-se, Gilberto! Não sabe o que diz!
— Eu sei, tio. Ele é tão covarde que nem consegue falar.
Então eu tomei a palavra.
— Eu sei defender minha honra, amigo Gilberto. Mas só a defendo nos meus termos. Como pode ver, o cavalo, a capa e a espada eu ganhei. Como são presentes, uso-os como quero e onde quero, sem por isso ter de dar ouvidos ou satisfações a quem quer que seja. Monsenhor, diga-me com toda sua experiência e sabedoria de um religioso: mandaria uma criança de 5 anos saltar de uma altura de cinco metros?
— Não.
— Por quê?
— Primeiro porque ela se mataria ou se machucaria muito e segundo porque ela, por não saber saltar, não poderia aquilatar o perigo que estaria correndo.
— Muito bem! Eu ganhei esta espada há pouco e nunca usei uma antes. Então eu seria comparado a uma criança pulando da altura mencionada e me quebraria todo. Mas há uma outra forma da criança, que sou eu, provar que sabe usar bem a espada.
— Só se for com a língua, Ciro Neri! — gracejou Gilberto. — São estes os seus termos de luta?
— Não, amigo Gilberto. Esta é uma espada que pertenceu a um homem que lutou na última cruzada. Ela foi abençoada no templo do Santo Sepulcro e tem um valor inestimável. Vale muito mais que a que tão bem sabe manejar e exibe com tanta galhardia.
Ele não havia soltado o cabo de sua espada o tempo todo. Era o seu objeto mais valioso. Isso eu percebi assim que o analisei por inteiro. Então dei a estocada fatal com minha língua afiada.
— Vejo que usa uma capa tão vistosa ou mais que a minha e segura um cavalo magnífico. Creio até que mais bonito que o meu. Proponho-lhe uma aposta para limpar de vez minha honra ou perdê-la de uma vez por todas. Que tal lutarmos de igual para igual?
— Estou ouvindo, Ciro Neri!
— O monsenhor será o juiz. Levará sua espada e a minha até o topo da colina defronte ao castelo e espetará as duas no solo. Aquele que primeiro apanhar a sua espada ganha a espada, a capa e o cavalo do outro.
— O que pretende com isso?

— Se eu perder, ficarei sem as coisas que me tornam um parvo abobalhado e voltarei, para vergonha minha e desonra do meu avô, a pé, sem a capa, o cavalo e a espada.

— Em caso contrário?

— Você perde a sua espada, a capa e o cavalo e me pede desculpas em público pelas ofensas infundadas que lança contra a minha pessoa. Vê como meus termos são fáceis de serem aceitos? Não causam o derramamento do sangue humano, pois sou um amante da vida, e ainda trará um lucro considerável ao ganhador. Eu lanço em público o meu desafio, Gilberto Sarre: a honra de um Neri e a vergonha do meu falecido avô contra suas desculpas públicas. Se vencer, não só provará que sou um covarde parvo abobalhado como ainda terá um considerável lucro e, se não, só lamentará as suas perdas, pois reconhecer de público que errou só dignifica as pessoas de espírito nobre. E Gilberto Sarre é um nobre de espírito mais nobre ainda. Monsenhor, eis minha espada. Junto dela está minha honra ou minha vergonha. O senhor é o juiz.

Gilberto estava branco como cera. Eu impus meus termos e caso ele não aceitasse, seria ele o parvo abobalhado. Nesse momento, Mariana tentou me ajudar.

— Ciro, você é louco! Não conhece o cavalo de Gilberto. Nem meu Floco de Neve conseguiu vencê-lo numa corrida. Vai perder tudo porque não conhece nada e ninguém por aqui. Dessa forma, logo não terá mais nada na vida.

— Mas terei minha vida, e eu a acho muito valiosa, Mariana. Para que colocá-la em risco se posso perder outras coisas não tão valiosas?

— Isto não é típico de um Neri, Ciro.

— Mas é típico de um Ciro que foi tornado um Neri.

Gilberto então saiu do seu espanto e falou:

— Vou dar logo minha espada para o monsenhor antes que Mariana o convença a desistir do desafio. Tome, tio. Eu aceito os seu termos, Ciro quase Neri.

O monsenhor apanhou a espada e foi levá-la até o topo da colina. O meu primo Mário acompanhou-o como testemunha de que as espadas ficariam no lugar acertado e voltaria para dar a ordem de largada. O senhor Zago acompanharia o monsenhor e seria testemunha da nossa chegada até o topo da colina.

Quando Mário voltou avisando que já estavam afixadas no lugar combinado, foi dada a partida.

Eu sabia que iria vencer, pois tive de segurar Corisco para não deixar Mariana para trás na nossa corrida pelos campos. Enquanto ela batia furiosamente na sua montaria, eu só soltava as rédeas de Corisco. Se eu o tivesse chicoteado, ele a teria deixado para trás a grande distância.

Eu estalei o chicote, e Corisco saltou para a frente. Gilberto também lançou seu garanhão numa desabalada corrida. Eu vi como ele chicoteava o seu cavalo. Galopávamos mais ou menos lado a lado. Assim que saímos da cidade e pegamos a estrada, soltei o chicote nas ancas de Corisco e ele disparou como um raio, deixando Gilberto cada vez mais para trás. Cheguei ao topo da colina uns cem metros na sua frente. Segurei Corisco e apanhei a espada virando imediatamente.

Chicoteando-o novamente com força, cruzei com Gilberto. Nova chicotada e a velocidade de Corisco atingiu o máximo. Esta era a sua capacidade máxima, só precisei mantê-la constante com estalos do chicote e logo estava chegando à praça onde uma multidão havia se formado. Aplausos saudaram a chegada do corcel negro. Eu o fiz parar sob as patas traseiras e reclinei-o várias vezes sob elas. Corisco relinchava e bufava incessante. Ele sabia que era o melhor e procurava demonstrar isso a todos.

Embainhei a espada e só então Gilberto chegou em meio a uma imensa vaia. Ele pagava o preço de sua excessiva autoconfiança. Estava arrasado.

Todos ficamos esperando a chegada do monsenhor Sarre. Quando chegou, falou:

— Ciro Neri venceu Gilberto Sarre. Lavou sua honra enxovalhada e ganhou a capa, a espada e o cavalo de meu sobrinho, além das desculpas públicas por ter sido ofendido. Dê-lhe seus pertences perdidos e diga, em alto e em bom som, que Ciro Neri não é um covarde parvo e ainda é um digno neto de Giovanini Neri, que honra a memória do seu avô.

Ele fez o que o tio ordenou. Depois de entregar-me os troféus da vitória, desculpou-se em público. Então lhe disse:

— Os arreios são seus, Gilberto. Eu só apostei o cavalo. Pode tirá-los.

Ele os tirou e ficou com eles nas mãos.

— Obrigado por permitir que eu limpasse minha honra, Gilberto Sarre. E digo mais: Giovanini Neri conquistou o seu lugar guiando-se pela sua força e coragem, portanto seu lugar lhe pertence por direito conquistado e ninguém poderá substituí-lo. Mas Ciro Neri guia-se pela astúcia e também conquistará o seu lugar ao lado de Giovanini Neri.

— Hoje você me derrotou, Ciro Neri. Mas um dia colocaremos o amor de Mariana Neri em disputa.

— Eu só coloco o que me pertence em jogo. Mariana Neri só será minha após nos casarmos. Até lá é dona do seu destino e não tenho o direito de colocar seu amor em jogo. Só posso ficar torcendo para que nenhum homem mais agradável aos seus olhos a tire de mim. Se alguém conseguir isso, eu o saudarei como um grande conquistador e honrarei sua memória, meu amigo Gilberto! Só os de espírito nobre sabem reconhecer com honra quando foram derrotados. Mas, depois de casado com Mariana Neri, o homem que ousar tirá-la de mim pagará com sua cabeça o preço da ousadia, pois ela não será um presente de que posso dispor como bem entender, mas sim minha esposa, algo que não dou, empresto ou divido com ninguém. Até a vista, meu amigo!

— Coloque sua espada na cintura, Ciro Neri, para que eu possa desafiá-lo para um duelo nos meus termos.

— Espero nunca precisar usá-la na cintura, mas se um dia eu o fizer, será porque poderei tirar o coração de um homem só com sua ponta para não manchar minhas mãos com seu sangue!

Dei uma chicotada no cavalo e o lancei à frente. Levava as coisas mais preciosas de Gilberto Sarre comigo. Tolo, havia pago um preço alto por ter se deixado iludir por mim. Eu havia jurado que só travaria um combate se fosse nos meus termos e iria cumprir minha jura, pois só assim eu derrotaria meus adversários.

Pouco depois, Mariana e o senhor Zago me alcançavam. Ela estava furiosa.

— Por que me deixou para trás, Ciro? Não foi muito cavalheiresco de sua parte fazer isso comigo!

— Eu só retribuí o que me fez antes. Ousou duvidar de mim diante daquele imbecil. Ele é um idiota metido a valentão e pagou o seu preço. Ou pensa que não a deixei para trás quando galopávamos porque não podia? Não! Eu não a deixei porque queria ficar ao seu lado e não tinha interesse em mostrar a você que meu cavalo era mais rápido do que o seu. Eu trouxe aquele tolo para o meu campo de luta e impus os termos, somente assim eu o venceria. Só um idiota põe sua vida em jogo no campo do adversário. E ele foi um tolo ao entrar no meu campo. Só não a censurei quando ousou questionar-me porque suas palavras serviram aos meus propósitos. Convenceram o idiota de que iria me vencer. Só por isso eu me calei. E a deixei para trás de propósito. Ou me seguia ou dava ouvidos às insinuações dele. Por acaso não entendeu o que ele insinuou ao dizer que disputaria o seu amor?

— Foi uma fanfarronice daquele pavão empoado.

— Não, Mariana. Está muito enganada! Ele insinuou que eu mendigaria o seu amor, pois o primo Mário deve ter-lhe falado algo sobre o compromisso selado. Quem mais estava ao lado de Gilberto Sarre, senão Mário Neri?

O senhor Zago falou:

— Jovem Ciro, precisará aprender a manejar uma espada logo, logo!

— Como, senhor Zago?

— Procure em Milão o templário D'Ambrósio. É o maior espadachim que já conheci ou vi em minha vida. Diga-lhe que eu o presenteei com esta espada e que quer ser treinado na arte das armas por ele. Ele é capaz de tirar o coração de um homem com a ponta de sua espada sem sujar as mãos, ou degolar alguém sem deixar que sua cabeça caia do pescoço.

— Por que me recomenda isso, senhor Zago?

— Você conquistou seu primeiro inimigo pessoal e isso é muito perigoso.

— Então já é o segundo, pois o primeiro é meu primo Mário Neri. Foi ele quem armou tudo isso com o único propósito de me eliminar ou afastar do seu caminho.

— Como pode dizer uma coisa dessas, Ciro?

— Digo só o que vi nos olhos dele ontem à noite e hoje na cidade.

— Você está muito enganado. Mário é um ótimo rapaz. Agora sou eu quem vai largá-lo para trás.

Ela chicoteou o seu cavalo e distanciou-se de nós.

— Não vai alcançá-la, jovem Ciro?

— Não, senhor Zago. Se eu for atrás dela terei que me desculpar, mesmo estando certo. Ou ela volta ou chegará sozinha ao castelo.

— De qualquer maneira é ruim para você.
— Mas desta forma é menos pior porque não terei de me desculpar, estando certo.
— Desta forma, logo terá três inimigos, e não dois!
— Antes só do que estar ao lado de quem não me é cem por cento leal. Vivi só até hoje e não me custa passar o restante da vida assim. Isso aconteceu por eu pensar dessa forma e não vou mudar meu modo de pensar.
— Admiro a sua fibra e fico feliz em iniciá-lo na Ordem dos Templários. Sinto que no futuro você só a honrará.
— Disso não tenha dúvidas, senhor Zago.

Ainda conversamos sobre como seria a sociedade caso eu conseguisse o dinheiro com tio Benini.

# Capítulo IX

# A Iniciação

Quando chegamos, fui ao quarto de tio Benini acompanhado do senhor Zago. Apresentei-os e depois expus todo o negócio que havíamos acertado, com a única ressalva sobre a obtenção do dinheiro.

Após ouvir tudo, tio Benini pediu ao senhor Zago que aguardasse do lado de fora e fechou a porta. Então, veio até mim e falou:

— Ciro, tem noção de quanto vale quinhentas peças de ouro?

— Sim, senhor. São mais ou menos cem cavalos de boa cria.

— Você entende de cavalos?

— Não, mas o senhor Zago entende muito e será ele quem cuidará do negócio. Eu só participarei dos lucros, tio Benini. É um grande negócio!

— Você não sabe, mas quinhentas peças de ouro são uma pequena fortuna e poucos se disporiam a arriscá-la assim.

— Por isso vim pedir emprestado ao senhor, pois sei que tem muito dinheiro e sabe como multiplicá-lo.

— Por que esta obsessão em vencer a todo custo, Ciro?

— Eu tomei a sua defesa na eterna disputa com tia Marieta e pretendo mostrar a ela que não sou um palerma abobalhado e sim alguém que só precisa do seu auxílio no princípio para logo fazê-la dobrar sua crista. Confie em mim, tio Benini.

— Em você, confio. Só não sei se devo confiar no senhor Zago.

— Eu confio nele, pois vi honestidade nos seus olhos. Eu nunca me engano ao olhar nos olhos de alguém.

— Comigo você se enganou, Ciro!

— Bem, vai me emprestar ou não?

— Você não reconheceu que se enganou comigo e está agindo como tia Marieta.

— Bem, eu não sei ainda porque tive aquela impressão do senhor. Se não foi por causa das insinuações, então há um outro motivo que só saberei no futuro.

— Não atina com o que seja?

— Não pensei mais nisso desde que vi que o senhor não era o que eu pensava e não quero colocar nada em minha mente. Eu o venero como bispo, sábio e tio que me tem ajudado mais do que o meu próprio pai. Não vou deixar que nada macule a imagem que faço do senhor e mesmo que diga não, ainda assim continuarei a admirá-lo. Depois do que consegui hoje usando os seus ensinamentos, é único para mim!

— O que você conseguiu?

— Lavar minha honra e a dos Neri humilhando publicamente Gilberto Sarre, ao tomar-lhe o cavalo, a espada e a capa, fazendo-o desculpar-se por ter me ofendido em público.

— Como conseguiu isso?

— Usando a sua técnica de tirar o adversário do seu campo de luta e induzi-lo a lutar em meus próprios termos. Só não ri em público na cara dele por recomendação sua.

— Como foi?

— É uma longa história, tio, agora vou acompanhar o senhor Zago. Aceitei o convite para conhecer a casa dele, espero que o senhor permita que eu passe a noite lá. Posso passar esta noite com ele e sua família?

— Sim. Depois Mariana me conta a história toda. Vou me divertir ao ouvir como você devolveu a humilhação infligida aos Neri uns anos atrás.

— Está certo. Obrigado, tio Benini, e até amanhã. A sua bênção.

— Ei, onde vai com tanta pressa?

— Ao encontro do senhor Zago!

— Sem o dinheiro?

— Eu pensei que não ia me emprestar uma quantia tão elevada.

— Se é verdade que você humilhou Gilberto Sarre, aquele petulante, as quinhentas moedas de ouro são um presente meu para que tente a boa sorte num negócio aqui em Bolonha e o deixe mais humilhado ainda.

Tio Benini apanhou uma das sacolas e me entregou.

Mandou-me separar as moedas e devolver-lhe o resto no outro dia. Chamei o senhor Zago e nos despedimos. Eu apanhei o livro que deveria escrever até o fim do mês, penas, tinta e mais alguns papéis e enfiei tudo numa bolsa grande.

Pouco depois deixávamos o castelo Neri para trás, com alegria no rosto.

— Como o convenceu a emprestar-lhe o dinheiro, jovem Ciro?

— Trouxe-o para o meu campo de luta, senhor Zago. A partir daí foi fácil.

— Ensine-me como se faz para conseguir isso, acho que comprarei e venderei mais facilmente e melhor os nossos cavalos.

Nós dois sorrimos de sua observação. Assim mesmo eu lhe contei, pedindo que mantivesse segredo disso.

— À noite, quando eu fizer a sua iniciação como cruzado da Ordem do Santo Sepulcro, serão revelados alguns segredos também, e não poderá desvendá-los nem ao seu tio Benini.

Assim que chegamos à casa dele, separei as quinhentas peças de ouro e entreguei-lhe. Depois fiz os contratos e nós dois o chancelamos sob as vistas de um outro templário um pouco mais idoso. Era um velho fabricante de vinhos finos de pouco sucesso, pois não tinha muito capital. Convidou-me a associar-me a ele que assim poderia expandir o seu negócio até as cidades e aldeias. Prometi ir ver seu alambique no dia seguinte.

Mais tarde, após cearmos, o senhor Zago iniciou a cerimônia. Estavam presentes vários outros templários e cruzados de Bolonha. Era, na verdade, uma sociedade secreta, oculta pela fachada religiosa do Santo Sepulcro. Depois de iniciado com todo um cerimonial respeitoso e após jurar silêncio e lealdade, fui apresentado a todos os membros e me foi indicado o príncipe dos templários de Milão. Eu deveria procurá-lo logo que chegasse lá, e assim ficaria conhecendo todos os membros existentes em Milão.

O monsenhor Sarre era um dos membros secretos. Deu-me boas- vindas e cumprimentou-me pela lição dada em Gilberto.

Eu fui aceito na qualidade de cruzado iniciante e vários segredos me foram revelados. Só fui dormir lá pelas duas horas da manhã. Às seis, eu já estava acordado.

O senhor Zago levou-me até o alambique do velho templário Sílvio Lídio. Eu jamais havia provado vinho, mas aceitei uma taça. Era muito saboroso. Fomos até onde era fabricado e fiquei sabendo como se fazia o melhor vinho, nas palavras dele. Pedi-lhe que apanhasse uma pequena barrica e nós a levamos até o bispo Mariano. Assim que ele soube que eu pedia uma audiência, introduziu-me na sua sala. Expliquei que desejava sua opinião sobre o vinho. Ele o provou, depois lhe foi servida mais uma taça e ouvimos a opinião mais favorável possível:

— Só bebi um vinho tão bom como este quando estive com o papa. É excelente, Ciro Neri. Se todo ele for desta qualidade, vou querer ser servido por sua vinícola.

— Bem, para o senhor, nossa vinícola enviará como cortesia quanto pedir, já que sua opinião favorável selou a nossa sociedade. Essas remessas virão como um presente de Ciro Neri ao reverendíssimo bispo Mariano.

— Muita gentileza de sua parte, Ciro. Ainda não sei aonde vai chegar, mas gosto muito de você. Vou recomendar seu vinho aos meus amigos.

— Esse será o aval que fará com que nossos vinhos não deixem nunca a qualidade pela quantidade.

Bem, o fato é que voltaria com a bolsa de moedas do tio Benini vazia, mas com dois ótimos contratos de sociedade no seu interior. Como ele reagiria não sabia ainda, mas eu seguia as ordens do estranho senhor da longa capa negra: "Tire tudo de Benini Neri, pois só assim a justiça será feita." Eu ia tirar um e multiplicá-lo muitas vezes mais. Isso era o que eu tinha em mente, e não deixar tio Benini na miséria. Nada justificaria uma atitude dessas e eu sabia que podia confiar tanto no senhor Zago como no senhor Lídio. Almoçamos na casa do senhor Lídio e à tarde fui com ele assistir à fabricação de vinho.

Não sei se foi pelo vinho bebido ou pelos vapores da destilação, mas me lembrei de dona Tereza ao ver as mulheres amassando as uvas com os pés. As saias levantadas acima dos joelhos, as pernas todas manchadas com o suco das uvas rosadas e o sorriso que traziam no rosto me fez ter boas recordações de alguém que soube como ensinar algo de que jamais eu me esqueceria. Enquanto o senhor Lídio dava ordens e cuidava da boa qualidade do seu, digo, do nosso vinho, sentei-me num canto e fiquei vendo as moças amassando as uvas. Quando o senhor Lídio terminou com suas ordens, veio até onde eu estava e disse:

— Com a apresentação do bispo Mariano, venderemos todo o vinho estocado, Ciro Neri. Devo confessar-lhe que eu estava falido e perderia minha vinícola no princípio do ano. Mas agora venderei tudo o que temos e tudo o que eu conseguir produzir. Veja só os pedidos que meu filho trouxe há pouco só por dizer, nas adegas, que o bispo Mariano afirmou que só havia bebido um vinho tão bom como o meu em Roma, à mesa do papa.

— Fico feliz com o seu sucesso, senhor Lídio. Desejo-lhe toda a sorte do mundo.

— Nossa sorte, Ciro Neri! Vou pôr seu nome na frente da vinícola, pois ele traz a boa sorte!

— Que tal Sílvio Lídio e Ciro Neri?

— Por que não o contrário?

— Eu não gostaria. Contraria o meu modo de ver nossa sociedade. Ou é como eu disse ou continua Vinícola Sílvio Lídio.

— Está bem! Será como você quiser e se o que sinto no ar acontecer, depois das festas natalinas já terá tido um lucro maior do que a quantia que investiu. Saberá logo depois do Natal, Ciro Neri!

— Vou-me embora agora, senhor Lídio. Poderia me dar uma pequena barrica de vinho para eu presentear meu tio Benini? Ele aprecia um bom vinho e será mais uma boca a falar bem da nossa vinícola.

— Usarei sua tática de arranjar apreciadores para nossos vinhos. Venha! Vamos apanhá-la na adega.

Ele me deu uma barrica do seu vinho e um livro negro escrito por ele sobre suas impressões a respeito da Terra Santa e o Santo Sepulcro. Eu prometi lê-lo com atenção. Depois, montei no corcel negro e parti de volta ao castelo. Quando passei na praça matriz, empinei Corisco e estralei o chicote no ar. Ele se lançou à frente, com toda a sua imponência, e galopei rumo à saída de Bolonha.

— Ciro Neri marcou sua presença em Bolonha, Senhor da Longa Capa Negra. Espero que esteja feliz do outro lado da vida!

Uma gargalhada inundou meus ouvidos e eu sorri também.

Até o cavalo a ouviu, pois cavalgou como o vento: veloz, mas sereno. Ele já havia se acostumado e quando chegou ao topo da colina, reclinou-se várias vezes sobre as patas traseiras e relinchou longamente. Era o sinal para baixarem a ponte levadiça.

Entrei no castelo e fui direto ao estábulo. Tirei os arreios de Corisco, guardei-o no seu lugar e depois o tratei com carinho.

— Ainda cavalgaremos muito, meu amigo. Você é o mais leal e fiel amigo de Ciro Neri!

Parecia me entender, pois parou de comer quando eu falei e deu umas bufadas com as narinas. Deixei-o com seu feno e fui levar ao tio Benini a barrica de vinho.

Fui direto ao seu quarto e não o encontrei. Devia estar na sala de refeições. Como não era de bom tom chegar atrasado à mesa, escrevi-lhe um bilhete e o coloquei junto com os dois contratos firmados sobre a barrica de vinho, indo a seguir para o meu quarto. Lavei-me e troquei de roupa. Escrevi algumas páginas mais do livro e depois fiquei sonhando um pouco com o que faria na minha vida. Ciro Neri já existia e toda Bolonha comentava a lição dada em Gilberto Sarre.

Apanhei a espada cruzada e fiquei observando-a. Examinei sua bainha, seu cabo e sua lâmina. Era linda e muito bem trabalhada. Ainda meditava em como aprender a usá-la com Felipe D'Ambrósio em Milão. Afinal, agora eu era membro da irmandade dos templários e poderia contar com o seu prestimoso auxílio. Ele era o príncipe dos templários em Milão, mas quem seria o rei de todos na península Itálica? Só o tempo responderia.

Alguém bateu à porta. Eu a abri e tia Marieta estava à minha frente.

— Pois não, tia Marieta?

— Estão todos esperando por você na sala de refeições, Ciro.

— Por que, titia?

— Como por quê? Ainda pergunta o porquê, Ciro Neri? Quero ser a primeira a abraçá-lo e cumprimentá-lo por ter resgatado o nome Neri da boca do descarado do Gilberto Sarre. Eu ainda não me esqueci das palavras desairosas que ele nos dirigiu quando derrotou Pietro numa disputa acirrada. Canalha descarado!

— O que ele disse, tia Marieta?

— Disse que um dia ainda tomaria este castelo, que os Neri haviam morrido com Giovanini Neri, que aqui só havia mulheres Neri para disputar as corridas anuais de Bolonha. Tudo isso porque venceu o cavalo de Mariana! Você não só resgatou a dignidade como o desonrou em público e deixou-o nu na praça principal de Bolonha.

— Não acho necessário isto, tia Marieta!

— Venha logo. Todos o esperam com ansiedade. Traga esta capa negra e a pendure no lugar que seu avô costumava deixá-la; o espírito de Giovanini Neri está de volta ao seu castelo. Acredito que ele ficará feliz em vê-la pendurada lá.

Eu apanhei a longa capa negra e descemos para a sala principal. Ela mesmo fez questão de pendurá-la no cabide.

— Ela voltou ao lugar, Giovanini! Espero que esteja feliz com Ciro Neri, o herdeiro de sua fibra, astúcia e coragem. Bolonha ainda tremerá ao ouvir novamente o barulho dos cascos do seu corcel negro.

— Assim a senhora vai me deixar inibido, titia. A única coisa que fiz foi vencê-lo numa corrida!

— Aprenda o valor das vitórias, Ciro. Não das vitórias que custam sangue, suor e fortunas e logo são esquecidas, mas das que custam pouco para serem obtidas, mas que trazem em seus louros um valor tanto pessoal como público muito grande e inigualável. Aprenda, Ciro! Aprenda a calcular o preço das suas derrotas, mas não deixe de valorizar suas vitórias, senão nunca será um grande vencedor.

— Está certo, tia Marieta. Vou tentar fazer como a senhora está dizendo. Já comprei a sociedade em dois negócios na cidade. Estou seguindo seus conceitos de onde está o verdadeiro poder e, se der certo, logo terei duas boas fontes de renda.

— Como conseguiu realizá-los?

— Com o dinheiro do tio Benini e meus instintos, mais a coragem que me inspira esta capa negra. Só não sei como será o desenrolar das coisas.

— Você confia na força desta capa negra?

— Sim, senhora.

— Então dará tudo certo, Ciro. Agora tome minha mão e me conduza à mesa de refeições. Será o mais fino cavalheiro, se me deixar ensiná-lo as boas maneiras de um nobre.

— Conduza-me, tia Marieta!

# Capítulo X

# Ciro Vespasiano

Ela me conduziu, puxei sua cadeira, cumprimentei a todos com reverência e pedi licença para me sentar também.

— Peço desculpas se os deixei à minha espera. Eu não quis vir até a sala de refeições porque já está virando rotina eu chegar atrasado, e não foi isso que o tio Benini me ensinou. Desculpe, tio Pietro, não farei mais isto.

— Ora, Ciro! Hoje o jantar pode atrasar o quanto quiser, pois a festa é sua. Você é o herói da família! Vamos dar vivas a Ciro Neri. Todos com a taça na mão, vamos brindar ao herdeiro da fibra e da coragem de Giovanini Neri primeiro, mas não o único.

— Viva Ciro Neri!

— Viva, viva e viva Ciro Neri!

Todos fizeram a maior algazarra. Realmente estavam felizes com a devolução da ofensa que magoara o orgulho de todos. Eu sabia como era esta sensação, pois eu a sentira no dia em que tio Benini saíra da aldeia onde nasci, levando-me como seu discípulo. A vingança não precisa ser sangrenta, mas tem de deixar o adversário com ódio de si mesmo para ter o melhor dos sabores.

Tive de repetir toda a história com todos os detalhes e ainda acrescentei um pouco de tempero com minhas observações, ora maliciosas, ora capciosas, ora mordazes. Foi um jantar muito divertido com os tios Pietro e Benini contando algumas vitórias deles também. As duas tias narravam casos da família, e os primos e primas falavam de suas façanhas pessoais. Tia Marieta só ouvia e tia Genoveva sorria o tempo todo. Mário estava ausente e Mariana, triste e calada.

Por volta das nove horas, encerrou-se o jantar mais animado de que eu já participara.

Um a um, todos foram se retirando. Eu me despedi de Mariana, pedi as bênçãos dos tios e me recolhi ao meu quarto. Todos estavam felizes, mas não eu!

Mariana era geniosa e estava magoada e ferida. Eu não iria tirar a sua mágoa ou curar a sua ferida. Não havia sido isso que dona Tereza me ensinara: "Se um dia se apaixonar por uma mulher, ame-a, mas não seja louco a ponto de se submeter aos seus caprichos e gênio, senão logo matará o seu amor, transformando-o em ódio ou amargura."

Assim ela me ensinou e eu acreditava nas suas lições.

Voltei ao livro e continuei a escrever. Era a minha distração preferida, pois eu não deixara de ser um menino solitário. Em dado momento, uma tristeza imensa tomou conta de mim e comecei a chorar. Eu estava justamente escrevendo sobre o jantar e sobre a alegria reinante no seio da família. Agora eu me lembrava da tristeza que pairava sobre minha antiga família. Mamãe e papai vieram à minha mente e eu chorava ao recordar da vida que vivemos sob um teto humilde, num lugar ermo, sem animação ou alegria.

Eu ainda chorava quando tio Benini bateu à porta. Eu já esperava sua visita. Era a hora da reprimenda e eu tinha de me conformar, pois ele estava com a razão.

— Entre, tio Benini — disse eu com a voz chorosa.

Ele entrou, colocou a barrica de vinho numa mesinha e tirou do bolso de sua roupa dois canecos, enchendo-os de vinho. Estendeu um em minha direção e falou:

— Pegue, vamos brindar à sua boa estrela, pois não é sempre que alguém tem uma brilhando tão intensamente como a sua neste momento, iluminando o seu caminho, Ciro Neri!

— Eu não bebo, tio. O senhor sabe disso! — disse eu entre soluços.

— Há momentos em que precisamos fazer algo diferente nas nossas vidas, Ciro. E, pelo que vejo, é o que tem de melhor a fazer agora. Vamos brindar à sua boa sorte para descobrir bons negócios. Vamos, brindemos a ela, Ciro!

Eu toquei sua caneca com a minha e bebi um gole do vinho. Quase me afoguei, pois os soluços c as lágrimas não cessavam.

— Por que chora, Ciro? Acaso pensou que eu ia vir até aqui e esbravejar contra você?

— Não é isso, tio. Isto eu mereço porque abusei da sua confiança. A repreensão é justa e merecida. Mas eu choro por outro motivo. Hoje já não tenho mais minha mãe para me consolar e dizer: "Calma, Ciro! Um dia tudo isso terminará! Basta que não perca sua fé em Deus." Eu tenho feito coisas estes dias que nunca fiz em minha vida e jamais imaginei poder fazer. Estou passando de um miserável aldeão para a condição de um rapaz intrépido, destemido e sábio, quando eu sei que não sou nada disso. Ainda sou o Ciro que era filho de dois aldeões tristes e humildes. Sou o Ciro que corria para não apanhar e que, mesmo correndo muito, ouvia as infâmias gritadas contra ele e seus pais. Não mudei da noite para o dia, tio. Ainda me lembro das surras que tomei. Ainda trago na alma a lembrança da humilhação de me ver subjugado por eles e da vergonha de ter de ir chorando até dona Tereza e pedir para que me ajudasse, pois eu estava ferido e magoado. Como foi horrível, meu Deus! Como isso dói, tio Benini! Não imagina como essas coisas marcam a gente! Meu Deus, como eu preferia ter morrido ao nascer só para não ter de passar por tudo aquilo.

— Tudo já passou, Ciro. Agora isso não acontecerá mais, pois estou ao seu lado e vou protegê-lo enquanto eu viver.

— O senhor não entendeu o que eu quis dizer, tio. Eu disse que nada mudou, pois agora tenho de vencer, vencer e vencer. Se antes eu era o neto rejeitado de

Giovanini Neri e tinha de apanhar, ainda que negasse sê-lo, agora sou obrigado a vencer para provar quem sou, senão logo estarei apanhando novamente, já que, na verdade, nada mudou. Os de minha idade andam em grupos, brincam, divertem-se, fazem coisas erradas e ainda assim sentem alegria na vida. Mas eu não! Prefiro estar junto de pessoas idosas, pois sei que delas não preciso temer nada nem serei humilhado por ser ainda uma criança. Mas eu sei que não sou mais criança. Nunca fui antes nem me será permitido ser de agora em diante. Nem tenho 15 anos e me sinto como se tivesse o dobro da idade. Oculto minha fraqueza por baixo daquela longa capa negra e lá vem o peso dela a me envelhecer mais ainda. Por que eu tive de apanhá-la na beira da estrada? Poderia muito bem ter seguido adiante em minha fuga para lugar algum. Talvez eu me libertasse do espectro do velho Giovanini Neri. Mas não! Eu tive de apanhá-la. Agora serei obrigado a revivê-lo sobre o lombo do corcel negro, vestindo a capa daquele homem que, apesar de eu não ter conhecido, devia ser a alma atormentada do meu avô. Se era, por que não me contou a verdade? Se não era, por que me deixou a capa tentadora que agora pesa como um fardo enorme? Como eu me arrependo de tê-la apanhado ou de ter vivido ao invés de morrer na hora do parto. Meu Deus, como eu me arrependo!

 Não pude falar mais, pois o choro veio muito forte. Fui até a janela e debrucei-me nela para ocultar o meu rosto contraído pelo pranto e molhado pelas lágrimas. Tio Benini veio até onde eu estava e acariciou minha cabeça. Tentava me consolar, mas desistiu e preferiu deixar que eu desse vazão à minha tristeza.

 Isto eu soube muito tempo depois, mas Mariana estava ouvindo nossa conversa, pois viera até meu quarto. Ao ouvir-nos, ficou do lado de fora. Como a porta estava aberta, ela pôde ouvir tudo. Entrou no momento em que eu chorava debruçado na janela. Tio Benini mandou-a sair com um sinal de mão e logo saiu também. Deixou um caneco cheio de vinho e falou-me:

— Quando chorar toda a sua tristeza e não tiver mais lágrimas nos olhos, beba este vinho de uma só vez que dormirá um longo e saudável sono, Ciro. Vejo-o amanhã.

Saiu, fechando a porta. Já no corredor, perguntou a Mariana:

— O que veio fazer no quarto dele?

— Desculpar-me por ter duvidado dele quando ludibriava Gilberto Sarre.

— É por isso que ele só a cumprimentou ao sentar-se e levantar-se da mesa e não trocaram uma palavra sequer?

— Sim, senhor.

— Não acha que demorou muito para reconhecer o erro?

— Bem, eu esperava que ele me procurasse para pedir desculpas ou exigir que eu me desculpasse.

— Entenda uma coisa, minha filha. Se Ciro sentir que errou, vai logo se desculpar. Mas se isso não acontecer, fechar-se-á como uma concha e não mais sairá dela. Aprendamos a conhecê-lo e o compromisso assumido terá bom desfecho; do contrário, jamais será consumado.

— Mas foi só um mal-entendido, tio!

— Eu, quando fui buscá-lo, não sabia quem era e como era. Pensei já conhecer um pouco de sua natureza nestes poucos meses e vi que o conheço menos do que quando ainda o desconhecia. Ciro é como o sol num dia nublado. Surge radiante num momento e logo quer ocultar-se, pois tem vergonha de brilhar onde antes estava escuro. É uma pedra muito preciosa que terei de lapidar com muita perícia, senão a destruirei e a tornarei sem valor. Ou você me ajuda ou só o estragarei ainda mais. Por Deus! Eu recusei a honra de ser papa só para resgatá-lo e não vou querer falhar no que me propus, Mariana. Você só é mais velha do que ele na idade, pois, na vivência difícil, Ciro é um ser secular, que caminha arqueado pelo peso de uma imensa tristeza. Agora eu sei por que ele só sorri quando está ao seu lado. Você é muito, mas muito parecida com Angelina, só que é perfeita e ele vê em você o que Deus negou à mãe dele.

— Mas e quanto ao amor que ele diz sentir por mim?

— Existe realmente. Mas não como um amor comum e sim como o único amor que ainda resta nele. Ele depositou em você tudo o que lhe restou de sentimentos elevados e a tornou sua deusa adorada. Se a imagem se quebrar, Ciro será um homem sem alegria e extremamente vazio.

— Mas como mudar isso, tio?

— O tempo fará isso, minha filha! O tempo proporcionará a Ciro amizades sólidas e leais e então ele verá que nem todos são ruins. Quem sabe se vierem a se casar e ter filhos, ele encontre o que lhe falta junto dos filhos?

— Então ele não me ama de verdade.

— Aí está o problema. Ele a ama demais e isso é perigoso. Um amor muito forte pode enlouquecer quem o alimenta. Alguma coisa fez Ciro não fugir e, ou estou muito enganado, ou foi o toque do amor que o fez voltar à paróquia.

— Terá sido por mim?

— Ou pela mãe dele. Quem saberá ao certo? Você sabe?

— Não, senhor.

— Então vá dormir, pois já é muito tarde. Boa-noite, Mariana!

— Sua bênção, tio Benini!

— Que Deus a abençoe, minha filha.

Tio Benini dirigiu-se ao seu quarto e fechou a porta atrás de si. Mariana voltou até o meu, mas após encostar o ouvido na porta e ouvir que eu ainda chorava, foi embora. Não teve coragem de entrar. Após fechar com a chave a porta do seu quarto, deitou-se e chorou muito também. Tudo isso eu só soube muitos anos depois. Mas ela sabia de tudo o que havia me acontecido e marcado a alma pelo resto de minha vida. Agora ela conhecia o verdadeiro Ciro. Não o Neri falso, mas o Ciro Vespasiano que havia ficado no passado para todos, menos para mim.

# Capítulo XI

# Inspiração e Dúvida

No dia seguinte, acordei tarde e não saí do quarto até a hora do almoço. Só saí porque tio Benim veio buscar-me.

— Está melhor, Ciro?

— Sim, senhor. Acho que lavei minha alma das mágoas do passado. Eu precisava chorar. Tinha de fazê-lo, senão acabaria ficando louco.

— Eu sei como é isso, Ciro. Como eu sei!

— O senhor já chorou quando jovem?

— Não só quando jovem, mas já velho também. Existem momentos em que ou damos vazão ao que está aprisionado no nosso coração, ou somos massacrados por tudo o que vai se acumulando.

— Eu me sinto um tanto vazio, mas em compensação o peso desapareceu, tio Benini.

— Ótimo! Então vamos colocar algo no estômago, senão irá flutuar.

Eu sorri de suas palavras. Ele tinha o dom de mudar tudo só com suas observações espirituosas. Chegamos à mesa, e após cumprimentar os presentes, almoçamos. Mariana estava como eu, com os olhos inchados.

— Você esteve chorando, Mariana?

— Você não?

— Sim, eu chorei a noite toda. Está tão visível assim?

— Está. Mas para os outros pode parecer apenas que dormimos demais. É melhor assim, eu não gostaria que soubessem que fiquei muito envergonhada por tê-lo desrespeitado em público. Você foi muito gentil ao não dizer a eles ontem à noite que o parvo Gilberto ficou todo feliz quando eu duvidei de você e de sua inteligência na frente de todos. Você me perdoa por ter agido daquela forma?

— Não há ofensas para se perdoar. Ainda estamos nos conhecendo e com o tempo essas coisas não acontecerão.

— Então me desculpe. Sinto-me muito mal por ter agido assim.

— Também não há o que desculpar, no fundo você não tinha a intenção de me diminuir e sim de me proteger. Feliz é o homem que tem uma protetora tão linda como você.

— Então como vamos ficar?

— Como se nada houvesse acontecido, pois nosso amor é muito maior do que essas coisas insignificantes. Fiquei muito triste por não tê-la ao meu lado nestes dois dias.

— De agora em diante, ficarei calada.

— Não faça isso. Será como uma flor muito linda, linda mesmo, mas sem perfume algum. E nenhuma flor é realmente linda se agrada apenas à nossa visão sem inebriar os nossos sentidos com seu delicioso perfume.

— É assim que você entende o amor?

— Sim, senão nosso amor será o mesmo que eu alimentava por minha mãe.

— Como era o amor que tinha por sua mãe?

— Ainda o tenho e o classificaria como veneração. Eu não só a amava como mãe, venerava-a como uma deusa. Não quero ter ao meu lado como companheira uma deusa, senão não terei coragem de levá-la ao leito nupcial quando nos casarmos. Continue sendo a Mariana que eu amo, pois foi por ser assim que me apaixonei por você. Não a aceitaria submissa só para me agradar. A submissão destrói o amor e cria a dependência pura e simples. Eu tenho uma concepção pessoal do amor que sinto por você, Mariana, e não o entenderia como amor verdadeiro se precisasse torná-la outra mulher. Quando eu sentir que errei em algo, não terei a menor vergonha de me desculpar ou justificar. Mas isso não significa que eu vá me submeter. Houve um comentário meu sobre alguém mais naquele dia que você se recusou a acreditar. Onde está ele que não voltou mais ao castelo?

— Foi viajar com uns amigos até Gênova e só voltarão em janeiro.

— Entendo. Retornarão justamente após minha partida!

— Bom...

— Observe que o seu cavalo não é menos veloz que o de Gilberto. Alguém a prejudicou na disputa em que foi derrotada. Aposto alto como Mário foi a pessoa daqui de dentro que fez alguma coisa ou deu algo de comer ao seu cavalo que lhe tirou a vitória.

— Como pode saber disso?

— Gilberto esforçou ao máximo sua montaria, e ainda assim Floco de Neve corre mais, sem precisar ser chicoteado com tanta fúria. Pense nisso, Mariana, e comece a tirar suas próprias conclusões. Talvez um dia aprenda a ver a alma de uma pessoa através dos seus olhos.

Eu a convidei para andar pelo castelo e contar-me a história dele. Era uma forma de reaproximação. À tarde saí a cavalo, dei umas voltas pelas terras do castelo e visitei as pequenas vilas dos vassalos de tio Pietro. Ele possuía as melhores terras da região. Eu não apeei do cavalo; olhava tudo montado, sem parar o trote de Corisco. Às vezes, os mais idosos saíam às janelas e portas ou paravam com os seus afazeres só para olhar-me. A gola da capa estava levantada e ocultava parcialmente meu rosto e não foram poucos que fizeram o sinal da cruz ao avistar a imponente figura que formavam cavalo e cavaleiro. Era o vulto negro de Giovanini Neri que voltava do inferno para lembrar-lhes que ele havia morrido, mas sua memória não se apagaria nunca, pois Ciro Neri simbolizava o retorno do tão temido senhor.

Decidi parar numa casa e pedir um pouco de água. Os pobres aldeões estavam tão tensos que não conseguiam falar. Eram tão humildes e temiam tanto os senhores do castelo, que perdiam sua condição de seres humanos e tornavam-se iguais a cães domesticados a poder de vara. Desci do cavalo e entrei na casa humilde. Ali a miséria era maior que na aldeia onde eu havia nascido. Lá ainda tínhamos uma certa independência em relação ao senhor do castelo.

Vi um menino de uns 5 anos escondido num canto, só com o rosto à mostra. Chamei-o e ele veio até mim tremendo de medo. Tomei-o nos braços e comecei a conversar com ele. Aos poucos foi se desinibindo, até que sorriu com minhas palavras.

— Vamos dar uma volta no meu cavalo, Sérgio?

— Eu tenho medo!

— Também já tive medo de cavalos, mas agora eu não os temo mais. Venha, vai ver que eles são mansos. Você irá gostar de andar no lombo dele.

— Sim, senhor. Vou gostar! — disse-me sorrindo.

Pouco depois, eu cavalgava com ele sentado à minha frente e protegido do vento pela capa negra. Andei por todas as terras em volta do castelo.

Conversava com o menino Sérgio o tempo todo e ele até que era bem falante. Só voltei a deixá-lo com os seus pais ao anoitecer. Como cheguei quando estavam jantando, nas sua simplicidade, convidaram-me para cear com eles. Para maior desespero deles, eu aceitei. Convidaram-me a tomar um lugar à mesa e eu me servi. Elogiei a comida e arranquei um sorriso dos lábios da dona da casa. Contei-lhes que eu havia nascido longe dali, que era um aldeão também e que só há pouco havia chegado ao castelo.

— Mas nós ouvimos dizer que é o neto do antigo senhor do castelo.

— Sou sim. Mas não sou como ele. Há uma diferença entre o avô e o neto. A única semelhança é o gosto por cavalos negros e roupas também negras. Bem, vou voltar ao castelo, mas gostei de sua companhia. Foi um jantar agradável e Sérgio é um bom companheiro de cavalgadas. Vou trazer-lhe um presente quando voltar.

Não saí empinando Corisco como sempre. Deixei que me levasse em seu trote constante. Só cheguei ao castelo por volta das oito horas da noite. Como eu havia avisado que só voltaria tarde da noite, todos já haviam jantado.

Como de hábito, tratei primeiro de Corisco e depois me recolhi ao meu quarto. Fiz minha higiene pessoal e voltei a escrever o caderno para tio Benini. Só parei de escrever bem tarde da noite.

No dia seguinte, pedi ao tio Benini um novo caderno em branco. Quando ia saindo do castelo, Mariana chamou-me. Voltei-me até ela.

— Aonde vai hoje?

— Não sei! Vou sair para qualquer lugar.

— Posso ir junto?

— Seu pai dará permissão?

— Vou falar com ele. Não saia sem mim!

— Eu espero.

Logo Mariana voltava acompanhada do pai.
— Bom dia, tio Pietro.
— Bom dia, Ciro. Até aonde irá hoje?
— Vou procurar algum lugar que me inspire a escrever. Estou levando um livro em branco, penas e tinta.
— Não pode sair sozinho. Vou mandar alguns guardas com você.
— Prefiro ir sozinho, tio. Não se preocupe, eu estarei bem.
— Mas e quanto a Mariana?
— Tomo conta dela, pode ficar tranquilo.
— Você quebra todas as regras e contraria o bom senso. Há um limite para tudo e não deve abusar tanto assim da sua boa sorte.
— Então vou sozinho, tio. Volto à tarde para jantar com toda a família.

Eu montei em Corisco e saí devagar do castelo. Já ia longe quando ouvi um galope e gritos. Era Mariana que galopava para me alcançar. Trazia um belo sorriso de alegria no rosto. Assim que parou seu cavalo, falei:
— Fica mais linda quando sorri ao cavalgar. Parece um anjo voando sobre as nuvens.
— De onde você tira tantas palavras bonitas?

Eu apontei o coração e ela sorriu feliz. Galopamos por muito tempo pelo campo. O frio deixava sua face com um rosado bem forte, que se destacava ainda mais em meio aos cabelos negros. Só parei o cavalo ao chegar a uma elevação de onde se avistava uma vasta área. O castelo ficava no meio da vista à nossa frente. Logo adiante estava a cidade de Bolonha. Tirei os arreios dos animais e os deixei pastar à vontade, mas amarrados a um arvoredo. Estendi as mantas no solo e a convidei para sentar-se ao meu lado.
— Está muito frio, Ciro!
— Fique ao meu lado e cubra-se com a capa.
— O que veio fazer aqui?
— Colher inspirações para melhor escrever. Só que com você ao meu lado, tenho-as em excesso. Não sei como dar vazão a tudo numa simples folha de papel.
— Há uma outra forma de fazê-lo.
— Qual?
— Se adivinhar, ganha um beijo muito inspirado de uma moça apaixonada.
— Bom, primeiro vou me inspirar no seu beijo para ver se consigo descobrir.

Bem, ficamos ali até por volta de meio-dia e a única coisa que escrevi foram umas poesias dedicadas a ela. Todas muito inspiradas por seus beijos. Apanhei um pedaço de pão na mochila e o comemos. Depois selei os cavalos e saímos a esmo. O rumo não importava.

Chegamos próximo do castelo ao entardecer. Desci do cavalo e do alto da colina desenhei um esboço dele. À noite, terminei o desenho e dei início ao mais inspirado livro de poesias. Em dois dias seguidos, escrevi tudo o que sentia em meu coração. Cada poesia era acompanhada de algum tipo de desenho.

Sempre que alguém entrava no quarto, eu ocultava meus escritos e logo o dispensava.

Quando terminei, levei para Mariana. Era o meu presente a ela. Entreguei e a deixei a sós. Fui atrás de tio Benini para pedir-lhe outro caderno.

— Já rabiscou todo o outro?
— Sim.
— Como ficou?
— Não sei se a crítica será favorável, mas está nas mãos de Mariana!
— O que foi que você escreveu?
— Algumas poesias dedicadas a ela.
— Por que não me mostrou antes de entregá-las a ela?
— Ela está chegando, peça a ela.

Tio Benini não teve tempo de falar. Ao me ver, ela nem o cumprimentou. Deu-me um abraço e beijou-me longamente, na frente dele, sem o menor pudor. Então, ele questionou:

— Ei, ei, o que é isso? Onde está o respeito a um bispo?

Mariana só lhe estendeu a mão com o caderno. E voltou ao beijo. Ao ver que ela não me largava, ele o folheou e leu algumas partes rapidamente. Quando finalmente ela me soltou, eu estava vermelho como nunca antes ficara. Tio Benini assistiu a tudo e na certa lá viria mais uma repreensão ou algo pior. Tentei me justificar.

— Tio, eu não tive culpa alguma!
— Certo, certo! Como conseguiu isto?
— Isso o quê, tio?
— Isso aqui! Onde o encontrou? Quem lhe deu?
— Eu mesmo o escrevi, tio! Não copiei de lugar algum.
— Tem certeza de que não é mais uma das suas obras decoradas? Olhe no início a dedicatória a Mariana. Este é o castelo, aqui atrás é o relevo de toda a região à volta dele, e aqui o pórtico do castelo.
— Saiam agora e me deixem a sós, pois vou ler isso aqui.

Mariana protestou:

— Mas é meu este caderno, tio Benini! Eu só li as primeiras páginas.
— Depois você o lerá com calma. Agora, deixem-me a sós.
— Mas, titio...
— Eu não quero me lembrar do que vi você e Ciro fazerem na minha frente e comentar no jantar.
— O senhor está me chantageando.
— Verdade? Então fica a chantagem em troca da falta de respeito, certo?
— Está bem, tio. Mas eu o quero de volta antes do jantar.
— Você o terá, mas tranque a porta ao sair.

Bem, nós saímos, ele não iria devolvê-lo mesmo. Antes, apanhei outro caderno em branco e mais tinta.

— Vamos conversar com tia Marieta. Ela sabe de algumas coisas que me interessam para o que pretendo escrever.
— O que vai escrever agora?
— A vida do vovô Giovanini. Creio que será uma boa história.
— Como vai descrever vovô?
— Como um homem que não soube ser amado, que se deixou mover pela sua força, e não o contrário. Tia Marieta irá me ajudar.

Bem, eu não lhe disse qual era o propósito, mas pedi que não me ocultasse nada da vida dele. Ela só terminou de falar sobre vovô Giovanini depois do jantar, ao qual tio Benini não compareceu e pediu que lhe servissem no próprio quarto. Só devolveu o caderno a Mariana no dia seguinte e estava com profundas olheiras.

— O senhor não me parece bem, tio Benini! — exclamou Mariana.
— Estou ótimo, só fui dormir muito tarde e a luz da lamparina é péssima para olhos cansados como os meus. Você o lê, mas depois me devolve.
— Por que, se é meu?
— Vou levá-lo para ser copiado em Milão.
— Não vou deixá-lo fazer isso, titio!
— Como não? Vai ocultar este tesouro inspirado?
— É muito pessoal. Não compreende isso?
— Venha cá e olhe estes livros que guardo e levo comigo aonde quer que eu vá.
— Eu conheço os seus livros, tio Benini. Já li todos.
— Então não está vendo que algo tão belo tem de fazer parte do tesouro literário dos que amam as letras?
— Mas isso é meu. É muito pessoal.
— Melhor ainda, pois não está baseado em uma criação pura e sim na mais bela e elevada expressão do mais nobre dos sentimentos humanos. Não pode ocultar algo que inspirará muitos apaixonados pela boa leitura. Deixe-me levá-lo a Milão e publicá-lo num livro ou em partes separadas. Todos vão gostar de ler estas páginas inspiradas de Ciro.
— Mas tio Benini, é tão pessoal! — exclamou com veemência Mariana.
— Não seja egoísta, minha querida Mariana. Deixe que outros também se enlevem nestas páginas!

Depois de pensar um pouco, Mariana decidiu deixar tio Benini levá-lo até Milão, mas sob a promessa de devolvê-lo intacto. Primeiro o leria, e só o entregaria quando ele fosse para Milão. Também protestei diante dos seus planos, mas ele era irredutível! Argumento algum o demoveu da ideia.

— Ouça isso, Ciro. Eu sempre gostei da boa leitura. Quando jovem como você, eu lia tudo o que conseguia me apossar. Com o tempo apurei meu gosto, mas me faltava a boa leitura. Aprendi outras línguas e li autores não latinos. Li gregos, levantinos, egípcios antigos, árabes e até consegui livros que já não existem mais à disposição dos copistas. Quando chegarmos à Milão, você verá a maior biblioteca particular de toda a Itália. Eu não vou deixar oculto o nascimento de um grande

escritor. Deixe-me cuidar disto e o apoiarei nos negócios inspirados que descobre.
— Por que os chama de "negócios inspirados"?
— Você vai pela intuição e isso é inspiração, Ciro.
— Está certo, tio Benini, mas não coloque o meu nome nos livros. Não quero ser alvo de gracejos.
— Vou achar um pseudônimo para você, Ciro Neri. Um que defina muito do seu interior, de sua alma.
— Como queira, tio Benini. Encontrou muitos erros no meu latim?
— São tão poucos que se tornam irrelevantes. Já os corrigi enquanto lia. Assim que adquirir maior intimidade com ele e deixar de lado as regras decoradas, estará integrado à sua alma e os dois serão um só ser. Então sua criatividade literária não terá limites.
— Como pode afirmar isto com tanta certeza?
— Ninguém escreve poesias tão elevadas e em tamanha profusão em dois dias apenas. Sua riqueza literária é tão grande que só o tempo conseguirá aquilatá-lo direito.
— Não sei se conseguirei escrever outro caderno como este, tio Benini.
— É só ter outra crise de choro, e das lágrimas brotará um tesouro imortal — disse ele rindo.
— Não quero chorar nunca mais como naquela noite.
— Eu estava brincando, Ciro. Também chorei a sua dor quando me recolhi ao meu quarto. Mas não conte isso a ninguém, senão eu o excomungo!
Desta vez fui eu quem sorriu com suas palavras.
— Isso daria um livro muito inspirado, tio!
— Nem pense nisso. Eu o proíbo de fazê-lo e muito menos de imaginá-lo.
— Vou dar umas voltas pelo campo. Só voltarei à noite.
— Aonde vai?
— Vou visitar as terras do castelo. Gosto de andar por elas.
— Cuide-se bem.
— Fique tranquilo que não sairei dos limites do castelo.
Novamente eu ia saindo e Mariana chamou-me:
— Leve-me com você, Ciro!
— Seu pai não irá gostar, Mariana.
— Você fala com ele desta vez.
— Eu não posso ficar levando você nos meus passeios, pois sei que ele não aprova.
— Pelo menos tente!
— Está bem, mas acho que ele não deixará.
Eu fui até onde estava tio Pietro e falei com ele sobre o pedido de Mariana. Tentei explicar que eu não tinha nada com isto.
— Por que não fica no castelo como todo mundo? A cada dia está mais frio e logo começará a nevar, pois estamos na metade de dezembro. Imagine se começar e vocês estiverem em campo aberto.

— Se eu voltar até ela e disser que o senhor não aprovou, vai dizer que não me empenhei o suficiente e se o fizer, vou desagradá-lo. Não sei como me sair bem numa situação como esta. É diferente de tudo o que tio Benini me ensinou. Não se trata de uma disputa com um adversário e sim de não ficar mal nem com o senhor nem com ela.

— Teme os nossos julgamentos?

— Sim, senhor. Logo tio Benini vai embora e não quero deixar uma má impressão ao senhor, e nem quero que ela pense que não gosto de sua companhia. Eu sei que não é certo e que talvez isso não seja permitido num compromisso como o nosso. Mas, sei lá! Está tudo tão estranho que às vezes penso que me precipitei ao pedir ao senhor que me concedesse a honra de um dia desposá-la.

— Você não gosta dela?

— Não, não, tio, eu gosto muito de Mariana. Mas vamos nos ver tão pouco que às vezes penso que não devia tê-la aprisionado a mim por tantos anos. Mariana é uma moça tão madura que tenho medo de nunca alcançá-la.

— Não estou entendendo aonde quer chegar com esta conversa.

— Quero dizer que se eu chegar até ela e dizer-lhe que o senhor não permitiu, ela pode pensar assim: "Se ele não fosse tão novo, eu não teria que ficar implorando para ao menos passear. Nós nos casaríamos, e pronto." Ou então pensaria: "Se ele fosse mais velho, iria saber como me tirar deste castelo sem meu pai ficar sabendo." Não sei se o senhor percebe como me sinto em ter de vir pedir-lhe algo que também não aprovo. Eu sei que é errado levá-la junto, ainda que eu a respeite muito e não precise preocupar-se com ela, pois a protegerei com minha própria vida.

— Se isso não foi tio Benini quem lhe ensinou, então já está desenvolvendo um estilo próprio, Ciro.

— Não entende que não consigo dizer não a ela? Toda vez que tento, ela sai com uma desculpa qualquer e me deixa numa situação pior ainda. Se eu ficar no castelo, não vou ver o que quero, e se não levá-la comigo, não terei um bom conceito na mente dela.

— Bom, vai levá-la junto, mas toda a responsabilidade pela integridade dela é sua. Não vou deixá-lo mal com ela, mas já está na hora de entender um pouco como se impor a Mariana ou será dominado por ela o resto da vida.

— Como devo agir para conseguir isso, tio?

— O meio mais prático é sair escondido do castelo e só falar aonde foi depois que voltar. Assim ela terá de se contentar com suas palavras e vai se acostumando com sua ausência.

— Será que irá funcionar?

— Por que não?

— Ela me vigia o tempo todo. Se falo com outra prima, lá está ela me vigiando. Se entro no quarto e não saio, lá está ela a ver se estou sozinho. Não sei o que fazer.

— Vou estudar como sair de uma situação dessas e depois lhe digo.

— Obrigado, tio. Imagine quando nos casarmos. Não vou poder sair de casa se não a levar comigo!

— Vou tentar ajudá-lo. Agora vá antes que eu mude de ideia.
— Até a noite, tio Pietro!
Não esperei para ver sua expressão ao saber que só voltaríamos à noite. Deve ter ficado furioso. Eu levava comigo um presente para o menino Sérgio. Íamos bem agasalhados para a eventualidade de nevar. Os cavalos estavam com a cobertura apropriada para o frio. Andamos boa parte da manhã e chegamos à humilde casa pela hora do almoço. Como eu imaginava, fomos convidados a entrar e almoçar com eles. Levei algumas peças de lã para toda a família. Depois de almoçarmos, voltamos a cavalgar pelas terras do castelo. Então, Mariana perguntou:
— Como você convenceu meu pai a me deixar sair com você?
— Disse que eu era vítima de sua beleza e encantamento.
— E ele deixou só por isto?
— Sim, e ainda vai tentar descobrir uma forma de eu escapar do seu domínio.
— Você quer escapar do meu domínio?
— Não.
— Ótimo, pois ia ter muito trabalho se tentasse fugir de mim.
— Só se fosse um tolo para tentar fugir do que todos gostariam de se tornar prisioneiros.

Bom, nós conversávamos o tempo todo e não nos demos conta da hora. Tivemos que galopar muito para chegar a tempo para o jantar, que foi todo ele dedicado ao caderno de Mariana.

Tio Benini era o mais entusiasmado com a ideia de divulgá-lo. Tive de recitar um dos poemas após o jantar ou não me livraria deles.

Bem, os dias se passaram e eu não só escrevi todo o livro em branco que tio Benini me recomendara, como escrevi a história de Giovanini Neri e mais alguns textos dos quais tio Benini também se apossou.

Chegou o Natal e tudo ao redor do castelo Neri embranqueceu. Foram dias de tédio, só quebrados com a presença e a companhia de Mariana, que só se afastava ao ir se deitar. E isso por não sermos casados ainda, ou então por estar escrevendo.

Foi muito alegre o Natal e todos participamos de duas missas. Uma na catedral matriz de Bolonha e outra realizada no castelo por tio Benini. Nunca antes em minha vida, eu passara um Natal tão feliz. Já havia me desinibido com os primos e tias e dividia parte dos dias conversando com eles.

# Capítulo XII

# Preparando a Partida

Logo nos primeiros dias do Ano-Novo, o castelo recebeu a visita do senhor Lídio, o proprietário da vinícola. Trazia na sua carroça dois enormes barris de vinho para tio Pietro.
Depois de descarregá-los, pediu que me chamassem. Fiquei feliz em revê-lo.
— Como vai, senhor Lídio?
— Ótimo, Ciro Neri! Nunca passei um Natal feliz como este.
— Vamos entrar. O que o trouxe aqui?
— Vim trazer uma encomenda para seu tio. Já temos até o senhor do castelo como consumidor do nosso vinho!
— Sua propaganda deve ter sido ótima.
— Nós tivemos a ajuda do seu tio bispo e do bispo Mariano. Não temos mais vinho na adega, e temos encomendas para todo o ano que se inicia.
Eu o conduzi até onde estavam tios Benini e Pietro.
Apresentei o senhor Lídio ao tio Pietro e comentei a boa sorte dele.
— Fico feliz em saber que temos um ótimo vinicultor em Bolonha.
— Ótimo não, tio Pietro. O senhor Lídio é o melhor. Eu não conheço nada de vinhos, mas quem entende diz que o dele é o melhor.
— Meu não, Ciro Neri. Diga nosso, pois se hoje Lídio e Neri é o nome do melhor vinho, isso se deve à sua boa sorte. Aqui nesta bolsa estão algumas coisas que lhe pertencem.
— O que são?
— Uma descrição das vendas, do lucro obtido e do quanto separei para expandirmos o galpão de processamento e fermentação do vinho. Um livro com minha fórmula de fabricação que, espero, mantenha secreta, senão os concorrentes irão fabricar um vinho tão bom como o nosso e aí perderemos clientes. Também estão aí as peças de ouro que lhe pertencem na partilha dos ganhos obtidos.
— Eu não esperava um retorno tão rápido, senhor Lídio.
— Você comprou a metade de tudo, não?
— Sim.
— Os tonéis estão mais secos que a garganta dos apreciadores do nosso vinho.

Vamos ter de adquirir uvas nas aldeias vizinhas se quisermos atender a todas as encomendas que nos chegam. Se não fosse necessário aumentar a produção, teria esta bolsa cheia. Logo verá o novo galpão de pé, pois já começamos a levantá-lo.

— Não poderei vê-lo senão no final do ano. Só voltaremos no próximo Natal.

— Com quem devo deixar sua parte nos ganhos?

— Deixe com Mariana. Ela saberá cuidar bem do que lhe pertencerá no futuro. Mas, caso encontre boas aplicações para os seus ganhos, aplique os meus também, pois confio totalmente no senhor e sei que só irá multiplicá-los.

— Sabem, é até engraçado! Eu convidei homens com fortuna, outros muito sábios ou até espertos para se associarem comigo. Todos recusaram. Precisou vir um jovem para acreditar em um sonhador falido. E ainda para tornar a situação mais confusa, emprestou o dinheiro do tio porque não tinha uma moeda sequer nos bolsos. Acho que os velhos nunca acreditaram em mim ou no meu vinho.

Todos nós rimos de sua observação. E eu fiz a minha:

— Saiba, senhor Lídio, que as crianças nunca acreditaram em mim. Só os velhos acreditam!

— Bom, com sua licença, tenho de voltar que a estrada está intransitável.

Tio Pietro foi apanhar as moedas para pagá-lo, mas o senhor Lídio não aceitou.

— É um presente de Lídio e Neri ao senhor. Eram os dois últimos barris e são um brinde da boa sorte de Ciro e da boa qualidade de Lídio.

— Mas não é justo! Eu os encomendei e devo pagá-los.

— Da próxima vez nós lhe cobraremos, mas hoje não. Até a vista, senhores.

Eu o acompanhei até a saída do castelo. Quando voltei, tanto um quanto outro estavam com um caneco de vinho na mão.

— Pegue o seu aí na mesa, Ciro. Agora temos um Neri vinicultor. Isso é ótimo, assim beberemos o nosso próprio vinho de agora em diante.

— Tio, por que o senhor não deixa um pouco os cereais e planta uvas nas terras do castelo?

— Acha um bom negócio?

— Sim. Eu vi as melhores terras para o cultivo e as assinalei neste mapa. Quanto à melhor forma de cultivá-las, peça ao senhor Lídio que ele o auxiliará.

— Talvez eu faça isso.

— Dê uma vida melhor aos seus vassalos, tio Pietro. Eu visitei todas as terras do castelo e pude ver que se a vida lá na aldeia onde nasci era ruim, aqui é muito pior. Assim jamais será amado por eles. Dê-lhes uma oportunidade e verá como será amado em vez de temido ou pior ainda, odiado, como foi vovô Giovanini.

— Como sabe que era odiado?

— Eu sei porque vi como se assustavam ao me ver visitando as terras do castelo. Altere um pouco o modo de tratá-los e terá os mais leais vassalos de toda Itália. Terá menos problemas e lucrará muito mais, além de ser amado por eles. Um dia Deus o abençoará pela alegria de viver que deu ao seu povo.

— Se fizer isso, logo não me respeitarão mais.

— Está enganado, tio. O respeito que o senhor consegue é cruel, pois é obtido à força; chama-se medo, e não respeito. O que chamo de respeito traz em si admiração, não temor. Seja respeitado por seus vassalos por causa da vida melhor que lhes pode proporcionar. Há uma diferença, tio Pietro! Acredite-me. Eu nasci e cresci do outro lado e sei muito bem como é grande a diferença. Saiba que entre o medo e o amor há um vazio que é preenchido pelo ódio. Já entre o respeito e o amor não há vazios que não possam ser preenchidos pela confiança. Deixe que eles confiem no senhor do castelo. Não tema quando um deles sorrir à sua passagem, pois pode não ter um amigo leal ali, mas ao menos não terá alguém que lhe deseje no mínimo a morte e no máximo o fogo do inferno.

— Quem é você, Ciro Neri? Algum santo?

— Não, tio. Sou só alguém que viveu a miséria que há no outro lado. Eu sei como é difícil, no inverno, ter de dormir com frio ou comer uma refeição única todos os dias do ano, sonhando todas as noites com a libertação do inferno ainda em vida. O senhor tem de se impor pela força, porque eles não olham a morte como um castigo e sim como a libertação. Enfim, eles não temem a morte porque não amam a vida, já que a vida não lhes dá motivos para que eles a amem. Pergunte a Mariana qual foi a reação de uma família que vive nas terras do castelo quando lhes dei algumas peças de roupas de lã.

— Qual foi a reação?

— Ficaram tão felizes e agradecidos que nos beijaram as mãos como se fôssemos anjos. Há uma diferença, tio Pietro, e ela é grande. Diminua um pouco esta diferença e verá que não precisará de soldados para manter seus vassalos submissos. Eles serão os primeiros a defendê-lo, pois o senhor significará a vida para eles e não a tortura, da qual só a morte libertará. Substitua o medo pelo amor e receberá como recompensa, de alguém lá em cima, respeito, confiança, alegria, amizade e lealdade. Assim não será o temido senhor do castelo e sim o amado senhor da vida.

— Você é algum santo nascido na terra, Ciro Neri?

— Repito que não, tio Pietro. Sou apenas alguém que conheceu a miséria que sustenta a opulência. É essa miséria que solapa o poder dos reis, príncipes, barões e duques. Substitua essa miséria pelo amor e será o mais temido e respeitado senhor de castelo de todo o império sacro. Ninguém ousará desafiá-lo, pois saberão que suas defesas não começam no fosso do castelo e sim nas divisas de suas terras, onde estarão os seus mais leais defensores.

— Vou pensar nas suas palavras, Ciro Neri. Talvez tenha alguma razão no que sustenta com tanta veemência.

— Está certo, tio. Vou para o meu quarto agora, pois quero ver o que há nesta bolsa que a confiança me trouxe de volta tão rápido. Compreende agora o que eu disse, tio Pietro?

Levantei a bolsa e a apontei ao dizer essas palavras. Quando saí, ele perguntou a tio Benini:

— Foi você quem ensinou essas coisas a ele?

— Não.

— Então foram os seus livros?
— Também não. Assim como não o ensinei a ganhar dinheiro e tamanha lealdade. Você viu como o velho Lídio o respeita? Nem eu, como bispo, ou você, como príncipe, conseguimos isso dos próprios parentes.
— Quem é Ciro Neri, Benini?
— Não sei, Pietro. Eu pensei ter descoberto isso alguns dias atrás e agora vejo que só me afastei um pouco mais da verdadeira personalidade dele. Pensava que ele odiasse os aldeões e no entanto ele se preocupa com a vida miserável que levam. Pensei também que, ao sair para visitar as terras do castelo, ele fosse sentir prazer por poder se mostrar a eles, e no entanto só procurava um meio de aliviar as suas aflições. Ele podia ter nos dito essas coisas antes e não o fez. Esperou a hora certa para fazê-lo e provou que devemos confiar nos outros de vez em quando e teremos um bom retorno se investirmos com confiança nos seres humanos. Quem será na verdade Ciro Neri?
— Só Deus sabe! Mas não custa dar ouvidos às suas palavras. Se não der certo, volta tudo como antes ou até pior, já que a repressão será maior. Acha que devo tentar?
— Tente, porque este mês que passou foi pródigo em avisos a nós dois. Penso que a capa negra voltou para nos alertar de que não estava contente com nossa conduta. Giovanini Neri guia Ciro!
— Acha que Ciro sabe disso?
— Não acredito, mas também não duvido.
— Logo vou saber se há mesmo uma grande diferença. Quando voltar aqui no fim do ano, verá com seus próprios olhos. Tem de partir mesmo na próxima semana?
— Sim. Já me demorei demais por aqui. Preciso voltar a Milão depressa, senão algumas coisas escaparão ao meu controle. Você sabe como são essas coisas e há de compreender-me. Além do mais, quero ver as outras surpresas que Ciro me reserva.
Tio Benini olhou para o meu caneco de vinho à mesa e ainda comentou:
— Nunca bebe a sua caneca de vinho. Até parece que alguém a toma no lugar dele.
— Não seja tão tétrico, Benini! — brincou tio Pietro.
Bem, eu, no dia seguinte, saí com Mariana e fomos visitar a vinícola Lídio e Neri. Ela iria conhecer o mais próspero negócio de Bolonha.
Apresentei o senhor Lídio e ela ficou como minha procuradora junto a ele. Pedi autorização para produzir o seu vinho em Milão, desde que não revelasse o processo nem o vendesse aos já nossos clientes. Concordou e ainda me desejou boa sorte, caso me decidisse a fabricá-lo.
Despedimo-nos dele e logo em seguida do senhor Zago.
— Mas já vai partir?
— Sim, senhor. Tio Benini tem muitos compromissos por lá e tem de retornar logo.

— Vamos até o estábulo. Terá uma surpresa, jovem Ciro Neri.
Nós fomos e vimos uma centena ou mais de cavalos de ótima qualidade.
— Vejo que realizou o seu sonho, senhor Zago!
— Este é o melhor tempo para se comprar cavalos no sul, Ciro Neri. Os riscos são maiores, mas o lucro é dobrado. Como tenho muitos amigos templários por aí, não me foi difícil conduzi-los até aqui em pleno inverno. Já tenho dois bons compradores no sul. Esta remessa nos chegou ontem e em poucos dias eu os venderei ou trocarei. É a terceira remessa que nos chega este mês.
— Isso quer dizer que o senhor estava certo.
— Sim e você também em confiar em mim. Vamos voltar à minha casa, pois já temos um grande lucro para partilhar.

Eu apanhei a minha parte. Ele ficou de empregar bem os lucros futuros ou deixá-los com Mariana até que eu voltasse no final do ano. Como já estava na hora do almoço, ficamos para a refeição com sua família e só à tarde saímos de sua casa. Ainda me recomendou:

— Procure Felipe D'Ambrósio assim que chegar lá, Ciro Neri. Não deixe de fazê-lo em hipótese alguma, está bem?
— Sim, senhor.

Despedimo-nos, ele como meu iniciador e eu como um cruzado iniciante. Não era só uma amizade de negócios que havia entre nós. Algo mais profundo nos unia e nos guiava. Deu-me mais dois livros que trouxera da Terra Santa. Um era escrito em árabe e o outro em hebraico. Junto, uma anotação em latim: "Procure o senhor D'Ambrósio".

— Mariana, fico curioso com este senhor D'Ambrósio. Será que o senhor Zago pensa que quero ser um grande espadachim?
— Acho que ele se preocupa com você, Ciro!
— Não sei ao certo, mas acho que este não é o seu único propósito. Quem será ele?
— Nunca ouvi falar dele antes. Por que não pergunta ao tio Benini. Certamente ele o conhece.
— Eu mesmo vou descobrir se ele é só o melhor espadachim ou possui alguma outra especialização que todos desconhecem.
— Quem precisa descobrir se há algo mais em alguém sou eu.
— O que quer descobrir e quem é esta pessoa?
— Você é a pessoa.
— Ótimo! E o que deseja descobrir em mim?
— Se quer quebrar todas as cláusulas do compromisso. Todas as permitidas já foram; faltam apenas umas poucas proibidas e acho que eu deveria tê-lo deixado quebrá-las.
— Deve estar louca ou então tem algo em mente que não imagino o que seja.
— Assim eu diria a papai que temos de nos casar, pois já não há nada a ser protegido.

— No mínimo tio Benini me expulsaria da sua vida, seu pai me mataria e depois a expulsaria do castelo.
— Tantas coisas ruins aconteceriam?
— Não tenha a menor dúvida. Tio Benini teve uma longa conversa comigo depois que você me beijou na frente dele. E seu pai teve outra, depois daquele dia em que saímos juntos pela última vez. Eu entendi as palavras que ele não disse.
— Então terei de ficar abandonada neste solitário castelo até o fim do ano?
— Abandonada? Mas o castelo tem tantos moradores. Como pode se sentir solitária?
— Eu devia ter pensado em uma maneira de ir para Milão também. Vou falar com tio Benini. Quem sabe ele me adota como discípula e assim possamos continuar juntos.
— O tempo passará rápido, Mariana. O final do ano chegará tão rapidamente que nem irá perceber quando eu voltar com tio Benini. Até lá, dê atenção aos seus vassalos e terá tanto o que fazer que só se lembrará de mim vagamente.
— Vou ao seu quarto depois do jantar, Ciro!
— Com que intenções?
— Só para conversarmos e nos beijarmos antes que partam.
Eu entendi quais eram as intenções dela. Não que fossem ruins, pois eu também a desejava, mas julguei muito perigoso. Dei um jeito de impedi-la, e quem acabou ficando boa parte da noite comigo foi tia Marieta. Se eu tivesse permitido, certamente ela contaria à mãe que havia passado a noite na minha companhia.
Bom, no dia seguinte ficamos muito pouco juntos e só após o jantar eu a deixei ajudar-me a recolher as bagagens. No dia seguinte, nós partiríamos. Após as longas paradas para beijos e abraços, ela me falou:
— Sabe que posso inventar algo só para impedir sua partida sem mim?
— Teria coragem?
— Sim.
— Então vá e faça-o! Mas saiba que todo o encanto se quebrará se mentir e só irá perder alguém que a ama muito. Eu não gosto de quem mente para conseguir o que não é tão difícil de obter se tiver um pouco de paciência.
— Não vou conseguir ficar neste castelo solitário. Peça ao tio Benini para me levar junto, Ciro.
— Já falei com ele, mas a única coisa que consegui foi que você vá a Milão em junho ou julho. Isso se o seu pai consentir em levá-la pessoalmente.
— Então você tentou?
— Sim, mas não deu certo. Ele é muito mais esperto do que eu imaginava e teve outra longa conversa comigo. Disse que ainda falará com você antes de partir. Por que não vai falar com ele agora?
— Será que eu o convenço?
— Tente. Talvez tenha melhores argumentos que eu.
Bem, o certo é que ela não teve melhores argumentos, já que não voltou ao meu quarto enquanto me mantive acordado. Só a vi novamente um pouco antes da

partida. Foi quando apanhei as bolsas com as moedas que me haviam sobrado após pagar ao tio Benini o que lhe devia. Sim, eu havia devolvido tudo ao tio Benini e ainda me sobrara outro tanto, ou mais. Logo eu pretendia achar uma forma de investir. Só não mostrei a ele os livros que ganhara do senhor Zago ou a fórmula do vinho do senhor Lídio. Quanto a Mariana, estava calada e triste. Havia perdido toda a vontade de ir conosco e seus olhos demonstravam que estava realmente solitária, mas conformada. Bem, beijamo-nos e juramos fidelidade no amor. Procurei enxugar as lágrimas dos seus olhos, mas não adiantava, pois outras tomavam o lugar das anteriores.

Descemos juntos as escadas que levavam ao salão principal, onde apanhei a longa capa negra. A partida não foi tão alegre como a chegada, pois Mariana tinha lágrimas nos olhos o tempo todo. Eu estava triste por separar-me, não só dela, como de todos os outros. Havia sido criado um elo familiar e eu o prezava muito.

O chão estava coberto de neve em volta do castelo quando partimos. Quando chegamos no topo da colina, Corisco empinou-se nas patas traseiras. Era sua demonstração de que se despedia do castelo Neri. Foi uma viagem difícil até Milão, devido ao inverno.

# Capítulo XIII

# Milão

Tio Benini conhecia todas as estalagens no caminho, mas preferia hospedar-se nas igrejas e conventos, pois não havia onde não tivesse conhecidos seus na direção. Não me deixou usar a longa capa negra desde que saímos de Bolonha. Deu-me um pesado agasalho e guardou a capa em sua carroça. Também guardou a longa espada cruzada. Pareceu-me que não tinha a menor intenção de vê-la pendurada na minha cintura, um dia. Não discuti suas ordens, ele deveria saber o que era melhor para mim.

Ao chegarmos na entrada de Milão, minha visão se extasiou, pois era muito mais bonita que Bolonha, maior e mais populosa. Milão tinha algo que faltava a Bolonha. Não soube precisar assim que cheguei, mas pouco tempo depois eu já o sabia. Era um dos centros culturais da península itálica. A nobreza que possuía nas suas construções saltava aos olhos à primeira vista. A opulência era visível nas vestes e no modo de ser das pessoas. Enquanto Bolonha era mais fechada, Milão era cosmopolita. Tio Benini indagou-me o que achava da cidade.

— É muito diferente de tudo o que eu imaginava, tio. Aqui há uma mina de ouro a ser explorada.

— Também há um pântano cheio de maus elementos. Muito cuidado! Não há tantas pessoas honestas como em Bolonha e não há só um senhor do castelo e sim vários. Vivem em disputa constante pela primazia absoluta dos destinos da cidade.

— Então quem manda realmente?

— Nós mandamos, Ciro!

— O senhor?

— Não, a Igreja Romana. Enquanto eles se digladiam, nós reinamos. É tudo uma questão de política a ser aplicada. Enquanto os cães vadios e esfomeados brigam entre si, o rebanho de ovelhas do Cristo Jesus vai passando sem maiores perigos. Só se tornam perigosos para os pastores do rebanho quando a matilha se une.

— O que acontece quando eles se unem?

— Lançamos um suculento pedaço de carne ao mais forte deles e o mandamos estraçalhar os seus companheiros.

— Mas é certo agir assim, tio Benini?

— Só agindo assim temos mantido o poder, Ciro.
— Mas tudo isso só para manter o poder?
— Se não agirmos assim, a barbárie e o terror tomarão conta de toda a península, já que ninguém deseja se sujeitar a ninguém. Cada um que pode, encastela-se e começa a digladiar-se com os vizinhos. É sobre esta balbúrdia e intolerância que reinamos. Em Milão, ouça muito e fale pouco, logo conhecerá a verdadeira face da nobreza. Quando a máscara cair diante dos seus olhos, só restarão a luxúria, a preguiça, a soberba, a cobiça, a ira, a gula e a avareza.
— Os sete pecados capitais!
— Sim.
— Qual deles a Igreja Romana pratica?
— Todos.
— Mas...
— Isso mesmo, Ciro! Não se assuste, mas há todo tipo de homens na hierarquia e cada um traz em si os sete princípios das Trevas, e os mais fracos sucumbem ante a tentação e deixam-se arrastar pelo lodo que há por baixo da beleza de Milão, Roma, Florença, Bolonha ou Gênova. Não importa o lugar. O lodo é sempre o mesmo!
— Que aula é esta, tio Benini?
— Aula de política, Ciro. Esta matéria eu mesmo vou lhe ministrar; as outras quero que aprenda com os melhores mestres que há em Milão.
— Não vai me ensinar pessoalmente, tio Benini?
— Preciso cuidar dos meus negócios e voltar à hierarquia, senão logo perco o poder acumulado ao longo de muitos anos de serviço à Santa Igreja. Mas não fique feliz com isto, pois vou examiná-lo pessoalmente no fim do ano e os mestres serão mais rigorosos do que eu.
— Quanto tempo terei que estudar?
— Alguns anos apenas.
— Anos, tio?
— Sim, alguns anos. Agora que chegamos a Milão, esqueça-se de Bolonha e tudo o que há nela, senão demorará muito mais para se tornar o discípulo ideal.
— Tudo, o senhor disse?
— Exatamente! Tudo, pois não deve desviar sua mente para outra coisa senão o estudo a que será submetido. Vamos dar uma parada aqui que vou deixar um recado para um conhecido meu.

Tio Benini entrou numa residência e logo estava na boleia outra vez. Atravessou toda a cidade e rumamos para uma vila fora dela. Ali era a vila de tio Benini. Era imponente o portal de entrada e muito bonito o imenso bosque que circundava a construção central, mais a casa dos servos. Eu fiquei extasiado com a beleza do lugar. Havia até um rio que passava no meio do bosque.

— Como conseguiu um lugar tão bonito como estes tio Benini?

— Foi herança do meu pai. Não era para mim, mas acabei me apossando dela.
— É muito bonita mesmo. Mais ainda do que havia me falado Mariana. Ela gosta deste lugar!
— Mais alguns anos e viverão juntos aqui. É só ter paciência que o tempo passa rápido.
— Sim, senhor. Sou novo ainda e crescerei mais um pouco, não é mesmo?

Tio Benini só sorriu. Estava um tanto calado depois que entrou na sua vila particular. Os servos correram ao encontro de sua carroça fazendo-lhe muita festa.

Eu observava a movimentação à sua volta. Levaram as bagagens para o interior da mansão. Só não deixei que levassem a espada e as bolsas com o que me interessava. Tio Benini também carregou as poucas que lhe interessavam.

Fui conduzido a um bonito e espaçoso quarto por uma empregada da mansão. Tudo ali era muito luxuoso e de bom gosto. Fiquei sentado olhando-a arrumar minhas roupas no armário e só me levantei após sua saída do quarto. Então, guardei as bolsas num baú, fechei-o a chave e a ocultei. Depois, saí do quarto, fechando-o também a chave. Meu quarto era o meu castelo e ninguém iria devassá-lo na minha ausência. Saí à procura de tio Benini e o encontrei na sua tão falada biblioteca.

— É maior do que eu imaginava, tio Benini. Onde a conseguiu?
— Foram anos e anos colecionando estes livros! Aqui há um tesouro de valor inigualável. Conquiste-o, e será inconquistável, Ciro!

Tio Benini inflamava-se ao falar dos livros. Era uma obsessão para ele e tive provas disso quando chegaram dois senhores à mansão. Eram falantes e bem apessoados. Tinham um ar inteligente e também de sonhadores. Isso eu vi em seus olhos.

Tio Benini conversou com eles em particular por um longo tempo e mostrou os meus escritos. De onde eu estava, não podia ouvi-los, mas gesticulavam muito. Eu só observava a cena a distância. Em dado momento, ele acenou chamando-me. Fui até onde estavam e tio Benini disse:

— Ciro, estes são os melhores copistas que existem em toda Milão. Não há melhores e estão à altura de publicar os seus escritos. Já os convenci a publicarem o seu caderno de poesias e a história da longa capa negra de Giovanini Neri.

Cumprimentaram-me muito corteses e se retiraram com o material fornecido para que o analisassem. Ficaram de voltar no dia seguinte. Assim que um serviçal os conduziu à porta, tio Benini falou comigo:

— Está feito, Ciro. Logo seus escritos estarão circulando pela Itália e ninguém saberá que são seus, pois o pseudônimo encobrirá o escritor e poeta que há em você.
— É assim que funciona a coisa, tio?
— Sim.
— Acha que eles gostarão do material?
— Certamente que sim. Foram até sinceros demais para copistas. Disseram-me que está muito difícil o aparecimento de bons escritos para publicação. Há

muita coisa publicada, mas de pouco interesse para os leitores. Compram por não terem coisa melhor à mão.

— Mas como o senhor entrega tudo e não exige nem um contrato como eu fiz com o negócio do vinho ou dos cavalos?

— Esqueceu-se de que sou juiz eclesiástico? Se não prestarem a conta certa, um dia eu fico sabendo. Nada fica oculto de Benini Neri. E se tal acontecer, mais à frente eu cobro tudo com juros, além de impor-lhes uma sanção rigorosa.

— Acredita que muitos irão gostar dos meus escritos?

— Não tenha dúvida disso. Eu sei o real valor literário que há neles. Em princípio terão algumas dificuldades em divulgá-los porque o pseudônimo começará a ser propalado agora e se sedimentará lentamente, até atingir um público específico. A partir daí, todo o esforço que dedicarão às suas obras reverterá na boa fortuna deles e poderão realizar o velho sonho que é ter uma grande casa copiadora, como as maiores de Milão. Se forem persistentes, espertos e sábios, logo ganharão muito dinheiro com seus escritos, Ciro.

— Mas só eles ganham, tio?

— Não. Você também ganhará alguma coisa, pois são suas criações. Além do mais, você tem o bispo Benini, juiz eclesiástico de Milão, como seu tutor e mestre, e eu saberei de uma forma ou de outra quando isso estiver acontecendo; e se não lhe derem a sua parte, eu lhes tiro a fonte de sua fortuna.

— Está certo, tio Benini. Vou esperar pelo parecer dos copistas para só então voltar à pena, tinta e papel.

— Não espere por ninguém, Ciro. Se eles não venderem seus escritos, outro os venderá. A você compete não deixar a sua fonte de inspiração desviar o rico veio para outros canais.

— Bom, tio, posso ir até a cidade e conhecê-la?

— Vá, mas só acompanhado do meu cocheiro.

— Não irá sair hoje?

— Vou dormir um pouco. À noite tenho de me reunir com o bispo que me substituiu na diocese de Milão. Volte antes do anoitecer e cuide-se bem.

— Sim, senhor.

Eu fui até o meu quarto e apanhei a espada cruzada, os livros que havia ganho do senhor Zago e fui conhecer Milão. Assim que chegamos ao centro da cidade, pedi ao cocheiro que encostasse numa praça e sentei-me num banco. Eu fiquei observando o movimento das pessoas. Em dado momento, vi passar um cavaleiro vestido com cota dos cruzados. Acenei para ele e lhe fiz um certo sinal. Obtive a resposta correta na contrassenha e logo estávamos conversando.

— Como se chama, cruzado iniciante?

— Ciro Neri, senhor. Sou sobrinho do bispo Benini. E o senhor, como se chama?

— Sou Pierre Albert, um templário francês estabelecido em Milão. Quem o iniciou como cruzado?

— O senhor Zago, príncipe de Bolonha. Conhece-o?

— Só de nome, mas há alguém que o conhece pessoalmente e mora aqui em Milão.

— Quem é?

— O senhor Felipe D'Ambrósio, o príncipe dos templários de Milão.

Mostrei-lhe uma carta lacrada do senhor Zago e disse-lhe:

— Podia entregá-la ao senhor D'Ambrósio para mim?

— Quer ir pessoalmente entregá-la? Eu o levo até ele.

— É longe daqui?

— Está sentado diante da loja de tecidos do senhor D'Ambrósio. É só atravessar a praça.

— Vou dizer ao cocheiro que irei comprar algumas roupas, pois não quero que meu tio saiba que aderi aos cavaleiros cruzados.

Pouco depois nós entrávamos na loja do senhor D'Ambrósio. Era um local um tanto vazio e havia poucos tecidos à venda. Ele o usava mais como ponto de encontro com os cruzados viajantes. Eu fiquei no aguardo da volta do senhor Pierre Albert, que entrou pelo fundo da loja. Havia uma jovem atendendo os possíveis compradores de tecidos. Como não havia nenhum, eu comprei um pedaço de um tecido azul bem vistoso, que daria uma bela capa.

— Para que irá usá-lo, rapaz?

— Vou fazer uma capa com ele. Só não sei quem as confecciona. Eu não conheço ninguém em Milão. Acabo de chegar!

— Ah, mais um que vem pedir a ajuda de papai!

— Como assim?

— Eu vi o cavaleiro entrar para falar com meu pai. Todo dia vem alguém pedir o auxílio do templário D'Ambrósio. Logo ele estará falido e ninguém irá ajudá-lo a sair das dívidas.

— Não sabia que ele estava numa situação difícil.

— Difícil? Chama isso de difícil? Já não temos mais créditos nem para fabricar os tecidos que vendemos.

— Seu pai é o fabricante?

— Era, pois não pode mais comprar a matéria-prima para fabricá-los. Há dias que não produzimos uma peça sequer.

— Sinto muito, senhorita. Não sabia que ele estava numa situação difícil. Como isso foi acontecer?

— Ele dedicou muito tempo à Ordem e esqueceu-se dos negócios. Há alguns anos, esta era a loja que mais fabricava e vendia tecidos não só em Milão, como em toda a região.

— É lucrativo o negócio de tecidos?

— Era quando bem administrado. Hoje ele luta para não fechar as portas.
Nesse momento fui chamado do fundo da loja. Pedi licença à moça e me encaminhei para lá. Pouco depois eu era apresentado ao senhor Felipe D'Ambrósio. Era um senhor de uns cinquenta e cinco a sessenta anos. Tinha o semblante calmo para alguém à beira da falência, mas demonstrava desânimo.

— Então você é o iniciante Ciro Neri, sobrinho do poderoso bispo Benini?
— Sim, senhor. Mas meu tio não sabe de nada.
— O que posso fazer por você, Ciro Neri?
— Gostaria que o senhor me ensinasse a manejar a espada que ganhei do senhor Zago.
— Posso vê-la?
— Ei-la, senhor D'Ambrósio.

Ele apanhou a espada, tirou-a da bainha e a examinou com atenção. Apanhou uma igual presa à parede e comparou as duas, depois falou:

— Pensava que a minha era a única a ser conservada, mas vejo que o irmão Zago também conservou a dele. É um bom homem! Já ajudou muitos dos nossos em Bolonha e agora poderá ajudar a muitos mais com seu auxílio.
— Mas eu não o ajudei em nada, senhor D'Ambrósio!
— Ele me escreveu uma longa carta falando de você, Ciro Neri. Tanto o senhor Zago como o senhor Lídio foram meus companheiros na última viagem à Terra Santa. Peregrinamos juntos no templo do Santo Sepulcro e temos feito de tudo para não deixar a chama morrer. Às vezes desanimamos um pouco, mas sempre nos chegam notícias animadoras dos amigos. Você é uma dessas notícias.
— Ele me presenteou com estes livros também, senhor D'Ambrosio.
— Posso vê-los?
— Pois não!

Depois de folheá-los, ele falou:

— Pena que eu não saiba ler o que está escrito neles. Você sabe, Ciro?
— Ainda não, mas logo aprenderei. Meu tio irá me ensinar todas as línguas que fala. E são muitas, inclusive estas.
— Zago sempre sabe o que faz e se os confiou a você, é porque um dia eles lhe serão úteis.
— O senhor não me parece muito feliz!
— São coisas passageiras. Logo sairei da crise em que me encontro.
— Posso lhe ser útil de alguma forma?
— Acho que não, Ciro Neri.
— O senhor Zago ensinou-me algumas coisas, muito pouco, eu reconheço. Mas a lealdade com um irmão em apuros foi uma delas. Não tenho grande fortuna, mas o pouco que tenho está à sua disposição, senhor D'Ambrósio. Sinto por sua situação, pois o senhor Zago me disse que é o mais nobre dos templários.
— Não seria justo tomar emprestado o seu dinheiro já que não sei se poderei devolvê-lo. Não sei se posso me reerguer novamente na idade em que me encontro.

— Eu creio que pode, pois tem o dom de produzir os mais belos tecidos. São como os cavalos do senhor Zago ou o vinho do senhor Lídio. Vou tentar fabricar aqui o vinho da nossa vinícola, ele me deu licença para tanto.

— Tem tanto dinheiro assim, Ciro Neri?

— Não, mas acredito que meu tio tenha. Tomo emprestado dele e depois lhe devolvo.

— Não é justo eu pegar o seu dinheiro. Se não puder lhe devolver, deixarei-o muito mal com o bispo Benini. Eu sei como ele é rigoroso.

— Então aceite-me como sócio e logo sua loja estará abarrotada de bons, belos e vistosos tecidos, senhor D'Ambrósio. Eu acho que este é um ótimo negócio e creio na sua capacidade para fazê-lo crescer novamente. Sinto isto no ar. E jamais me engano!

— Venha dar uma olhada na ala de fabricação e tinturaria.

Eu os acompanhei e vi algo que jamais imaginava existir. Teares de fiação, imensos tonéis de tingimento de tecidos, caldeiras de fervura e molho dos tecidos. Tudo parado por falta de dinheiro por parte do senhor D'Ambrósio!

— Tudo isto vale mais ou menos seis mil peças de ouro, Ciro Neri. Hoje de manhã alguém teve a ousadia de me oferecer duas mil peças. Tem agora noção da situação em que me encontro?

— Sim, senhor. Igual à do senhor Lídio. Acho eu!

— Não sei como ele estava, mas certamente estou pior.

— Quanto quer por metade dos seus negócios, senhor D'Ambrósio?

— Por que não compra tudo, Ciro Neri? Vendo-lhe tudo por três mil peças.

— Eu não só não sei como fabricar tecidos como só comecei a usar estes que estou vestindo há poucos meses. Sou uma criança dando os primeiros passos, senhor D'Ambrósio. Confio na minha boa sorte e é só.

— Assim fica difícil vender-lhe alguma coisa.

— Eu não quero comprar e sim me associar ao senhor. Com o tempo irá me ensinar a fabricar tecidos. Mas só quero aprender e nada mais. Eu lhe dou três mil peças de ouro e fico seu sócio em metade dos seus negócios de tecidos.

— Ciro Neri, você conhece o valor do dinheiro?

— Não. A única coisa que comprei até hoje foi um pedaço de tecido de sua loja para fazer uma bela capa para mim. Também investi junto aos senhores Zago e Lídio, mas é só.

— Sabe quanto valem três mil peças de ouro?

— Metade do valor do seu negócio. Não foi isso que me disse que valia?

— Sim. Tem as três mil peças?

— Não. Só duas mil e quinhentas. Mas pego com tio Benini as quinhentas que me faltam.

— Eu o aceito como meu sócio pelas suas duas mil e quinhentas peças. Digamos que eu aceitaria até duas mil, mas como você ofereceu mil a mais, eu só aceito a metade de sua oferta pela sua boa estrela, intuição e confiança em mim. Assim não pedirá nada ao seu tio e, caso eu não me reerga, nada deverá ao bispo Benini.

— No fim do ano volto a Bolonha e sei que haverá muitas moedas de ouro à minha espera, tanto com o senhor Zago como com o senhor Lídio.

— Não acredita que possa chegar lá e ter uma surpresa desagradável ao ver a bolsa de lucros vazia?

— Se isso fosse acontecer, eu saberia. Sentiria no ar a presença da má sorte. Eu a senti por tantos anos que só dela passar perto, sei qual a sua direção e quem irá sofrer.

— Interessante, Ciro Neri. E o que sente nesta loja abandonada?

— Não é uma loja abandonada e sim uma rica mina de moedas de ouro inexplorada. Sinto isso no ar, senhor D'Ambrósio. Sinto a presença de tantas moedas, que o tilintar delas chega a me arrepiar. Nem juntos os negócios dos senhores Zago e Lídio me causam esta sensação. Eu não bebo, mas se tivéssemos uma garrafa de vinho eu brindaria à boa sorte, por se mostrar tão generosa comigo.

— Eu ainda tenho algumas garrafas e posso abrir uma para brindarmos a ela.

Nós fomos até a sua sala e brindamos à boa sorte.

— Este vinho é bom, senhor D'Ambrósio, mas o do senhor Lídio é mil vezes melhor.

— Quem sabe, quando enviarmos tecidos a Bolonha, não possamos trazer um tonel do vinho de sua fabricação?

— Garanto que logo, logo eu o estarei fabricando por aqui.

— Não duvido disso, Ciro Neri. Vamos ao contrato?

— Quem o escreve?

— Você o faz e eu o assino. Seu entusiasmo contagiou-me. Acho que a sua boa e brilhante estrela está enviando a sua luz para reacender o brilho da minha que estava um tanto fraco.

Nisto entrou a filha dele e me avisou que o cocheiro estava me chamando. Fui até a porta da loja.

— O que é, senhor Lelo?

— É hora de voltarmos, o senhor bispo vai precisar ir a uma reunião e devo levá-lo.

— Volte então, e diga a ele que fiquei à espera de uma capa que mandei confeccionar.

— Mas ele me deu ordens para não perdê-lo de vista, senhor Ciro.

— Diga-lhe que estou na loja do senhor D'Ambrósio e ele me levará até nossa casa. Agora vá, tio Benini deve estar preocupado.

— Sim, senhor. Só espero que ele não fique bravo comigo.

— Não ficará, se disser para ele se lembrar dos senhores Zago e Lídio.

— Só isso?

— Sim.

O cocheiro saiu apressado e ouvi uma observação maliciosa às minhas costas.
— Mente bem assim todas as vezes, Ciro Neri?
— Eu não menti, senhorita D'Ambrósio.
— Como não, se disse que esperava pela confecção de uma capa?
— O que interessa ao meu tio para justificar minha estada aqui, o cocheiro dirá sem saber, ao falar os nomes Zago e Lídio. É a senha para meu tio ficar tranquilo.
— Mas e quanto ao fato de estar confeccionando sua capa, quando na verdade só comprou o tecido?
— Pensei que ia fazê-la para mim. Vejo que costura muito bem e deve saber fazer uma capa bem elegante. Ou estou enganado?
— Está certo, eu corto e costuro em pouco tempo. É só tirar suas medidas. Mas acha que meu pai irá levá-lo até sua casa só porque comprou um pedaço de tecido?
— Pelo tecido, não. Mas acho que ele não negará este favor ao seu novo sócio nesta loja.
— Não entendi o que disse.
— Tire as medidas para confeccionar a capa e logo ele lhe dará a boa notícia de que sou o seu sócio no negócio de tecidos. Logo terá tantos para vender que precisará de outras auxiliares.
— Jura que é verdade? Ou é um brincalhão querendo se divertir comigo?
— Eu não brinco com ninguém. Muito menos com uma bela jovem como você. Bem, depois você as tira, senão seu pai pensará que fugi.

Voltei à sala e completamos o contrato. Foi firmado com o testemunho do senhor Pierre Albert, templário da Ordem do Santo Sepulcro.

O senhor D'Ambrósio tornou a encher os canecos de vinho e brindou novamente, mas eu não toquei no vinho, deixando o caneco sobre a mesa.

Bem, a filha dele tirou as medidas da capa e ficou confeccionando-a enquanto fui, na garupa do cavalo do senhor Pierre Albert, buscar as peças de ouro que devia ao senhor D'Ambrósio. Ao chegarmos, tio Benini já havia saído. Pedi ao templário que entrasse e esperasse até eu apanhar o dinheiro. Depois o convidei a ir até o estábulo e mostrei-lhe Corisco.

— É um belo corcel.
— Vou selá-lo e assim não terá de me trazer de volta. Acho que já estou lhe dando muito trabalho, senhor Albert.
— Se soubesse como estou feliz, não diria que estou tendo trabalho. Foi alguém lá em cima que o enviou em auxílio do senhor D'Ambrósio. Deus o abençoe pelo bem que fez unindo seu dinheiro à experiência dele. Só quem o conhece, como eu, sabe quanto bem ele já fez aos semelhantes.
— Acho que foi uma feliz coincidência, senhor Albert.
— Isso é mais do que coincidência, Ciro Neri. É obra do destino.
— Corisco já está pronto. Vamos até ele?
— Siga-me, se puder, Ciro Neri!
— Isso é um convite a uma corrida?

Ele nada respondeu. Apenas saltou no seu cavalo e o chicoteou saindo da mansão em disparada. Segurei firme a sacola com as moedas na sela e estalei o chicote. Corisco empinou-se nas patas traseiras e voou no encalço dele. Pouco depois, cavalgávamos juntos. Não o ultrapassei, pois achei deselegante, mas ele diminuiu o galope assim que percebeu que eu segurava o meu corcel.

— Está bem, está bem! — gritou ele. — Você me venceu na primeira corrida.
— Ainda não o ultrapassei, senhor Albert.
— Porque não quis. Como corre este cavalo! É o mais veloz que eu já vi. Poderá vencer todas as corridas de Milão com este animal.
— Há muitas por aqui?
— Algumas, mas todas importantes, pois vêm cavaleiros de todo o Sacro Império.
— Quando haverá uma?
— No próximo domingo. Quer que eu o inscreva na competição?
— Sim. Espero que tio Benini não me proíba.
— Se não comparecer, só perderá a inscrição.
— Então está bem.
— Vou retirar o meu cavalo do páreo e apostar tudo o que possuo no seu, se comparecer. Espero que seu tio não o proíba, senão perderei a chance de ganhar um bom dinheiro. Ninguém irá apostar num cavaleiro desconhecido.
— O que ganha o vencedor?
— Se participar das três corridas principais e vencê-las, há um prêmio acumulado de mil peças de ouro. Ninguém consegue esta proeza há anos.
— Como são as corridas?
— Uma de longa distância, uma de percurso reto e rápido e a última, de obstáculos.
— Como são eles?
— Valas, muros e saltos a distância.
— Isto nunca tentei com Corisco. Acho que não será desta vez.
— Não dá para sair de sua casa amanhã? Eu o levo ao campo e o treinamos.
— Preciso inventar algo que convença meu tio.
— Espero-o em frente à loja do senhor D'Ambrósio até o meio-dia.
— Certo! Caso eu não consiga sair, esqueça o grande prêmio.

Já estávamos chegando à loja e paramos de falar. Dei o dinheiro tratado, apanhei o contrato e os livros e já ia saindo quando a senhorita D'Ambrósio entrou com a capa.

— Espero que goste.
— Está muito bonita, senhorita. Posso vesti-la?
— É sua, use-a, caprichei na costura e no corte.

Após vesti-la, comentei:

— É quase tão bonita quanto a capa negra. Acho que também vou gostar dela!

Agradeci pela capa e me despedi deles. O templário ofereceu-se para me acompanhar até a mansão. Já estava montado no cavalo, quando a senhorita D'Ambrósio me chamou:

— Vai deixar isso para trás, cruzado iniciante?

— Obrigado, eu já havia até me esquecido do motivo que me conduziu até o senhor D'Ambrósio. Até outro dia, senhorita!

— Até lá, "senhor" Ciro Neri. Não vá cair deste cavalo tão fogoso!

Eu dei uma risada com sua observação, estalei o chicote e puxei o cabresto. Corisco sabia o que eu queria quando fazia isto. Empinou-se todo nas patas traseiras e relinchou com seu "grito" de desafio. Após se manter assim por alguns instantes, eu gritei:

— Acompanhe-me, se puder, senhor Albert!

Dei novo estalo e Corisco atirou-se à frente. Em instantes, desapareceu na noite. Ainda pude ouvir a gargalhada que o Senhor da Longa Capa Negra sempre dava ao me ver fazer aquilo. Bom, tive de diminuir o galope para que o senhor Albert me alcançasse.

# Capítulo XIV

# O Tesouro de Benini

Logo chegávamos à mansão de tio Benini. Convidei-o a entrar, mas ele agradeceu e ficou no aguardo de que meu tio me liberasse no dia seguinte. Mais tarde chegou tio Benini, acompanhado de alguns austeros senhores.

Levantei-me e os cumprimentei com toda reverência. Tio Benini apresentou-os a mim:

— Ciro, estes serão seus instrutores. Como eu havia lhe dito, são os melhores que existem em Milão. São muito competentes, porém muito severos. Não se esqueça disso. Eles já foram instruídos por mim em como deverão conduzir sua educação. Eles virão até aqui em dias diferentes. Um nas segundas; outro, nas quartas, e o último, nas sextas-feiras. Nesses dias, ficarão de manhã até a tarde educando e você os obedecerá como tem feito a mim. São seus mestres a partir de agora. Quando deseja começar?

— Pode ser na segunda-feira, tio Benini?

— Está bem. Depois só irá parar com os estudos no fim do ano, quando eu pessoalmente o examinarei. Está claro?

— Sim, senhor. Não o decepcionarei nem aos ilustres instrutores que escolheu para mim, tio Benini. Sinto-me honrado por tê-los como meus mestres!

— Falo por meus colegas e é uma honra para nós podermos instruir o discípulo e herdeiro do ilustre bispo Benini Neri.

Bem, tio Benini deu ordens ao cocheiro que os levasse às suas casas e fosse buscar e levar de volta cada um deles nos dias certos e na hora combinada. Depois voltou e perguntou-me:

— Qual a novidade desta vez?

— Sou sócio do senhor D'Ambrósio, tio.

— Entendi seu recado. Fez um bom negócio?

— Acho que sim. Logo saberei se minha estrela brilhou para mim ou para ele.

— Por que diz isso?

— Gastei até minha última moeda no investimento, tio. Ele está falido e eu acredito que se reerguerá.

— Sabe por que ele faliu?
— Sim. Deixou de cuidar direito dos seus negócios.
— Exatamente. Enquanto ele se envolvia até o pescoço com os templários, alguém muito esperto foi tirando todos os clientes dele.
— Isso ele não me falou.
— Quer saber mais uma coisa? Quem o está levando à ruína é um adversário nosso. É um cunhado do príncipe Mazzile e irmão do bispo Cúneo.
— Quem é este bispo, tio?
— Um antigo protegido meu que criou asas, voou do meu ninho e foi parar em um ninho adversário. Isso foi durante a disputa do trono papal. De lá para cá tem me causado problemas e os seus protegidos têm crescido à sua sombra. O cunhado do príncipe Mazzile é um desses. Comprou a estamparia do velho Emílio e começou a chantagear os produtores de matéria-prima para a fabricação de tecidos. Eu não me submeti aos seus preços e estou hoje com todas as tulhas cheias de lãs e fibras, sem conseguir vendê-las ao meu único comprador, que era o senhor D'Ambrósio. Eu ainda o avisei para que cuidasse melhor do seu negócio, mas parece que não me deu ouvidos. Eis aí o resultado.
— Tio, forneça-nos as matérias a um preço razoável e nos dê algum prazo que logo eu comprarei a estamparia que pertenceu ao senhor Emílio. Não precisamos de mais nada. Em pouco tempo, quem estará falido será seu adversário. Então o senhor me empresta o dinheiro e compro a estamparia dele. O que acha?
— Sua boa estrela brilhou muito quando viu o negócio do senhor D'Ambrósio?
— Muito, tio. Ali está a fortuna e não vou deixá-la escapar-me. Dentro de pouco tempo, D'Ambrósio e Neri serão os maiores fabricantes de tecidos de Milão, e de toda a região!
— Tal como com o senhor Lídio?
— Exatamente, tio Benini!
— Como irá auxiliá-lo no reerguimento da estamparia?
— Logo o senhor verá. É surpresa.
— Acredito que sim. Na semana que vem, parto para Roma a convite do papa.
— Vou ficar sozinho aqui?
— Sim, até eu saber qual o motivo do convite.
— O senhor já sabe, não é mesmo?
— Está certo. Vou lhe dizer, mas guarde segredo, pois isto é uma aula de política. Vou assumir a direção da congregação. Estou um tanto afastado dos negócios da Igreja desde que saí à sua procura. Mas não perdi o contato ou o controle sobre os meus liderados. Como o papa sabe que renunciei ao papado porque quis, mesmo tendo a vitória assegurada por antecipação, agora me pede

auxílio, pois está perdendo o controle da situação. Vou ajudá-lo a troco de umas concessões. E uma delas é a queda do bispo Cúneo do colégio do Vaticano. Outras mais importantes eu vejo na hora. Este é o lodo de que lhe falei, Ciro. Ou você aprende a caminhar nele sem afundar ou será sufocado por ele. Olhe o exemplo do senhor D'Ambrósio e compreenda bem o sentido desta lição. Faça sempre o que seu coração pedir, mas não se esqueça de ver o que seus adversários estão lhe fazendo pelas costas, ou também acabará falido. Entendeu?

— Sim, senhor. Foi a melhor lição de política que me ministrou até agora. Vou usá-la nos futuros negócios que vier a fazer.

— Ótimo.

— Tem uma outra coisa que preciso falar-lhe, tio Benini.

— Estou ouvindo, Ciro.

— Eu fiquei aqui pensando, pensando e pensando. Como inventar uma desculpa ao tio para ter o dia de amanhã livre?

— Bastaria pedir-me, oras!

— Livre em parte, pois eu vou treinar o Corisco para concorrer no próximo domingo nas corridas que ainda não sei como são. Encontrei um templário lá na praça e ele, depois de ver o meu cavalo, convidou-me a inscrever-me nelas. Eu aceitei com uma condição: só se eu conseguisse ir. Mas para isso, tenho de treinar Corisco. Quero disputar a tríplice corrida. Disse-me o senhor Albert que há vários anos ninguém a ganha. Se eu treinar Corisco, ele vence, tio. É por isso que eu quero o dia de amanhã livre.

— Você sabe o que significa essa corrida, Ciro?

— Mais ou menos mil peças de ouro em prêmio, tio.

— Muito mais do que isso. Dela participam todos os nobres do reino. Vêm cavaleiros de todas as partes. Não irá correr contra um tolo como Gilberto Sarre, e sim contra os melhores cavaleiros.

— O senhor a conhece bem?

— Enquanto fui bispo da diocese de Milão, sentava ao lado do príncipe Mazzile e entregava a tríplice cruz ao seu vencedor.

— Então, permita que eu treine Corisco e conquiste este prêmio, tio. Eu lhe dou a tríplice cruz como troféu da primeira derrota dos seus adversários. Assim eles saberão que nunca deviam ter se indisposto com o senhor. A próxima derrota que lhes aplicarei será a perda da estamparia. De seu lado, o senhor dará os golpes ocultos, mas muito mais fatais. Estarão com os olhos voltados para Ciro Neri e não notarão que o bispo Benini Neri luta com armas próprias e não com as alheias.

— Grande, Ciro! Ainda será capaz de se igualar ao seu homônimo persa!

— Quem é ele, tio.

— Ele foi, Ciro. Logo que iniciar os estudos de história, conhecê-lo-á.

— Aposto como ele tinha um tio Benini por trás, apoiando-o nas suas disputas.

— Tinha mesmo, e era um religioso hebreu!
— Está ficando difícil, tio. Quem era o religioso?
— Um profeta chamado Daniel.
— Ele também lutava com armas próprias?
— Não. As armas dele eram as de Deus. Logo aprenderá tudo isso. Dedique-se aos estudos e saberá de tudo.
— Espero que esses mestres saibam de tantas coisas como o senhor. Quero saber tudo e conhecer de tudo um pouco.
— Não se preocupe com isso. O que eles não souberem, na biblioteca aprenderá com os livros, que são os mestres silenciosos. Já ceou?
— Não. Eu o esperava para cearmos.
— Então vamos à mesa. Meu estômago já se intrometeu na conversa e começou a roncar de fome.

Demos boas risadas com sua observação e fomos cear.

No dia seguinte, logo cedo, eu estava diante da loja. Tinha duas boas notícias. Após dizer ao senhor D'Ambrósio para ir falar com tio Benini a respeito das matérias-primas e incentivá-lo a produzir tecidos em grandes quantidades, porque eu tinha uma grande ideia para vendê-los rapidamente, fui até o senhor Albert dizer-lhe que íamos treinar Corisco não só naquele dia, mas nos dias seguintes antes das corridas. Com as boas notícias, o ânimo do senhor D'Ambrósio renasceu e ganhei um sorriso de sua filha.

Bom, treinamos Corisco muito bem, pois o senhor Albert conhecia as artes da cavalgadura. Em dois dias de treino, ele disse sorrindo:

— Já temos a tríplice cruz nas mãos, Ciro Neri!

No sábado, só o treinamos um pouco durante a manhã e voltamos à vila de Benini, o bispo.

Quando chegamos, ele estava sentado no jardim, lendo algumas correspondências. Acenou com a mão e fomos até ele. O templário pediu-lhe a bênção de joelhos. Não entendi, mas anotei na mente tal gesto.

— Como vai o treino do novo campeão?
— Ele vai vencer, eminência! Este cavalo é o melhor que já vi em minha vida. Se eu tivesse mil moedas de ouro, apostaria nele.
— É tão bom assim?
— Sim, senhor. Vou apostar tudo o que posso nele.
— Se eu lhe emprestar as mil moedas e ganhar, devolvê-las-á e treinará Ciro na arte das armas, de graça e pelo período de um ano.
— E se eu perder as mil moedas?
— Não apenas o treinará como será o guarda pessoal dele por um ano.
— Posso propor algo melhor?
— Fale, templário!
— Tanto faz ele ganhar como perder, eu o treino nas armas e o guardo dia e noite. Contanto que permita que eu traga minha esposa e filhos para perto,

assim não precisarei me preocupar com o bem-estar deles. E tudo sem cobrar nada do senhor.

— Vou apanhar as moedas, templário. Volto logo!

Assim que voltou, tio Benini disse:

— Leve mais quinhentas e aposte-as por mim, já que não fica bem para um bispo fazer apostas. Mas estarei lá assistindo à corrida, sentado na tribuna de honra.

— Sim, senhor.

— Mais uma coisa. Só treinará Ciro dentro desta vila e nunca o deixará sair armado daqui enquanto eu não ordenar que ele o faça.

— Condição aceita, eminência.

— Então vá buscar sua família e a aloje numa das residências vagas da vila.

— Sou um homem duplamente abençoado, meu senhor. Terá o mais leal cavaleiro a servir seu sobrinho.

Assim que ele foi buscar a família, tio Benini mostrou-me as correspondências.

— Aqui tem como usar o código que lhe ensinei. Acredito que vou me demorar por lá. Caso queira se comunicar comigo, use-o. Certo, Ciro?

— Sim, senhor. Toda correspondência que trocarmos será codificada. Procurarei vigiar os movimentos dos nossos adversários e aviso se algo nos ameaçar.

— Não assine o seu nome. Use o pseudônimo que dei aos copistas.

— O que faço quando eles voltarem, no caso de o senhor não estar aqui?

— Use a sua intuição mercantil para bem vender suas inspirações. Acompanhe-me agora e não me pergunte nada. Só ouça!

Eu o segui. Tio Benini entrou na biblioteca e trancou a porta atrás de si. Depois foi até uma pesada estante e tirou alguns livros do lugar. Para um bom observador, ficou um pequeno furo, exposto.

Introduziu nele uma longa chave e ouvi um estalido. Depois forçou a estante e ela se moveu. Entramos pela passagem e deparamo-nos com nova porta. Ele acendeu uma tocha e abriu a porta com outra chave. Entramos por ela e descemos uma longa escada. Nova porta e nova chave para abri-la. Nova sala cheia de velhos livros e, a um toque seu, uma porta falsa se abriu. Entramos e, com novo toque, ele a fechou por dentro. Ali havia sacolas e mais sacolas de moedas de ouro, algumas barras de ouro e muitas pedras preciosas num baú. Então ele me falou:

— Tudo isso será seu após a minha morte. Aqui está a herança de meu pai, mais tudo o que ganhei na vida. Há neste quarto secreto uma imensa fortuna, Ciro. Não sei se volto logo ou me demoro em Roma. Caso eu fique algum tempo por lá, pode tirar até dez por cento para seus negócios inspirados. E nem mais uma moeda sequer. O dinheiro que os meus procuradores trouxerem, guarde-o de agora em diante para você e não o use em negócios fúteis ou sem retorno.

Só penetre aqui em caso de extrema necessidade e sem que ninguém perceba que foi da biblioteca que você saiu com dinheiro. Esta pasta negra contém meus documentos pessoais e só a abrirá após minha morte. Nunca a toque antes de tal coisa acontecer. Esta outra aqui tem o meu testamento, deixando todos os meus bens a você e a ninguém mais. Ele está firmado e reconhecido de forma que nem mesmo eu posso mais voltar atrás em suas cláusulas. Nenhum outro parente ou amigo sabe da existência deste quarto oculto com toda esta fortuna. Deixe aqui as duas pastas, pois na biblioteca há outro documento firmado, dando-lhe direito sobre todas as minhas propriedades, e uma procuração em seu nome para intervir nelas, caso isto seja do seu agrado. Estão todas descritas na pasta da biblioteca e nesta aqui. No caso de eu morrer logo, não dispense os mestres que contratei para você, mas estude mais ainda, pois tem muito que aprender para fazer bom uso do que lhe deixo. Não esbanje e nem demonstre possuir tanto dinheiro; isso apenas despertará a cobiça alheia. Nada disto foi conseguido de forma prejudicial à Santa Igreja. Tudo é fruto de minha astúcia. Só há uma parte suja em minha vida, que está descrita numa longa carta a você na pasta negra. Leia-a somente no caso de eu morrer e, caso julgue que meu erro foi menor do que eu o julgo, então ore para que minha alma um dia se liberte do inferno. Caso o julgue sem perdão, então me amaldiçoe para todo o sempre. Vamos voltar à biblioteca. Agora você vai abrindo e fechando as portas.

Apanhei as chaves de sua mão e fui fazendo o caminho de volta até a biblioteca. Assim que pus os livros no lugar, mandou-me repetir tudo novamente. Ao entramos novamente no quarto secreto, ele me falou:

— Apanhe a maior bolsa de moedas de ouro.

Eu peguei uma pequena.

— Não esta, uma bem maior.

Eu escolhi outra e ele também apanhou uma.

— Vamos até a antecâmara, Ciro.

Eu abri a porta secreta na parede e, assim que ela se fechou, ele falou:

— Estes livros são proibidos pela Igreja. Se um dia for obrigado a vir até o final da escada, alegue que aqui é o lugar onde eu ocultava os livros proibidos e ninguém irá suspeitar que há outro cômodo depois deste. Pensarão que eu tinha este local só para esta finalidade. Vamos voltar à biblioteca.

Assim que eu tornei a fechá-la, ele me deu o molho de chaves e falou:

— Este é seu. Eu tenho outro igual e o senhor Benito, o caseiro, tem outro como este. Um é cópia do outro. Ao molho dele, falta a chave da biblioteca, à qual só nós dois temos acesso e ninguém mais. Não receba ninguém nela e só entre caso queira ler algum livro. Aparentemente estas chaves abrem a porta da frente, a dos fundos e a da sala de visitas só faltando ao senhor Benito a da biblioteca. Então ninguém jamais irá ligá-las a portas secretas. Mas há um outro molho igual a este oculto no quintal, na frente da varanda. Está embutido embaixo da fonte no jardim. Venha, eu lhe mostro.

Nós fomos até a fonte e ele mostrou um buraco coberto de pedras. Eu as vi lá no fundo e protegidas da água e das vistas mais curiosas. Voltamos à biblioteca e ele a trancou.

— Entendeu tudo o que lhe falei, Ciro?

— Sim, senhor! Estou confuso, tio Benini!

— Um dia saberá de tudo e a tudo compreenderá. Jure-me que nunca revelará o que lhe mostrei, ainda que lhe custe a vida manter o segredo.

Eu jurei diante dele.

— Após minha morte, dê o destino que quiser a tudo o que lhe mostrei. Mas até lá, use esta bolsa com parcimônia e faça a sua fortuna. Caso a consiga, e espero que sim, então terá um bom local para ocultá-la junto com a minha e viver com sabedoria. Nunca revele, nem ao seu mais leal amigo, o quanto possui nem onde está oculto. Tampouco demonstre ser possuidor de grande fortuna. Aparente apenas ser um sábio. Nunca se envolva em disputa com a Igreja, pois será derrotado. Conquiste a amizade e a lealdade dos religiosos e não se indisponha contra um simples padre ao menos. Se tiver dinheiro sobrando, doe para a construção de alguma igreja ou paróquia e cultive uma boa relação com todo o clero. Ali está o poder e é ao lado dele que vencerá, e não contra ele. Tem o dom de escrever, então escreva tudo o que sua inspiração lhe possibilitar, mas só publique o que não contrariar as leis canônicas. Se um dia quiser influir nos negócios da Igreja, atue por dentro dela, e não por fora, como fazem os tolos. Atue de maneira sutil e não às abertas, pois um sábio de verdade não se impõe e sim aguarda que o aclamem como tal. Aquele que se impõe é passível de ser derrubado; aquele que é aclamado reina sobre todos, do alto do pedestal em que o colocaram. Não ande com uma espada na cintura para não ter de bater-se com um inimigo oculto, que atua por meio de mercenários contratados com a única finalidade de matar ou humilhar as suas vítimas. Seja um mestre nas armas, mas que só você saiba disso e para que, em caso de extremo perigo, possa se defender. Isso não sendo necessário, use outros para defendê-lo. Jamais entre nas disputas tolas, que colocam sua vida em risco; só os tolos deixam que a vaidade de uma falsa vitória ofusque a razão do saber. Se viajar a negócios, leve sempre uma escolta.

O templário que contratei conseguirá servidores leais e poderá dormir tranquilo e sem medo de que uma mão armada lhe tire a vida no meio do sono. Mas como eu já lhe disse um dia, não confie demais, muitos morreram misteriosamente por confiar nos amigos. Os inimigos, se não puder comprá-los, destrua-os de uma vez, mas sem se expor. Quanto aos amigos, não os compre, mas sim conquiste-os com sua sabedoria. Uma das bolsas de moedas é de cor preta e a outra, marrom. Veja que você apanhou a marrom e eu a preta. Um dia saberá o motivo de haver estas duas cores lá no quarto secreto. Leve esta para o seu quarto e use-a como achar mais útil aos seus propósitos, certo?

— Sim, senhor.
— Lembra-se de tudo o que lhe falei?
— Sim, senhor.
— Entendeu e classificou o sentido do que procurei mostrar da forma mais clara possível?
— Sim, senhor.
— Vai seguir minhas instruções no caso de eu morrer antes de você ser um mestre?
— Sim, senhor. Mas por que me revelou tudo isso, tio Benini?
— Primeiro porque o amo. Segundo porque jurei fazer de você meu discípulo e herdeiro. E terceiro porque vou a Roma e não sei quando volto, se volto, nem quanto tempo viverei.
— Mas, e caso seja eu quem morra antes do senhor voltar?
— Tudo o que lhe revelei ficará oculto por todo o sempre, porque isto não será revelado a mais ninguém.
— Mas se eu morrer poderá deixar isso para Mariana, pois ela o ama muito.
— Mariana tem a fortuna de Pietro, que não é menor que a minha.
— Mas, e os outros primos?
— Os pais deles receberam um quinhão igual ao nosso. Se não o fizeram crescer, não adianta lhes dar mais nada, pois irão dilapidá-lo e não aprenderão nada de bom com esta fortuna. Alguns deles não revelam, mas têm imensas fortunas ocultas também. Seu avô ensinou a todos a mesma coisa. Se seguiram, fizeram como eu. Se não, é problema deles. Só lhes dê casa e comida e nada mais. Se você vier a se casar com Mariana no futuro, ela partilhará de tudo; e se outro vier a se casar com ela, ele que dê a ela sua fortuna. Não serei eu quem irá dar a ele o que pertence só a você. Puxe esta porta e apanhe a pasta com os papéis de que lhe falei, depois vá para o seu quarto e os leia com atenção. Nela estão as descrições de todas as nossas propriedades e a procuração para você ter minha força e direito sobre elas. Na minha ausência, você é o senhor de tudo. Nunca abdique do seu direito ou da força que o nome Neri possui.
— Sim, senhor.
Eu fui ao meu quarto, guardei a pesada bolsa de moedas e comecei a ler os documentos contidos na pasta. Fiquei impressionado com as propriedades que tio Benini possuía. Era muito mais rico que muitos que se gabavam e exibiam suas fortunas.
Aprendi muito com tio Benini naquela tarde. Se o estranho homem da capa negra me pediu para tirar tudo de tio Benini, ali estava tudo à minha frente, ou nas chaves presas à minha cinta.
Era estranho, mas me sentia triste por saber-me possuidor de tanta riqueza. Lembrei-me dos cães vadios, miseráveis e esfomeados e vi por que odiavam os Giovanini Neri do mundo. Um dia, quando tudo fosse de fato

meu, eu saberia como usar. Até lá, iria conquistar minha fortuna e dividi-la criando seres humanos dignos e felizes por estarem vivos.

Lembrei-me dos meus pais e uma imensa tristeza tomou conta de mim. Como teriam sido felizes se a vida tivesse sido diferente para eles. Voltei a lembrar do rosto belo e meigo de Mariana. Conosco tudo seria diferente. Ela não choraria em silêncio ou viveria trancada na sua casa só para evitar gracejos maldosos. Pensando nela, acabei adormecendo e só fui acordado com leves batidas na porta que anunciavam o jantar. Desci e fiquei feliz ao ver o senhor Albert sentado à mesa, conversando com tio Benini. Junto estavam sua esposa e as filhas. Cumprimentei todos e fui apresentado a elas. Eram pessoas humildes, mas muito educadas. Tio Benini, depois do jantar, falou-me:

— Ia me esquecendo de algo muito importante, Ciro. Falei com monsenhor Alberto e você irá ajudá-lo no serviço religioso aos domingos. Sempre o auxiliará nas missas dominicais.

— Não quero ser padre, tio Benini.

— Eu não disse para se tornar um, e sim para auxiliá-lo só nos serviços dominicais. Não esquecerá a religião na minha ausência.

— Sim, senhor.

— Mesmo aos domingos, não dispense a guarda do templário.

— Sim, senhor. Vou para o meu quarto escrever um pouco, tio!

— Está certo. Eu vou dormir, pois estou com muito sono. Acho que estou envelhecendo, Ciro!

Sorri com suas palavras e fui me recolher. Fiquei até tarde da noite escrevendo um novo romance sobre um templário. Eu tive esta inspiração durante o jantar e dava vazão a ela agora. Era um romance forte, mas envolvente, que misturava fé religiosa, poder e paixão por uma bela mulher.

# Capítulo XV

# Jogos do Poder

Por ter ido dormir tarde, tio Benini veio acordar-me com fortes batidas na porta.
— Ciro, esqueceu-se da corrida? Tenho dinheiro apostado nela!
— Já estou me levantando, tio. Sairei num instante!
— Bom, não se atrase para a apresentação ou não participará.
— Sim, senhor.
Abri a porta para ele entrar no quarto. Enquanto eu lavava o rosto, tio Benini olhava os meus escritos.
— Estão ótimos, Ciro! Dará um lindo romance de aventura, amor e intrigas. Como você consegue escrever tanto, tão bem e em tão pouco tempo?
— Vou passando ao papel tudo o que me vem à mente na criação do romance a partir do personagem central. Estou pronto, tio!
— Então vamos, pois tenho de tomar meu assento na tribuna.
— Posso levar a capa negra, tio Benini?
— Por quê?
— Corisco corre mais à vontade quando eu a visto. Ele se acostumou a me ver com ela e se solta mais quando o monto vestido de negro.
— Eu levo esta capa para ter certeza de que não a vestirá. Fica mais bonito e vistoso com a que comprou. O azul é uma cor mais alegre, Ciro.
Tio Benini enrolou-a e pôs embaixo do seu braço. Não gostei do seu gesto e um frio correu todo o meu corpo como prenúncio de algo ruim. Tentei argumentar, mas ele não me permitiu usá-la.
Partimos, nós a cavalo e ele em sua carruagem. Chegamos ao local das competições por volta das oito horas da manhã. Após os convidados assumirem a tribuna de honra, começou o longo desfile de cavaleiros diante dela. Eu, como o último inscrito, era o último da fila de cavaleiros. Ao meu lado, ia o templário Pierre Albert.
— Por que toda esta apresentação, senhor Albert?
— Muitos destes cavaleiros são príncipes, barões e todo tipo de gente da nobreza, Ciro Neri. É a corrida mais importante de todo o império. Não se impaciente, logo chegaremos.

Bom, lentamente íamos nos aproximando, logo chegaria a minha vez. Havia só dois cavaleiros na minha frente quando o príncipe Mazzile pediu para ver a capa que tio Benini tinha nas mãos. Eu vi isto, pois olhava para a tribuna de honra naquele momento. Corisco também olhava tudo à sua volta e ao ver capa negra, agitou-se. Só havia um cavaleiro à minha frente sendo apresentado quando o príncipe levantou-se e estendeu a capa para vê-la melhor. Corisco empinou de repente e me jogou ao chão. Ele corcoveava e pulava sem poder ser pego pelas rédea. Uma de suas patas me atingiu, quase quebrando minhas costelas. Só a muito custo consegui me levantar. Os outros cavaleiros caíram na gargalhada e tive de ouvir gracejos de todos os tipos. Corisco já estava um pouco afastado, mas incontrolável. Fui diante da tribuna e, com dores insuportáveis, saudei o príncipe e pedi minha capa.

— Peço-vos que me dê, pois ela me pertence.
— Como a conseguiu, rapaz?
— Um homem que veio do inferno me deu como presente, senhor príncipe. Eu quero o que me pertence!

Tio Benini interveio:
— Ciro, eu o proibi de usar esta capa negra. Não desobedeça uma ordem minha.
— Ou a uso para sempre ou não mais o obedecerei. Eu quero o que é minha propriedade. Tenho feito tudo o que o senhor me ordena, mas de minha capa negra não abro mão. Ou a visto agora e venço a corrida, ou monto no cavalo e volto a cavalgar para lugar nenhum. Ela é minha e quem quiser uma igual que vá buscá-la no inferno, como eu fui. Dê-me minha longa capa negra, senhor, ou vou-me embora deste lugar agora e o demônio que venha buscar suas almas, assim como quis levar a do dono dela.
— Você é um tanto petulante, rapaz! Sabe quem sou eu?
— No mínimo, um filho do maldito que me deu esta capa, pois seu rosto é uma cópia fiel do rosto dele. Só lhe falta a verruga na testa.

Ele ficou pálido como cera e jogou-me a capa do outro lado da cerca da tribuna. Tirei a capa azul e a entreguei a tio Benini, depois vesti a longa capa negra com esforço, pois minhas costelas doíam muito. Após vesti-la, dei um assobio e Corisco acalmou-se, vindo na minha direção. Levantei o chicote e ele empinou-se todo à minha frente várias vezes: depois veio até mim. Eu acariciei o seu focinho e suas longas crinas. Ao tentar montá-lo, não consegui, pois a dor foi muito grande. Puxei o cabresto e ele deitou-se. Então, subi no seu lombo e puxei novamente o cabresto, fazendo-o levantar-se. Estalei o chicote, ele se empinou todo e relinchou várias vezes diante da tribuna. Depois o guiei ao local de largada. Havia mais de cem cavaleiros, mas na corrida da longa distância restariam apenas vinte para a parte em linha reta.

Quando foi dada a largada, todos galoparam como doidos para tomarem a dianteira. Só após todos partirem eu estalei o chicote e Corisco empinou. Soltei desta vez o chicote no seu traseiro e lancei-o à frente. O grupo já se espalhava e agora seria fácil ultrapassá-los. Alcancei o último e pouco a pouco não havia mais ninguém à minha frente. Soltei novamente o chicote no ar e Corisco voou como o vento. Cheguei sozinho ao fim da linha e apanhei a bandeira que provava que eu concluíra o percurso. Virei Corisco e o lancei numa desabalada carreira de volta à tribuna. Foi a melhor vitória alcançada naquele campo de provas. Enterrei a lança com a bandeira na frente da tribuna e ainda não havia um só cavaleiro chegando. Por dentro eu os odiava com todas as minhas forças.

— Malditos! Engulam suas gargalhadas na poeira levantada pelos cascos de Corisco. Malditos cães vadios e famintos! — gritei.

Após receber o prêmio e entregá-lo ao templário, voltei à nova linha de partida. Quando foi dada a largada, chicoteei Corisco com força e lancei-o na mais furiosa corrida feita por ele até aquele dia. O percurso não era longo e eu fui o primeiro a apanhar a bandeira e trazê-la diante da tribuna.

— Engulam as gargalhadas, malditos cães vadios! — tornei a gritar-lhes.

Novo prêmio e a prova final, quando Corisco provaria sua superioridade.

Os obstáculos ficavam no campo à frente da tribuna, além das pistas reta e longa. Quando foi dado o sinal, eu o conduzi calmamente até a linha de largada. Acariciei as longas crinas e deitei-me sobre seu pescoço, falando-lhe ao ouvido:

— Voe como um pássaro garboso, corcel negro.

O relincho baixo dizia-me que ele havia entendido. Assim que foi dado o sinal, eu o conduzi como um condor, e um a um, todos os obstáculos foram sendo superados garbosamente. Apanhei a última bandeira e antes de espetá-la diante da tribuna, gritei:

— O maldito cão vadio e sarnento que riu de Ciro Neri engolirá com a derrota humilhante as gargalhadas dadas. Mesmo com as costelas partidas, Ciro Neri conquistou a tríplice cruz diante dos melhores cavaleiros do reino. Engulam as gargalhadas, malditos! E espetei a bandeira, com fúria, diante da tribuna.

Recebi das mãos do príncipe Mazzile a bolsa com as moedas de ouro e a entreguei ao templário. Depois, foi-me colocada no pescoço a tríplice cruz e fui elogiado como o grande campeão de Milão pelo príncipe. Quando ele terminou com a cerimônia, eu a tirei do pescoço e a estendi a tio Benini.

— Não, Ciro. Ela é sua pela sua bravura.

— Esta é oferecida ao meu tutor e mestre. As próximas eu guardarei para mim, tio Benini.

— É uma honra ser presenteado com a mais brilhante corrida a que já assisti, Ciro. Nunca mais vou proibi-lo de usar a capa negra de Giovanini Neri. Você é digno de ostentá-la onde quer que esteja.

— Sente-se na tribuna conosco, Ciro Neri! — convidou o príncipe Mazzile.

— É uma honra, senhor, mas estou ferido e não posso me sentar, senão a dor se tornará insuportável. Peço licença para me retirar agora.

— Como queira, campeão de Milão. A cidade se alegra que um dos seus tenha conquistado o prêmio máximo.

Assim que me afastei da tribuna, o príncipe Mazzile comentou com tio Benini:

— Eminente bispo Neri, o senhor foi buscar seu sobrinho no inferno?

— Por que diz tal coisa, nobre príncipe?

— Ele traz o ódio de Giovanini Neri, mais a sua astúcia, e uma revolta tão grande que ao vestir a capa do velho demônio eu pensei que fosse avançar sobre nós com seu cavalo dos infernos. Ele, este cavalo, mais a capa negra são como um demônio das Trevas chicoteando-nos com lembranças que gostaríamos de não ter.

— É só uma criança que não gosta que riam dela. Odeia gracejos!

— E o nobre bispo não faz nada para impedi-lo de odiar tanto assim?

— O tempo mostrará se estou certo ou errado, príncipe Mazzile.

— Se ele possuir sua astúcia e este ódio oculto a alimentar seu poder, Giovanini Neri logo, logo será considerado um tolo perto dele. Espero que ele não invada os meus domínios.

— Só os seus serão respeitados, nobre príncipe. Quanto aos dos seus amigos, não o proibi de tocá-los.

— Isso significa que reentrou em grande estilo no seu retorno a Milão.

— Não vou ficar em Milão. Ciro será somente um motivo para que eu não seja esquecido.

— Para onde irá se recolher agora?

— Vou descansar um pouco em Roma, ao lado do papa.

— Não! Em Roma?

— Coisas da vida, nobre meio-irmão!

— Você caiu nas boas graças de sua santidade, pelo que vejo. Como não fui informado de notícia tão agradável?

— Seus contatos em Roma não são muito bons ou confiáveis, nobre príncipe!

— Acho que estou me descuidando de coisas importantes, caro meio-irmão. O que devo fazer para voltar a receber em primeira mão as boas notícias de Roma?

— Não tome o partido do bispo Cúneo e viverá tranquilo, e bem informado sobre a direção dos ventos que sopram em Roma.

— Mas Cúneo é irmão do meu cunhado e homem muito poderoso. É um perigo abandonar a proteção do manto de sua veste religiosa.

— Cúneo ousou me trair ao mudar de posição durante a disputa papal e não entendeu o motivo de eu não ter aceito a indicação. Achou que era um sinal de fraqueza. Perseguiu os meus aliados na hierarquia em Roma e em outros lugares. Ousou mesmo tentar remover o meu substituto aqui em Milão. Agora irá conhecer o poder do bispo Benini Neri. Não admito traições, muito menos perseguições aos meus protegidos e aliados!

— Eu não o traí, caro bispo Neri. Apenas mantive uma atitude de expectativa o tempo todo.

— Mas deu um apoio velado aos aliados dele.

— Foi só uma questão de sobrevivência, nobre bispo Neri. Em meio à sua luta, procuro apenas sobreviver, e nada mais. Como posso auxiliá-lo na sua volta a Roma?

— Não sei se posso contar com sua lealdade incondicional. Eu tenho muitos outros príncipes que não recolheram suas armas na minha ausência.

Ao falar isto, tio Benini ameaçava ao seu modo o principado de Mazzile. Ele nunca dizia algo diretamente e o príncipe sabia que o ajuste de contas de tio Benim não seria pacífico.

— Para demonstrar que serei leal na minha oferta, deposito minha espada aos seus pés, bispo Benini Neri. Conte com ela na eventualidade de precisar dos meus serviços.

— E quanto a Cúneo?

— Como eu disse há pouco, só mantive uma atitude de expectativa e estou muito triste por tê-la entendido como se eu tivesse tomado o partido do bispo Cúneo. Ouvi dizer que seu sobrinho associou-se ao velho templário D'Ambrósio.

— Ciro é um bom negociante, nobre príncipe. Acredito no futuro dele como um homem empreendedor.

— Aceita o meu convite para uma recepção no castelo antes de sua partida?

— Acho que não vai ser possível. Eu parto amanhã cedo.

— Mas eu o estou convidando a ir esta tarde. Vou dar uma festa aos príncipes e cavaleiros que vieram competir. Será meu convidado de honra. Assim demonstro em público minha lealdade, para que não pense que temo tomar o seu partido, agora que sei que está de volta.

— Eu aceito o seu convite, nobre príncipe Mazzile!

— Leve seu sobrinho para que eu possa conhecê-lo em melhores condições que as da corrida.

— Só o levarei se estiver bem. Não está assistindo aos combates dos cavaleiros, príncipe?

— Para que ver tolos se digladiando se posso assistir comodamente a um combate muito melhor e menos violento, nobre meio-irmão?

Os dois riram muito das palavras ditas. Eram homens que travavam combates muito mais sangrentos, ou nem tanto, mas sempre escolhiam o campo e as armas próprias na luta pelo poder. A primeira derrota do bispo Cúneo já havia acontecido antes de tio Benini partir para Roma. Cúneo iria colher uma derrota após a outra a partir desta conversa.

Por volta do meio-dia, tio Benini chegou em casa e foi ver como eu estava.

— Como vai, Ciro?

— Não foi nada grave, tio. Não tive nenhuma costela partida.

— O que há com aquela capa negra?

— Como assim, tio?

— Seu cavalo vira uma besta-fera se a vê fora do seu corpo ou em mãos alheias. Eu vi isso hoje quando Mazzile a estendeu.

— Ele talvez pense que aquela capa me pertence. Quando voltar a montar novamente, não sairei mais sem ela, tio Benini.

— Sente muitas dores?

— Sim. Estou com metade das costas roxa. O senhor Albert aplicou umas ervas, mas acho que vai demorar um bom tempo até que o hematoma desapareça.

— Consegue viajar no meu coche?

— Onde irá, tio Benini?

— Até o castelo de Mazzile. Cúneo já teve a sua primeira derrota hoje. O príncipe depositou sua espada aos meus pés e quer me dar de público o seu apoio.

— Como conseguiu tal proeza e neutralizou em tão pouco tempo uma base de apoio do bispo Cúneo?

— Monsenhor Alberto, um leal amigo, falou a um amigo de Mazzile que os príncipes do norte estavam de olho no reino dele e que se eu não os contivesse, certamente iriam marchar contra ele em breve. Como os dois príncipes do norte são leais a mim, ele tratou logo de se posicionar em público ao meu lado, evitando assim que algum aventureiro invista contra ele, causando-lhe sérios danos.

— Tais como a tomada do seu castelo?

— Enxerga longe, Ciro. Será um bom político se souber se conter quando tudo parecer desfavorável.

— Vou me lembrar disso, tio.

— Irá comigo? É muito importante que se ligue a Mazzile na minha ausência. Evitará muitos incômodos no futuro se o tiver como aliado.

— Está certo, tio Benini. Quando partirá?

— Logo depois do almoço. Assim chegaremos cedo e terei tempo de firmar mais algumas alianças e ter mais algumas espadas depositadas aos meus pés.

Comecei a rir de suas últimas palavras, mas em seguida soltei um forte gemido de dor.

No almoço, o templário entregou a tio Benini as mil peças que tomara emprestadas e as quinhentas apostadas mais o ganho da aposta.

— Foi um ótimo investimento, tio! — exclamei ao ver a soma de moedas.

— Guarde-as para mim, Ciro. Talvez quando eu voltar você já as tenha multiplicado!

Virando-se para o senhor Albert, ele falou:

— É um bom conhecedor e treinador de cavalos. Ciro é igual ao seu Corisco, então faça o mesmo trabalho com ele, sim?

— Sim, meu senhor. Não o reconhecerá quando tornar a vê-lo. Ele aprenderá a saltar sobre os obstáculos com a mesma elegância que seu cavalo demonstrou hoje no torneio.

Nós terminamos o almoço e pouco depois partíamos para o castelo que dominava a cidade de Milão. Quando chegamos, tio Benini foi recebido com todas as honras possíveis. O senhor Albert ajudou-me a descer do coche e caminhou ao meu lado para qualquer emergência, pois eu estava com o rosto contorcido de tanta dor.

O próprio príncipe, após dar uma olhada no ferimento, aconselhou-me a deitar um pouco até a hora da ceia no salão principal do seu castelo. Eu fui conduzido por um serviçal e acompanhado do templário. Ele nos conduzia a um aposento quando nos deparamos com uma bela mulher que nos cumprimentou sorridente.

— Bela vitória, príncipe Ciro Neri! Eu lhe assisti da tribuna.

— Não sou príncipe, senhora. Sou um simples discípulo do bispo Neri, e desculpe-me não tê-la visto antes. Contratempos impediram-me de notar algo mais do que minha dor.

— Para onde estão sendo conduzidos?
— A um aposento onde eu possa repousar um pouco.
— Venham até o meu, tenho a cama mais macia que possa imaginar.
— Não se incomode, senhora. Só preciso repousar um pouco, pois a viagem até aqui aumentou as dores. Logo estarei melhor!
— É convidado do meu pai e irá ter todo o conforto possível. Sigam-me!

Bem, o serviçal acompanhou-a e nós tivemos de ir juntos. Logo entrávamos num quarto ricamente decorado. Ela me indicou sua cama.

— Aqui ficará confortável, Ciro Neri.
— Não precisa tanta gentileza, senhora. Só estou lhe dando preocupações.
— Deite-se enquanto providencio uma bebida para você e sua escolta. Eu volto logo!

Assim que ela saiu, o senhor Albert falou-me:
— Sabe quem é ela?
— Não. Eu nem sabia que Mazzile tinha filhos ou filhas!
— Chama-se Rosa e esteve casada até o ano passado. O marido morreu num combate com lanças. Cuidado com ela, pois é alguém à procura de um marido.
— Não saia deste quarto, senhor Albert. Sob hipótese alguma me deixe a sós com ela.
— Teme ser envolvido pelos seus encantos?
— Não. Mas pela língua sim. Imagine ela falando por aí que repousei na sua cama ou que ficamos a sós. Isto não é o meu território e tenho de ser muito cuidadoso.
— Seria uma boa conquista, Ciro Neri.
— Alguém já conquistou meu coração, senhor Albert. Não troco o amor de Mariana pelos encantos de mulher alguma no mundo.

Nisto ela bateu à porta e entrou.
— Demorei muito?
— Não, mas já estou melhor. Acho que vou dormir um pouco. Ainda não sei o seu nome, senhora!
— Chamo-me Rosa Mazzile Feltrine.
— Ah! É casada e eu estou em seu leito. Não posso aceitar isto, senhora!
— Fique à vontade, pois sou viúva. Faz um ano que meu marido morreu num triste combate.
— É por causa dessas coisas que não gosto de armas, senhora Rosa.
— Tomem suas bebidas. E chame-me só de Rosa. Sinto-me mais à vontade ao ser tratada assim pelos que privam da intimidade de papai.

Eu mal toquei na bebida e depois me deitei, fechando os olhos e dando um leve gemido de dor. Ela então se dirigiu ao senhor Albert e disse-lhe o que eu já havia previsto:
— Pode retirar-se, cavaleiro. Ficarei com ele e caso precise de algo, eu mesma o ajudarei.

— Não posso deixá-lo a sós, senhora. É uma ordem do senhor bispo. Se eu fizer tal coisa, serei castigado por desobedecê-lo.
— Aqui ele está confortável e seguro, cavaleiro.
— Isso eu sei, senhora. Não temo por ele e sim por mim. Não vou incorrer na ira do senhor bispo. Se o conhecesse, não me pediria tal coisa. Eu fico ao lado dele e caso precisemos de algo, mando chamá-la.
— Está bem, cavaleiro. Volto antes da ceia para ver se ele pode participar dela.
— Obrigado, senhora. Ordene ao serviçal para ficar do lado de fora, para o caso de precisarmos de algo.
— Ele ficará à sua disposição, cavaleiro. Até mais tarde, Ciro Neri!
— Até mais tarde, senhora Rosa.
Assim que ela saiu, ele se sentou numa banqueta e falou:
— Ela seria capaz de fazê-lo esquecer-se das dores, Ciro Neri.
— Não tenho dúvidas disso, senhor Albert. Agora vou dormir um pouco.
— Eu vigio o seu sono.
Bem, eu dormi, apesar da dor. Fui acordado com alguém secando o meu rosto, pois estava com febre. Era a senhora Rosa quem o fazia. Abri os olhos e vi seus cabelos louros muito próximos de mim.
— Acho que desmaiei, senhora Rosa. Devo ter transpirado muito, não?
— Só um pouco, Ciro. Você estava pior antes, mas melhorou depois de tomar um preparado para cortar a febre.
Sentei-me na cama e falei:
— Acho que terá de trocar seu lençol. Este está úmido pela minha transpiração. Sinto dar mais este trabalho.
— Não se preocupe com isso. Já faz muito tempo que meu leito não recebe o suor de um homem. Vou conservá-lo assim mesmo esta noite.
Fingi não ter entendido suas palavras e levantei-me devagar.
— Aqui está sua capa, meu senhor. Vista-a, está com sua roupa úmida e poderá ficar pior caso receba ar fresco.
— Obrigado, senhor Albert. Já começaram a ceia?
— Já, mas seu tio ordenou-me que não o acordasse. Talvez seja melhor que passe a noite no castelo, meu senhor.
— Estou melhor. O leito da senhora Rosa fez bem ao meu corpo, a dor quase desapareceu.
— Mas terá de voltar à sua casa e a viagem fará as dores voltarem. Vou trocar o curativo do ferimento, depois irá até o salão principal, meu senhor.
Rosa, ao ver o ferimento, ficou assustada. Falou que, após a morte do marido, chocava-se com qualquer tipo de ferimento. Assim que vesti minha capa negra, estendeu o braço e conduziu-me até o salão principal, onde estavam sentados tio Benini e seu pai. Saudei o príncipe Mazzile, meu tio e todos os presentes.
Um desconhecido levantou sua taça, falando algumas palavras de elogio à minha bravura. Depois, pedindo desculpas em nome dos presentes, por terem rido de mim, brindou à minha saúde. Agradeci suas palavras gentis e sentei-me ao lado

de tio Benini. Rosa sentou-se ao meu lado e o templário ficou atrás de nós com suas mãos apoiadas no cabo de sua espada.

Também brindaram ao príncipe Mazzile, e ele fez o brinde mais importante da noite, ao levantar sua taça e dizer:

— Eu brindo ao bispo Benini Neri e a seu retorno a Roma. Como prova de minha estima e respeito, deposito aos seus pés minha espada e meus serviços.

Tio Benini tinha trabalhado muito bem, porque a aclamação foi geral e vi um sorriso imperceptível nos seus lábios cerrados.

Ele, como um político, disse-lhes que em Roma não se esqueceria dos leais amigos e demandaria em favor deles nas questões com a Santa Igreja. Selava com estas palavras um pacto em que firmava seu poder. Logo daria o golpe mortal no bispo Cúneo e seus aliados em Roma.

Eu, a cada dia, aprendia mais e mais com tio Benini.

Um pouco mais tarde, ele pediu licença ao príncipe Mazzile para retirar-se, alegando que estava preocupado comigo. Deixava assim espaço e tempo para que os aliados leais firmassem, com os nem tanto, certos acordos que lhe dariam o apoio das armas, caso viesse a precisar delas, se bem que eu sabia que tio Pietro estava trabalhando por ele em Bolonha e nas cidades próximas. Eram carne e unha e não faziam movimentos discordantes. Tio Benini partiria para Roma em condições de exigir a cabeça do bispo Cúneo ao papa, debilitado em seu poder pelas manobras da ala controlada por ele. O poder é um jogo de influências e em Roma não era diferente.

Tio Benini era o melhor jogador naquele momento e tinha não só o apoio de uma ala do clero, como da maioria dos príncipes. Sua influência estendia-se por todo o Sacro Império. Os bispos alemães estavam ao lado dele também. Logo eu saberia o desfecho da luta que mal começara no castelo Mazzile.

## Negócios, Armas, Livros e Sedução

No dia seguinte, antes de sua partida, recomendou-me várias coisas, entre elas que não me esquecesse de que havia um compromisso selado com Mariana. Disse também de que iria me ensinar como me tornar um homem respeitável, mas que isso começava com o respeito ao compromisso que eu mesmo propusera ao tio Pietro, e que o tinha como testemunha. Deduzi que ele estava preocupado com Rosa, a filha do príncipe Mazzile.

Bem, tio Benini partiu e eu chorei no momento de nos despedirmos. Seus olhos também estavam brilhantes, mas ele soube conter suas emoções. Pouco depois, chegava o mestre que me ensinaria às segundas-feiras. Foi um longo dia. Ele era um sábio mais rigoroso do que eu presumira e não se importara com meu ferimento, entupindo-me de lições e mais lições. Quando foi embora, deitei-me e continuei a estudar.

Assim, passaram-se rapidamente três semanas. Recebi a visita dos copistas anunciando que estavam publicando o caderno de poesias e a história da longa capa negra. Entreguei-lhes mais um romance que havia escrito.

Recebi também a visita do senhor D'Ambrósio e sua filha. Jantaram conosco, pois já havia se tornado hábito o senhor Albert, a esposa e as filhas jantarem comigo. Assim eu não me sentia tão solitário na enorme mansão.

— Já estamos produzindo novamente, Ciro Neri. Mas as vendas estão muito fracas. Não sei onde vamos guardar tantos tecidos.

— Precisa de mais dinheiro para ter um grande e sortido estoque, senhor D'Ambrósio?

— Não. Ainda não pagamos nada ao seu tio. Só o faremos quando vendermos os tecidos. Este foi o trato feito com ele.

— Se precisar de dinheiro, peça que financio. Teremos de ter um grande estoque, senão meus planos não terão continuidade.

A esta altura, a filha dele entrou na conversa.

— Ou tem um grande plano ou é um louco, Ciro Neri.

— Digamos que tenho um plano que é uma loucura, senhorita D'Ambrósio. Eu já fui à minha primeira reunião com os templários de Milão. São muitos e todos muito idealistas, mas sem nada para sustentar os seus ideais.

— Nada em que sentido?

— Ganhos, senhorita. Falo de uma fonte de rendas. Vivem pedindo auxílio em vez de proporcionar algo à Ordem. Quando tivermos um grande estoque de mercadorias, darei uma fonte de renda a todos os que estão querendo progredir.

— Como, Ciro? — ela era provocadora.

— Tornaremos cada homem daqueles, e suas esposas e filhos, vendedores dos nossos tecidos.

— Você é mais louco do que eu imaginava. Não vão saber negociar roupas.

— Você os ensinará, sabe muito bem como fazê-lo.

— Não me envolva nesta loucura.

— Já está envolvida. Não adianta querer tirar o corpo fora. Na próxima reunião, dentro de quinze dias, vou dar a eles a oportunidade de tornarem-se comerciantes. Eu os financio até o retorno das vendas.

— Mas, e se não venderem nada?

— Eu já disse que financio tudo, e se não confia, aguarde só para ver. Vai precisar de auxiliares. As filhas do senhor Albert irão ajudá-la. Já são bem crescidas e podem ser úteis no nosso negócio.

— Aposto como não dará certo.

— Aposta aceita, senhorita D'Ambrósio.

— Não discutimos quantas moedas valerá a aposta.

— Não apostaremos dinheiro, mas sim princípios.

— Ótimo. Os meus contra os seus, fechado?

— Sim. Todos nesta mesa são testemunhas.

Bem, eu fui à reunião e vi uma multidão de homens sem ter o que fazer na vida, além de sonhar em ser cavaleiros. O senhor D'Ambrósio deu-me a palavra e eu falei, falei e falei. Disse da necessidade de nossa irmandade ser forte economicamente e não só em número de iniciados. Falei do auxílio dado à maioria deles pelo senhor D'Ambrósio e da necessidade de ajudá-lo a reerguer o seu negócio depois de quase perdê-lo só por causa da Ordem. Falei que os que quisessem ganhar algo mais na vida do que um lugar no paraíso, precisariam lutar para consegui-lo. Deveriam preocupar-se em trazer o pão às suas mesas e o conforto aos seus familiares. Que saíssem às aldeias vendendo ou trocando as mercadorias adquiridas na loja do senhor D'Ambrósio, para depois revender o que tivessem obtido na troca. Que visitassem outras cidades onde não houvesse estamparias e oferecessem os tecidos com um bom desconto aos comerciantes, ou eles mesmos venderiam de porta em porta, tirando-lhes os possíveis clientes. Que procurassem os templários das outras regiões e pedissem o seu auxílio para comercializar suas mercadorias. Falei, falei e falei.

Finalmente, apresentei-lhes a senhorita D'Ambrósio, que todos já conheciam, e disse:

— Ela virá aqui todas as noites e lhes ensinará como comercializar os melhores, mais duráveis e mais bonitos tecidos, da inigualável qualidade da estamparia D'Ambrósio e Neri. Na próxima semana, virão aqui para ouvi-la todas as noites e os que se aventurarem neste ramo de negócios, logo serão ótimos mercadores, ganharão as primeiras moedas de sua fortuna logo, logo. E sempre usando o lema da Ordem, que é: lealdade, dignidade e honra, acrescido de uma nova palavra: força econômica.

Falei com tanta veemência, que fui muito aplaudido ao terminar.

Bem, a senhorita D'Ambrósio ensinou a uma centena de homens como deviam fazer para comercializar os nossos tecidos. Na semana seguinte, todos apanharam tecidos na loja. Uns a pé, outros a cavalo ou em mulas de carga, outros em suas carroças. Só a movimentação na frente da loja já chamou a atenção dos cidadãos de Milão. Correu a notícia que D'Ambrósio e Neri vendiam o melhor tecido pelo menor preço e não só as duas filhas, como também a esposa do senhor Albert, foram auxiliar no atendimento da freguesia. Não pude ver o movimento na segunda-feira, mas o cocheiro as trouxe já tarde da noite com um sorriso no rosto.

— Vendemos mais para os moradores da cidade do que para os ambulantes, senhor Ciro! — exclamou a esposa do senhor Albert. — Não sei no que consiste a aposta, mas já a venceu!

— Ótimo! Se eu perdesse, perderia uma fortuna. O próximo passo é comprar a estamparia de Gregório Cúneo.

— Aposta alto, Ciro Neri — falou o senhor Albert.

— Quanto aposta como ele virá me procurar logo?

— Nada. Mas aposto que pagará um terço do valor pela estamparia dele.

— Como sabe que será de um terço a oferta?

— Não foi isto que ele ofereceu ao senhor D'Ambrósio?

— É um bom observador, templário. Contrate alguns leais cavaleiros e os coloque sob seu comando para guardar tanto o senhor D'Ambrósio como esta propriedade. Está certo?

— Sim, senhor. Mas qual é o motivo?
— A fortuna, senhor Albert. Por enquanto é só a fortuna. Logo teremos outros negócios e alguém terá de recolher e guardar as moedas de outros. Ainda não temos um castelo!
— Garanto que logo construirá um!

Nós rimos de suas palavras. O fato é que poucas semanas depois tudo o que produzíamos, vendíamos, e a loja vivia cheia de clientes, não só de Milão, como de outras cidades, já que a fama dos nossos tecidos se espalhou rapidamente. Como eu imaginara, com o retorno dos vendedores vieram milhares de moedas de ouro. Tudo o que eu investira voltou multiplicado por várias vezes. Como eu previra, comprei a estamparia do senhor Gregório Cúneo por um terço do valor e a aumentei de tamanho rapidamente, para atender aos pedidos que vinham de todas as partes e que D'Ambrósio e Ciro não podiam atender mais. Os que antes viviam pedindo ajuda prosperaram e criamos um fundo de auxílio na Ordem dos Templários de Milão.

Logo eu comprava as instalações de uma vinícola e iniciava a produção do delicioso vinho do senhor Lídio e nova turma de comerciantes foi espalhada por Milão e aldeias vizinhas.

Pouco a pouco eu assumia o controle das propriedades de tio Benini e aplicava nelas tudo o que eu havia sugerido ao tio Pietro em Bolonha. Quando eu cavalgava em Corisco, não era temido e sim amado. Não havia miséria nas terras de Benini Neri e produzia-se muito mais do que em qualquer outra propriedade. Festas eram realizadas pelos administradores por orientação minha.

Eu procurava dar a eles um motivo para amar a vida e, pouco a pouco, eu conseguia isso. Só uma coisa me deixou triste. Mariana não veio nos visitar como havia prometido.

Penso que, como tio Benini não estava, tio Pietro não a deixou vir e ficar a sós comigo. Eu jamais me esquecia dela e já havia escrito mais um caderno de poesias que falavam da ausência e da saudade da mulher amada.

Enviei-lhe várias cartas pelos viajantes que iam levar tecidos até Bolonha, mas não recebi resposta de nenhuma espécie. Recebia, de vez em quando, cartas de tio Benini, que estava a uma distância muito maior e não as dela cuja distância em dias, num bom cavalo, conseguia-se cobrir.

Bem, as moedas chegavam aos montes e eu comecei a empregá-las com prodigalidade. Comprei uma extensão muito grande de terras só por não ter onde aplicá-las e enviei para lá dezenas de famílias para que cultivassem uvas, criassem gado ou cavalos. Também iniciei o cultivo de certos cereais de duvidosa colheita.

Com o auxílio do senhor Albert, depois de comprar a forjaria que existia numa aldeia próxima, iniciamos a fabricação de punhais, facas e espadas. Não havia dúvidas sobre a intensidade do brilho de minha estrela. Os copistas já não venciam as encomendas de seus livretos com contos, poemas, poesias e romances do autor desconhecido.

O senhor Albert ensinava-me a ter intimidade com as armas por meio de treinos com o arco, lançamento de punhais, manejo da longa lança e o uso da espada para abater alvos montado. Após sete meses de treino, eu já era um ótimo arqueiro, acertando um alvo a pé ou montado. Ao indagar-lhe qual a utilidade de me tornar tão exímio arqueiro, respondeu ele:

— Isso lhe dá plena visão de um combate realizado nas condições mais adversas e em terrenos pouco favoráveis à luta.

Só quando eu conseguia atingir um alvo móvel cavalgando Corisco, ele sorria. Não era menos rigoroso do que os três mestres de tio Benini.

O uso do punhal foi mais fácil. Pontaria e reflexos eram fundamentais. Tinha de acertar o coração dos inimigos, simulados por ele, e também treinar em lutas corpo a corpo, com punhais de madeira.

— Todo homem com ótimo treino e pontaria apurada é um perigo com um punhal nas mãos. Enquanto com um punhal você derruba e fere mortalmente um inimigo a grande distância, com uma espada você só o fere no combate corpo a corpo.

Com a lança, eu também ia adquirindo pouco a pouco prática no seu manejo. Primeiro com lanças curtas; depois com as longas, dos cavaleiros. Ele havia contratado uma dúzia de cavaleiros experientes e os fazia combater com lanças de treinamento, com ponta de bola de madeira. Eram combates violentos, mas não mortais.

— Qual a utilidade desses combates, senhor Albert?

— Primeiro, mantém-nos prontos para uma eventual luta, não deixando que se esqueçam das práticas do uso da lança; e segundo, quero que observe mais os movimentos das montarias e dos homens que das lanças. Nestas duas coisas está a sobrevivência de um exímio lanceiro. De nada adianta ter uma ótima pontaria, se não souber se desviar da lança inimiga. Lembre-se de que a viúva Rosa perdeu o marido num combate assim.

Bem, eu ia, pouco a pouco, aprendendo a cavalgar com a lança em posição de combate. Atingia os alvos fixos e móveis, mas não participava de combates com os cavaleiros. Às vezes eu lhe pedia, mas ele era inflexível. Treinei com o machado e a maça de ferro. Aprendi a manejar os pesados escudos; eles eram a defesa natural de qualquer cavaleiro. E finalmente comecei a treinar com espadas de madeira. Primeiro as curtas, depois as médias e, finalmente, as longas. Pouco a pouco, ia sentindo a diferença em seu manejo. Havia espadas normandas, lombardas, vikings, escocesas, árabes e cruzadas. Aos poucos eu ia aprendendo a manejá-las.

Em meados de outubro, comecei a participar dos treinos com as lanças curtas. Caí tantas vezes que nem me lembro quantas. Só quando comecei a desviar-me em vez de tentar acertar o adversário, é que fiquei equilibrado na montaria. Eu agora olhava tudo à minha frente, e não só o peito do meu adversário.

O manejo da espada melhorava a cada dia. Com o arco e o punhal eu já era considerado ótimo, não em lutas reais, mas sim simuladas com o senhor Albert ou os outros cavaleiros. Na lança eu era um adversário fraco e na espada eu tinha muito o que aprender.

O fim do ano aproximava-se, e nada de tio Benini mandar uma correspondência dizendo que viria passar o Natal em Milão. Roma estava muito longe e os problemas ainda não haviam terminado. O bispo Cúneo caíra em Roma, mas estabelecera-se em Parma. Ali, tinha o apoio dos barões inimigos de tio Benini e de tio Pietro.

Eu sempre recebia as notícias do rumo dos ventos políticos por intermédio dos comerciantes templários. Como tio Benini ordenara-me ficar em Milão, desisti de ir passar o Natal no castelo Neri. Na luta pelo poder, Bolonha havia caído nas mãos de outra família secular. Tio Pietro tivera reduzido mais um pouco o seu poder e só reinava absoluto sobre suas terras e as aldeias encravadas nelas. Esse era o perigo a que eu não devia me expor. Resignei-me com a ideia. Seria muito perigoso atravessar as terras de um feudo inimigo dos Neri.

Além de ajudar o monsenhor Alberto, eu começara a tomar aulas de canto e integrara-me ao coro da catedral de Milão por insistência dele. Às vezes, passava o domingo todo ensaiando na igreja, e Rosa Mazzile, a filha do príncipe, que todo domingo se sentava na primeira fila de bancos, pediu para integrá-lo também.

Não sei se ela ia à missa por ser muito religiosa ou se era só para me ver, pois não tirava os olhos de mim o tempo todo. Como o pai dela era o senhor do castelo, ele a admitiu nos ensaios do coral. Por coincidência ou não, ela acabou ficando na minha frente. O coro era muito numeroso e quase cem pessoas o compunham. A maioria era moças da cidade e umas poucas das terras ao redor de Milão. A todas eu conhecia, pois há dez meses eu participava dos ofícios dominicais. Eu me mantinha quieto no meu canto, só conversando com elas assuntos pertinentes aos deveres religiosos. Não foram poucas as vezes que pensei em deixar as recomendações de tio Benini de lado e tentar me ligar a alguma delas, mas até aí eu resistia.

Já com Rosa Mazzile era diferente. Assim que passou a fazer parte do coro, não saía de perto de mim. Sempre tinha algo a dizer ou perguntar. Eu sabia qual era a intenção dela. Ciro Neri já era chamado de "o mais rico de Milão." Não creio que fosse, mas a fama já havia se espalhado. Cada tipo de negócio em que eu colocava as mãos, logo brilhava com minha boa estrela. Isso, aliado ao fato de eu só andar com uma escolta de experientes cavaleiros, tornava-me alvo de todo mexerico em Milão. Eu não ligava, pois monsenhor Alberto vivia me aconselhando a entender suas causas.

— É só o desejo de ser como você, Ciro. Portanto, não lhes dê ouvidos, senão ficará louco.

Chegou o mês de novembro, e os mestres me sabatinaram o mês todo, dando-se por satisfeitos com meus estudos.

— Seu tio não teria feito melhor, Ciro. No próximo ano vamos progredir muito mais, pois o campo de estudos comportará outras matérias. Iniciará o estudo das línguas e da aritmética, além de história.

— Mais essas três matérias, mestre? Isso nunca terá fim desse jeito!

— Olhe a biblioteca do seu tio e verá que a cada dia surgem novos conhecimentos. Temos de nos atualizar sempre, e para isso é preciso ter uma base sólida em que se apoiar. Assim que você construir essa base no seu interior, estará apto a absorver tudo o que a sabedoria humana produz a todo momento e em todos os cantos do mundo.

— Está bem, mestre, eu reconheço a sua sabedoria. Façam o programa de estudos do próximo ano o mais extenso possível. Eu procurarei não decepcioná-los.

— Voltaremos na segunda-feira depois das corridas, como fizemos este ano. Só esperamos não encontrá-lo ferido novamente, Ciro Neri. Até lá!

— Até lá, senhores. Sobre a mesa está o pagamento para o próximo ano e uma gratificação extra por serem não só os melhores, como os mais pacientes mestres que eu poderia ter.

— Sua generosidade é nossa alegria, Ciro Neri! Que Deus o abençoe por valorizar o que tantos tentam ocultar, e mesmo ignorar como algo necessário à humanidade.

Bem, os mestres saíram. O senhor Albert acompanhou-os até a saída da mansão e depois voltou. Sentou-se à minha frente e comentou:

— Não sei como sustenta tantas atividades ao mesmo tempo, Ciro Neri!

— Nem eu, senhor Albert. Qualquer outro enlouqueceria com esses mestres.

— Como conseguiu acumular tanta coisa na memória o ano todo?

— É a idade. Nesta idade nossa mente está vazia e armazena tudo o que nela colocarmos, senhor Albert.

— Não quer descansar um pouco com as armas? Já tem um bom domínio sobre elas. Pode descansar até os mestres voltarem com suas lições intermináveis.

— Vamos continuar por mais uns dias e então fará o seu exame final, senhor Albert. Vamos ver se sou aprovado para o próximo ano, como fui com os mestres.

— Cuidado, o exame com as armas é diferente do usado pelos mestres. Ali, um erro custa a vida do examinado.

— Bem, faça o exame quando achar que estou preparado. Só não me diga que estarei sendo examinado.

— Assim será feito, Ciro Neri!

— Vou até a vinícola, acompanha-me?

— Com prazer! É o negócio que mais gosto de visitar — ele sorria ao dizer isso, porque toda vez que íamos lá, bebia todo o vinho que cabia em seu estômago e voltava mais alegre do que uma criança ao ganhar um brinquedo.

Já fazia quinze dias que não íamos lá recolher o dinheiro das vendas e deviam ter algumas bolsas cheias de moedas, pois esmagávamos toda a uva produzida nos campos em volta de Milão. A vinícola de minha propriedade havia sido montada com a compra das instalações de produtores de vinho na redondeza. Ali eu não tinha sócios, um templário leal a dirigia, com pulso firme e grande tato comercial.

Homens chegavam todos os dias com carroções abarrotados de uvas e outros saíam, carregados de tonéis de vinho. A fortuna que acumulava com os ganhos era imensa. Eu produzia quase todo o vinho em Milão e também o vendia por um bom preço.

Assim que chegamos, uma botija foi colocada sobre a mesa pelo templário Guido, e três canecos foram cheios. Eu o bebi como de costume e novamente ele o encheu até a borda, mas desta vez eu não o toquei, como de hábito. Ninguém discutia o porquê de eu fazer aquilo. Então ele entrou num cubículo e começou a tirar as sacolas com as moedas.

— Está tudo aí, senhor Ciro Neri. O livro tem tudo anotado. Eu estava preocupado por ter tanto dinheiro guardado num só lugar. Já estava dormindo aqui com medo de que alguém pudesse roubá-lo. Não deixe acumular tanto assim. Aqui não é o lugar apropriado para guardá-lo, meu senhor!

— Como estão os tonéis, senhor Guido?

— Cheios! Já não temos onde guardar tanto vinho, meu senhor!

— Como vão os construtores dos novos depósitos?

— Já entregaram dois e vamos usá-los a partir de amanhã. Na próxima semana, prometeram entregar-nos os que faltam. Para que tanto estoque, senhor Ciro Neri?

— Quero que compre todas as safras dos aldeões. Distribua moedas de ouro por toda a região e não deixe que eles fiquem com suas produções caindo dos pés. Se eles tiverem dinheiro, vendo as outras mercadorias comercializadas na cidade.

— Mas e sua produção de uvas? Comprou terras que as produzem em grande quantidade! Não é justo deixá-las nos pés.

— Eu tenho outras fontes de renda, senhor Guido, mas os aldeões não. Portanto, dê a eles um bom motivo para amar o trato da terra. Só assim sentirão alegria por se dedicar com tanto esforço e confiança ao cultivo das parreiras. Além do mais, em janeiro não haverá tanto vinho nos tonéis e então começará a esmagar as uvas de minhas terras. Eu terei vinho o ano todo guardado nesses novos tonéis. Vou dar uma olhada no interior da vinícola.

— Vou acompanhá-lo, meu senhor.

— Continue com seus afazeres e não se preocupe comigo.

Eu saí para dar uma olhada nos tonéis novos. Depois fui olhar onde produziam o vinho. Eu gostava de ver as pessoas trabalhando, sentei-me num canto e fiquei observando o movimento. Eu me lembrava da cena das moças com os vestidos amarrados acima dos joelhos, esmagando as uvas, e isso mexia com meus instintos. Sempre que eu vinha, ficava observando as jovens que ali trabalhavam. Eu me deliciava com o sorriso delas. Tinham uma alegria natural e espontânea. Às vezes eu olhava longamente para uma que mais me atraía, e sorria ao vê-la ficar envergonhada. Jamais falava com ela, mas alimentava este desejo. Só não o fazia por uma questão de princípios.

Depois de vê-la enrubescer ao se sentir observada, sorri para ela e me retirei. Era hora de voltar. Apanhei uma botija do vinho recém-produzido e a levei comigo. O vinho feito com as uvas do final do ano era mais saboroso que o da safra de verão. Era mais forte e eu já começava a apreciar um bom caneco de vinho nos momentos de solidão. E como eu os tinha ultimamente.

Tio Benini não viria. Mariana não mandava notícias e eu iria passar o Natal sozinho, muito diferente do último, que fora tão feliz.

Apanhamos as bolsas com as moedas e as guardamos num saco de couro que amarrei na garupa de Corisco. O senhor Albert levou duas barricas cheias de vinho. Dali seguimos para a estamparia do senhor D'Ambrósio. Ia ver o que ele tinha reservado para mim. Ao chegar, sua filha me recebeu.

— Papai não está, Ciro Neri, mas deixou sua encomenda separada.

— Ótimo, senhorita D'Ambrósio! Estou com um pouco de pressa hoje.

— Sempre está com pressa, Ciro Neri. O que tanto tem a fazer que nem conversa com os amigos?

— Agora terei mais tempo, pois os mestres só voltarão no próximo ano. Até que enfim estou livre deles!

— Fico feliz, pois ainda não teve tempo de cobrar a aposta ganha, Ciro Neri. Fiquei muito feliz em perdê-la!

— E eu em ganhá-la! Mas acho que não há nada a receber já que só apostamos princípios.

— Então venceu os meus e não é justo eu me recusar a pagar.

— Princípios não se pagam senhorita D'Ambrósio. Nós os alteramos, só isso!

— Como posso alterar os meus sem saber como vou conhecer os seus?

— Mas conhece os meus princípios, senhorita!

— Só conheço seu modo louco de realizar negócios, mas os princípios de verdade, estes eu desconheço e só os aprenderei se conversarmos por um bom tempo.

— Um dia desses eu lhe falarei sobre eles. Agora, dê-me a encomenda que estou com pressa.

— Sempre com pressa, Ciro Neri. Não para nunca?

— Ainda não encontrei motivos para parar.

— Pare agora e lhe dou um bom motivo.

— Quando eu estiver cansado da agitação, eu lhe pedirei que me ensine a parar. Mas agora estou com pressa.

— Não vai experimentar as vestes que lhe fiz?

— Agora estou com pressa. Voltarei outro dia para prová-las.

— Só as levará se prová-las antes. Não quero que as jogue fora se não lhe ficarem bem.

— Eu virei, não se preocupe.

Bom, apanhei a encomenda e parti. Não podia ficar com todo aquele dinheiro amarrado em Corisco. Os riscos eram muitos. Assim que montamos, o senhor Albert comentou:

— A senhorita D'Ambrósio está apaixonada por você, Ciro Neri.

— Eu já notei isso há muito tempo, senhor Albert.

Não falei mais nada e acelerei o trote de Corisco. Não iria dizer a ele das minhas juras de amor com Mariana, minha amada.

Chegamos à mansão e descarreguei as sacolas com as moedas e as deixei na sala mesmo. Depois me sentei na varanda e fiquei olhando o jardim à minha frente. Lembranças boas e ruins me vinham à mente. Papai, mamãe, dona Tereza, o estranho homem da capa negra, tio Benini e, finalmente, Mariana. Os rostos eram muito vivos e as recordações muito fortes.

O senhor Albert voltou da cavalariça e sentou-se na cadeira ao lado, como de costume.

— Em que pensa, Ciro Neri?

— No passado, meu amigo. São recordações muito vivas na minha memória.

— Às vezes o passado é muito difícil de ser esquecido, quando nos marcou muito.

— Lembrava das pessoas, senhor Albert. Minha mãe, meu pai, dona Tereza. Enfim, de pessoas que marcaram a minha vida e não posso vê-las mais. Às vezes me sinto tão só, mesmo no meio de tantas pessoas. Olha lá! Sua esposa e filhas vêm chegando. Tem uma esposa que é mais comerciante do que a senhorita D'Ambrósio e não sabia, senhor Albert!

— Sim, e as filhas estão seguindo o mesmo caminho. São todas grandes comerciantes.

— Por que a guarda dos cavaleiros foi aumentada?

— Elas estão trazendo muitas moedas para cá e achei melhor protegê-las um pouco mais.

— Tem razão. Não se descuide dessas coisas, pois eu não reparo nos detalhes mais importantes. Acho que deve aumentar o número de guardas, senhor Albert. São muitos os comentários sobre os nossos negócios.

— Seus negócios, Ciro Neri!

— O senhor conhece-os tão bem como eu, que já o considero parte deles. Se um dia eu me ausentar, cuide bem deles. Acho que já entende tanto de negócios quanto eu de armas.

— Não tenho a sua coragem e ousadia para realizá-los.

— Também não tenho a sua coragem e prática com as armas, mas procuro me adestrar no manejo delas. Uma coisa não impede que façamos a outra.

— Deixo isso para quando for necessário. Até lá minha esposa e minhas filhas irão praticando e eu observando o seu modo de ganhar dinheiro.

A carruagem encostou na frente da varanda e elas desceram sorridentes. Traziam o dinheiro apurado na semana com as vendas realizadas na Estamparia Milanesa. Era assim que eu a nomeara após adquiri-la. Era maior do que a do senhor D'Ambrósio e vendíamos muito mais tecidos do que ele.

Elas não sabiam ainda como fabricar os tecidos, mas, para vendê-los, não havia melhores comerciantes.

Cumprimentaram o senhor Albert e o abraçaram. Também fui cumprimentado por elas. A filha mais nova dele, Clarice, entregou-me o livro com as anotações e perguntou onde depositar as sacolas com as moedas. Indiquei a sala e elas foram levá-las até lá. Depois voltaram e sentaram-se também. O senhor Albert foi buscar uma das barricas de vinho e quatro canecas. Logo brindávamos ao sucesso dos negócios.

Dei uma olhada por alto no livro e exclamei:
— Tanto assim?
— Achou muito?
— Sim. Não sei o que fazer com tanto dinheiro. Meu quarto está uma bagunça com tantas sacolas espalhadas nele.
— O senhor não dá a mínima atenção ao seu dinheiro? — quem perguntava era Helena, a outra filha do senhor Albert.
— Está lá. Caso eu venha a precisar, vou pegá-lo. Acho que é a sua única utilidade, além de dar preocupações a quem o tem e a quem não tem.
— É pior a preocupação de quem não o tem, senhor Ciro.
— Tem razão, senhor Albert. Eu me lembro do tempo em que não tínhamos nenhuma moeda em nossa casa. Como teria sido diferente se ao menos tivéssemos algumas!
— É por isso que os que trabalham para o senhor são muito felizes, pois permite terem algumas moedas.
— Com o tempo, outros senhores de terra irão adotar o meu sistema. É só uma questão de tempo.
— Quer mais vinho? — perguntou a mais nova das filhas.
— Só um pouco, senhorita Clarice. Já bebi muito hoje e vou acabar ficando como seu pai, que consegue beber uma barrica dessas sozinho.
— Qual o problema em conseguir tomar uma barrica dessas de uma só vez? — perguntou o senhor Albert sorrindo.
— Terei de dormir o dia todo, pois o vinho me dá sono.
— Pois a mim ele só estimula. Quanto mais eu bebo, mais jovem me sinto. Tira-me a melancolia, o tédio e a sensação de estar ficando velho muito rapidamente.
— O contrário acontece comigo.
— É por isso que nunca bebe o segundo caneco ainda que esteja com ele à mão, como agora?
— Acho que sim. Não sei ao certo, mas adquiri este costume estranho desde que provei o vinho do senhor Lídio. Era bom, mas não toquei na segunda taça. Conservo-o como sinal da boa sorte. Não faço isso de forma pensada, e sim instintivamente.
— Então é por isso que ele o deixa melancólico. Seu estômago fica meio vazio e seu paladar insatisfeito — disse, bem-humorado, o senhor Albert.
— Peço sua licença agora porque vou dar um pouco de vinho aos cavaleiros que estão de guarda. Se eu me demorar, jantem sem mim hoje. Não se atrasem por minha causa.
Ainda ficamos conversando por mais algum tempo até que a senhora Albert falou:
— Vou para casa. Vocês vêm meninas?
— Logo que acabar com o vinho eu vou, mamãe — exclamou Helena.
— Eu irei com ela, mamãe — falou Clarice.

Ela foi para sua casa e ficamos os três conversando coisas sem importância, só para passar o tempo. Como elas não tocavam no vinho, eu comentei:

— Acho que vão acabar com o mesmo hábito que eu. Bebem o primeiro caneco e seguram o segundo. Vão acabar se tornando melancólicas também.

— Comigo, o primeiro já me deixa totalmente quente como uma brasa! — exclamou Helena. — Se tomar logo o segundo, acho que perco o domínio sobre mim mesma. Por isso prefiro bebê-lo bem devagar. Aumento a intensidade do calor e não fico bêbada.

Eu sorri do modo como falou. Ela já estava com as faces coradas devido ao vinho ingerido com o estômago vazio.

— Venham até a sala. Enquanto bebem, vou arrumar e conferir as sacolas de moedas.

— Quer que o auxiliemos?

— Seria bom, senão demorarei a noite toda para fazê-lo.

Conferimos as anotações dos livros e as moedas. Em cada sacola eu coloquei um papel com a quantia contida e fui levá-las ao meu quarto.

— Quer ajuda! — falou Helena, já meio alterada pelo efeito do vinho.

— Está certo. Assim iremos jantar após guardá-las.

Subimos a escada e ela quase que caiu ao tropeçar num degrau. Eu a amparei como pude, para evitar despencasse lá do alto. Ao fazer isto, toquei-a sem querer e fiquei rubro como nunca havia ficado. Ela sorriu e falou:

— Nunca segurou assim uma mulher? Não precisa ficar tão vermelho, senhor Ciro.

— Bem, desculpe-me, Helena. Só quis evitar que caísse e se ferisse. Vamos guardar logo estas sacolas no meu quarto para jantarmos.

Como falei sério, ela conteve um pouco sua ousadia. Achei melhor não lhe dar motivos, pois estava bêbada.

Assim que coloquei as sacolas junto a umas outras, ela falou:

— Seu quarto está uma bagunça. Qualquer dia venho arrumá-lo e limpá-lo para o senhor. Olha só! Roupas amontoadas, calçados jogados de qualquer jeito, livros e papéis espalhados por todo canto. Vamos, Clarice, ajude-me que logo o colocamos em ordem.

Eu intervim bravo.

— Não toque em nada aqui no meu quarto. Tudo está como eu quero e gosto. Nem os serviçais da mansão entram aqui. Vamos sair agora.

Isto as acalmou como um banho gelado. Acabaram-se os risinhos marotos e o silêncio se instalou.

Fechei a porta a chaves e descemos para a sala.

— Vamos jantar, senhoritas!

— Primeiro vou me lavar, senhor Ciro — falou Helena.

— Também vou. Voltaremos com mamãe.

Elas foram e não voltaram. Jantei sozinho pela primeira vez. Assim que terminei, subi ao meu quarto. Já estava no alto da escada, quando ouvi as vozes delas falando com o serviçal. Continuei a caminhada e fechei-me no quarto.

Pouco depois, bateram na porta. Ao abri-la, Helena pediume licença para se desculpar.

— Entre, Helena, e encoste a porta, não gosto que ela fique aberta.

Ela a encostou e virou-se para mim, dizendo:

— Nós demoramos a vir, pois tive de lançar fora o vinho. Eu fiquei bêbada, disse e fiz coisas que não teria coragem de fazer com o juízo normal. Peço que me desculpe por tê-lo constrangido. Falo por minha irmã também.

— Não me constrangeu, Helena. Vi que estavam alteradas pelo vinho. Quanto ao meu quarto, eu gosto dele assim, e assim vai permanecer. Do jeito que está, eu sei encontrar o que preciso. Agora, quanto a ter ficado rubro ao segurá-la e evitado que caísse, eu já toquei em uma mulher antes. Não pense que sou insensível. É claro que me ocorreram certas ideias, mas acho que não tenho o direito de tocá-la. Eu tenho um compromisso selado com alguém que amo muito, e não vou iludi-la. Isso é contra meus princípios. Não vou lhe incutir falsas ilusões como faz a maioria dos senhores de terras. São muitas as mulheres, ainda jovens, com filhos e sem maridos. Eu sei como é fácil iludir uma jovem como você. Está na idade de assumir um compromisso e bastaria eu iludi-la com palavras bonitas e me aproveitar de sua inocência. Logo estaria me odiando.

— Eu nunca o odiaria, senhor Ciro.

— Lógico que sim, Helena. Basta perceber que a única coisa que eu queria era aproveitar-me de você.

— Ainda que fizesse isso, eu não o odiaria!

— Por que não?

— Não percebe que eu o amo? — seus olhos deixaram cair lágrimas, quando ela disse estas palavras. — Às vezes esbarro no senhor só para provocá-lo ou me encosto sutilmente, mas nada o faz perceber meu amor.

— Como posso fazê-la entender que meu coração já tem dona?

— Nunca conseguirei ser feliz, pois o meu lhe pertence.

— Helena! Helena! Como posso ajudá-la a tirar-me do seu coração?

— Não conseguirá. Isso não sai assim, sem mais nem menos. Acontece e pronto. Então nos tornamos presas dos nossos sentimentos.

— Eu me sinto triste por ser o culpado por seus sentimentos não serem correspondidos.

— Diga ao menos que não sou menos bonita do que a sua amada.

— Não só digo que é tão bela quanto ela, como digo também que possui uma beleza diferente. É sempre alegre e extremamente responsável. Acho que como eu, você também amadureceu antes do tempo. Como fico triste por não poder retribuir o amor que sente por mim. Pode compreender isso, Helena?

— Posso. Mas como faço com o desejo que sinto de ao menos esquecer por uns instantes que é o senhor e eu apenas mais uma entre seus muitos empregados? Como faço para me sentir apenas uma mulher que o ama e que gostaria de poder abraçá-lo e ser abraçada? Não era mais do que isso o que eu desejava ao estar sob o efeito do vinho. Compreende isso?

— Sim. Acho que sei como se sente. Eu não vejo Mariana há tanto tempo que daria tudo só para poder abraçá-la e beijá-la. Posso fazer isso com você se entender que não quero iludi-la, Helena. Talvez eu esteja cometendo mais mal a você do que se não permitisse tal coisa, mas não posso vê-la verter lágrimas de amor por mim e ficar insensível, como se o amor nada significasse para mim.

— Quanto mais eu o ouço, mais o amo e o desejo, senhor Ciro. Se antes eu o amava por gostar do seu modo, agora o amo muito mais por agir tão dignamente comigo. Acho que não me enganei ao escolhê-lo, apenas não sou correspondida e é só.

Eu abracei Helena e a beijei delicadamente. Ela retribuiu e beijou-me com ardor. Eu sabia não ser direito agir daquela forma, mas cedi aos seus carinhos. Ficamos um longo tempo juntos, até ela acalmar os soluços. Limpei delicadamente seu rosto com um lenço e sequei seus olhos. Ela estava linda e olhava fixamente nos meus olhos. Eu a beijei novamente com ardor e a acariciei, só soltando após um longo tempo.

— Está mais calma agora, Helena?

— Mais calma não, mas menos infeliz pois já pude senti-lo, abraçá-lo e beijá-lo. Não é tudo o que eu queria, mas é muito mais do que eu esperava conseguir. Nunca se esqueça que eu o amo e jamais o culparei ou condenarei se quiser me ver ou me tocar, Ciro Neri. Promete não esquecer isso?

— Sim. Eu prometo não me esquecer que me ama, desde que me prometa não se esquecer de que tenho um compromisso selado de casamento com uma mulher que amo muito.

— Eu prometo não me esquecer que ama Mariana, mas que também deseja Helena.

— Assim você me deixa numa situação incômoda, pois também desejo Mariana.

— Pelo menos uma coisa eu tenho em comum com ela: também sou desejada e isso já é motivo de alegria para meu coração.

Resolvi interromper por ali, antes que outra ideia tomasse conta de minha mente. Disse-lhe então:

— Vamos descer?

— Já?

— Sua mãe espera-a na sala de refeições.

— Por que tinha de me lembrar disso agora?

— É o mais certo. Ou acha que pode ficar trancada no meu quarto por muito tempo.

— Quem sabe um dia você deixa eu me deitar nesta cama!

— É, quem sabe, não? Vamos descer?

— Se insiste, o que posso fazer senão obedecê-lo?

Eu sorri com suas palavras e tomei seu braço, conduzindo-a em direção à porta. Após eu fechá-la, ela ajeitou os cabelos e perguntou:

— Como estou? Será que mamãe irá notar algo?

— Só está corada como um morango silvestre e ofegante como uma corsa após uma longa corrida. Sorria e diga para si mesma que está tudo bem e ela não perceberá nada.

Deu-me um leve beijo nos lábios e falou-me, sorrindo:

— Obrigada, Ciro!

Não respondi, apenas lhe indiquei o corredor que conduzia à escada. Ao chegarmos na sala, sua mãe estava calada e séria.

— Está preocupada por quê? — perguntei.

— Desculpe minhas filhas, senhor Ciro. Acho que beberam demais. Eu sempre digo isso, mas não me ouvem.

— Tudo não passou da espiritualidade que o vinho provoca. Eu fiquei esperando vocês para o jantar. Como não vieram, resolvi ir para meu quarto. Comam, pois eu já me servi!

— Estou com o estômago embrulhado, senhor Ciro. Acho que vou dispensar o jantar.

— Está certo, Helena. Mas coma algumas frutas que lhe farão muito bem. Não deve dormir com o estômago vazio!

— Nós temos frutas em nossa casa. Quando chegar lá, comerei algumas. Boa-noite e tenha bons sonhos.

— Boa-noite!

Elas saíram e a serviçal trancou a porta, pedindo licença para recolher-se. Dei boa-noite a ela e subi para meu quarto.

Só adormeci tarde da noite. Eu suspeitava dos olhares de Helena, mas não imaginava que ela sentia algo mais por mim, assim como sua irmã Clarice. Ali estava um problema de difícil solução. O primeiro passo fora dado por ela, o segundo, eu dei ao vê-la chorar, por causa dos sentimentos não correspondidos que nutria por mim. Meus princípios foram abalados por Helena e os dois canecos de vinhos que ela tomara.

Quando dormi, sonhos oníricos e pesadelos infernais me agitaram. Eu via dona Tereza me ensinando a amar uma mulher e o monsenhor Alberto e seu sermão inflamado pregando contra a devassidão das pessoas e contra a falta de firmeza nos princípios morais que norteavam todo bom cristão. Pregava a beatitude das adolescentes, e que se conservassem puras até que contraíssem o matrimônio, sob as bênçãos de Deus. Não sei não, mas acho que quanto mais ele se inflamava contra os pecados da carne, mais eu via aumentar o brilho nos olhos das mulheres que a ele assistiam. Acho que, ou era por estarem arrependidas ou por sonharem em ver acontecer com elas todos aqueles prazeres e luxúrias que monsenhor Alberto condenava com tanta veemência. Chegava mesmo a ver algumas daquelas jovens do coro com a respiração alterada. Tenho minhas dúvidas se temiam as coisas que monsenhor Alberto dizia conduzirem ao inferno ou se as desejavam, ardentemente.

No meu pesadelo, Mariana estava brava comigo porque eu não estava cumprindo minhas juras de amor. Tio Benini também estava irado comigo, já que eu não dera ouvidos às suas recomendações. Também via aquelas mães abandonadas e seus filhos esfomeados, clamando em meio ao pranto incontido que eu as amparasse e não deixasse que precisassem vender o corpo a troco de um pedaço de pão. Mas também via o estranho homem da longa capa negra gritando alto e aos berros: "Tire tudo o que Benini Neri tem a oferecer, Ciro Neri. Só assim eu me livro das garras dos demônios infernais."

Acordei agitado e com as roupas do corpo empapadas de suor.

— Maldito vinho! — gritei assustado.

Levantei-me e lavei o rosto na água gelada. Deviam ser umas cinco horas da manhã e não voltei à cama. Fui até a porta que separava a ala onde residia o caseiro que morava na mansão e a tranquei. Depois, voltei ao meu quarto e comecei a carregar um pouco das sacolas de moedas de ouro para a biblioteca. Só deixei no meu quarto o necessário para a continuidade dos negócios e investimentos. Guardei o restante no final da escada que descia até a sala do tesouro de tio Benini. Eu não misturava os meus ganhos com os acumulados por ele. E os novos eu dividia, colocando os meus em bolsas marrons e os de suas rendas em bolsas negras. Não tocava numa moeda que lhe pertencia. Eu havia amontoado os livros contra a parede que dava passagem para a sala secreta e colocava as bolsas ali mesmo.

Voltei à biblioteca e tranquei a passagem falsa. Só então fui abrir a porta de ligação das duas alas. Subi ao meu quarto e apanhei todas as roupas jogadas num canto, levando-as para que fossem lavadas. Troquei também as roupas da cama. De fato, eu estava ficando relaxado com meus deveres e abandonara o hábito de limpar e arrumar o quarto todas as manhãs. Guardei todas as bolsas de moedas num grande baú e o tranquei à chave. Arrumei os livros e papéis espalhados e só saí do quarto quando vi que estava tudo em ordem.

Desci à cozinha e comi uma fatia de pão, saindo em seguida para o treino com as armas. Agora poderia praticar à vontade, pois não iria receber a visita dos mestres durante dois meses.

# Capítulo XVI

# A Grande Prova

Ao chegar à praça de treinamentos, não vi o senhor Albert.
Indaguei por ele e os dois cavaleiros que estavam ali me informaram que ele não voltaria antes do almoço, pois fora à procura de mais alguns cavaleiros.
— Está certo. Volto à tarde para treinar.
— Se quiser, nós o treinamos, querido amo.
— Que modos são estes, cavaleiro? Não permito que me fale neste tom de deboche.
— Eu conheço uma donzela de longe e sei que estou diante de uma. Só treina se o templário estiver ao lado. No mínimo é a segunda esposa dele, querido amo. Treine conosco e verá o que é ser treinado por quem entende de donzelas. Nunca mais irá desejar a companhia do templário. Creio mesmo que nos levará a conhecer a maciez do seu leito, querido amo.
— Isso mesmo! — falou o outro —. Nós vemos como as donzelas suspiram por você e nem liga para elas. É como a maioria dos nobres senhores de terras: gosta mesmo é de um homem que o domine.
— Maldito, irá pagar com a vida tal ousadia, ofensa e palavras usadas.
— Quem fará isso por você, frangote afeminado? O templário não está aqui para defender sua honra ofendida, delicada donzela. Nós vamos lhe aplicar umas palmadas e depois obrigá-lo a implorar por nosso treino.
— Mil vezes maldito! Defenda sua vida, cão vadio! Eu vou cortar seu pescoço.
O sangue me subira à cabeça e latejava em minhas têmporas. Meu corpo tremia como nunca e o ódio que eu tanto tentava sufocar brotou com a força de um monstro. Puxei a espada e desferi um golpe contra o que estava mais próximo. Ele caiu ao apará-lo com seu escudo. Apanhei um escudo longo e avancei sobre eles. O ódio havia tomado conta do meu ser.
— Malditos cães vadios e esfomeados! Ninguém ofende ou humilha Ciro Neri e fica impune. Vão pagar com a vida por terem ousado tal coisa.
Eu estava possuído pelo ódio e minhas palavras eram confirmadas pela ação. Eu era um demônio sanguinário naquele momento.
Os golpes sucediam-se de lado a lado. Eu não tinha a prática daqueles homens, e no entanto eu combatia os dois. Eu havia me transformado num homicida

movido pelo ódio. Era um combate desigual. Dois simples cavaleiros contra uma fera treinada por muitos meses na arte de matar. Eles haviam participado do meu treinamento, mas desconheciam esta minha outra face oculta. Já não era um treino e eu vi o medo no rosto deles. Agora já não lutavam por simples diversão e sim por suas vidas.

Eu não sei como, mas conseguia me defender dos golpes dos dois. Meu escudo já havia recebido tantos golpes que estava amassado. Mas os deles também sentiam a fúria dos meus golpes. A ponta da espada de um deles resvalou no meu escudo e atingiu o meu braço. Não senti o corte profundo, mas senti o sangue jorrar quente como água escaldante. Um urro de ódio brotou do meu peito e a força nos golpes com a longa espada cruzada foi redobrada. O escudo de um deles partiu-se e ela entrou fundo no seu braço, arrancando um lasca de seus músculos.

Ouvi o seu grito de dor e com novo golpe iria decepar seu pescoço, mas ele abaixou-se quando a espada voou na direção de sua garganta. Soltou o escudo e investiu com ódio contra mim. Aparei o seu golpe com o fio da espada e o derrubei com um empurrão violento.

Já ia dando-lhe o golpe mortal, quando o outro lançou sua espada contra minha cabeça. Só tive tempo de abaixar e ter a parte superior do elmo arrancada pelo fio de sua espada. O ódio agora era igual de lado a lado. Eram três feras a se digladiarem com ódio mortal. A vida ali não valia nada. O que importava era a morte do adversário. Abandonei o escudo, pois ele só impedia meus movimentos. Segurei a espada com as duas mãos e lutei, lutei e lutei. Tanto aparava golpes como os desferia com a força do meu ódio.

Sem o escudo a me cobrir, eu supria sua ausência com maior mobilidade. A diferença de dois contra um não existia mais. De um golpe, parti o escudo do que ainda o usava.

O combate continuou inalterado por longo tempo. Vários riscos de ponta de espada manchavam as roupas rasgadas pelos fios delas.

Uma das espadas partiu-se. Era a do ferido no braço. Ele se afastou um pouco e o outro teve de combater sozinho. Recebeu os meus golpes, aparando-os como podia com sua espada, até que ela foi lançada longe, caindo ao tentar se afastar. Levantei acima da cabeça minha espada, quando ele gritou:

— Por Jesus Cristo, não me mate, meu senhor!

Uma outra voz gritou:

— Pare, Ciro Neri. Já chega de combates por hoje. Fui eu quem os mandou provocá-lo.

— Pois então pagará com a vida por ter feito tal coisa, Pierre Albert! Ninguém ofende ou humilha Ciro Neri e sai impune. Você morre no lugar deles. Puxe sua espada, pois vou atacá-lo.

— Se é isso que quer, vai ter o maior combate de sua vida, Ciro Neri. Defenda-se e prove que aprendeu a arte da morte, que pertence ao demônio!

Desferi violento golpe em sua direção, mas ele o aparou com o longo escudo.

Pulei como uma fera para o lado, pois sua espada desceu sobre minha cabeça. Eu só via Albert à minha frente, mas percebi a chegada de outros cavaleiros.

O combate continuou mais violento ainda. Agora não tinha de desviar a atenção com dois adversários. Era uma luta de um mestre das armas contra um aprendiz movido pelo ódio mortal. Ele também abandonou o escudo após eu tê-lo partido com um golpe bem desfechado. Era a destreza contra a fúria. Os dez longos meses de treino haviam me tornado um adversário à altura dele, afinal eu tinha o ódio ao meu lado. Então ele gritou:

— Domine o demônio que habita em seu íntimo, Ciro Neri!

— Ele só se acalmará com a morte de alguém. Que seja a sua ou a minha, pouco importa, Pierre Albert. Só quando ele beber o sangue de um de nós dois aplacará sua fúria.

— Não quero matá-lo, Ciro Neri.

— Mas eu quero matar. Nenhum cão maldito vai humilhar Ciro Neri com gracejos ofensivos. Defenda-se se for capaz, pois agora vou arrancar sua alma com o fio de minha espada.

E novamente o combate recomeçou. Golpes sucediam de lado a lado. Caíamos e rolávamos no campo de treinos. Numa sequência de golpes, eu consegui tirar sua espada e avancei contra ele, que sacou o punhal na tentativa de se defender. Larguei a espada e puxei também o longo punhal.

— Não vou matá-lo em desvantagem, mestre de armas. Será de igual para igual.

— Não estou lutando contra um homem e sim contra um demônio.

— Devia ter visto isso antes de despertá-lo, senhor Albert. Sabia que ele habitava meu ser e que eu tentava dominá-lo o tempo todo. Agora que o despertou, não trema diante dele, mas defenda-se.

— Pare, Ciro Neri. Ainda é tempo de parar com dignidade, pois era só uma prova.

— Vamos até o fim com a prova, cavaleiro. Não quero que reste dúvida alguma quanto ao meu aprendizado.

Avancei contra ele e desferi o primeiro golpe que quase rasgou sua garganta. Novamente a luta foi renhida e o final seria mortal. Chegamos ao ponto de nos atracarmos. Ele tinha maior envergadura, mas eu tinha o ódio ao meu lado e minha força era superior. Falseei o pé e o desequilibrei. Ele caiu e eu pulei em cima dele sem soltar o braço, cuja mão empunhava o punhal. Bati-o com força várias vezes de encontro ao chão até que ele o largou. Meu punhal estava encostado rente a sua garganta.

— Continue, Ciro Neri! — gritou ele. — Já provou que sabe lutar. Prove agora que também sabe matar.

—Vai morrer por ter provocado minha fúria, senhor Albert.

— Eu sei agora como é grande o ódio que habita em sua alma. Não foi este Ciro que eu aprendi a admirar.

— Mas este é o Ciro verdadeiro, senhor Albert.

— Não, não é o verdadeiro. Este Ciro ficou no passado, Ciro Neri. Não deixe que ele o domine senão matará o novo Ciro, que todos admiramos.

— Este Ciro é falso, senhor Albert.

— Está enganado. O verdadeiro Ciro é aquele que fica triste com as injustiças e fica com os olhos úmidos de lágrimas ao ver a miséria que há nesta terra. O verdadeiro Ciro é aquele que dá alimentos e roupas aos malditos cães vadios e esfomeados, pois já foi um deles e sabe o quanto é ruim não ter alguém que os socorra. Você não odeia a eles e sim o que os leva a se tornarem isto. Mate-me se isto o satisfaz, mas irá matar também o verdadeiro Ciro Neri que habita em seu ser. Atravesse o meu coração com seu punhal e estará dilacerando o que há de bom no seu. Mate-me e estará dando forças ao cão vadio e esfomeado que não consegue largar para trás. Faça isso, Ciro Neri! Você também já foi um e pode deixar de sê-lo. Volte a ser o que sempre foi, Ciro Neri. Desnude-se do manto de Benini Neri e vista a roupa do camponês miserável, pois só assim eu irei tranquilo para o inferno. Desfira logo o golpe movido pelo maldito cão vadio e esfomeado que não quer abandonar. Esqueça tudo o que é agora e volte ao ódio puro e simples. Mas saiba que o ódio só se aplaca com o sangue. Hoje você me mata. Amanhã, matará o seu próprio tio, pois você morrerá comigo também.

De meus olhos as lágrimas começaram a correr. Ele tinha razão no que dizia. O choro brotou violento do meu peito. Uma voz chegou até meus ouvidos.

— Desfira o golpe final, neto rejeitado de Giovanini Neri. Não odeia os cães, mas tal como eles, odeia o velho maldito. Mate-o, Ciro Neri, e reviva o maldito Giovanini Neri que voltou do inferno para nos lembrar de que se eu sou o filho bastardo, você é o neto rejeitado. Ele veio do inferno só para torná-lo igual aos outros malditos bastardos que ele alimentou tão bem. Vamos, Ciro Neri! Mate-o, pois é isto que clama o maldito pai que tive e o odiado avô que não teve. Mate-o e morra também. É isto que clama o velho lá no seu refúgio, no inferno. Hoje você já não é humilhado impunemente, Ciro Neri. Aplaque com sangue as humilhações sofridas esses anos todos, assim como eu um dia fiz ao ver que também podia matar. Vamos, neto rejeitado, filho da filha renegada de Giovanini Neri. Não fuja da sina dos Neri, pois ele também foi o filho bastardo de um maldito que, para não admiti-lo como filho, enviou sua mãe para bem longe de Roma e assim continuou sendo chamado de sua santidade sem que ninguém cuspisse à sua passagem, pois havia possuído sua bisavó no seu santo leito em Roma! Vamos, Ciro Neri! Continue com a sina do maldito Giovanini Neri. Faça como ele, que era um bastardo. Cubra sua origem com a fúria que seu ódio a ele desperta quando é ofendido. Esta era a verdadeira coragem dele. Já que aceitou sua longa capa negra, vinda diretamente do inferno, então assuma-o por inteiro e deixe que morra o Ciro Neri que luta contra tudo o que ele cultivou com ódio no peito!

— Não posso matar um homem batido e caído ao solo. Não vou ser igual aos que faziam isso comigo. Por Deus, eu não vou ser mais um dos miseráveis cães vadios e esfomeados que sentem prazer no sofrimento alheio.

Soltei o punhal, saí de cima do senhor Albert e estendi-lhe minha mão, ajudando-o a levantar-se. Abracei-o e chorei, com o rosto encostado ao seu ombro.

Depois que substituí o ódio pela sensação de paz interior, olhei nos seus olhos e falei:

— Desculpe-me, meu leal amigo, e perdoa-me por ter desejado sua morte. Obrigado por ter ajudado a livrar-me do ódio que teimava em viver no meu coração.

— Esqueça tudo, Ciro Neri. Se minha morte tivesse se consumado sob o seu punhal, eu iria ao inferno amaldiçoando a mim mesmo por ter tido uma vida inútil e errante, ocultando o meu medo sob o fio de minha espada. Mas eu também descobri como todos os anos vividos não foram em vão, quando não temi morrer só para ajudá-lo a se livrar do seu medo. Finalmente descobri um sentido em minha vida e não vou precisar mais ingerir uma barrica do mais forte vinho só para justificar a mim mesmo que não sou um inútil. Venha, meu senhor, vamos cuidar deste ferimento, pois já perdeu muito sangue por ele.

— Que ferimento?

— Não viu seu braço rasgado pelo fio da espada?

Só então eu olhei para o tamanho do ferimento.

— Ajude primeiro o cavaleiro que eu feri. O corte no braço dele é pior do que o meu.

— Já estão cuidando dele. Vamos até o fogo, este corte tem de ser calcinado para parar de sangrar. Vai resistir à lâmina rubra pelo fogo?

— Sim. Se eu desmaiar é porque não sou digno do meu mestre de armas.

Só então me dei conta de que não estávamos sozinhos. Saudei as companhias ilustres.

— Como vai, príncipe Mazzile, senhora Rosa!

— Só nos encontramos em situações incomuns, Ciro Neri. Novamente você está ferido gravemente.

— Eu ouvi direito suas palavras, príncipe?

— Benini não lhe contou a história completa de Giovanini Neri, pelo que vejo em seu rosto. Não vou repeti-la, mas é a mais pura verdade. Temos mais coisas em comum do que imaginávamos, Ciro Neri. Vou assistir à sua coroação como cavaleiro de armas. Isso eu quero ver de perto. Vamos ver se o sangue dele corre em suas veias. Ou se é só o ódio a ele que o torna um adversário temível.

Eu cheguei quando uma chapa estava ardendo no fogo. O senhor Albert esmurrou o queixo do cavaleiro ferido e ele caiu desmaiado. Depois apanhou a larga chapa de ferro em brasa e calcinou sua carne exposta e sangrando. O odor de carne queimada tomou conta do ar e invadiu nossas narinas. Mesmo desmaiado e seguro por dois homens, ele urrou e tentou afastar seu braço da chapa, desmaiando novamente. Uma pasta foi passada por cima da queimadura e enfaixaram o seu braço, colocando-o numa cama.

— É sua vez, Ciro Neri. Vire o rosto para que eu o coloque para dormir.

— Não vou dormir, senhor Albert. Faça o seu difícil trabalho.

Ele não titubeou. Rasgou a manga da túnica e encostou com força a lâmina de uma espada rubra no meu braço. Minha cabeça começou a rodar e um grito de dor rasgou minha garganta. Quase perdi os sentidos e cheguei a cair de joelhos. Também foi passada a pasta sobre a queimadura. Ela refrescou um pouco e o ardor diminuiu de intensidade. Minhas têmporas estavam molhadas de suor, quando consegui ficar de pé.

— Você conquistou o direito de ser instruído por mim, Ciro Neri. Tome sua espada e não a abandone mais no campo de luta.

— Senhor D'Ambrósio! Não sabia que também estava aqui!

— Albert avisou-me ontem à noite que hoje faria o seu teste final. Eu assisti a tudo desde o princípio.

— Tinha de ser desta forma minha avaliação?

— Não há outra forma senão lutar pela vida. É a única avaliação que um cavaleiro pode aceitar. Agora que Albert o adestrou, vou ensiná-lo como degolar um homem sem que sua cabeça caia do alto do corpo ou como arrancar-lhe o coração com a espada sem sujar suas mãos com o sangue dele.

— Acho que não quero aprender essas coisas, senhor D'Ambrósio.

— Agora terá de completar seu adestramento se quiser ter o título de cavaleiro, Ciro Neri. Não pode voltar atrás depois de ter aceitado a espada cruzada do senhor Lídio. Ou aprende a fazer essas coisas ou não será digno da confiança que ele depositou em você, ou de usá-la na sua cintura. Agora vou voltar aos meus afazeres. Procure-me na loja quando decidir receber as lições finais que só os grandes cavaleiros recebem.

— Quando me decidir, eu o procuro, senhor D'Ambrósio.

— Até a vista, Ciro Neri!

— Até lá, senhor D'Ambrósio.

Assim que se despediu dos presentes, eu perguntei ao príncipe:

— A que devo a honra de sua visita, príncipe Mazzile?

— Gostaria de falar-lhe a sós, Ciro Neri. O padre que me acompanha traz uma correspondência do bispo Benini.

— O templário acompanha-me, pois é de total confiança.

— Já está formando seu exército, não?

— É só por precaução e para desestimular os mais afoitos à fortuna fácil que contrato os cavaleiros.

— Compreendo. Bom senso e precaução nunca deixaram ninguém a pé na longa jornada da vida.

— Vamos à mansão, meu príncipe, e também tio, não?

— Ao nosso modo sim, meu sobrinho! Bastardos e rejeitados têm alguma coisa em comum!

# Capítulo XVII

# Rosa e Helena

Fomos até a mansão e sentamo-nos na sala de visitas. Ele me entregou a correspondência de tio Benini. Após lê-la com atenção, perguntei:
— O que vai fazer agora?
— Eu depositei em público minha espada aos pés de Benini e agora vou ter de empunhá-la contra os aliados do bispo Cúneo, ou logo Pietro terá não só seu coração arrancado, como seu castelo saqueado e sua família passada no fio da espada.
— Mariana! — exclamei eu assustado.
— O que foi que o assustou, sobrinho?
— Nada, tio. O que quer de mim?
— Você tem dinheiro aos montes e também está fabricando espadas longas e outras armas. Dê-me armas para eu munir um exército e financie o soldo dos mercenários, que em um mês tomo o castelo do barão Juliano e tiro das mãos de Cúneo a espada que levantou contra Pietro.
— De quanto dinheiro precisa?
— Empreste-me trinta mil peças de ouro e divido contigo uma parte do saque do castelo dele, além de dar passagem livre aos seus comerciantes cruzados por toda a região conquistada.
— Quanto tempo demorará para formar seu exército de mercenários?
— Com as trinta mil peças e armas nas mãos, comemorarei o Natal no interior do castelo de Juliano.
Pedi ao senhor Albert se podia nos servir um pouco de vinho. Ele apanhou taças no armário e as encheu, servindo-nos.
— Pegue uma também, senhor Albert, e deixe a barrica sobre a mesa.
Todos viramos nossas taças de vinho e nova rodada foi servida. Enquanto falávamos, o padre e Rosa mantinham-se calados. Os olhos de Rosa Mazzile estavam brilhantes, não sei se pelo vinho ou outra coisa. Como não toquei na segunda taça, o príncipe Mazzile comentou:
— Tem o mesmo costume do velho. Assim, enquanto os outros se embebedavam, ele se mantinha lúcido.
— Está certo. Eu lhe adianto cinquenta mil peças de ouro e as armas que já temos forjadas para alguém ao norte. Mas será tudo meio a meio. Só negocio assim, tio Mazzile.

— Se não exigisse a metade eu o acharia um idiota, Ciro Neri. Acordo fechado. Com cinquenta mil peças de ouro nas mãos, o castelo de Juliano terá no Natal dois novos senhores: Neri e Mazzile chamam-se eles.

— Prefiro que seja chamado de Mazzile e Neri, caro tio. Só que há mais uma condição.

— Mais uma? Qual é?

— Só tomará o castelo. Deixará os campos e aldeias ao redor intocados. Não vou permitir que meu dinheiro seja usado para levar a desgraça aos infelizes que só querem um pouco de paz para poderem viver tranquilos.

— Será difícil controlar um exército de mercenários numa campanha realizada em pleno inverno.

— Este é o meu preço. Não vou empregar meu dinheiro para que mais viúvas surjam além das esposas dos que defenderão o castelo de Juliano. Dou agasalho aos seus mercenários, vinho e alimentos, mas as aldeias serão poupadas.

— Está certo. Agora as condições são melhores. Eu as aceito, Ciro Neri.

— Então, jure diante do padre, pelo sangue derramado por Cristo, que não as quebrará.

— Minha fé é muito fraca para manter juramentos.

— Mas a minha é muito forte, e por causa dela não vou financiar a chacina de inocentes.

— Só por causa da sua fé vou jurar pela primeira vez na vida. Eu juro pelo sangue derramado por Jesus Cristo que não vou deixar rolar o sangue dos seus miseráveis, Ciro Neri!

— Acompanhem-me até meu quarto. Levará uma parte das peças de ouro agora e o restante lhe entrego na próxima segunda-feira.

Subimos até o quarto e apontei o baú.

— Aí dentro, em bolsas de couro, há trinta e cinco mil peças de ouro. Leve-as e comece a recrutar o seu exército, tio Mazzile. Amanhã à tarde receberá armas e roupas para vesti-lo e municiá-lo. Os alimentos chegarão na segunda-feira com o restante do dinheiro.

— Tenho também de assinar um contrato, Ciro Neri?

— Não. Se um neto rejeitado não confiar na palavra de um filho bastardo, então não estaremos honrando a memória de Giovanini Neri — disse eu sorrindo.

Ele também gargalhou com minhas palavras e disse:

— Não há dúvidas que Benini foi buscá-lo nas profundezas do inferno, Ciro Neri. Terá não só suas moedas de ouro de volta, como parte do seu primeiro castelo. Vou partir agora e deixá-lo curtir o seu ferimento em paz.

— Ajude-o, senhor Albert. Depois vá até a forjaria e mande entregar as armas ao tio Mazzile. Ordene também que redobrem os trabalhos para que possamos entregar a encomenda feita no prazo estipulado.

— Assim será feito, Ciro Neri.

— Envie dois cavaleiros de sua maior confiança junto com o exército do príncipe para que sejam meus representantes nas aldeias e vigiem para que nenhum bando de cães vadios as toquem.

— Primeiro me deixe cuidar dos seus outros ferimentos, poderão infeccionar se não forem tratados.

— Eu mesmo cuido deles. Vá cumprir as ordens dadas.

Ele e o padre carregaram o baú de moedas. Rosa Mazzile ofereceu-se para cuidar dos meus ferimentos.

— Tem de ir com seu pai, senhora Rosa. O caseiro cuidará deles.

— Eu sei como tratar muito bem de ferimentos. Após cuidar deles, suas dores diminuirão muito.

— Irá atrasar seu pai. Fica para outra vez. Acho que já está virando rotina eu estar ferido quando nos encontramos.

— Posso ficar aqui, papai? Irei junto com ele na segunda-feira — pediu ela ao pai.

— Está certo, Rosa. Cuide bem dele, pois acho que vou precisar do seu dinheiro mais vezes.

— Vou cuidar bem do novo cavaleiro.

— Espero que este seja diferente do seu falecido esposo.

— Se isso é uma oferta de casamento, saibam que estou compromissado com a filha de tio Pietro e não vou quebrar o compromisso selado.

— Que importa se eu tiver um neto bastardo? Assim teremos alguém em comum para assumir, no futuro, o castelo Mazzile Neri.

Ele deu outra de suas gargalhadas e retirou-se do quarto. Fiquei sem palavras, pois as dele foram fulminantes. Rosa tentou tirar-me do espanto.

— Não ligue para as palavras dele. É um debochado que diz o que lhe vem à mente.

— Estou vendo! — exclamei eu.

— Vou pedir que tragam água morna e algumas ervas e então cuidarei dos seus ferimentos.

— Obrigado, mas não precisava se incomodar comigo.

— Já me incomodei, Ciro Neri. Agora, sente-se aí e logo estarei de volta.

Pouco depois traziam uma tina com água morna, ervas e umas pastas medicinais. Rosa apanhou uma toalha, umedeceu-a e começou a limpar meu rosto, depois os braços manchados com o sangue já seco.

— Vamos tirar estas roupas sujas de sangue, Ciro.

— Isso não, Rosa.

— Como não? Tem vários cortes pelo corpo e várias escoriações.

— Eu mesmo cuido delas.

— Quem fará isso serei eu. Vou limpar todo seu corpo para só então cuidar dos ferimentos. Vamos logo com isso, quanto mais demorar para tratá-los maior o risco de infecção.

— Está bem. Ajude-me a soltar o cinto da espada. Não posso nem mover o braço esquerdo tamanha dor que estou sentindo.
— Vê como tenho razão? Logo estará ardendo em febre e então será pior.

Ela soltou o cinto e jogou a espada no chão. Depois tirou com cuidado a cota de couro, as botas e o casaco.

— Já chega de tirar minhas roupas, Rosa! — exclamei eu, quando ela começou a soltar o cinto de minha calça.
— Não vai querer ficar com esta calça suja e manchada de sangue e terra, vai? Ao amanhecer estará cheirando tão mal que se sentirá podre.
— Prefiro assim, a ficar nu na sua frente.
— Tem vergonha de se desnudar diante de uma mulher?

Ela era mordaz ao lançar o seu desafio.

— Brinca com a minha dor, Rosa. Isso não é humano de sua parte.
— O que é humano para você? Apodrecer numa cama sem ninguém para cuidar dos seus ferimentos? Não sente os arranhões nas suas pernas? Se quer ficar assim, para mim está ótimo, pois não sou eu que estou ferida. Fique assim e amanhã não conseguirá se levantar da cama, Ciro Neri.
— Está bem. Faça seu trabalho humanitário.

Ela terminou de soltar o cinto e lentamente tirou minha calça. Fiquei completamente nu contra minha vontade, mas ela tinha razão. Havia vários ferimentos nas minhas pernas e sangue por todo o corpo.

— Primeiro vou limpar todo o seu corpo.
— Pode deixar que certas partes eu mesmo limpo.
— Eu cuido da limpeza. Você fica em pé e quieto. Feche os olhos, poderá arder muito o contato da água nos ferimentos.

Ela tinha razão. Os ferimentos ardiam como se fosse fogo ao contato com suas mãos e a água. Rosa usou suas armas para aliviar minhas dores e dissuadiu-me a reconsiderar meus princípios com relação a Mariana e, aos poucos, levou-me para o seu campo de batalhas. Após resistir por algum tempo, eu sucumbi diante de sua habilidade.

Bem, foi um longo e nada violento combate. Após ele, ela terminou o tratamento dos ferimentos e adormeci com ela acariciando meus cabelos.

Fui acordado por volta das oito horas da noite. Era Rosa com um prato de caldo quente.

— Isso irá ajudá-lo, Ciro. Nada de alimentação pesada mas fraca. Este caldo é o melhor remédio de que precisa.
— Quem está no corredor?
— São as filhas do seu templário.
— Convide-as a entrar.

Ela foi até a porta e as chamou. Ao ver a dificuldade com que eu segurava a tigela, Helena prontificou-se a me ajudar. Nisso, Rosa perguntou:

— Em qual quarto vou dormir?

— Pode escolher qualquer um no corredor. Mas aviso que todos estão empoeirados.

— Vou escolher um que me agrade e limpá-lo, pois estou com sono e quero dormir.

— Vou ajudá-la, senhora! — exclamou Clarice.

As duas saíram e me vi a sós com Helena segurando a tigela de caldo à minha frente. Recostei-me no travessão da cama e tomei a sopa. Eu transpirava e ela apanhou um pano, enxugando o suor do meu rosto.

— Você é louco, Ciro. Não devia arriscar desta forma sua vida.

— Não vou morrer, Helena. Foi só um corte superficial. Imagino como não deve estar sofrendo o cavaleiro que lutou comigo.

— Nós viemos do alojamento. Ele está passando bem. Também tomou uma tigela de sopa. Sofreu muitos ferimentos?

— Apenas um mais grave. O restante foram só escoriações.

— Posso vê-los?

— Estou nu. Só este lençol está cobrindo o meu corpo.

— Eu não me incomodei quando quis me tocar. Incomoda-o que eu veja seus ferimentos?

— Não. Vejo nos seus olhos que esteve chorando. Não deve se preocupar comigo. Estou bem, Helena.

— Não posso evitar.

Helena puxou o lençol e viu os ferimentos. Então, comentou:

— Eu agora o vejo por inteiro e todo machucado. Se tivesse me convidado a vir ao seu quarto, eu não o teria deixado combater e não estaria neste estado. Levante-se que vou trocar sua cama, pois está toda manchada de pasta e sangue. Segure-se em mim que eu o ajudo a levantar-se sem que precise mover o braço ferido.

— Obrigado, Helena. Você é muito gentil comigo.

— Não consigo me ver agindo de outra maneira com você. Sente-se na cadeira e cubra-se com o lençol enquanto troco a cama.

Enrolei-me e sentei na cadeira. Como eram delicadas! Tanto Rosa quanto ela faziam de tudo para me agradar. Então pensei: "Bem, Ciro, se está vivendo um sonho, então ele está se passando no paraíso, pois só tem anjos delicados à sua volta."

— Ela arrumou o seu quarto? — perguntou Helena.

— Não. Dormi muito mal a noite passada e acordei muito cedo. Então resolvi limpá-lo e organizá-lo até que o sol raiasse.

— Amanhã cedo virei limpá-lo para você.

— Deixe isto para quando eu puder mover meu braço, assim eu a ajudarei.

— Eu venho assim mesmo, não vou deixá-lo num quarto sujo.

— Está certo. Acho que é gentil demais para não aceitar sua ajuda.

— Vou fechar a porta e limpar seus ferimentos para aplicar novamente os medicamentos.

Ela fechou a porta e tratou dos ferimentos com uma delicadeza incomum.

— Deite-se que eu o cubro com um lençol. Dê-me este que levo para lavar.

Levantei-me e entreguei-lhe o lençol, depois me deitei. Antes de me cobrir, ela olhou demoradamente para meu corpo. Após me cobrir, sentou-se ao lado da cama e comentou:

— Pena que esteja ferido, senão eu o aqueceria pelo resto da noite. Um dia desses, quando não estiver ferido, vou vir aqui e realizar meu sonho.

Após me fitar por alguns instantes, beijou-me e disse:

— Vou sonhar com esta noite, Ciro. Amanhã bem cedo eu venho limpar seu quarto.

— Está certo, Helena. Ao sair encoste a porta, pois quero dormir.

— Eu aviso a senhora Rosa para não vir acordá-lo durante a noite.

— Obrigado, Helena. Apague as lamparinas, por favor!

— Sim. Durma um bom sono.

Ela saiu do quarto e eu procurei ajeitar-me o melhor possível. Lentamente, fui adormecendo.

Não sei por quanto tempo dormi, mas acordei com alguém deitada ao meu lado. Como o quarto estava totalmente escuro, passei a mão direita pelo corpo ao meu lado. Era Rosa que viera dormir no meu leito.

Logo ela despertou.

— Já acordado, Ciro?

— Sim. Estou sem sono. Acho que dormi meio dia e meia noite e agora vou ter de ficar acordado até o amanhecer.

— Quer que eu faça um chá?

— Não tem algo mais estimulante para mim?

— Vou acender uma lamparina.

— Acho que prefiro o escuro. Só tenha cuidado com meu braço esquerdo.

— Nem vou tocá-lo.

Quando os primeiros raios do dia começaram a iluminar o quarto, eu pedi que ela trocasse o lençol do colchão e o levasse ao seus aposentos guardando-o por lá. Logo Helena estaria ali para limpar meu quarto.

— Ela o ama, não?

— Sim. Como percebeu?

— Eu a vi chorar quando soube que você estava ferido. Creio que Mariana vai ter de dividi-lo não só comigo, como com ela também.

— Bem, não quero pensar nisso agora.

— Ela já aqueceu o seu leito?

— Não. Acho que não vou permitir isso a ela.

— Duvido! Não irá parar mais o que começou ontem. Resistiu enquanto pôde e agora não ficará sem alguém no seu leito por muitos dias. O meu estará à sua espera todas as noites. Bastará ir ao castelo.

— Vou me lembrar disso, Rosa. Vamos, saia logo, não quero que ela nos veja no mesmo quarto, e nus.

Após ela sair, eu me deitei e o sono veio rápido, eu estava cansado. Amanheceu e nem ouvi o barulho que Helena fez ao limpar o quarto. Só acordei quando ela começou a limpar os ferimentos.

— Por que não me acordou?

— Dormia tão profundamente que achei melhor não despertá-lo.

— Dormi pouco durante a noite. Tive um pouco de febre e só voltei a dormir quando amanhecia.

— Trouxe o desjejum. Quer tomá-lo na cama?

— Acho que vou caminhar um pouco, pois estou meio zonzo.

— Eu o ajudo a se vestir. Deixe-me acabar com os curativos.

— Você está se expondo demais, Helena. Vou acabar não resistindo aos seus encantos.

— Estou vendo, Ciro. Vou deitar-me um pouco ao seu lado só para sentir como será a noite em que eu passar aqui.

— Não faça isto. Não é justo me torturar assim. Lembre-se de que estou com um braço inutilizado.

— Já estou me deitando. Tente impedir-me e aperto o seu braço ferido.

— Não faça isso, senão vou dar um grito que despertará a atenção de todos nas redondezas.

— Então fique quieto e me deixe acariciá-lo um pouco. Depois eu prometo parar de torturá-lo.

Resolvi ficar quieto e deixá-la deitar no meu leito. Penso eu que isso só atiçou um pouco mais os seus desejos, pois logo estava roçando seu corpo no meu. E só não foi mais longe porque pedi que esperasse eu ficar curado do ferimento no braço. A muito custo, saiu de cima de mim e ajudou a vestir-me. Só então colocou seu vestido. E falou:

— Agora só falta a complementação, Ciro. Eu já sei como você é por inteiro e você a mim. Nada mais temos a nos ocultar. Gostou de mim?

— Sim. E você?

— A cada dia aumenta o meu amor.

— Ou desejo?

— Que importa o que seja? Enquanto Mariana não vier, eu ocuparei o lugar dela em sua vida.

— Isso até seu pai descobrir tudo e nos matar.

— Evitaremos que nos vejam muito juntos. Assim não perceberão nada.

— Você é quem sabe, mas não me culpe. Ainda não acho certo o que estamos fazendo.

— Pode ser errado, mas se eu não fizer isso, não o terei nunca e é melhor tê-lo por algumas horas de vez em quando que ficar sonhando com isso o tempo todo.

— Está certo, mas vista-se logo. Se alguém chegar, não irá acreditar que consegui resistir a você estando assim, nua na minha frente.

Helena vestiu-se e saiu do quarto. Eu tomei o desjejum e depois desci para a biblioteca. Tranquei a porta e fui retirar as quinze mil peças de ouro que faltavam.

Após colocar as sacolas num canto, tranquei todas as portas e recoloquei os livros no lugar. Depois saí e fui até o alojamento dos guardas para ver como estava o cavaleiro ferido. Após me desculpar por ter tomado tão a sério suas palavras e ver que estava melhor, caminhei um pouco e sentei-me na varanda. Nesse momento chegava o senhor Albert.

— Já entregaram as armas e as roupas. Amanhã cedo, levaremos os alimentos. Vi uma grande quantidade de mercenários acampados próximo do castelo Mazzile e muitos outros dirigindo-se para lá ao longo da estrada.

— Quando partirão?

— Segundo o príncipe, no máximo até a próxima quarta-feira. Vai ser uma campanha violenta. Acho que ele não irá contentar-se só com o castelo de Juliano. Ele agora tem dinheiro, alimentos, armas e agasalhos. Vai ajustar velhas contas com alguns desafetos.

— Como sabe disso?

— Eu ouvi o recrutador dizendo que seria uma longa campanha. Você lhe deu muito dinheiro.

— Virá o triplo no mínimo e, além do mais, meu tio Pietro ficará com as mãos livres para se impor novamente aos barões que controlam Bolonha.

— Mandarei quatro dos melhores cavaleiros. São de total confiança e saberão impedir que inocentes sejam massacrados. Infiltrei alguns conhecidos nas tropas mercenárias de Mazzile. Seremos informados sobre como vai a campanha e qual será o valor dos saques praticados por ele. Não o enganará facilmente!

— Vamos aguardar para ver como ele vai agir na hora do acerto final. Vamos dominar o comércio das praças que ele conquistar e no fim teremos muito mais do que ele. Vou comprar uma parte das terras do castelo dele, senhor Albert. Assim o teremos em nossas mãos. Por uma bagatela teremos o vale mais fértil de toda esta região produzindo para nossos comerciantes andarilhos. Contratou mais cavaleiros?

— Sim. Agora já tem trinta dos melhores a seu serviço. Logo poderá formar um exército só seu com o auxílio deles.

— Já o temos, senhor Albert! São os agentes comerciais. Não há melhor exército do que o que formei ao longo deste ano. Eles não precisam de armas e trazem o melhor lucro sem derramar uma gota sequer de sangue. Temos a melhor arma possível que se chama dinheiro, e mercenários, se preciso for, contrataremos dez vezes mais do que Mazzile o faz com nosso dinheiro. Só precisamos ter à mão homens capazes de comandá-los no caso de Mazzile nos trair. Não creio que faça, mas bom senso e precaução não deixam ninguém caído à beira do caminho, não é mesmo?

— Você aprende rápido, Ciro Neri.

— Isso é porque só tenho como mestres os melhores nas suas matérias. E como sou um bom discípulo, não precisa falar muito para eu aprender e aprimorar os ensinamentos. Vá descansar, senhor Albert, teve uma longa noite.

— Como vai o braço?

— Bom. Só dói quando movo. Logo estará fora da tipoia.
— Ótimo. Até mais tarde.
Fui até o estábulo dar uma olhada em Corisco.

## A Arte da Guerra no Jogo do Amor

Enquanto isso, em outro lugar muito longe dali, alguém também estava no estábulo fitando o seu cavalo. Era Mariana, e conversava com seu pai.

— Bons tempos os que podíamos cavalgar livremente, sem medo algum, não papai?

— Logo eles voltarão filha. É só uma questão de tempo. Qualquer dia eu mando alguém matar este maldito bispo Cúneo e acabo com a provocação toda. Benini está sendo muito complacente com ele.

— Não faça isso, papai. Não sabe que matar um religioso o lançará no inferno para sempre?

— E ficar restrito às terras do castelo não é um inferno?

— Não posso ir a Milão às escondidas?

— É muito arriscado, Mariana. Caso caia nas mãos dos inimigos, vão tirar-nos o último poder que ainda temos. Tenha paciência e logo poderá ir livremente para onde desejar. Agora é só uma questão de tempo. Alguém virá nos socorrer muito em breve.

— Quem fará isso por nós?

— É segredo. Na hora certa, você saberá. Suspeito que há alguém dentro do castelo que está nos traindo.

— Isso é possível?

— Sim. Todas as tentativas que fiz de virar a sorte a nosso favor falharam. Sabiam com antecedência de nossos movimentos e foi muita sorte Mário não ter sido morto também. Seria mais uma perda valiosa.

— Como estará Ciro?

— Não se preocupe com ele. Milão está fora desta luta estúpida. Ciro está muito bem, pelo que me informaram uns amigos dele. Tudo o que estamos perdendo aqui, ele está ganhando lá.

Pelo menos você não se casará com um tolo incompetente como têm feito suas primas. São todos uns inúteis! Quando mais preciso de auxiliares destemidos, mais covardes tenho à minha volta.

— Por que tio Benini tem tido tantas dificuldades, papai?

— Por causa dos aliados do bispo Cúneo. Na ausência dele, o miserável firmou umas alianças muito importantes, e assim que foi afastado do centro do poder, vive a fustigar os aliados de Benini. Não é só por aqui que existem problemas, minha filha. Foi uma sorte ele ter conseguido o apoio de Mazzile, senão Milão também estaria sofrendo os mesmos males que Bolonha, Parma, Gênova, Turim e outros centros importantes. Vamos entrar, pois está muito frio aqui.

— Acho que este será um inverno muito rigoroso, papai. No ano passado, nestes dias, eu podia cavalgar sem usar estes agasalhos.

A situação não estava nada favorável para tio Pietro, e minha amada era prisioneira no seu próprio castelo. Tudo isso me passava pela mente enquanto eu alisava a crina de Corisco.

— Bonito cavalo, senhor Ciro!

Estava tão absorto nas longínquas recordações que me assustei com a observação de um cavaleiro.

— Desculpe se o assustei. Não pensei que estivesse tão distraído.

— Karl, você é um velho cavaleiro e conhece todos os lugares. Onde conseguiria um exército bem treinado no prazo mais rápido possível?

— Para lutar contra quem, meu senhor?

— Os barões que tomaram o poder em Bolonha.

— Quer que ela seja devastada?

— Não. Só que os façam capitular nos nossos termos e aliviem a perseguição ao meu tio Pietro Neri.

— Em três dias de cavalgada ao norte consigo um exército de uns três mil soldados da melhor qualidade.

— Quanto tempo demoraria para marchar contra Bolonha?

— Se o ouro for suficiente, numa semana inicio a descida e acampo às suas portas quando começar a nevar.

— Quanto ouro precisa?

— O equivalente a umas trinta mil peças. Há príncipes ao norte que não sabem o que fazer para aumentar suas fortunas e dar uma distração aos seus soldados, evitando assim vê-los revoltarem-se uns contra os outros.

— Prepare seu cavalo e um de carga para levar o ouro. Volto logo mais.

— Sim, senhor. Já estava na hora de minha espada fazer algo mais do que exercícios. O que tiro deles, meu senhor?

— Tudo o que tiverem para nos oferecer.

— E se nada tiverem?

— Bem, depois de marchar forçado sob um inverno rigoroso numa campanha incerta, o que faria se nada obtivesse em troca?

— Tomaria a cidade e hastearia sua flâmula na praça central.

— Mas eu não tenho uma.

— Criaremos uma na hora! Um falcão pousando sobre uma presa distraída. O que acha?

— Está ótimo. Mas que só você saiba contra quem vai marchar o seu exército. Não quero que ninguém mais saiba quem está financiando esta expedição punitiva.

— Nem quem fornecer o exército?

— Nem ele. Tudo ficará em segredo. Assim que a cidade capitular, chame meu tio Pietro do castelo Neri e então fale com ele, mas somente a ele, e exija segredo.

— Não confia no auxílio do príncipe Mazzile?

— Acho que chegará muito tarde, ou nunca chegará. Vá selar seu cavalo e leve alimentos para não precisar parar em nenhuma aldeia. Se tiver de dormir, procure a casa de algum cavaleiro amigo e leal a você.

— Assim será feito, meu senhor.

Pela primeira vez eu toquei nos dez porcento que havia me autorizado tio Benini. Uma hora mais tarde, o cavaleiro Karl partia em segredo para o norte. Agora eu estava mais tranquilo, sabia que minha amada não ficaria aprisionada por muito tempo nas muralhas do castelo Neri. Se Mazzile tinha ideias próprias, eu também tinha as minhas. Eu me sentei na varanda e fiquei observando ao longe.

— Dou-lhe meu amor só para descobrir no que está pensando, Ciro!

Virei para Rosa e sorri.

— Se soubesse em quem eu pensava, iria me detestar.

— Sua amada Mariana?

— Como adivinhou?

— Da forma como olhava o horizonte, logo imaginei. Essa nossa prima é tão bonita como dizem?

— Mais do que bonita, ela é um encanto de mulher. Acho que não há outra igual em todo o mundo.

— Deve ser mesmo, para ter escrito poesias tão inspiradas em homenagem a ela.

— Como?

— Eu tenho o seu livro em casa. Ou pensa que não liguei as coisas quando vi os papéis no seu quarto?

— Não devia saber disso. É um segredo, Rosa! Só foi publicado por insistência de tio Benini, mas sob meus protestos.

— Quem sabe um dia não me dedique um livro tão inspirado como aquele, Ciro?

— É, quem sabe.

— Vou esperar esse dia. Quem vem chegando?

— Deve ser a senhorita D'Ambrósio.

— Mais uma apaixonada?

— Não, seu pai é meu associado na estamparia. Deve ter vindo falar de negócios, ela nunca esteve aqui antes.

— O pai deve ter contado a ela que foi ferido e veio ver como você está.

— Duvido. Ela só fala de negócios.

— Quer apostar que não é de negócios?

— O que estará valendo?

— Uma semana no castelo do meu pai, se ganhar, e duas, se perder.

— Não posso me afastar por tanto tempo daqui.

— Então, o Natal lá, o que acha?

— Apostado.

— Vai perder, Ciro Neri.

— Estou torcendo para que ganhe. Agora, fique mais séria, que não está me agradando este seu sorriso irônico!

Calamo-nos e fui receber a senhorita D'Ambrósio, conduzindo-a até a varanda e apresentando-lhe Rosa Mazzile como minha prima.

— Muito prazer em conhecê-la, senhora Rosa. É bom saber que Ciro está fazendo boas amizades.

— Ele me falou da senhorita.

— Bem ou mal?

— Melhor impossível! Gostaria que falasse tão bem de mim na minha ausência.

— Folgo em saber, não demonstra isso nos breves contatos que temos.

Ela se virou para mim e, olhando o braço, perguntou:

— Como está depois de sua última façanha?

— Vou sobreviver a isso também.

— E eu preocupada com seu estado! Não sabia que tinha uma enfermeira particular cuidando de você. Não devia ter perdido o sono por sua causa.

— Não sabe como fico feliz em saber que se preocupa com minha boa saúde.

— Não gostaria de perder um sócio como você!

— Ah!

— Por que a admiração? Não se preocuparia se fosse eu quem estivesse ferida?

— Claro que me preocuparia. Faz parte dos meus princípios sentir dor quando alguém está sofrendo.

— Vou me ferir qualquer hora só para ver se são verdadeiros os seus princípios, Ciro Neri. Acho que só assim vou conhecê-los.

— Qualquer dia eu lhe falo sobre eles.

— Seu tio não vem para as festas natalinas?

— Não.

— Então vá à nossa casa comemorar e poderá falar-me dos seus princípios.

Rosa foi rápida nas palavras.

— Eu já o convidei para passar conosco, meu convite foi aceito primeiro, senhorita D'Ambrósio. Acho que terá de esperar outra ocasião.

A senhorita D'Ambrósio ficou um tanto triste, mas eu nada podia fazer. Quem mandou ela não falar de negócios!

Logo fomos avisados de que o almoço estava servido. Eu me senti constrangido à mesa, pois o ambiente era desfavorável. De um lado Rosa Mazzile, do outro a senhorita D'Ambrósio e, olhando as duas, Helena. Comi um pouco e fiquei calado o restante do tempo. Qualquer coisa que eu falasse iria deixá-las tristes.

Às vezes, olhava para o senhor Albert e via o sorriso de quem se divertia com a situação. Como ele bebia o seu vinho e ficava alegre, ninguém percebeu que sorria de minha situação incômoda. Começou a contar uma história de quando estava acuado por inimigos num campo de batalha e não tinha saída.

— Como fez para sobreviver a essa luta, senhor Albert? — perguntei.

— Bem, combatia um e o afastava para fora de minhas defesas, então voltava e dava combate ao outro e também o afastava.

— Resistiu a essa situação por muito tempo?

— O suficiente para convencê-los de que o melhor a ser feito era se aliar a mim e todos vivermos em paz, já que o campo era comum.

— Ótimo estrategista o senhor; mas como agiria se no seu próprio campo houvesse um outro inimigo. Um dentro de suas próprias linhas?

Ele se engasgou com o vinho que sorvia naquele momento.

Quando parou de tossir, perguntou, pois sabia que eu sabia a que inimigo me referia.

— Um inimigo dentro das próprias linhas?

— Sim, e mais perigoso do que os dois, pois não poderia ser colocado para fora do campo de defesa senão o enfraqueceria e cairiam todas as linhas defensivas. Qual a estratégia a ser usada?

— Deixe-me tomar mais uma taça de vinho; acho que nunca travei um combate nesses termos.

— Então, pense um pouco mais e imagine também um inimigo mais poderoso ainda, instalado bem distante. Mas que, quando avançasse em sua direção, teria que desguarnecer todas as suas defesas só para enfrentá-lo e os outros o atacariam de todos os lados. Ficaria numa situação sem saída. Como faria, se não pudesse montar em seu cavalo e fugir para bem longe?

Ele olhou à volta e após olhar para Rosa, D'Ambrósio, sua esposa, Clarice, demorou-se um pouco mais em Helena, e olhou novamente para mim. Eu assenti levemente com a cabeça e indaguei:

— Qual a saída, senhor Albert?

— Primeiro: como conseguiu juntar tantos inimigos num mesmo campo de batalhas?

— A primeira coisa que me ocorre é uma extrema facilidade em conseguir inimigos. Talvez por uma antipatia natural!

— Só pode ser um azarado para conseguir juntar à sua volta tantos inimigos dispostos a assaltar seu campo ao mesmo tempo.

— Acrescente mais uma variável no campo de batalha. Um quer eliminar os outros e tomar o campo só para si, pois todos se acham no direito de tomá-lo do azarado e acuado cavaleiro.

— Há mais algumas variáveis em jogo?

— Sim. O senhor do tal azarado cavaleiro proibiu-o de dar combate aos inimigos sem sua permissão formal, e o cavaleiro sabe que se o seu senhor souber que anunciou guerra a qualquer dos inimigos, vai ficar uma fera e tomar-lhe o campo que deveria defender. Ou se defende às escondidas do seu senhor e tenta conservá-lo, ou combate às claras e logo perde tudo.

— Eu não sei, mas o melhor é ir travando pequenos combates, pois quando o inimigo mais poderoso se aproximar, talvez os outros recolham suas armas com medo de terem de perder não só o campo cobiçado, como os seus próprios campos.

— Acha que isso pode acontecer?
— É o que invariavelmente acontece nas grandes campanhas. Os pequenos param de fustigar o inimigo comum e cobiçado para descobrirem uma fraqueza no inimigo distante, afastando-o da disputa pelo campo cobiçado.
— Tem certeza disso?
— Já combati em muitas campanhas e sei como funciona a lógica da arte da guerra.
— Ótimo. Agora me diga, como sustentar o campo até a chegada do inimigo distante ou do seu senhor, se os inimigos próximos não se contentam em atacá-lo a distância e avançam furiosamente para dar-lhe combate corpo a corpo. Ele não pode lutar abertamente, senão o seu senhor saberá que não estava cumprindo sua ordem de não combater.
— Nessas condições, o cavaleiro é um azarado mesmo. Nunca vi antes alguém numa situação tão difícil. Você criou uma situação difícil para montar um campo de batalhas indefensável. Não há cavaleiro que consiga sobreviver num campo assim. É só uma questão de tempo e sucumbirá!
— O que aconselharia ao azarado cavaleiro?
— Que desse combate aos inimigos próximos, mas às escondidas e de preferência não se expondo muito, pois senão ficará sem rumo caso seja atacado por um dos outros. Eu também recomendaria que mantivesse sua espada sempre afiada e ao alcance da mão, pois no combate corpo a corpo, os golpes devem ser mortais. Mas no final, certamente ele ou será massacrado ou será feito prisioneiro pelo inimigo mais destemido e astuto, e verá que não adiantou lutar, pois estava com seu destino selado.
— Ou se defende e perde ou não se defende e é chamado de covarde por todos. Dessas duas variáveis, qual a que recomendaria para o azarado cavaleiro?
— Um cavaleiro azarado ainda é desculpável, mas covarde, é inaceitável. Se ganhou uma espada depois de muito treino, ou a usa com o risco da própria vida ou então que a abandone, renuncie ao seu título e sofra as consequências que certamente acarretará tal gesto.
A senhora Albert entrou em nossa discussão dizendo:
— Já chega de falar em lutas. Não vê que Ciro está com um braço na tipoia só por causa das malditas espadas. Além do mais, um cavaleiro com tanto azar certamente arranjaria inimigos por onde passasse. Isso não existe, Pierre!
— Lógico que existem cavaleiros azarados assim! Eu mesmo conheço um.
— Então não o contrate para Ciro, senão acabará com a boa sorte dele — falou ela brava.
— Está certo, eu não o contrato. Mas não vou abandoná-lo à míngua, pois ele não tem culpa do seu infortúnio, ainda mais neste tempo em que todos estão lutando contra todos. Agora, com licença que o vinho subiu-me à cabeça e vou dormir um pouco.
— Eu vou estudar um pouco na biblioteca. Quem quiser poderá conhecê-la — falei.

— O que irá estudar, senhor Ciro? — perguntou Clarice.

— Tio Benini tem uns livros de estratégia militar e vou consultá-los, pois os campos estão propícios às lutas, e como tenho vários interesses neles, quero descobrir como mantê-los no meio de tanta confusão.

— Eu o acompanho, Ciro Neri. Fiquei interessada, pois temos estratégias em comum nos campos de luta. Incomoda-se? — perguntou a senhorita D'Ambrósio.

— De maneira alguma, senhorita D'Ambrósio. Quem mais me acompanha?

Com exceção do casal Albert, todas se levantaram e encaminharam-se para a biblioteca. Como deixei que elas fossem na minha frente, ainda ouvi a senhora Albert dizer a ele que não poderia haver um cavaleiro azarado como o que eu imaginara.

— Digo-lhe que ele existe e está todo encrencado. Ou luta bravamente ou cairá logo, logo!

Não ouvi o resto da conversa, mas ele viu como não ficou ninguém à mesa e como todas foram tentar cercar o cavaleiro com um braço na tipoia. Por isso ficou rindo alto que até da biblioteca dava para ouvir. Acho que todas descobriram quem era o cavaleiro azarado e que ele estava instruído pelo seu mestre de armas a travar o combate corpo a corpo às escondidas, não se expondo muito para não ser descoberto pelo seu senhor. Cada uma iria tentar tomar um pouco do seu campo antes que o inimigo distante chegasse. Eu fiquei a tarde toda na biblioteca, mas pouco pude ler. Devido à movimentação, meu braço doía muito e tinha sempre de responder à indagação de alguma das quatro "inimigas".

Foi com certa tristeza que a senhorita D'Ambrósio falou:

— Bem, o domingo está acabando e tenho de ir para minha casa.

— Se quiser, há quartos de sobra nesta mansão solitária e poderá dormir aqui, senhorita D'Ambrósio! — exclamei eu.

— Não avisei meus pais e só iria deixá-los preocupados. Quem sabe um outro dia eu aceite o convite, Ciro Neri. Também não está tão sozinho assim, pelo que vejo.

— Isso agora, mas à noite, se não ficasse em meu quarto estudando ou escrevendo, enlouqueceria com o silêncio e a solidão. Se quiser, mando um cavaleiro até sua casa para avisá-los. Amanhã cedo vai direto para sua loja.

— Não, Ciro. Eu agradeço, mas não trouxe roupas apropriadas para dormir.

Ela saiu após se despedir das outras moças. Eu a acompanhei até sua carruagem e, ao me despedir dela, ganhei pela primeira vez um elogio.

— Foi um dia encantador. Acho que fazia uma ideia errada sobre você. Às vezes nos surpreendemos quando conhecemos melhor as pessoas.

— Isso é normal, senhorita D'Ambrósio. Só conhecia meu lado comerciante. Com o tempo, espero desfazer a imagem que formou sobre mim.

— O tempo é algo indefinido, Ciro Neri. Nós o fazemos ser longo ou não. Depende de cada um contribuir com o seu tempo pessoal.

— Você é mais ou menos como eu, senhorita D'Ambrósio. Tem duas personalidades. Uma externa e bem visível, a outra é muito, mas muito íntima mesmo.

Essa segunda personalidade, eu admiro e chego a desejar me tornar íntimo dela, pois é igual à minha. Eu não amo o Ciro Neri que todos admiram e invejam. O Ciro que gosto é o que ninguém conhece. Ele é sensível, tímido, pacífico e amável. Mas não é um Ciro para muitos olhos. E o mesmo acontece com você, senhorita D'Ambrósio. Esta outra que não conheço me desperta um carinho muito grande, pois sei que não usa máscara para se ocultar e também sei que tem medo de se mostrar ou ser vista. Eu a entendo e compreendo, pois tenho de ser igual para ser respeitado. Eu, por ser muito novo e você, por ser mulher. Se não vestirmos a máscara, seremos ignorados, pois não amarão nem respeitarão aquilo que verdadeiramente somos.

— Essas são partes dos seus princípios, Ciro Neri?

— Não. Os meus princípios derivam de minha personalidade oculta. Já minhas ações e modo de agir com as pessoas no geral derivam da personalidade que assumi, já que vi que com a outra eu seria massacrado.

— Quem sabe um dia eu invada o campo defendido pelo cavaleiro azarado só para descobrir como é essa personalidade.

— Se viveu demais a externa que possui, talvez não goste dela.

— Quem sabe qual das duas personalidades eu mais vivi, Ciro Neri?

— Você sabe, senhorita D'Ambrósio! Só o fato de não gostar de ser chamada por seu primeiro nome já revela algo de sua natureza. Usa o nome como defesa e barreira contra o avanço dos mais ousados. Como no campo íntimo das pessoas eu não sou ousado, então não penetro, pois, como eu disse, é íntimo e pessoal. Quando entramos nele, podemos causar-lhe danos irreparáveis. É muito melhor viver na ilusão da máscara do que na dor da verdade de cada um. Este já é um dos meus princípios, senhorita D'Ambrósio.

— Vou pensar no que disse, Ciro Neri! Vejo-o amanhã?

— Não. Eu vou até o castelo Mazzile e só volto na quarta ou quinta-feira.

— Já revelou sua face íntima para ela?

— Não.

— Por que não?

— Ela ama a face externa. Então para que decepcioná-la?

— Você não é o cavaleiro azarado que mencionou no almoço.

— Será que não?

— Não. Você apenas é um rapaz muito sozinho e que ama a solidão, mas vive no meio das pessoas. Acho que é tão ativo só para iludir um pouco a si mesmo, Ciro Neri. Mas não se envolve ou se deixa envolver pelas suas ações. Acredito mesmo que assim como monta no seu cavalo de manhã e só desce dele à noite, poderia sentar-se naquele banco na varanda e só se levantar para ir dormir.

— Tem razão. Este é o verdadeiro Ciro Neri e não gostaria dele. Ele é inodoro, incolor e vive em si mesmo, não precisando de ninguém para viver. É por isso que usei a comparação do cavaleiro tentando defender seu campo do ataque dos inimigos.

— Não gosta das mulheres?

— Gosto muito, mas no fim elas me subjugam aos seus desejos. Não consigo subjugá-las à minha vontade e, em consequência, passo a ficar dependente delas.
— É ruim?
— Não. Mas às vezes posso não ser compreendido.
— Por isso está massacrando um dos inimigos próximos?
— Massacre não é o que estou fazendo e sim evitando que amanhã venha a me odiar por ter lhe fornecido uma imagem que não corresponda às suas expectativas. Não sou quem você imagina, senhorita D'Ambrósio. Dois iguais não se completam. Só se anulam.
— Com essas palavras fecha o seu campo, não?
— Só estou querendo que goste e respeite o verdadeiro Ciro Neri que há em mim. Tenho muito medo de magoar a outra senhorita D'Ambrósio que há em você. Eu nunca me perdoaria se amanhã ouvisse você chorar por minha causa, ou sofrer por minha ausência. Este é mais um dos meus princípios, senhorita D'Ambrósio.
— São muitos os seus princípios?
— São, mas na essência de todos há algo que diz claramente: se puder, auxilie todos a serem felizes, mas se não puder, não aumente a tristeza que já trazem em suas almas.
— Como pode saber se sou triste?
— Está nos seus olhos e só um mau observador não vê.
— Você tem razão. Sou uma mulher triste por dentro e me oculto atrás de uma máscara, mas não sei como ser diferente, cresci assim e acho que vou morrer assim. Apenas alimentei a ilusão de que você poderia mudar isso em mim.
— Se eu mantivesse a máscara que uso, certamente você se transformaria. Mas como mantê-la, se só a uso como defesa pessoal? Eu sou um ser humano que sorri pouco e se comove com facilidade, senhorita D'Ambrósio. Não sou o cavaleiro que irá tirá-la de sua loja e levá-la a um castelo encantado.
— Por que acha que desejo isso?
— Porque sempre aposta contra mim. Ainda que minha derrota signifique a sua, sempre tem apostado contra mim, e só irá me admirar enquanto eu estiver derrotando-a. No dia em que eu começar a perder, e fatalmente isso um dia acontecerá, então voltarei a ser mais um dos cruzados que batem à sua porta à procura do auxílio de seu pai.
— Você não esquece nada do que dizemos nos momentos de desespero não é mesmo, Ciro Neri?
— Sim, é verdade. São essas palavras que demonstram quem somos, quando tiramos a máscara. Só sou admirado pelo que faço e não pelo que não faço. Rosa não ama, mas gosta do ousado Ciro Neri. Helena gosta do sólido Ciro Neri, que é o oposto do seu pai Albert, um andarilho. Clarice já gosta do Ciro afortunado.
— Então qual ama o verdadeiro Ciro Neri?
— A inimiga distante. Ela amou o Ciro que não era Neri e sim um ser solitário, triste e envergonhado. Assim que o viu, ela o amou e foi amada por ele.

Talvez ela não ame a máscara que uso, mas com ela, e ao seu lado, posso tirar a máscara sem medo de perdê-la.

— Quem sabe eu não viesse a gostar desse outro Ciro Neri?

— Você gosta de sua personalidade íntima?

— Não. Ela é tímida, sensível e extremamente feminina.

— Como eu disse, o que gosto e admiro em você é o que abominamos em mim, então não gostará do verdadeiro Ciro Neri. Se agora vive a lançar desafios ao falso, irá odiar o verdadeiro.

— Vou pensar no que me disse, Ciro Neri. Mais uma vez torço para que esteja errado. Não porque eu queira que perca, mas sim porque, se estiver certo, sou mais vazia do que imagino.

— Não digo que seja vazia, mas solitária é, e muito!

— Vamos ver quem está certo desta vez, Ciro Neri!

— Vou torcer por você, senhorita D'Ambrósio. Será a primeira vez que torço contra mim, mas gostaria muito de estar errado.

— Até a vista, Ciro Neri!

— Até lá, senhorita D'Ambrósio. Obrigado por se preocupar com minha saúde e pelo dia agradável.

Ela partiu e não pude ver ou ouvir o quanto chorou na sua carruagem. Eu não estava errado sobre nada do que havia lhe dito e ela sabia disso muito bem. Assim que entrei na sala, Rosa comentou:

— Que despedida demorada! Até parece que nunca haviam se falado antes.

— E não falamos mesmo. Penso que foi a primeira e a última vez que fizemos isso.

— Então o cavaleiro azarado eliminou um dos seus inimigos próximos?

— Não. Só evitou que ele combatesse o inimigo errado. O verdadeiro inimigo dele está dentro de si mesmo e só após derrotá-lo poderá se lançar numa luta corpo a corpo com os outros. Do contrário iria odiar-se depois de travar uma luta e sair mais ferido que vitorioso. E isso vale também para os outros.

— Isso não vale para mim, Ciro! Na primeira vez que eu conquistei um campo inimigo, minhas perdas foram imensas e já não tenho mais nada a perder.

— Não me referia a você e sim às duas irmãs Albert.

— Isso significa que não irá combatê-las e sim eliminá-las para o próprio bem delas.

— Exatamente.

— Como devo chamá-lo? De tolo ou idiota por rejeitar o amor de belas jovens?

— Onde está a sabedoria em causar um dano irreparável nos sentimentos alheios? Qual a vantagem em se divertir com o que uma mulher tem de mais íntimo se só lhe causar tristezas? É melhor ser duro agora do que falso no futuro.

— Você é um adversário formidável, Ciro Neri. Diz o que pensa e faz o que quer.

— Não, Rosa. Penso o que é justo e faço o que é certo.

— Então por que não me eliminou?

— Eu já a eliminei ao fazer o que você desejava. Era uma inimiga antes, mas agora é minha maior aliada. Você eu não temo, pois gosta do que posso oferecer. Nós dois sabemos disso. Podemos ser francos um com o outro sem haver necessidade de golpes inúteis ou ferimentos muito profundos. Não se incomoda que outras entrem na minha vida, já que só quer dela o que estou disposto a lhe oferecer. Leva tantas vantagens, que não teme as outras que disputam o mesmo campo.

— Estou gostando de sua franqueza. Acho que vamos nos dar muito bem em todos os sentidos, Ciro Neri!

— Também acredito que sim, Rosa Mazzile. Onde estão as irmãs Albert?

— Foram para casa.

— Vou trocar este curativo. Acompanha-me?

— Eu o ajudo com prazer, cavaleiro azarado!

— Então eu retribuo sua ajuda com muito prazer, Rosa Mazzile.

Bem, nós subimos ao meu quarto e só descemos para jantar. Creio que Helena desconfiou de alguma coisa, pois se manteve calada o tempo todo.

O senhor Albert tentou animar um pouco o jantar ao perguntar-me se havia descoberto a estratégia para enfrentar tantos inimigos ao mesmo tempo, num campo tão pequeno e sob condições tão adversas.

— Sim. Vou eliminá-los antes que os combates comecem, e assim o cavaleiro azarado só terá três inimigos.

— Quais?

— O distante, seu senhor e um próximo, mas não perigoso. Diminuindo o número de inimigos, aumentam suas chances de sobrevivência.

— Por que tira um pouco de adversários do seu hipotético cavaleiro?

— Eu quero ver se ele se mantém vivo até o tempo de combater o inimigo distante, sem irritar demais o seu senhor, caso seja visto em combate.

— Precisa ver se os inimigos aceitam as alternativas que lhes impõe o seu cavaleiro azarado.

Eu nada respondi, pois elas estavam ouvindo e já haviam percebido uma mudança nas regras do combate.

# Capítulo XVIII

# O Cavaleiro Cruzado

No dia seguinte, fui ao castelo Mazzile entregar o restante do dinheiro e os alimentos prometidos. À volta do castelo já estavam acampados quase dois mil mercenários e nas estradas vi muitos que haviam sido contratados. No domingo afluíram para ele. Assim que os carroções e o dinheiro foram entregues, conversei com o príncipe Mazzile sobre a campanha. Insinuei que enquanto ela durasse eu era seu sócio nos saques e, após o término, em tudo o que fosse conquistado.

— Não tenha medo, sobrinho, eu sou leal na guerra.

— Não estou com medo, tio. Apenas estou recordando uma das cláusulas não escritas.

— Parece que foi bem tratado pela minha filha, Ciro Neri. Seu braço está bem melhor.

— Ela é uma ótima enfermeira, tio. Mais alguns dias e estarei curado e pronto para utilizá-lo. Incomoda-se se eu ficar até o próximo domingo hospedado no seu castelo?

— Sinta-se em sua própria mansão, sobrinho. Talvez acabe gostando do calor humano que o castelo tem a oferecer. Ou será que é só por causa dele que quer ficar uns dias mais aqui?

— Não quero interromper o tratamento do meu ferimento até vê-lo curado. Rosa cuida muito bem dele.

— Rosa, não? Não a chama de senhora Mazzile?

— Sim, Rosa é mais apropriado agora que somos primos.

— Está certo! Eu precisava mesmo de um aliado com dinheiro! Dos que vivem às minhas custas, já estou cheio. Acho que o castelo que vamos tomar terá um dono comum.

— Será?

— Pelo jeito que vi Rosa e você chegarem, depois de tanto tempo começará a gostar do meu castelo, não tenho dúvidas. Pelo menos os adversários saberão que me ausento, mas não deixo desprotegido o meu feudo.

— No que depender de mim, ele está bem guardado, tio.

— Ótimo! Parto amanhã mesmo.

— Tão rápido?

— Quanto antes melhor. Quero acampar no castelo de Juliano antes de a neve começar a cair. O inverno vai ser muito rigoroso este ano e não quero estar na estrada quando nevar.

— Bom, eu ainda entendo muito pouco da arte da guerra.

— Fique ao meu lado e logo a entenderá muito bem, sobrinho.

— Assim espero, tio Mazzile. Com licença, vou dar algumas ordens ao templário. Vou mandar que cuide dos negócios até minha volta à mansão.

— Você tem nele um servidor leal, sobrinho. Conserve-o, pois são raros nos dias de hoje.

— Sim, senhor.

Bem, eu despachei o senhor Albert e voltei para junto de Rosa. Era hora de fazer novo curativo. Depois de tratado, repousei no seu leito macio. Tio Mazzile partiu na terça-feira à frente de um numeroso exército. Do alto da torre do castelo, nós ficamos assistindo ao seu serpentear pelo vale que conduzia para o sul, rumo ao castelo de Juliano. Passei toda a semana lá, e já quase sem ferimentos. O braço só demorou para curar-se devido ao esforço a que me submeti nos combates travados com minha leal inimiga, a prima Rosa. Dezembro já chegara e só parti, contra a sua vontade, no dia doze. Prometi vir passar as noites com ela sempre que fosse possível. E o fiz quase sempre até a semana do Natal. Nos domingos, eu já não ocultava mais as nossas ligações familiares e todos no coro da igreja já não tinham dúvidas sobre nossos laços mais profundos. Mas em público, éramos muito, mas muito discretos.

Helena esfriou seu entusiasmo e a senhorita D'Ambrósio não mais usou de palavras ofensivas ou desafiadoras. A tristeza ocultada por tantos anos agora era mais visível, mas eu nada fiz para alegrá-la. Recebi uma carta de tio Benini dizendo que agora a situação lhe era mais favorável, mas que tio Pietro corria sérios riscos. Recebi também a visita do senhor Lídio, o fabricante de vinhos. Viera me trazer notícias de Bolonha e a minha parte nos ganhos acumulados durante o ano. Trouxe também os ganhos realizados no comércio de cavalos e dois belos espécimes que me enviava o senhor Zago.

— São os mais belos e velozes que ele já viu. Separou-os para você, Ciro Neri. Achou que irá gostar.

— Diga-lhe que fiquei muito contente com os cavalos, senhor Lídio. E também com a boa fortuna dos negócios. Como estão as coisas em Bolonha?

— Não muito boas para o seu tio. Foi por isso que eu vim pessoalmente. Não enviamos os ganhos ao castelo dele por precaução.

— Também tenho recebido notícias nada favoráveis a ele. Como isso é possível?

— Acho que ele está sendo traído. Tudo o que tenta, falha, e isso não é normal em Pietro Neri. Não duvido nem um pouco que alguém da família esteja tentando tomar-lhe o título de príncipe.

— Bem, ele que resolva seus problemas, não?

— Sim. Mas me diga, como alterou tanto a Ordem dos Templários por aqui?

— Auxiliei o senhor D'Ambrósio na condução das reuniões e dei um novo sentido a ela. Acho que é o núcleo mais forte que os templários da Itália possuem.

— Não tenho dúvidas disso. O seu exemplo aqui está sendo seguido em quase todos os núcleos. Logo a Ordem será muito poderosa e não ficaremos à cata de esmolas, Ciro. Percebe o bem que fez a ela?

— Eu tenho enviado os mais aptos a se instalarem em centros mais poderosos e lhes dou apoio financeiro que, espero eu, torná-la-á tão forte economicamente, que logo nos igualaremos com o poder da Igreja Romana.

— Não me enganei ao acreditar em você, e o senhor Zago está muito feliz com o uso da sua espada cruzada. Vejo que já a usa na cintura. Já aprendeu a manejá-la com o senhor D'Ambrósio?

— Ainda não. Treinei um pouco, mas apenas para defesa pessoal.

— Leve-me até ele. Faz muitos anos que não o vejo e não vou perder a oportunidade, agora que estou tão perto.

Nós visitamos o senhor D'Ambrósio. Como era um domingo, aceitei o convite e fiquei para o almoço. Enquanto eles conversavam na sala de sua casa sobre os velhos tempos, fui até sua biblioteca e comecei a ler um livro muito antigo que falava das ordens iniciáticas do passado remoto. Estava tão envolvido na leitura, que não percebi a entrada de sua filha.

— Como vai, Ciro?

— Olá, senhorita D'Ambrósio! Nem havia percebido sua entrada.

— Estou a cada dia mais silenciosa.

— Por quê?

— Você ganhou mais uma vez, Ciro. Resolvi viver como sou e não como aparento ser.

— Tenho notado você muito triste ultimamente. Por que deixou que sua tristeza aflorasse?

— Eu já vinha há muito tempo enganando a mim mesma. Não vou fazer isso comigo pelo resto de minha vida.

— Fico feliz que tenha decidido agir assim. Agora tem chances de deixar que brote aos poucos a verdadeira alegria em sua alma.

— Sozinha não conseguirei isto, Ciro. Na verdade, sou muito frágil e sensível.

— Eu sou assim também, senhorita D'Ambrósio. Mas estou sobrevivendo até que bem demais.

— Por que insiste em me chamar de "senhorita D'Ambrósio"?

— Não sei o seu primeiro nome. Seu pai só a chama de filha e nós, de senhorita.

— Meu nome é Carla, Ciro.

— Bonito nome. Eu não apreciava muito a senhorita D'Ambrósio no alto de sua imponência e intocabilidade, mas gosto muito da Carla que vejo agora.

— Estou pronta para iniciar o combate no seu campo, Ciro.

— Não teme os ferimentos que possa sofrer?

— Que importam os ferimentos se o fato de combatermos nos traz alguma alegria?

— Não teme o inimigo distante?

— Até ele chegar, já terei conquistado um pedaço do seu campo.

— Mas e se ele o retomar?

— Terei aprendido como conquistar o pedaço do campo de alguém e quem sabe possa lutar por outro cavaleiro sem um inimigo tão poderoso como o seu? Ou talvez eu possa manter o meu campo conquistado por muito tempo. Basta que ela não saiba que eu também sou dona de uma parte de seu campo. Nunca se sabe o futuro, não é mesmo?

A proximidade dela era tanta, que eu sentia o seu hálito morno no meu rosto. Bem, apresentamos nossas armas num longo beijo. Eu até me esqueci do livro. Também, que importavam ordens antigas diante da nova ordem que eu estava criando? A ordem de Ciro Neri combatia a tristeza onde ela se apresentasse e Carla era um campo triste que precisava ser alegrado. Carla era uma mulher sensível, muito diferente da fria e cáustica senhorita D'Ambrósio.

— Eu amo a nova sócia que descobri, Carla!

— Agora vamos ser sócios em tudo, Ciro. Esta sociedade vai durar para sempre, não tenha dúvidas.

— Só não vou permitir que ela nos renda dividendos. Que seja uma sociedade sem fins lucrativos, concorda com os termos?

— Está combinado.

— Mas agora vamos deixar esta porta aberta, pois nossa sociedade é secreta e foi firmada à revelia do seu pai. Não vamos permitir que ele a descubra logo no dia em que a criamos.

— Não. Esta, a nossa sociedade, chamar-se-á Ciro e Carla.

— Você sabe que prefiro Carla e Ciro e ninguém, mas ninguém mesmo, ao menos suspeitará que ela existe!

— Nem quem já conquistou um pedaço no seu campo?

— Nem ela ou outra qualquer. Nós temos meios de ficar juntos sem despertar suspeitas; então, por que não usá-los?

— Concordo: senhorita D'Ambrósio para o mundo e Carla para Ciro.

Ainda trocamos carícias e beijos, até que consegui soltá-la e fazê-la soltar-me.

— Vou ajudar minha mãe a preparar o almoço.

Ela saiu, e voltei ao livro para distrair meus pensamentos libidinosos. Fiquei lendo até que entraram os senhores Lídio e D'Ambrósio.

— Esqueceu-se de nós, Ciro! — exclamou o senhor Lídio.

— Eu fiquei curioso com este livro. Pena que aborde genericamente as ordens de que fala.

— Já traduziu os livros que trouxe de Bolonha?

— Não. Só vou iniciar o estudo das línguas este ano, mas os livros mais misteriosos estão escritos em outras línguas. Posso levar este emprestado, senhor D'Ambrósio?

— Eu lhe dou de presente, Ciro. Há mais alguns aqui que irão interessar. Leia e guarde-os, pois poderá vir a utilizá-los um dia.

— Mas são seus e não é justo eu desfalcar sua biblioteca de obras tão importantes.

— Eu já estou velho e os conheço bem. Com você estarão bem guardados, pois no futuro será o príncipe dos templários de Milão devido ao seu esforço em benefício da Ordem.

— Por que não aprende como decepar a cabeça de um homem sem que ela caia do alto do corpo, ou aprende como lhe tirar o coração com sua espada sem sujar suas mãos de sangue, Ciro Neri? O senhor D'Ambrósio pode ensinar-lhe isso agora. Depois não será mais um cruzado iniciante, e sim um cavaleiro cruzado — sugeriu o senhor Lídio.

— Não gostei da minha última lição com espadas, senhor Lídio. Já chega de aprender a usá-las.

— Talvez fique surpreso com a facilidade nestas duas últimas lições, Ciro! — falou o senhor D'Ambrósio. — Vou fechar a porta, são lutas secretas e só pessoas especiais podem saber como são e para que servem.

Ele trancou a porta e nos sentamos frente a frente, tendo o senhor Lídio como testemunha assistente. Então o senhor D'Ambrósio começou a falar dos dois mais mortais golpes que um cavaleiro cruzado deveria saber para conquistar seu grau.

— Estas lições não precisam de espadas, são mais mortais do que elas e o que usamos são palavras. Com o uso delas você tira do peito o coração de um homem e, depois de fazer isso, coloca no lugar o seu próprio coração; você decepa a sua cabeça sem tirá-la do corpo, pois incute nela o que há na sua, e assim os dois serão uma só pessoa, com os mesmos sentimentos e agindo em perfeita harmonia. Assim não haverá necessidade de se puxar mais a espada de metal fundido, pois lutará com o maior poder que existe, que é o poder divino. Você se integra ao todo sem deixar de ser o que é, mas também não será mais o mesmo após aprender estas duas coisas tão mortais. O dinheiro só terá valor se servir para o benefício dos semelhantes, e o poder, se for utilizado para a transformação social. Então, e só então, abominará o derramamento de sangue do inocente e amará o órfão que não conheceu o pai ou a viúva que chora o marido morto. Então, e só então, será o pai de todos os filhos de Deus e marido de todas as viúvas, porque seu amor será tão grande, que amará todas as mulheres do mundo, pois são elas as doadoras do princípio sagrado chamado "Vida". Amará a elas, não pelo prazer e sim pelo amor à vida. Então, e só então, poderá se sentir um cavaleiro santo e ser um príncipe templário da Ordem do Santo Sepulcro, o lugar onde estão os restos mortais do mais santo dos homens, pois foi o cavaleiro de Deus na Terra e tornou-se o segundo Pai dos filhos que não conheciam o primeiro, e esposo das mães que não conheceram o Marido, que doou a elas os espíritos que reencarnam nos fetos formados em seus úteros. Para elas, o marido invisível é morto, mas você as ampara até que elas O reencontrem no outro lado da vida. O verdadeiro marido de todas as mulheres é Deus, pois o verdadeiro fecundador dos seus ventres não é o sêmen do homem e sim o espírito imortal que irá animar um corpo mortal que, mercê de Sua generosidade, é apenas um veículo para engrandecimento da espécie humana. O fato de um templário amparar os órfãos e as viúvas está simbolizando que ele assumiu na Terra uma parcela da responsabilidade divina, e por isso é um cavaleiro santo, guardião do Santo Sepulcro, local onde repousam os restos mortais do santo cavaleiro de Deus, aquele que não precisou nem de cavalos ou armas para formar o reino do seu único senhor, o nosso amado Deus.

O senhor D'Ambrósio parou de falar. Ele tinha a voz embargada pela emoção com que proferia suas santas palavras; eu chorava só de ouvi-lo falar. Quando me controlei, ele perguntou:

— O que tem a me dizer, Ciro Neri?

— Eu tenho não só amparado o órfão e a viúva, como os famintos, os despidos e os miseráveis. Sofro com sua dor e mais não faço por não saber como, disso o senhor é minha testemunha diante do Tribunal Divino.

— Eu sou sua testemunha diante do Tribunal Divino, de que honra os princípios de nossa Ordem, Ciro Neri. Tem tudo para, um dia, tornar-se um cavaleiro santo. Quer isso?

— Sou muito venal para aspirar a título de tal magnitude. Sou um ser cheio de dúvidas, vícios e imperfeições. Sinto prazer na carne e fraquezas no espírito. Não sou casto para aspirar a ser santo um dia.

— Isso é permitido por Deus aos homens, não como motivo de tortura, e sim, para que sintam alegria em amar a mulher e amparar o filho. Errado é possuir por possuir e trazer à luz e não amparar. Então, e só então, sentirá a fúria do cavaleiro armado de Deus, que ceifa nossas vidas com sua espada flamejante e lança nossas almas nas Trevas.

— Ainda assim não sou digno de almejar tal título. Mesmo não amando uma mulher, não sei lhe negar o prazer, ao saber que sou amado. Tenho mais dúvidas do que certezas quanto a este meu princípio, que me dobra à sua vontade e poder.

— Isso o tempo irá curar, já que só está apenas dando o que de você é solicitado. Contanto que não renegue o fruto da semente plantada, a árvore da vida não para de crescer e novas sementes serão lançadas na terra para que muitos habitem o corpo físico, que é o verdadeiro jardim onde habita o nosso único senhor, pois é no interior do homem que está localizado o verdadeiro templo sagrado. Por isso nos nomeamos de templários. Um templário traz dentro de si um templo com quatro cantos. Em cada canto habita um santo. Cada santo entoa dentro do homem um canto sagrado em honra e glória ao senhor do templo sagrado que há em cada ser vivente. Para ser um cavaleiro santo, você terá de sentar-se no centro do seu templo interior e ouvir o canto de cada um dos quatro santos que o habitam. Como todos são cantos de honra e glória a Deus, você só cantará em homenagem a ele os cânticos sagrados de louvor dos quatro santos dos quatro cantos do sagrado templo de Deus, depositado no seu corpo carnal pelo espírito imortal que d'Ele emanou um dia.

— Não sou digno de almejar alcançar tal título, mestre D'Ambrósio.

— Por que não?

— Meu dinheiro está financiando o assalto que será realizado ao castelo Juliano e até um pouco mais ao sul, onde o príncipe Mazzile estabeleceu as fronteiras do seu domínio.

— Sob que condições financiou esta campanha?

— Nas minhas condições. Nenhum inocente deve ser tocado.

— Então ainda não perdeu sua dignidade de cavaleiro cruzado. E se bem o conheço, logo o terror de Juliano será substituído pela alegria de viver a vida de Ciro Neri.

— Ainda assim não sou digno, pois Bolonha logo estará caindo sob o poder de um exército que eu enviei para cortar a crista dos seus barões. E que isto não saia desta sala.

— Ótimo! Sabia que seu tio, após sua partida, veio falar conosco e contou-nos o que você lhe sugeriu fazer com seus vassalos? E que foi por aplicar suas sugestões de dar-lhes o prazer de viver a vida que estão tentando destruí-lo? E que eu ia sugerir algum tipo de ajuda a ele, Ciro Neri? — falou o senhor Lídio. — Você só está provando a ele que estava certo ao aplicar seus princípios, pois quando tudo parece perdido, o auxílio chega de onde menos esperamos. Foi assim comigo, com o senhor Zago e o senhor D'Ambrósio. Quando tudo parecia perdido, você surgiu do nada e nos ajudou a restabelecer a Ordem. Aceite o que está sendo oferecido, Ciro Neri, pois sem saber, você já sabia tirar o coração de um homem e colocar em seu lugar o seu, decepar-lhe a cabeça sem que ela caísse. O que muitos têm de aprender a fazer, você faz sem ter aprendido, pois é nato em você.

— Ainda assim não sou digno. Sinto-me um ser vazio e sem nada de útil a fazer nessa terra, senão sufocar o meu grito de revolta com tudo o que vejo de errado.

— Não é diferente de nós, Ciro Neri. É assim que temos sido desde a mais tenra idade e por isso somos diferentes da maioria, mesmo sendo iguais a todos. É a sina dos que têm a têmpera curtida no Fogo Divino apenas para melhor servir ao Criador.

— Minha conduta não me torna digno, pois durmo no leito de uma mulher sem ao menos ser casado com ela e que, ainda por cima, vai ter um filho que não poderá me chamar de pai. Sou um ser indigno de ser chamado de cavaleiro, mestres D'Ambrósio e Lídio.

— Isso você acertará no seu juízo final. O que estou lhe propondo é algo muito maior.

— O que o senhor está me propondo, eu já o faço sem precisar almejar título algum. É minha natureza que me obriga a fazê-lo.

— Então assuma-se e não faça mais pelo que sua natureza lhe pede ou pelo que se sente no dever de fazer para merecer o céu um dia, e sim porque tem um juramento a impedi-lo de parar de fazer, ainda que não mais o queira. Os comuns fazem no intuito de alcançar um lugar no paraíso, mas os diferentes o fazem por terem aceitado sua condição e jurado servir como pais dos órfãos e maridos das viúvas. A partir daí, já não fazem mais por instinto, e sim conscientes de que não há outra coisa a fazer se quiserem ser cavaleiros santos do exército armado pelo Senhor da Espada Flamejante, unicamente para servi-lo na Terra e em benefício dos seus semelhantes.

— Por que todos vêm arrancar sob juramento o que posso oferecer de livre e espontânea vontade?

— É para que saiba que não o faz por que quer, e sim porque Ele, o nosso Senhor, assim o quer. Vamos, Ciro Neri, jure pelo sangue sagrado de Cristo Jesus, derramado pela lança que o feriu quando estava pregado no alto da cruz e que foi colhido no cálice sagrado e depositado no altar do Criador, que se conduzirá nesta terra coberto com o manto dos cavaleiros santos e que arrancará o coração de um homem impuro e o deixará sem vida, só retornando a ela quando você o animar com seu próprio coração.

— Eu juro!

— Jure pelos mesmos princípios que decepará a cabeça mal pensante de um homem impuro e, sem tirá-la do corpo, substituí-la-á pelo que há na sua. Assim serão dois corpos e dois espíritos, mas um só pensamento.

— Eu juro!

— Jure pelos mesmos princípios que cantará os cantos de honra e glória ao nosso Senhor, entoados pelos quatro santos que habitam os quatro cantos do seu templo interior, no centro do qual está sentado, aguardando humildemente que se alegre com seu canto, o Senhor da sua alma e força divina que anima seu corpo perecível com uma alma imortal.

— Eu juro.

— Jure pelos mesmos princípios que como órfão do Pai e filho da Viúva amparará sob o manto de sua capa os órfãos de pai e as viúvas abandonadas que nela queiram se abrigar?

— Eu juro.

— Jure por tudo que almejará o título de cavaleiro santo aqui na terra por seus atos em benefício dos seus semelhantes, e lá no alto por não ter temido fazer consciente o que os outros fazem por temer as sanções divinas. E que não temerá no dia do seu juízo diante do Tribunal Divino pelos castigos que lhe advirão se não fizer tudo o que for possível para alcançar, ainda na carne, tal título, que só honra aos que ousaram almejá-lo.

— Eu juro.

— Jure também manter silêncio absoluto sobre tudo o que foi dito ou jurado aqui nesta sala e que só repetirá no dia em que encontrar outro homem, do qual tenha arrancado o seu coração e decepado sua cabeça, substituindo ambos com o que há de melhor em seu templo interior.

— Eu juro, pelos quatro santos que habitam os quatro cantos do meu templo interior, que derramarei meu sangue em holocausto no altar do senhor meu Deus, assim como fez o santo cavaleiro de Deus no alto do cruzeiro sagrado, e o colherei no meu cálice sagrado para que seja servido à mesa do Pai como sinal de minha fidelidade aos princípios que norteiam os que servem ao Criador de forma consciente e racional. Peço aos senhores que sejam minhas testemunhas diante do Tribunal Divino agora que juro, e também no dia do meu juízo, para que não digam que Ciro Neri jurou quando ainda não lhe haviam arrancado o coração, nem decepado sua cabeça, e que por isso fez o que fez sem saber o que fazia. Quero que digam diante do altar sagrado que Ciro Neri fez o que fez conscientemente e que só o fez para engrandecimento da fé na Terra e em honra e glória ao Nosso Senhor.

— Nós juramos ser suas testemunhas no dia do seu juízo, assim como somos agora de que Ciro Neri teve seu coração arrancado sem que quem o fez manchasse suas mãos com o sangue dele e que, mesmo tendo sua cabeça decepada, ela ainda se manteve no alto do seu corpo. Portanto, seus juramentos foram feitos com total lucidez e plena confiança de que não havia mais nada a ser feito, pois era isto que queria o Nosso senhor.

Os dois pronunciaram as últimas palavras em uníssono. Depois me abraçaram e saudaram como cavaleiro cruzado e aspirante ao título de cavaleiro santo. Eu retribuí os cumprimentos e ajoelhei-me para ser cruzado com a espada. Quando me levantei, já não era o mesmo de antes. Uma paz muito grande invadiu meu ser e inundou o meu interior com a sua luz, deixando iluminado o meu templo interior.

Quatro taças de vinho foram servidas. Uma foi deixada sob a mesa e as outras três, nós a sorvemos de uma só vez, após elevá-las ao alto. Novamente elas foram enchidas e colocadas na mesa, formando um quadrilátero. No centro foi colocada a botija, simbolizando-nos no centro do nosso templo interior e que jamais nos negaríamos a encher com nosso próprio sangue o cálice sagrado que colheu o sangue do Cristo Jesus, o santo cavaleiro de Deus.

Tudo era místico, simbólico e ritualizado, mas tinha a força divina a animar, pois nós, os que almejaram o título de cavaleiros santos, dávamos-lhes a força de nossa fé.

Meus olhos encheram-se de lágrimas. O senhor D'Ambrósio abriu a porta da sala e nós saímos. Ele tornou a fechá-la e só a abriria daí a sete dias.

Fomos conduzidos por ele à sala e encontramos sentadas à nossa espera sua esposa e sua filha. Elas me viram chorando e entenderam o que havia acontecido. Eu não era o primeiro a ser preparado pelo senhor D'Ambrósio e não seria o último. Ambas me abraçaram, depois fomos almoçar. Mantive-me calado o tempo todo, até que o senhor Lídio perguntou-me:

— Como vai a campanha de Mazzile?

— Tomou o castelo Juliano antes do Natal, como havia prometido, e avançou até mais ao sul. Mandou-me correspondência o tempo todo e me informou das terras conquistadas. Dois cavaleiros estão cuidando para que as cláusulas do acordo que firmamos sejam mantidas. Não vou aceitar desvios por parte dele. A exploração do espólio será nas minhas bases e metade dos direitos sobre o castelo são meus. Vou enviar para lá os que preparamos aqui e logo teremos um vasto campo à nossa disposição e influência. Em nossos domínios vão haver muitas transformações.

— Eu acredito que sim, depois que vi o que Pietro Neri fez. Se quiser, envio alguns dos nossos para lá.

— Mande-os vir até nós que os auxiliarei materialmente até que se instalem e comecem a ter retorno do esforço que terão de despender.

— Volto amanhã para Bolonha. Quero ver como vão as coisas por lá. Ao vir, observei uma imensa coluna de soldados nórdicos dirigindo-se para lá e pensei que seria o golpe de misericórdia em Pietro Neri. Mas acho que alguém além dele terá surpresas, se é que já não as teve. São muito organizados estes soldados do norte. Gostei do estandarte deles.

— Como era?

— Um retângulo azul com um falcão negro pousando com as asas abertas e as garras distendidas.

— Karl fez o que disse que faria. Este estandarte será o de Ciro Neri.

— Veremos este estandarte ser empunhado muitas vezes ainda, Ciro Neri?

— Espero que não, senhor Lídio. Ele só leva a morte.

— Às vezes tem de haver apenas a ameaça. Quando sentem a presença de um inimigo mais poderoso, os menores recolhem-se.

Assim que ele falou isso, Carla começou a dar risadas de maneira incontrolável.

— Por que está rindo assim das palavras do senhor Lídio, minha filha?

— Desculpem, mas achei divertido ouvi-las novamente num outro contexto, e não vi nenhum dos inimigos menores se recolher. Só mudaram as táticas para conquistar o campo alvo de suas investidas.

— Interessante! Como fizeram ante a ameaça do inimigo mais poderoso?

— Dois eu sei que se aliaram ao dono do campo ambicionado e agora se perfilam ao lado dele. Pode ser que se recolham aos seus campos quando o inimigo mais poderoso chegar, mas até lá habitarão no campo conquistado a duras penas e sem incomodar demais o dono do campo.

— Se eu soubesse qual o contexto usado, diria que o dono do campo usou a técnica do senhor D'Ambrósio de arrancar o coração sem sujar suas mãos com o sangue da vítima e decepou sua cabeça sem deixar que ela caísse do alto do corpo. Só assim inimigos passam a conviver no mesmo campo e ainda esperam pacificamente a chegada do inimigo comum e mais poderoso — falou o senhor Lídio.

Como eu tomava um pouco de vinho do meu caneco engasguei quando o senhor D'Ambrósio perguntou curioso:

— Você conhece o contexto e a técnica usada, Ciro Neri?

Depois de tossir muito por ter engasgado com o vinho, falei:

— Eu estava absorto nos meus pensamentos e não ouvi direito o que foi dito, senhor D'Ambrósio. Só aprendi hoje como usar tal técnica numa luta, portanto não saberia dizer nada ao certo e acho que não gostaria que um discípulo de sua técnica mentisse, não é mesmo?

— Não. Eu prefiro o silêncio à mentira. É muito melhor nada falarmos que dizermos algo que não convencerá nossos interlocutores. Mas se o contexto for o que estou imaginando, soube usar com maestria tal técnica, pois um dos inimigos dele chegou um dia desses até esta casa chorando muito e ficou o restante da noite na sala. De lá para cá, ficou sem coração e com a mente vazia. Só não completou ainda o seu segundo dever, que é ocupar os espaços vazios deixados no campo do adversário.

— Qual terá sido a causa, papai?

— Certamente tem de ocupá-los pelas consequências que lhe advirão com toda certeza, já que terá de alimentar esse coração com o seu e essa mente com a sua, e isso só um cavaleiro de primeira grandeza consegue.

Então eu falei ao senhor D'Ambrósio:

— Como o tal personagem que estão falando não imaginava que usava a sua técnica, talvez não soubesse se devia ocupar os espaços vazios logo ou aguardar mais um pouco. Mas uma coisa eu sei, agora que aprendi sua técnica, senhor D'Ambrósio: se não soubermos a hora certa de ocupar os espaços vazios, poderemos preenchê-los de forma que não sejamos entendidos e, em vez de conquistá-los, nós só pioramos o que antes era ruim, ou não melhoramos o que já era bom, e colocamos tudo a perder.

— No contexto iniciático, você está certo e considero esta a técnica que deve ser usada por um cavaleiro de primeira grandeza. Foi assim que agimos com você e o resultado foi melhor do que esperávamos.

— Bem, acho que vou esperar para ver qual será a reação no dia em que o inimigo poderoso chegar — falou a senhorita D'Ambrósio.

— Posso saber qual o contexto em que sua técnica foi usada, mestre D'Ambrósio? — perguntou o senhor Lídio.

— Como ainda não tenho certeza, prefiro não revelá-lo, meu amigo.

Carla, muito calma, perguntou-me:

— Então financia uma expedição militar e não nos conta nada, Ciro Neri?

— Existem certas coisas que devem ser feitas e mantidas em segredo se quisermos obter sucesso. Caso contrário, podemos pôr tudo a perder. E os resultados serão muito ruins.

— Quem lhe ensinou isso, Ciro?

— Foi o mestre em táticas e estratégias que tio Benini me arrumou, senhor D'Ambrósio.

— Ele lhe ensinou também que um campo conquistado passa a fazer parte do nosso próprio campo e que tudo o que se suceder com ele, e nele, é de nossa inteira responsabilidade?

— Sim. E ensinou mais do que isso. Ensinou-me também a não arruinar um campo conquistado e sim torná-lo mais rico, senão todos nos chamarão, não de grandes conquistadores, e sim, de flagelos da humanidade. Por isso gostaria de contar com seu auxílio na ocupação dos solos que o príncipe Mazzile está conquistando com meu dinheiro.

— Nós o ajudaremos, Ciro Neri. É só neste campo que precisa de ajuda?

— Não. Os negócios estão aumentando dia a dia e tenho tantos campos precisando do seu auxílio que, se acharem no meio de todos eles algum especial que lhes interesse, ficarei imensamente agradecido.

— Vou pensar e, caso decida ajudá-lo, saberá, mesmo que eu não me lembre de dizer que o estaremos ajudando.

— Obrigada, senhor D'Ambrósio. Como já terminamos o almoço, peço licença para ir até a sala dar uma olhada nos livros que me presenteou.

— Vou ajudar mamãe na cozinha. Com a licença de todos — falou Carla.

Fomos para a sala. E o senhor D'Ambrósio me disse mais uma coisa que eu soube ligar à conversa anterior.

— Diga-me, Ciro Neri! O seu mestre de táticas e estratégias também lhe falou que sempre há um preço a ser pago ao conquistarmos um campo?

— Não. Mas alguém já me falou que eu teria de pagar um preço se quisesse alterar minha vida. Eu estaria ajudando a ele indiretamente, mas eu, e apenas eu, teria de pagar o preço. A não aceitação desta condição implicaria continuar como antes e não ser o que sou hoje. Não sei se sou melhor ou pior que antes, mas pelo menos sou útil a muitos. Portanto, muitas vezes quem terá de pagar o preço será o campo, pois será ele que se modificará completamente. Indiretamente, eu também serei beneficiado, pois o enriquecimento varia de campo para campo. Os solos são diferentes, mas é sempre do campo os benefícios geradores de riquezas, sejam elas flores ou alimentos.

— Diga-me, e se no meio do campo florido nascer uma fruteira da semente que, distraidamente, o dono do campo deixou cair? Irá arrancá-la antes que dê frutos?

— Só um tolo faria isso. Um campo florido já é bonito. Imagine se ele ainda viesse a produzir frutos.

— E se o dono do campo não souber colher os frutos, iriam amadurecer no pé até que apodrecessem e caíssem por terra?

— Não creio. Certamente, os que habitam vizinhos deste campo, não vendo o seu dono poder colher os frutos, não iriam deixar tão belos frutos se perderem, já que o cheiro do fruto apodrecido e caído ao solo tira o agradável odor que o campo florido produz, inebriando os sentidos dos que o admiram.

— Muito interessante a sua maneira de ver a questão. Quem lhe disse que melhorias também têm um custo?

— O dono desta capa.

— Onde o encontrou?

— Eu chorava diante dos túmulos dos meus pais e era tarde da noite quando ele se aproximou de mim e me falou sobre muitas outras coisas, inclusive o preço a ser pago ao assumir um compromisso. Naquela noite, eu o achei muito alto.

— Já pagou?

— Não acredito, ainda estou sendo semeado. Sou um campo que alguém está preparando. Espero que eu possa pagar o preço, já que não sei o que brotará e o que morrerá e nem se serão frutos ou uma grande desilusão.

— Por que não pergunta ao dono desta capa?

— Como eu concordei com o preço a ser pago, acho que não devo saber antecipadamente qual seja. Se souber com antecedência, talvez não queira pagá-lo, e poderia estar perdendo uma boa chance de enriquecer, e não estou falando da parte material, senhor D'Ambrósio. Além do mais, ele só me permitiu procurá-lo no caso de ser muito importante e até agora nada parece ser mais do que consequência do trato selado.

— Não teme o momento em que terá de prestar contas?

— Contanto que eu pague sozinho com a morte. Mas como eu sei que as primeiras sementes que brotaram têm dado vida aos que vivem ao redor do campo do meu semeador, então o preço de tantas vidas só poderá ser mais vidas a serem alimentadas pelo campo escolhido para mim. Eu confio que, na hora de cobrar, ele me dará as melhores condições, já que me tendo como campo semeado para dar a vida, certamente ele não me deixará num campo estéril.

— Portanto, que cada um arrisque a pagar um preço se quiser ser transformado, Ciro Neri.

— Sim, senhor.

— E assim como confia que o seu semeador lhe dará as melhores condições para pagá-lo, tem feito o mesmo nos campos que tem semeado, não?

— O senhor é testemunha de minha generosidade, Quando me tornei seu sócio e introduzi um novo tipo de comércio, eu dei condições e financiei os que se arriscaram. Alguns falharam, e mesmo assim eu não só lhes perdoei as dívidas, como encaminhei para novas atividades nas quais se saíram melhor.

— O seu poder de gerar riquezas é muito grande, por isso pode fazer tal coisa.

— Está enganado, senhor D'Ambrósio. Sei de homens que têm um poder muito maior do que o meu, e no entanto só transpiram o odor da miséria à sua volta. Eu penso diferente. Não preciso de dinheiro para viver, mas se ele insiste em vir para mim, então eu o distribuo de forma que ninguém o aceite como uma esmola e sim uma dádiva que irá modificar sua vida para melhor. E como toda dádiva, o seu doador sempre recebe em dobro o que der a alguém. É assim com as dádivas divinas e tem sido assim comigo.

Não temo confiar nas pessoas. Quando olho para alguém, sei se posso confiar ou não. Isso é o que me tem feito continuar, apesar de sentir às vezes vontade de largar tudo e morrer. A cada dia que passa, tomo consciência do tamanho do preço a ser pago. Sei que ficarei muito vazio. Temos esse dia. Sim, senhor, como eu o temo! E ainda sou obrigado a ajudar algumas pessoas a terem seus campos semeados. Elas pagarão parte do meu preço, mas eu pagarei por inteiro o preço delas, pois mesmo implorando a elas que me deixem sozinho com minha solidão, não me ouvem; choram e se lamentam quando lhes peço para me deixarem sozinho e solitário no meu campo. Até agora todos têm tirado de mim o que precisam ou lhes falta, mas até quando eu terei algo a oferecer? É por isso que, mesmo solitário, eu não deixo minha mente descansar. Se eu o fizer, caio no abismo que há à minha volta e na minha alma.

— É estranho ouvi-lo falar, Ciro Neri. Não parece um rapaz de 16 anos.

— Tenho esta idade no corpo, mas na mente sou muito, mas muito velho mesmo.

— Quem é você, Ciro Neri?

— Alguém que aceitou trocar uma vida miserável por acreditar nas palavras do homem que vestia esta capa negra, mesmo sabendo que haveria um preço a ser pago.

Nisso Carla entrou na sala e foi dizendo:

— Ouvi falar em capa negra e me lembrei que costurei para você a mais bela capa negra, Ciro Neri. Chega de andar por aí vestido com esta capa velha e antiquada. Vamos até a estamparia buscá-la?

— Fez outra capa negra para mim?

— Sim e ficará mais elegante com ela.

Nisso alguém bateu na porta. Carla foi atender.

— É por você que procuram, Ciro Neri!

Eu fui saber o que queriam e logo voltei.

— Vou ter de ir para casa, pois chegaram alguns enviados do príncipe Mazzile. Mando o cocheiro apanhá-lo ao anoitecer, senhor Lídio.

— Não se preocupe comigo. Aceitei o convite do senhor D'Ambrósio há pouco e vou passar a noite aqui. Envie meus pertences para cá, partirei ao amanhecer.

— Mas assim estarei sendo um péssimo anfitrião.

— Vá cuidar dos seus negócios, nós já tratamos dos nossos.

— Está certo. Até novo encontro, senhor Lídio. Dê lembranças minhas ao senhor Zago e aos meus parentes, se os vir.

Eu saí e deixei alguém triste para trás. Ao ver o olhar triste da filha, senhor D'Ambrósio falou:

— Por que não apanha a capa e vai levá-la para ele?

— Vai estar ocupado como sempre. Não vou incomodá-lo com um simples presente. Afinal, já fiz três capas e estão todas lá na loja.

— Está difícil conquistar seu campo, não? Vou mandar trazer o coche e vamos até a casa dele. Mas antes passaremos na loja e as apanharemos, certo?

— Sim, senhor. Assim ele não conseguirá fugir desta vez.

Bem, eu cheguei à mansão e havia um destacamento comandado por um dos cavaleiros que eu enviara junto com Mazzile. Estava parado diante da varanda. Saudei-o e quis saber o que faziam ali. Traziam várias mensagens e o saque conseguido no castelo de Juliano. Mazzile queria que eu o guardasse até sua volta.

— Conte-me como foi enquanto os soldados o descarregam, cavaleiro!

Ele me contou sobre a campanha. Escrevi uma carta ao príncipe e a selei. Depois dei várias instruções a ele de como deveria proceder assim que voltasse ao castelo, agora chamado Mazzile Neri. Iria permanecer nele como meu representante e agente executor das reformas nas aldeias que existiam nas terras conquistadas.

— Onde irão descansar antes de partir, cavaleiro?

— Vamos para o castelo Mazzile. Levo uma mensagem para a filha dele e aproveitaremos para ficar lá, já que o frio está muito forte. Chega de dormir em barracas frias, meu senhor.

— Boa viagem de volta e mande-me notícias de mês em mês, leal cavaleiro.

— Assim será feito, meu senhor. Até a vista.

— Até a vista, meu amigo.

Sentei-me na varanda e comecei a ler as mensagens. Havia duas de tio Benini, outra do cavaleiro que ficara e uma bem longa do príncipe Mazzile. Mal havia começado a ler quando encostou o coche do senhor D'Ambrósio. Fui recebê-los.

— Onde vão os soldados com tanta pressa, Ciro Neri?

— Vão até o castelo Mazzile. Voltam amanhã para o sul. O meu cavaleiro irá assumir minha parte no feudo conquistado.

— Então Ciro Neri já tem o seu castelo! — exclamou Carla.

— É agora o castelo Mazzile Neri. Vamos entrar, talvez gostem de ver o que Mazzile conseguiu com a sua campanha.

Nós fomos à biblioteca e mostrei-lhes o que foi conseguido.

— Quanto lhe custou esta campanha, Ciro Neri?

— Cinquenta mil peças de ouro, mais carroças, alimentos, armas e agasalhos.

— Com que entrou Mazzile?

— Com outro tanto em alimentos, um pouco de armas, cavalos e seus soldados.

— Quanto acha que há neste saque?

— Não tenho a menor ideia. Vou ter de avaliá-lo muito bem, mas as peças de ouro já calculei. Pelo tamanho dos baús, deve haver umas duzentas mil peças de ouro. Mais joias, barras de ouro e pedras preciosas. Acho que o total chegará ao dobro disto. Mas ainda falta computar o valor do castelo e terras conquistadas.

— Um grande investimento, Ciro Neri. Garanto que grande parte desta fortuna pertencia aos barões de Bolonha que pagaram a Juliano para fustigar o seu tio.

— Certamente, senhor Lídio. Certamente! Como são tolos os homens. Matam e morrem por isso aí. Mazzile perdeu a metade do seu exército de mercenários e devastou as forças de Juliano, assassinou-o e a todos os seus. Quanto realmente vale a vida humana que tanto prezamos, senhores? Isso paga tantas vidas? Meu Deus, isso é uma loucura e temos de viver no centro dela. Não lhes ofereço uma bebida, pois não quero brindar a isto.

— Ciro, vou apanhar minhas coisas. O senhor D'Ambrósio as levará para mim.

— Está certo, senhor Lídio, eu o ajudo. Se chegar a Bolonha e ainda estiver sitiada, procure o Karl. Ele é um dos meus cavaleiros e comanda o resto da loucura. Se tiver gente à procura de um lugar tranquilo para viver, mande procurar Aldo. É o cavaleiro que comanda o destacamento que viram há pouco e vai me representar no castelo Mazzile Neri. Lá haverá paz por um longo tempo, pois vou ocupar tudo à sua volta.

— Karl em Bolonha e Aldo em Mazzile Neri. Não me esquecerei. Avisarei os outros templários no caminho de volta.

—Tudo em silêncio, senhor Lídio. Ciro Neri não existe ainda, ele é apenas uma criança sob a proteção do bispo Benini.

— O discípulo saiu-se melhor que seu mestre!

— Não me orgulho disso, senhor Lídio. O que estou sentindo já é parte do preço a ser pago.

Eu estava triste e com os olhos brilhantes, o que prenunciava uma crise de choro. Não falei mais nada, minha voz estava embargada pela dor que estava sentindo por saber que milhares haviam morrido.

— De que me adianta jurar proteger o órfão e a viúva, se com esta campanha milhares assumiram esta condição em poucos dias? Maldita capa negra, que veio dos infernos só para me perturbar! Por que dei ouvidos ao seu pranto de arrependimento? Podia ter continuado caminhando para lugar nenhum e sumido no mundo. Mas não! Tive de ouvir seus gritos diante dos demônios e defendê-lo, só porque gritou o nome de minha mãe na hora do seu desespero. Agora quem chora de remorso e dor sou eu, que a apanhei. Meu Deus! Quanto não me custará ter aceitado tal encargo. Como eu me arrependo de ter nascido. Quando estive perto de morrer no parto, o senhor não aceitou minha morte, para agora me torturar com a morte que o maldito dinheiro financia.

— Se não fosse você, seria outro, Ciro Neri!

— O meu problema é que fui eu e não outro que o fez, senhor D'Ambrósio!

Eu me dobrei sobre a mesa e chorei como só nos momentos de grande dor eu fazia. Não ouvi mais vozes, pois o pranto que saía do meu peito era muito forte. Quanto tempo fiquei ali não sei ao certo, mas quando parei de chorar e levantei a cabeça só vi Carla ao meu lado. Ela tinha um caneco com um chá qualquer em sua mão.

— Tome isso, Ciro. Não corta a dor, mas ajuda a acalmar um pouco.

Enxuguei o rosto num lenço e o bebi.

— Onde estão seu pai e o senhor Lídio?

— Já se foram.

— Vou levá-la daqui a pouco. Logo vai escurecer e quero estar de volta antes que o sol se ponha.

— Fico aqui com você esta noite.

— Seu pai não irá gostar disso, Carla. Conheço os princípios dele!

— Foi ele quem mandou que eu ficasse.

— Não há ninguém na mansão além dos cavaleiros lá fora a guardá-la e o caseiro nos fundos. O senhor Albert foi com a família passar uns dias na casa de um amigo.

— Eu sei disso.

— Não lhe disse que o outro Ciro Neri não era interessante?

— Só porque chora se sente dor? Eu também sou assim, lembra?

— Eu havia lhe dito coisas tão interessantes na biblioteca do seu pai e agora que estamos a sós nesta casa, não sei por onde começar. O Ciro desta manhã desmoronou e vai levar alguns dias até se levantar novamente.

— Posso ajudá-lo a fazer isto?

— Se você se envolver comigo, irá pagar parte do meu preço, Carla.

— Basta que me ajude a aliviar o que já venho pagando há muito tempo e assumo minha parcela junto com você.
— Poderá custar-lhe muitas lágrimas.
— Eu tenho bastante para derramar. Quando chegar a hora, eu as derramarei para você. Venha deitar-se um pouco.
— Vou trancar a porta de entrada.
— Já fiz isso e arrumei seu quarto.
— Onde irá se deitar? Já escolheu o quarto?
— Sim. Achei sua cama larga o bastante para nós dois. Hoje estamos iguais, Ciro. Não há máscaras a ocultar-nos.
— Eu gosto de você assim.
— Também gosto do Ciro tão sensível e mortal como eu.
— Venha, vamos subir pois lá é melhor de se conversar do que nesta biblioteca gelada.

Pouco a pouco, fui reassumindo o controle sobre o meu emocional. Tudo o que eu imaginara sobre Carla, muito melhor a mim se mostrou. Quanta sensibilidade acumulada numa única mulher! Carla tinha uns 30 anos de idade e nenhuma experiência. Eu me esqueci de tudo e só ela tomou meus pensamentos.

A noite foi longa, acordamos com o sol já alto.
— Seu pai vai desconfiar de alguma coisa, Carla.
— Que desconfie. Desde os 10 anos eu só tenho feito ajudá-lo naquela loja. São vinte anos de minha vida dedicados a ele. Sorri suas alegrias, chorei suas tristezas como ninguém mais o fez. Eu amo meu pai, mas tenho direito a algo mais nesta vida do que ficar naquela estamparia todos os dias de minha vida. Agora vou desfrutar um pouco, sem me preocupar se o agrado ou não. Já não sou uma menina e vou assumir minha condição de mulher.
— Eu a ajudo no que me for possível. Quase todos os dias passo diante da loja. E quase sempre à mesma hora. Use o seu lenço azul se ele estiver, mas coloque o verde se não. Assim saberei se devo parar ou seguir.
— E no caso de eu só estar com o azul todos os dias?
— Venha passear até aqui todos os domingos, que não usará lenço algum o dia todo.
— Você é muito ágil em organizar as coisas, não?
— Tem de ser assim ou não terá toda esta feminilidade admirada por alguém que ama as mulheres sensíveis. Vamos nos levantar?
— Não. Vamos ficar um pouco mais.
— Você é quem sabe. Não me culpe se seu pai ficar furioso conosco!
— Deixe-o comigo.

Bem, nós só voltamos à loja ao cair da tarde. Fiquei ao seu lado quando ela foi até a sala. Saudou seu pai sorridente e com um beijo no rosto. Ele a abraçou e acariciou seus cabelos delicadamente. Enquanto fazia isso, olhava-me nos olhos fixamente e perguntou:
— Encontrou mais alguém para chorar a sua dor, Ciro Neri?

— Não encontrei, senhor D'Ambrósio! Minha dor foi encontrada por alguém que também tinha a sua e não sabia como chorá-la.

— Eu chorava a dor de minha filha, Ciro Neri!

— Então não o faça mais, eu assumo este compromisso. Sorria um pouco agora, pois já não precisa chorar três filhos, mas apenas os dois que morreram. Pelo menos a parte que pertence a ela, desfrute do perfume inebriante do jardim florido que agrada aos olhos de quem o vê. Certas coisas não acontecem como gostaríamos de ver acontecer, mas são muito mais agradáveis de serem vistas do que imaginávamos.

— Vou tentar entender um pouco as coisas do seu ponto de vista e talvez eu consiga entendê-lo. Até agora, quanto mais o conheço, menos sei como é realmente. Não sei se é um anjo que veio nos socorrer ou um demônio que veio mostrar nossas fraquezas humanas.

— Sou igual ao senhor. Sou apenas um ser cheio de dúvidas e nada mais.

Eu me despedi deles e fui dar um pouco de atenção aos meus negócios, pois já fazia alguns dias que eu os abandonara à deriva.

Após minha saída, eles continuaram abraçados por um longo tempo. Não trocaram palavras, que eram desnecessárias. Nada foi falado para que mentiras não fossem ditas, mas os dias se passaram e em todos eles eu vi Carla com o lenço verde quando passava diante da loja. Nunca deixei de parar. Em todos os dias eu recebia um sorriso na chegada e outro na partida.

Carla deixou de ser a mulher mordaz e irônica e sofreu uma grande transformação interior. Os olhos perderam o ar triste e as faces do seu belo rosto tornaram-se rosadas.

Adquiriu a alegria da vida e transmitia essa alegria a quem estivesse por perto. Nunca mais o senhor D'Ambrósio falou sobre o assunto. Mas eu percebi uma mudança no seu semblante durante as reuniões semanais na sede dos templários de Milão. Sorria com mais facilidade e tornou-se mais permeável às minhas palavras de amor à vida.

# Capítulo XIX

# Alegria e Solidão

Janeiro já havia passado e fevereiro avançava rapidamente. Karl voltou com todo o seu exército louro e passou com ele ao largo de Milão. Acampou nos arredores da cidade, num campo de minha propriedade. Ali todos os soldados foram alimentados e bem vestidos. Ainda receberam uma quantidade de peças de ouro cada um. O preço cobrado dos barões era alto demais.

— Por que cobrou tanto assim, Karl?

— Bem, meu senhor, eu os recebi para discutirmos as condições para que o cerco fosse levantado. Como alegavam não ter mais dinheiro, eu mandei que um deles fosse degolado na frente dos outros e disse-lhes: "São seus pescoços que estão em jogo, senhores. Se o que me trouxerem não me agradar, invado a cidade e tomo tudo o que nela existir. Agora voltem às suas mansões e paguem o que vale suas vidas". No outro dia, voltaram com tudo isso que está vendo à sua frente.

— Vejo que você tem uma diplomacia muito envolvente, Karl. Não imaginava que os canalhas tivessem tanto dinheiro.

— Nem eu, senão teria pedido mais! Mas restituíram todas as terras do seu tio e o indenizaram também. Não irão hostilizá-lo mais e até o convidaram para participar do conselho da cidade.

— Por que tanta generosidade da parte deles?

— Primeiro porque eu disse que voltaria com um exército muito maior caso voltassem as hostilidades. Segundo, porque receberam a triste notícia de que o castelo Juliano havia mudado de nome e chamava-se Mazzile Neri. Acho que pensaram que o Neri aí era seu tio Pietro. Como quem lhes fornecia soldados foi decapitado, e comigo às portas da cidade, acharam melhor colocar um Neri dentro dela para sobreviverem. Espero que tenha ficado satisfeito com o resultado da expedição punitiva.

— Muito, Karl. Vou tirar a quantidade empregada e o resto dividiremos meio a meio.

— É muito dinheiro, meu senhor!

— Você tem nas mãos alguns milhares de homens. Provou que sabe controlá-los. Então, ajude tanto ao príncipe alemão que os forneceu como a si próprio. Há uma região muito fértil mais ao norte daqui. Em três dias de marcha forçada, você a alcança. Temos homens nossos por lá há algum tempo tentando explorá-la, mas não são suficientes. Conduza-os até lá e estabeleça-se, formando o seu próprio feudo. Logo o chamarão de barão Karl.

— Como vou conseguir tal título?

— Tio Benini o outorgará a você assim que se estabelecer nas terras. Você tem um potencial muito grande e não deve deixá-lo oculto sob a capa de um cavaleiro. Coloque tudo o que há em sua mente neste seu feudo e logo será chamado a integrar a liga germânica do Sacro Império.

— Posso conservar o estandarte que idealizei para seu exército, meu senhor?

— Eu gostei dele, Karl, mas penso em outro para mim.

— Posso sugerir um?

— Como seria ele?

Karl apanhou o dele e o trouxe até mim.

— Só acrescente uma espada embaixo das garras do falcão.

— Qual o simbolismo que ele assume?

— Simboliza minha espada depositada aos seus pés. Confiou a mim uma fortuna e uma missão importante. Foi um gesto corajoso, digno de um templário. Assim posso retribuir a confiança em mim depositada pelo meu senhor, e todos saberão que aos pés do príncipe Neri está depositada a espada do barão Karl.

— Não sou príncipe, meu amigo!

— Tampouco eu sou barão, mas isso é o que menos me preocupa. Se me outorga o título de barão com tanta facilidade, o mínimo que posso fazer em retribuição é titulá-lo príncipe. E este título não precisa do auxílio do seu tio para conseguir, é seu por direito e astúcia.

— Está certo. Mas que só nós dois saibamos disso por enquanto.

— Vou partir agora, meu senhor. Logo receberá notícias minhas.

— E você de mim, meu amigo.

Bem, abraçamo-nos fortemente. Seu exército levantou acampamento ao amanhecer. Eu o abasteci para uma boa temporada e já tinha o primeiro feudo totalmente leal a mim. Tive muito trabalho para guardar a fortuna deixada por ele após a divisão do resgate pago por Bolonha. A antecâmara do tesouro de tio Benini ia sendo tomada pouco a pouco com o retorno dos investimentos feitos.

Dois dias depois, foi a vez de Mazzile retornar de sua expedição vitoriosa ao sul. Trouxe mais uma quantia razoável que conseguira saquear. Ficou bravo quando viu tudo amontoado na biblioteca.

— Eu o envio a você pensando que estaria mais seguro e olhe só onde você deixa!

— Mas estava bem guardado aqui. Ninguém iria imaginar que eu o colocaria nesta biblioteca.

— Não tem um lugar mais seguro?

— Só se levasse ao meu quarto, mas não quis chamar ninguém para ajudar-me porque isso iria despertar a curiosidade. Separe a sua parte, tio Mazzile.

— Já tirou suas cinquenta mil peças da sorte?

— Já.
— Quer que eu guarde no castelo a sua parte? Lá estará bem segura.
— Estava segura no de Juliano?
— Então onde é mais seguro guardá-la?
— Espalhando-a à sua volta. Invista sua fortuna e aí sim a terá bem segura, já que ela só se multiplicará.
— Vou me aconselhar com você, Ciro Neri. Talvez eu não precise mais pedir-lhe auxílio numa próxima expedição. Aceita o cargo não remunerado de meu conselheiro?
— Com livre acesso ao castelo?
— Mais uma chave extra dos aposentos de uma viúva solitária.
— Seria esta aqui?

Ele deu uma de suas gargalhadas e pôs-se a separar sua parte no saque conseguido em sua expedição. Perguntou-me se não iria conferir a minha parte. Após dizer-lhe que confiava em sua boa avaliação, apanhou um colar de pedras preciosas muito bonito e o entregou em minhas mãos.

— Para que isso, tio?
— Vale uma fortuna. Como não podemos parti-lo ao meio senão perderá parte do valor, quero que o guarde como um presente meu.
— Obrigado pela generosidade tio Mazzile.
— Acompanha-me até o castelo?
— É uma boa ideia, já faz alguns dias que não vou lá para visitar Rosa.

Carregamos os baús até uma carruagem e ele me perguntou:

— Vai partir e deixar tudo aquilo na biblioteca?
— Eu passei a chave na porta.
— Você é um louco, Ciro Neri.
— Quem não é, tio Mazzile?

Bem, nós fomos para seu castelo e resolvi passar a noite lá. No jantar, ele perguntou à filha como havia passado o inverno rigoroso.

— Nunca passei um inferno tão bem aquecida como este papai.
— Não lhe disse que não era tão ruim assim ter nascido mulher?
— Por falar em nascer, tem alguém começando a crescer no meu ventre.

Parece incrível, mas ele a mandou levantar-se e passou a mão na barriga dela comentando a seguir:

— Até que enfim vou poder ficar tranquilo quanto à minha descendência. Isso merece um brinde. Se for um menino, dou-lhe como presente minha parte no castelo Mazzile Neri.
— Eu dou a minha, tio. Mas não vou me casar com Rosa e isso já foi decidido por nós dois.
— Nem quero isso, Ciro Neri. Os bastardos e os rejeitados de Giovanini Neri têm mais sorte do que os outros descendentes dele. Imagina só como não terá tão grande sorte o neto de um filho bastardo e de um neto rejeitado do velho

maldito! Será o maior de todos. Ele tem uma sorte imensa mesmo antes de nascer, pois já ganhou um castelo de presente. Com certeza irá se orgulhar de ser um bastardo também, e ainda rirá dos seus filhos legítimos, assim como eu faço com os legítimos de Giovanini Neri.

— O senhor tem um humor negro e sarcástico, tio!

— É assim que me vingo do velho. Faça como eu e não terá motivos para se lamentar. Muito pelo contrário, irá se orgulhar por ter ficado de fora do ninho de cobras boa parte de sua vida; assim conseguiu ser como é. Eu me orgulho de ter um sobrinho como você e vou me orgulhar do seu filho. Aqui ele será tratado como merece ser tratado: como um príncipe e não como um miserável bastardo ou um rejeitado!

Bem, eu tirei o lindo colar do bolso da capa negra e mandei Rosa fechar os olhos. Após colocá-lo no seu pescoço, ela os abriu. Deu um grito de alegria e um abraço.

— Onde conseguiu tão belo presente, Ciro?

— É um segredo que só eu e seu pai conhecemos. Pergunte a ele.

— Onde Ciro o conseguiu, papai?

— Contente-se com o presente e não com a origem. Pensei que Ciro iria dá-lo à prima Mariana!

Eu sorri com suas palavras. Se eu fizesse isso com o lindo e valioso colar, ele não me perdoaria nunca pela ofensa. Nós nos entendíamos sem precisarmos nos falar. Afinal, quem ficaria feliz ao saber que o sobrinho rejeitado possuíra sua filha única, dormira no seu leito e a engravidara e ainda era tratado com honras, senão meu tio bastardo?

Nos anos que se seguiram, não foram poucas as noites que passei no seu castelo. Fui tratado como se fosse um genro verdadeiro. Rosa ainda lhe deu mais dois netos que também vieram a ganhar ricos presentes por terem nascido bastardos. Todos foram criados com a alegria sarcástica dele e orgulhavam-se de ser bastardos. Suas palavras foram proféticas e o primeiro tornou-se um poderoso príncipe; o segundo, um poderoso comerciante; e o terceiro repetiu a história de tio Benini e só não se tornou papa porque não quis.

Assim que ele falou de Mariana e o colar, eu lhe perguntei:

— Não vai fazer as corridas este ano, tio Mazzile?

— Como não? Apenas as adiei temporariamente. Dentro de quinze dias serão realizadas. Enviei hoje mesmo emissários avisando sobre a data aos principados amigos. Na semana que vem, todos estarão chegando a Milão! Vai ganhá-la novamente, sobrinho?

— Vou tentar, tio! Vou tentar.

Bem, passei a noite ali e voltei logo cedo à mansão de tio Benini. Assim que cheguei, convidei o senhor Albert para treinarmos Corisco, pois logo haveria a disputa anual de Milão.

— Vamos ganhá-la novamente!

— Certamente, senhor Albert. A sorte caminha ao nosso lado.

Treinamos Corisco e o deixamos mais preparado do que nunca para a vitória. Eu dividia o tempo entre os negócios, os estudos, Carla e Rosa. Pouco escrevia, e recebi reclamações dos copistas.

— Onde está o livro que nos prometeu para o começo do ano?
— Logo chegará às suas mãos, meus amigos. Está quase terminado.

Estava, um dia, finalizando mais um livro, quando alguém entrou no meu quarto.

— Posso entrar sem me fazer anunciar? — falou ela tapando meus olhos com as mãos.

Dei um grito de alegria ao ouvir a voz.

— Mariana! Até que enfim vem me ver. Solte-me para que possa vê-la!

Ela me soltou e virei-me para ela.

— Como está linda, minha amada!
— Você também está muito bem. Como tem resistido às donzelas de Milão?
— Fico trancado no meu quarto desde cedo até a noite. Só saio quando elas já se recolheram. Assim não sou tentado.
— Vai ficar aí me olhando sem me dar nada em troca após tão longa viagem?
— Como não? Mas primeiro vou trancar esta porta.

Bem, trocamos beijos e abraços, até que alguém bateu à porta. Era tio Benini. Ele também tinha vindo.

— Chega e nem me avisa de nada! Isso não é muito diplomático.
— Foi uma surpresa, Ciro! Vamos descer?

Foram dias de alegria para mim e Mariana. Conquistei a tríplice cruz e a presenteei com ela. Como estava sentada na tribuna entre tio Benini e tio Mazzile, vi o olhar de ciúmes de Rosa. Penso que preferia ter ganho a tríplice cruz ao lindo colar de pedras preciosas, pois não o usou na recepção que ofereceu a Mariana no castelo Mazzile.

Por mais que eu insistisse, Mariana não permitiu a quebra da última cláusula do compromisso selado. Nos dias em que esteve em Milão, cavalgamos pelos campos ou ficamos sentados, observando o horizonte. Tio Benini ia levá-la para Roma. Só voltaria no final do ano. Em dado momento, quando paramos à beira de um lago, ela me falou:

— Obrigada por ter nos enviado auxílio quando mais precisávamos, Ciro.
— Não o fiz antes por não saber da situação em que se encontravam.
— Papai também enviou agradecimentos.
— Eu não iria permitir que algo acontecesse à minha amada.
— Como posso agradecer tanta dedicação e proteção?
— Você sabe como, só não o faz porque não quer.
— Querer eu quero! Só não ouso fazê-lo, pois se o fizer não o deixo nunca mais.
— Então fique aqui para sempre.
— Prometi ao tio Benini que não interferiria na sua vida antes que ele consentisse e vou cumprir minha palavra.

— Até agora os compromissos e promessas só têm nos separado. Não prometa mais nada a ninguém, Mariana.

— Prometo não fazer mais promessas.

Mariana, após uma recepção dada por tio Benini em sua mansão, partiu com ele para Roma. Fiquei triste. Meu encanto partia com ela. Voltei à rotina esperando que o ano passasse logo.

Os inimigos próximos logo voltaram à carga e sucumbi aos seus ataques. Quem acabou conquistando, neste ano, o seu pedaço no meu campo foi Helena. Resisti às suas investidas até o dia em que ela, estando sozinha em sua casa, veio até a biblioteca e convenceu-me a lhe dar um pouco de amor, dizendo:

— Ela é muito linda, Ciro, mas não pode tocá-la.

— Então não é justo eu fazer isso com você, Helena.

— Por que me deixa sofrer tanto assim? Não percebe que não quero tomar o lugar dela e sim apenas conseguir um pouco de amor?

— Será só prazer o que poderei lhe oferecer.

— Se Rosa e Carla estão muitos felizes com o prazer, por que eu tenho de ser infeliz com meu amor.

— Não quero causar um dano irreparável a você. Elas já eram mulheres com certa idade e não pensavam mais em se casar. É diferente do seu caso e tenho consciência disso.

— Será que terei de esperar envelhecer? Quem sabe, aí você me queira também.

— Ao agir e pensar desta forma, você me torna culpado por sua tristeza e infelicidade.

— Se um dia eu não resistir a tanto desprezo e me matar, vou odiá-lo por toda a eternidade, Ciro Neri!

— Você não faria isso!

— Espere o tempo e verá se sou capaz ou não.

Bem, eu não esperei o tempo para ver e atendi ao seu apelo.

Chegou o fim de ano e novamente Mariana não veio. Só quando tio Benini voltou no meio do ano seguinte, pude vê-la. Ao levá-lo ao porão oculto, embaixo da biblioteca, ele se admirou com o que viu.

— Tem aí muito mais do que do outro lado da parede. Como conseguiu tudo isso em tão pouco tempo?

— Negócios, tio. Tenho representantes em todo o Sacro Império. E até na França e na Península Ibérica.

— Quanto mais eu o conheço, menos eu o reconheço. Você me surpreende a cada vez que o vejo.

— Quando vou poder me casar com Mariana, tio Benini?

— Para que a pressa, se ainda falta muito para se formar?

— Ora, tio Benini, eu já sou um homem e posso muito bem guiar minha vida com o que sei. Além do mais, já estou com quase dezoito anos.

— Ainda é muito moço para se casar, Ciro. Pelo que sei, mulheres não têm sido problema para você.

— Como pode dizer isto, tio? Eu amo Mariana, o senhor sabe disso.

— Pensa que não sei de nada, não é mesmo? Quer que eu cite os seus nomes ou dos filhos de uma delas?

Eu já não ficava vermelho de vergonha há muito tempo, mas meu rosto voltou a queimar com suas palavras duras.

Pedi licença e retirei-me para o meu quarto. Daquele dia em diante, evitei tocar no assunto com tio Benini. Evitei mesmo falar com ele. Logo ele partiu de volta a Roma e levou Mariana consigo. Eu fiquei mais uma vez triste. Lentamente fui me afastando de Rosa, Carla e Helena. Ao auxiliar um amigo em guerra com seus vizinhos, desviei o senhor Albert para longe de mim. Os interesses em jogo eram altos demais, e ele foi com a família para lá só para cuidar deles. Eu já era o homem mais rico de toda a Itália e vários e poderosos principados estavam com suas espadas depositadas aos meus pés. Os estudos não paravam nunca. A cada ano, tio Benini enviava-me novos mestres. Passou um ano e meio sem me visitar e manteve Mariana junto de si em Roma. A vida começou a ficar aborrecida e eu já não suportava mais os estudos. Também parei de enviar meus escritos aos copistas.

Pouco a pouco, a solidão da mansão Benini passou a fazer parte de minha vida. Surgiam notícias de que o papa estava organizando uma nova cruzada para libertar a Terra Santa do domínio islâmico.

Eu, que pouca atenção dava ao assunto, e isto depois de ter organizado a maioria dos núcleos sob domínio econômico dos templários, mantive-me à parte de toda a movimentação. O porão da biblioteca estava atulhado de baús de moedas de ouro e outras riquezas. Resolvi um dia limpá-lo um pouco.

Ao pegar a bolsa de tio Benini nas mãos, tive muita curiosidade de descobrir o que continha. Não tive coragem de abri-la, já que havia feito um juramento de só ver esses papéis após a morte dele. Então empilhei tudo o que havia ali e passei boa parte dos baús para o interior da câmara. Quando já não coube mais, eu a fechei e comecei a empilhar os livros na frente dela.

Um dos livros chamou minha atenção. Folheei-o e vi que estava escrito em grego. Comecei a ler e gostei dos escritos de um filósofo grego. Daquele dia em diante, passei a maior parte do tempo livre lendo os livros proibidos pelos tribunais eclesiásticos que tio Benini guardara tão bem.

Poucas vezes eu ia ao castelo Mazzile ou à loja do senhor D'Ambrósio. Ciro Neri saía pouco a pouco de cena e refugiava-se na mansão. Só quando o senhor Albert vinha com a família me visitar, a mansão animava-se um pouco mais. Mas logo que partia, tudo voltava à solidão. Eu já não participava das corridas do ano de 1146.

Ao senhor Albert eu ordenei que parasse de enviar os ganhos para Milão e os guardasse consigo. Se eu viesse a precisar deles, avisaria. Helena ainda veio duas vezes me visitar e ficou quase um mês cada uma das vezes.

Aos três filhos de Rosa eu outorguei grandes posses de terras e isolei-me por completo. Vários homens de total confiança foram tomando conta dos negócios e eu pouco fazia além de dedicar três dias por semana aos mestres enviados por tio Benini. No meu interior, começava a formar-se uma personalidade totalmente contemplativa, fruto dos mestres gregos e de minha solidão.

O final do ano se aproximava e nenhuma correspondência de tio Benini chegou. Tio Mazzile, notando minha apatia, convidoume a passar o Natal com ele. Agradeci, mas recusei o convite.

Carla, que vinha aos domingos me visitar, também tentou me levar para sua casa:

— Por que não vai passar o Natal conosco, Ciro?

— Quero ficar só este ano, Carla. Já estou cansado de passá-lo na casa dos outros e decidi ficar aqui este ano.

— Mas nem Mariana nem seu tio virão passá-lo com você!

— Quem sabe? Poderia me fazer um favor?

— Qual?

— Estou cansado de receber a visita dos representantes e procuradores. Gostaria de recebê-los por mim? Você conhece a todos e também aos negócios.

— Mas não saberei como aplicar os seus ganhos, Ciro!

— Vá guardando na sua casa. Quando finalmente tio Benini me libertar, volto à vida.

— Falta muito ainda?

— Não sei, Carla, mas já estou cansado de tudo isso. Começará a cuidar dos negócios para mim?

— Até onde me for possível, sim.

— Por que até onde lhe for possível?

— Estou grávida. Já não posso ocultar mais.

— Por que não me falou antes?

— Não quis incomodá-lo com um problema só meu.

— Só seu, não! É de minha responsabilidade também. Afinal eu sou o pai!

— Lembra-se do nosso trato? Eu cuido disso sozinha.

— Como vai fazer com seus pais?

— Já falei com eles e disseram que já que o dono não liga muito para o jardim, eles cuidarão do fruto para que não amadureça e caia no chão. Acho que torciam para que isso acontecesse. Mamãe chegou a chorar de alegria.

— Fico feliz com isso, Carla. Eu sempre temi que se um dia isso acontecesse, você fosse incompreendida.

— Vamos até minha casa? Eles sabem de tudo e o melhor é dar-lhes um pouco de alegria, não acha?

— Está bem. Antes vou apanhar uns documentos que ficarão com você.

— Por quê?

— Cuidará dos negócios de agora em diante. Chega de ficar vendendo tecidos. Isso a poupará dos olhos indiscretos dos curiosos.

— Onde vou guardar os seus ganhos?
— No futuro quarto de nosso filho. Assim, ele nascerá rico e não precisará pensar em como ganhar a vida.
— Você está muito melancólico, Ciro Neri. Eu nunca o vi assim antes. Esta mansão solitária está lhe fazendo muito mal. Nem os seus filhos têm vindo visitar você. Isso não se faz!
— São os filhos de Rosa Mazzile e não de Ciro Neri. Não tenho o menor direito sobre eles. Para os meninos, eu não existo ou pouco importo.

Apanhei uma bolsa cheia de documentos e mais alguns papéis e fui com Carla para sua casa. Ao chegarmos, eu não sabia o que dizer. O senhor D'Ambrósio cumprimentou-me feliz e chamou-me para ir até sua biblioteca. Após entrarmos, ele trancou a porta e serviu-me um caneco de vinho. Sentamo-nos e ele me perguntou:

— O que são estes papéis?
— São documentos em que passo para Carla os direitos sobre muitos dos meus negócios. A minha parte na sua estamparia e também os direitos sobre minha estamparia. Tem muito mais aqui nesta bolsa. Ela irá cuidar dos negócios para mim, mas, na verdade, será para os gêmeos que estará cuidando.
— Que gêmeos?
— Os que ela vai dar à luz dentro de seis meses.
— Como sabe que são gêmeos e que será daqui a seis meses?
— Quer que eu minta, senhor D'Ambrósio?
— Não. Sabe que não aprovo isto.
— Então, ajude-a. Serão os espíritos dos seus filhos mortos há dezesseis anos que renascerão como seus netos.
— Como sabe disso também?
— Não me pergunte como sei, não vou responder a isso também. Apenas acolha-os bem, pois já foram seus um dia e agora voltam ao seu lar sob o amparo maternal de Carla.
— Você está muito estranho, Ciro Neri. O que há com você?
— Estou começando a pagar o preço, senhor D'Ambrósio! O meu cobrador já está somando as faturas. Logo ele baterá à minha porta; portanto, esqueça um pouco sua estamparia e cuide do que há nesta pasta, pois é algo muito maior do que ela.
— Por que você não continua a cuidar deles?
— Quero estar livre para quando a cobrança chegar.
— Pode estar enganado, Ciro Neri. Ninguém conhece seu futuro!
— Eu não sei o meu futuro, mas pressinto-o negro demais e não vou deixar alguém tão maravilhosa como Carla desamparada. Muito menos os dois filhos que virão. Mas não diga nada a ela e auxilie-a.
— Está bem, Ciro Neri, apesar de não o entender e de não ouvir de você uma explicação plausível para tal atitude.
— É hora de pagar o preço, senhor D'Ambrósio, mas como o meu semeador queria que eu semeasse a vida, Carla pagará parte dele. Os gêmeos a deixarão tão

encantada que, aí sim, o jardim exalará o perfume mais inebriante que já aspirou. Os frutos que colherá nele já foram seus frutos um dia. Agora, vou embora para casa.

— Fique conosco para o jantar.

— Não posso ficar mais, logo não conterei minha dor e ela está aumentado de intensidade a cada instante que passa. Volto durante a semana.

Despedi-me deles e montei rápido em Corisco, chicoteando-o com fúria e fazendo-o voar para fora da cidade. Não fui à mansão. Cavalguei como um louco sem rumo e só parei quando estava num lugar totalmente ermo. Deixei-o pastar na relva já meio ressequida e comecei a chorar. Tinha de limpar meu peito da dor que estava sentindo e que deixava meu coração negro como o breu. Fiquei ali até a noite. Depois montei novamente e voltei para casa, mas sem pressa. A estrela de Ciro Neri apagava-se um pouco mais a cada dia.

Passei uma noite horrível e só adormeci ao amanhecer. Quando acordei, já me sentia melhor. Comi alguma coisa e ordenei que preparassem meu cavalo. Eu iria a Bolonha sem a permissão de tio Benini. Ou eu via Mariana ou enlouqueceria. Apanhei uma bolsa repleta de moedas de ouro e, acompanhado de vários cavaleiros, parti, deixando um deles instruído de encaminhar os comerciantes e representantes para o senhor D'Ambrósio e sua filha Carla. Os que cuidavam dos meus negócios foram instruídos a tratar com Carla todos os negócios meus e de tio Benini. Eu deixei com ela uma procuração outorgando-lhe plenos direitos.

Alguns dias depois, cheguei a Bolonha e meu ânimo começou a reaparecer. Eu, ao ver o castelo Neri, sorri de alegria. Lá estava a minha amada e o motivo de minha alegria de viver.

Apressei o galope de Corisco e quando cheguei ao topo da colina, fi-lo empinar-se sob as patas traseiras e relinchar várias vezes. Então soltei as rédeas e ele lançou-se à frente, só parando diante do portal de acesso ao castelo.

Assim que me identificaram, baixaram a ponte e entramos no castelo Neri. Tio Pietro veio correndo abraçar-me. Foi uma alegria muito grande revê-lo depois de tantos anos.

— Ciro, Ciro Neri! Que prazer imenso em revê-lo.

— Também estou feliz, tio Pietro. Senti tanta saudade do senhor e de todos, que não resisti e me decidi a vir, mesmo não tendo ordens de tio Benini.

— Mande seus cavaleiros conduzirem os cavalos até a estrebaria. Que prazer em revê-lo!

— Onde está Mariana, tio Pietro?

— Em Roma com Benini. Ela está sendo de suma importância para ele, Ciro. É a secretária pessoal dele e do próprio papa. Aquilo lá anda mais perigoso do que um ninho de cobras e por não confiar em ninguém, Benini levou-a consigo alguns anos atrás e não a devolveu mais. Sabia que ela controla toda a correspondência do papa?

— Tio Benini não me contou nada quando esteve em Milão. Por que será que me ocultou isso?

— Medo de que alguém soubesse e tentasse controlar sua correspondência.

— Então perdi a viagem, tio Pietro.
— Como perdeu a viagem, se estou tão feliz em revê-lo? Você não está feliz por me rever depois de tantos anos?
— Não foi a isso que me referi, tio, e o senhor bem sabe.
— Eu sei, Ciro Neri. Não abandonou a velha e surrada capa negra, não é mesmo?
— Agora ela está bem ajustada no meu corpo e me cai muito bem. Fico até mais imponente com ela!
Tio Pietro sorriu alegremente das minhas palavras.
— Como você cresceu. Só pelo rosto, a capa e o cavalo negro sei que é o mesmo. Vamos brindar à sua saúde e boa sorte.
— À sua também, tio Pietro.
Bem, entramos e fizemos um brinde, e tio Pietro então me falou:
— Devo-lhe algo, Ciro Neri.
— A mim? O que me deve, tio Pietro?
— Minha vida e meu castelo. A chegada de sua ajuda em hora tão desfavorável salvou-me.
— Não o ajudei antes por não saber que estava em tão grandes apuros.
— Mas no final valeu a pena, tudo voltou com juros e pedidos de desculpas. Recuperei tudo o que havia perdido e ainda recebo tributos de Bolonha. Nunca mais me pegarão enfraquecido ou de surpresa.
— Faz muito bem, tio. As coisas andam um tanto indefinidas com a rebeldia dos barões e príncipes ao comando do papa.
— Isso é assim mesmo! Política e religião em Roma ou no restante do mundo é como areia movediça: pensa-se que se está por cima, mas logo se é tragado. Soube que você está muito bem, economicamente falando.
— Não tenho do que me queixar. Tive muita sorte nos negócios. Até parte do castelo de Juliano já me pertenceu.
— Já pertenceu?
— Sim. Há pouco tempo vendi minha parte ao príncipe Mazzile. Não tive paciência de continuar com ele.
— Fez um péssimo negócio, pois o castelo ainda é nossa melhor defesa.
— Tenho outros três que são meus, nos quais eu ganho muito. Com o príncipe Mazzile eu tinha de dividir e nem sempre levava vantagem.
— Onde ficam eles?
— Dois ao norte e um no reino dos francos.
— Tem realmente controle sobre eles?
— Absoluto. Os homens que os dirigem em meu nome são leais e enviam correspondência constantemente.
— Ótimo! Assim somos os castelões Neri.
— Estou ansioso para me casar com Mariana, tio Pietro. Quando isso será possível?

— Creio que no próximo ano. Você já está um homem formado e ela está passando do tempo de casar. Vou escrever ao Benini pedindo para que a libere de suas funções junto a ele e ao papa.

— Quando poderei saber de algo sólido?

— Assim que obtiver a resposta, aviso-o. Vou dar a maior festa que a região já teve.

— Eu ajudo com o que precisar!

— Nada disso, Ciro! Devo-lhe minha vida, e esta é a melhor maneira de agradecer-lhe. Um dia este castelo será seu também. Só espero ter muitos netos para ocupá-lo.

— Nem tenha dúvidas de que os terá, tio.

Eu fiquei dois dias no castelo Neri e depois parti. Passei por Bolonha e fiz o acerto anual com os senhores Zago e Lídio. Após receber os meus ganhos, parti, mas houve um pequeno incidente que me aborreceu bastante. Por uma infeliz coincidência, encontrei meu primo Mário e seu asqueroso amigo Gilberto Sarre. Assim que me viu, saudou-me alto:

— Salve, primo Ciro! Que surpresa vê-lo em Bolonha!

— Como vai, primo Mário?

— Lembra-se de Gilberto Sarre, primo Ciro?

— Sim.

Gilberto Sarre então falou irônico:

— Vejo que já usa espada na cintura, Ciro Neri!

— Sim, eu a uso.

— Lembra-se do desafio que lhe lancei alguns anos atrás?

— Sim. Não costumo esquecer certas coisas.

— Está na hora de me dar a honra de batê-lo com a espada, Ciro Neri.

— Não tenho tempo para essas bobagens, Gilberto Sarre. Não pauto minha vida pelos modos dos outros e sim pelos meus.

— Está com medo de sair de Bolonha carregado pelos pés?

— Eu não temo a morte, mas quero evitar a sua. Não estou com vontade de matar ninguém.

— Um covarde sempre tem uma desculpa pronta para fugir com dignidade diante do desafio!

— Retire o que disse, Gilberto, ou terei que me bater com você.

— Não retiro uma palavra sequer. Ou combate ou vai embora de Bolonha e não volte mais. Nesta cidade não há lugar para covardes.

Lentamente desci do cavalo e fui até ele, dei-lhe um tapa com toda força e gritei-lhe:

— Retire ou morrerá como um cão vadio e raivoso.

Um dos cavaleiros veio rápido até mim e falou:

— Meu senhor, deixe este verme comigo. Não quero que manche a sua espada com o sangue deste canalha. Degolo-o em dois golpes!

— Este aí é um cão maldito que tem de morrer para se convencer de que não passa de um cão faminto à procura de algo para se divertir. Acabou-se o tempo de vida para ele, vou degolá-lo com um golpe só!

— Não faça isso, meu senhor. Quando ficou nervoso deste jeito, eu quase perdi a vida. Olhe o meu braço e o seu! Não repita aquilo! Peço-lhe, pelo amor que tem a Deus.

— Deus irá me agradecer por limpar a terra de um canalha igual a este. Afaste-se, cavaleiro!

Eu puxei a longa espada cruzada e gritei com ódio e o sangue a injetar-me os olhos:

— Puxe sua espada, cão vadio feito homem! Vamos, ou o mato assim mesmo!

Ele puxou sua espada, e só teve tempo de se defender, pois o primeiro golpe ia parti-lo ao meio. Não teve tempo de atacar e mal podia defender-se. Num golpe com toda a minha força, sua espada partiu-se ao meio. Quando levantei a mão armada para degolá-lo, braços fortes me impediram de fazê-lo. O maldito cão vadio estava branco como gesso.

— Soltem-me que vou matá-lo como se fosse um cão. Soltem-me. Eu lhes ordeno.

Então, um dos cavaleiros gritou para ele:

— Ajoelhe-se verme e peça desculpas ao meu senhor.

Como ele ficou paralisado, o cavaleiro tornou a gritar:

— Ajoelhe-se e peça perdão para que poupe sua vida, senão eu mesmo o decapito só para não deixar o meu senhor sujar sua lâmina com o sangue de um maricão. Vamos covarde, ajoelhe-se!

Ele ajoelhou-se e começou a balbuciar.

— Perdoe-me por tê-lo ofendido, Ciro Neri !

— Peça que poupe sua vida de cão vadio, seu verme imundo!

— Por favor, poupe minha vida de cão imundo, Ciro Neri.

Então o cavaleiro falou comigo:

— Poupe-o, meu senhor! Ele não vale o trabalho que terá ao limpar a lâmina de sua espada. Lembre-se do que prometeu ao senhor Albert naquele dia fatídico.

— Está bem, cavaleiro. Pode soltar-me que não vou matá-lo.

Ele me soltou e então eu falei a Gilberto Sarre:

— Olhe à sua volta, covarde maldito. Olhe no rosto dos que você vive intimidando. Estão todos chamando-o de covarde por ter pedido perdão e implorado por sua vida. Se em Bolonha não há lugar para covardes, então saia correndo e não volte nunca mais a esta cidade. E quando me vir novamente, saia de minha frente e vire o rosto para o outro lado, senão eu o mato. Agora corra, covarde. Vamos, cão vadio, corra, senão me arrependo e o mato agora mesmo. Corra covarde! — gritei com ódio.

Ele saiu em desabalada carreira e nem olhou para trás. Então me virei para meu primo Mário e disse-lhe:

— Continua a trair tio Pietro, primo Mário?

— Como ousa lançar tal calúnia, primo Ciro?

— Não é calúnia. Juliano confessou, antes de ser degolado, que era você quem lhe fornecia informações sobre os planos de tio Pietro. Qualquer dia desses, eu conto a ele quem era o informante que quase o arruinou. Mas só vou fazer isso no dia em que você estiver no castelo, pois quero assistir à sua morte pelas mãos que têm matado a sua fome. Vá agora consolar o seu marido, cão maldito e traidor! Vamos, saia da minha frente já!

Ele saiu correndo e os cavaleiros caíram na risada, já que ele tomou um tremendo tombo logo adiante e caminhou um bom pedaço "de gatinho", só para se afastar dali o mais rápido possível.

Montei no meu cavalo e parti a galope. Algo me dizia que eu devia matar os dois, senão iria me arrepender. Se eu tivesse ouvido o que falaram ao se reencontrar, eu os mataria com prazer.

— Gilberto, temos de eliminar Ciro Neri. Minha vida e a sua correm perigo.

— Por que, Mário?

— Ele sabe que era eu quem fornecia as informações às tropas de Juliano. Se meu tio souber disso, não só me matará como a você também, pois nos ligará de imediato.

— Como ele soube disso?

— O maldito Juliano confessou antes de morrer.

— Nossa! Temos de arquitetar um bom plano.

— Vou pensar num que o tirará para sempre de nosso caminho.

— Eu vou saber com tio Pietro o que ele veio fazer aqui e depois começaremos a agir.

E eles começaram a tramar uma forma de me tirar do caminho deles.

# Capítulo XX

# Traição em Família

Cheguei a Milão e me recolhi à mansão Benini. O grande muro à volta já estava terminado. Era agora um lugar isolado da vista dos curiosos. Só saía para visitar Carla e Rosa.

Veio o mês de março de 1147 e recebi uma carta de tio Benini avisando-me que logo Mariana estaria em Bolonha, mas que ele não podia deixar o seu cargo ao lado do papa, que estava atuando junto ao imperador alemão para conseguir dar um empurrão definitivo na cruzada que preparava. Dizia também que eu estava livre dos mestres, pois já não precisava mais de estudos.

Aguardei o comunicado de tio Pietro. Logo que ele chegou, parti para Bolonha. Uma alegria imensa tomou conta de minha alma. Eu sorria como uma criança feliz. E parei em todas as igrejas no caminho a Bolonha dando óbolos e orando em agradecimento a Deus por ter terminado a cobrança do preço a ser pago.

Ao chegar ao castelo Neri, Mariana recebeu-me com beijos e abraços. A felicidade havia tomado conta de nós.

Cavalgávamos pelos campos como da primeira vez. No jantar, tio Pietro anunciou que o casamento seria para daí a um mês. No dia seguinte, nós o acompanhamos até a catedral de Bolonha e falamos com o velho bispo Mariano, marcando a data.

Com tudo já acertado, eu não resisti ao tão desejado momento de tê-la nos meus braços e a convenci a passar a noite em meu quarto. Eu deixaria a porta só encostada e assim que todos dormissem, ela viria até mim.

Ela veio e logo que entrou, tranquei a porta.

— Até que enfim, Mariana! Como alimentei este desejo nos meus sonhos. Mal posso acreditar que seja verdade. Mas agora não é mais um sonho e sim a mais deliciosa verdade.

— Não consigo nem falar de tão emocionada que estou. Conduza-me a partir de agora, Ciro! Sou toda sua!

— Como você é linda, Mariana, não há outra igual a você em todo o mundo.

— Nem outro igual a você existe. Como valeu esperar por esta noite, querido Ciro. Sou a mulher mais feliz do mundo!

Passamos toda a noite acordados, entre beijos, abraços e outras carícias. Algo faltava nos meus relacionamentos anteriores. Com Mariana, não só ela me amava, como eu também a amava. Era isso que eu tanto procurava e agora conseguia encontrar.

Só ao amanhecer recolheu-se ao seu quarto.

Dormi até umas oito horas e depois me levantei. Desci à sala de refeições e tomei meu desjejum. Só bem mais tarde ela desceu com um leve sorriso nos lábios. Mais tarde saímos para cavalgar e fomos a um local bem longe e oculto, dando continuidade ao nosso primeiro contato mais íntimo. Só voltamos ao entardecer.

À noite, repetimos tudo novamente. Fiquei uma semana, uma semana de intenso amor com Mariana. Aqueles dias valeram por tudo o que de ruim havia me acontecido. Quando parti, não a deixei com lágrimas nos olhos e sim com um sorriso nos lábios.

Eu ia a Milão dar a notícia aos amigos. Mas às minhas costas começou a mais cruel e covarde das traições a que alguém pode ser submetido.

— E então, mamãe?

— Ela passou todas as noites no quarto dele. Já não é mais a bela e pura Mariana, Mário. É hora de colocar os planos em ação.

— Vou com Gilberto até monsenhor Sarre. Seu plano é magnífico, mamãe.

— Logo Mariana se casará com você e o castelo será nosso.

— Demorou, mas finalmente vamos conseguir. Tio Pietro pagará pelo que fez ao papai.

Mais tarde, Gilberto conduzia Mário até seu tio.

— Titio, Mário tem de lhe falar algo muito importante e confidencial.

— Do que se trata, Mário?

— Esta carta foi enviada por tio Benini ao tio Pietro. Leia-a, por favor.

Ele abriu e começou a ler:

*"Caro irmão Pietro Neri. É com pesar que me chegou a notícia de que você vai quebrar o trato de não permitir que os irmãos Ciro e Mariana se casem. Por anos eu os tenho separado na esperança de que Ciro se casasse com a filha do príncipe Mazzile, com quem tem três filhos.*

*Por que você quebra o juramento de deixar cada um seguir o seu caminho?*

*Por Deus! Não permita tal pecado diante de Deus. Você a recolheu dos braços de Angelina, nossa querida irmã rejeitada por papai só porque era paralítica de nascença, e jurou dar a ela uma vida de princesa.*

*Eu imagino que você não se incomode com tal pecado por ter interesse na fortuna que deixarei a Ciro como herança após minha morte. Mas juro que deserdo Ciro se tal enlace se consumar.*

*Rogo a Deus que o ilumine e não permita tal coisa, por mais vantajoso que possa ser para você. Mas se ainda assim o fizer, eu, como bispo da Igreja Romana, irei até o papa e anularei tal casamento, e também o excomungarei por ofensa às leis de Deus e da Santa Igreja, que proíbe tal incesto entre irmãos consanguíneos.*

*Ass. Bispo Benini Neri, seu irmão
diante dos homens e de Deus ''.*

— Meu Deus! Que horror Mário. Esta carta é falsa! Não é possível uma coisa dessas!

— Não é, monsenhor Sarre. Eu tenho outras correspondências de tio Benini. Confira a assinatura e o seu selo.

Ele comparou todas as cartas com aquela e confirmou:

— Realmente é a assinatura do bispo Benini. Mas o que posso fazer?

— Vá logo até Milão e impeça Ciro Neri de consumar esta união que será nada mais do que um incesto pecaminoso.

— Vou falar com Pietro Neri.

— Não adianta. Eu o ouvi discutindo com minha tia e dizendo a ela para negar que Mariana e Ciro sejam irmãos, pois se impedi-lo de vir a colocar as mãos na fortuna de tio Benini, ele a matará. Foi ela quem me entregou esta carta e pediu que o senhor fosse falar com Ciro Neri para alertá-lo do incesto que irá cometer se casar com Mariana. Assim ele compreenderá porque tio Benini foi buscá-lo numa aldeia e o tornou seu legítimo herdeiro. Como o senhor é um templário, ele o ouvirá. Ele também é um dos templários mais importantes de Milão.

— Eu sei disso, Mário. Eu assisti à sua iniciação. Pobre Ciro! Vai sofrer uma grande decepção.

Nisto Gilberto entrou na conversa.

— Mário, meu tio não pode fazer tal coisa.

— Por que não?

— Há pouco tempo eu cobrei um desafio com Ciro Neri e ele, após me vencer, prometeu me matar caso me visse de novo. Não acreditará em meu tio, cairá em pecado diante de Deus e perderá o direito sobre a herança do seu tio Benini. Ciro Neri derrotou-me por duas vezes e não gosta de mim. Não acreditará em meu tio. É uma pena, pois apesar de ter perdido duas vezes para ele, não gostaria de vê-lo em pecado diante de Deus e da Santa Igreja e depois, como castigo, na miséria. Seria até capaz de se matar!

— Mas se não impedirmos, titia acabará denunciando tudo ao bispo Mariano e tio Pietro a matará, além do escândalo que envolverá o nome de tio Benini e o lançará em desgraça diante do papa. Ainda mais agora, que está cuidando das alianças com o imperador germânico.

— Titio, por que não conta tudo ao bispo Mariano e pede a ele que fale com Ciro Neri? Afinal, Ciro gosta muito dele e acreditará nas suas palavras. Talvez assim evite esta tragédia e a desgraça do bispo Benini, agora que é tão importante para a estabilidade da Igreja.

— Você está certo. Somente o bispo Mariano poderá impedir tão grande tragédia. Vou falar com ele imediatamente.

Monsenhor Sarre foi falar com o bispo Mariano. Este, após conferir a assinatura com outras que possuía em seu poder e ouvir toda a história, falou:

— Vou imediatamente falar com Ciro Neri! É uma pena que o bispo Benini esteja tão longe, senão eu adiaria o casamento até ele chegar.

Mais tarde, o bispo Mariano partiu para Milão. Mas alguém partiu na sua frente e, como ele, após alguns dias chegaria à mansão Benini. Este alguém logo cedo me entregou uma carta dizendo mais ou menos a mesma coisa e ordenando que me unisse à cruzada que já estava há um mês em marcha. Deveria alcançá-la e integrar-me a ela com um nome falso e só voltar quando ela terminasse. Até lá, ele puniria Pietro Neri por ter permitido o casamento. O trato era ele amparar Mariana, minha irmã mais velha, e ele, Benini, amparar seu discípulo e herdeiro, mas não permitir que ambos se casassem. Dizia mais. Que Mariana no princípio havia concordado em atrair-me. Por ser parecida com nossa mãe, certamente me impressionaria, mas que concordara em se manter afastada por tantos anos na esperança de que acabasse me casando com outra mulher. Mas que, se por medo de ficar de fora da herança, concordasse com o incesto, seria excomungada por ele próprio. E pedia que partisse o mais rápido possível. Esta era a ordem de meu tutor e tio, bispo Benini Neri.

Após ler a carta, o mundo caiu-me sobre a cabeça.

— Este era o preço a que se referiu o tal homem da longa capa negra. Meu Deus, perdoe-me, pois pratiquei incesto com minha própria irmã. É por isso que ela se parecia tanto com mamãe. Perdoe-me, meu Deus, por ter feito tal coisa. Então é por isso que tio Benini nos manteve separados esses anos todos. Este era o motivo!

Chamei os cavaleiros e dei várias ordens a eles no sentido de que avisassem Carla, Rosa e o senhor Albert, para que cuidassem dos negócios até minha volta ou de tio Benini. Também ordenei que mantivessem a guarda na mansão Benini até lá. Carla pagar-lhes-ia o soldo até eu voltar, mas acontecesse o que acontecesse, não deveriam abandonar o posto.

Assim que eles saíram, guardei no porão todo o dinheiro e ouro que havia na casa. Apanhei duas sacolas de moedas de ouro e já ia me pôr a caminho, não em Corisco, mas num outro cavalo, quando chegou o bispo Mariano. Após ler a carta e reconhecer a assinatura e o selo de tio Benini, ouvi toda a história que me falou o bispo.

Concordei com a anulação do casamento e disse-lhe que ia partir para a Terra Santa a mando de tio Benini, pois recebera uma carta ordenando-me isso. Guardei a carta trazida pelo bispo Mariano no meu quarto, depois o tranquei. Dei ordens ao caseiro para cuidar de tudo até a volta de tio Benini.

Então, cavalguei para tentar alcançar o mais breve possível o imenso exército que marchava rumo à Terra Santa.

Alguém me alcançou e perguntou:

— Para onde vai, nobre cavaleiro?

— Vou juntar-me ao exército que se dirige à Terra Santa.

— Posso ser seu escudeiro, nobre cavaleiro?

— Não gosto de falar; se mantiver a boca calada, pode me acompanhar como escudeiro.

— Prometo que não o incomodarei, nobre cavaleiro.

Cavalgamos, dia e noite. Só paramos para nos alimentar e deixar os cavalos descansarem. No caminho, comprei mais dois bons cavalos para cavalgarmos mais rapidamente.

Assim que parti, duas correspondências em meu nome foram enviadas: uma para tio Benini dizendo que desistira de me casar com Mariana, pois Rosa Mazzile ameaçara contar a ela que tínhamos três filhos. Então para evitar um escândalo e deixar Mariana livre para poder se casar, eu partira para bem longe e pedia a ele que fizesse dela sua herdeira. A outra foi enviada a Mariana, e dizia mais ou menos a mesma coisa. Não tinha o mesmo final, mas sim que me perdoasse por haver passado várias noites com ela, e que devia aconselhar-se com o primo Mário, pois já haviam discutido isso assim que soube da ameaça de Rosa Mazzile.

A trama fora perfeita. Todos tinham uma versão mais ou menos convincente, dando veracidade aos fatos que os faziam tomar certas atitudes.

O último a receber sua carta foi Pietro Neri e era datada e enviada já de muito longe do Sacro Império. O mensageiro não era italiano e foi o escudeiro quem a despachou por uma polpuda quantia e o direito de receber o dobro de Mário Neri, a quem deveria entregar a correspondência em Milão.

Quinze dias depois, alcancei o exército de cruzados e me integrei a ele, com um nome falso. Todas as noites eu orava e pedia perdão a Deus pelo incesto cometido. Difícil era a noite em que eu não chorava de tristeza e remorso.

— Meu Deus, como é caro e dolorido o preço a pagar. Minha alma arderá para todo o sempre no fogo do inferno. Por que não esperei tio Benini? Por que tive de me precipitar?

Assim foram passando os dias e aumentando minha dor, vergonha e remorso. Mas enquanto isso, tio Benini tinha uma reação ao receber a carta de Ciro Neri.

— Eu bem que tentei avisá-lo para não cometer essas loucuras. Agora terei de falar com Rosa Mazzile e ver o que consigo. Mas não vou me apressar, ele merece um bom castigo por não ter me ouvido.

Tio Pietro foi mais brutal.

— Por que não conversou comigo antes de tomar tal atitude? Eu falaria com o meu meio-irmão e tudo se resolveria com uma boa indenização, que o próprio Ciro daria de bom grado, já que dinheiro não lhe era problema.

Quanto a Mariana, chorou como uma desesperada, e a mãe de Mário, que havia lhe entregue a correspondência, sugeriu:

— Agora só há uma saída, Mariana.

— Qual, titia?

— Você tem de se casar rápido. Na certa está grávida e será um escândalo.

— Com quem vou me casar assim, tia?

— Vou falar com Mário e convencê-lo a desposá-la sob o juramento de não falar nada aos seus pais.

— Mas não há amor entre nós. Só vou arruinar a vida dele.

— Mário gosta de você como uma irmã e não vai permitir que, por causa de uma falha de Ciro Neri, você seja lançada aos lobos que adoram fuxicar com o nosso nome. Ele assumirá a paternidade do filho e assim tudo ficará oculto, tanto do povo, como de seus pais.

— Mas ele não merece isso, tia!

— Você sabe que Mário não é muito chegado a mulheres, então até para ele será interessante. Assim ficará com sua moral protegida e você não será incomodada no seu leito, já que são como irmãos.

— Está certo, tia. Obrigada pela ajuda. Agora, deixe-me a sós, preciso chorar mais um pouco.

— Chore, Mariana! Você foi torpemente enganada por Ciro. E eu que o achava um rapaz tão sério e casto. Revelou-se um ingrato pelo amor recebido de você.

— É isso mesmo, tia. Mas choro por estar grávida de um canalha como ele.

— A criança não tem culpa, minha querida. Será um inocente em tudo isso. Vamos, não chore mais. Já chega o que chorou por ele. Limpe o rosto, vamos falar com Mário e depois com seu pai.

— Está com toda razão! Chega de chorar e sofrer.

Mariana falou com Mário e este, depois de se comover muito com a infelicidade dela, prometeu ajudá-la desde que o deixasse livre dos deveres conjugais de marido. Ela aceitou como uma graça sua generosidade e quinze dias depois já estavam casados, numa cerimônia simples e sem festa alguma. Eu havia sido eliminado de vez do caminho de Mário Neri e Gilberto Sarre.

Minha jornada rumo à Terra Santa transcorria sem maiores incidentes. A única coisa que me incomodava era o tormento em minha consciência. Eu colocara na minha mente que só a oração diante do Santo Sepulcro purificaria minha alma pecadora. Mas o pior era o vazio que invadira meu ser. Já não havia amor, honra e razão para viver. Minha vida terminava aos 21 anos de idade. Sentia-me como um homem de 100 anos num corpo de 20.

Chegamos a Bizâncio. O grosso dos peregrinos acabou ficando ali mesmo, pois não havia transporte marítimo para tantos homens. Consegui, a troco de algumas moedas, um lugar para mim e meu escudeiro. Mas ao chegarmos à Terra Santa, uma notícia abalou o moral do pequeno contingente de pessoas. O próprio soberano do reino de Jerusalém nos recebeu assim que desembarcamos e comunicou que, com tão reduzido número de soldados, não seria possível libertar a Terra Santa, pois os exércitos muçulmanos eram muito poderosos e haveria um massacre.

A maioria retornou. Alguns, como eu, preferiram ficar e tentar a peregrinação até o Santo Sepulcro. Era algo muito arriscado, mas todos tinham um motivo especial a conduzi-los até onde jaziam os restos mortais do Cristo Jesus. Nós nos separamos e iniciamos a viagem.

Eu ia acompanhado do meu escudeiro. Viajávamos à noite e passávamos o dia ocultos na casa de algum cristão, ou escondidos.

Certo dia, eu dormia numa casa quando alguns soldados muçulmanos a invadiram e me fizeram prisioneiro. O meu escudeiro viu os homens tirarem minha capa negra da mochila e a espada cruzada. Então falou num árabe razoável:

— O anel também, eu preciso do anel para provar ao seu pai que é dele tudo o que levo.

— O que é isto, seu cão maldito? Por que está me traindo?

— Por um bom resgate, meu amo. O sultão cobra um gordo resgate pela libertação dos que são príncipes e nobres. Eu já entreguei a ele vários nobres e você não será o último.
— Quem lhe disse que sou um nobre?
— Meu amigo de jogatina e farras, Gilberto Sarre. Você vai valer uma gorda recompensa, Ciro Neri. O bispo vai nos deixar ricos.
— Seu maldito verme. Ele irá mandá-lo ao tribunal eclesiástico.
— Vamos ver se ele paga ou não, Ciro Neri?
— Um dia eu o mato com minhas próprias mãos.

# Capítulo XXI

# O Cavaleiro Kadosh

Bem, fui levado para uma prisão em Jerusalém. Meus pertences ficaram com o traidor asqueroso. Um tormento infernal teve início para mim. A prisão era imunda, não havia luz ou higiene de espécie alguma. O alimento era uma gosma pastosa que nem dava para saber do que era feita. Como eu estava lá há alguns dias e não tocava na comida, outros peregrinos a disputavam. Um senhor barbudo e já idoso aproximou-se de mim e falou:

— Coma, meu rapaz! Este é o melhor prato da cozinha árabe a que tem direito um condenado.

— Não vou comer este lixo que chama de comida, bom homem! Prefiro morrer.

— Não desdenhe o dom da vida. Deus não a concedeu para que a lançasse por terra. Deve pensar, até o último momento, em manter-se vivo.

— Eu prefiro a morte. Talvez este seja realmente o fim que eu tanto tenho procurado. Seria um fim digno para um maldito cão esfomeado como eu.

— Você dá pouco valor à sua vida, meu rapaz. Acredita que agindo assim estará agradando ao seu Deus?

— Deus não vai me salvar daqui, bom homem! Já saí de minha terra condenado. Alimentei por algum tempo a esperança de me redimir do pecado cometido, mas Ele não aceitou meu pedido de perdão. Então é melhor a morte à consciência cobrando-me dia e noite.

— O que lhe cobra a sua consciência, rapaz?

— Para que falar de algo de que tanto me envergonho?

— Talvez eu possa entender como um jovem como você deseja com tanto ardor uma morte miserável. Vamos, fale-me do seu remorso.

Comecei a contar-lhes como tudo começou. Quando terminei, ele ficou um bom tempo calado e pensativo. Mas em dado momento saiu do seu mutismo e falou:

— Se soubesse que ela era sua irmã, mesmo a amando tanto, teria feito isso?

— Não. Eu respeito as leis de Deus e de minha religião, que condena o incesto.

— Está certo, a maioria das religiões condena tal tipo de relação. Mas, diga-me com toda sinceridade: se nunca viesse a saber que ela era sua irmã, veria algo condenável no ato que realizaram?

— Não, afinal eu iria me casar com ela daí a algumas semanas.
— Então onde está o pecado?
— Eu não respeitei as ordens do meu tio e pratiquei o que me era proibido, tanto por ele como pela minha religião.
— Isso dos jovens não respeitarem certas regras é típico da energia que toma conta deles quando se apaixonam. Mas se existem culpados em toda esta história, são aqueles que não contaram a verdade no princípio. Por que deixaram você acreditar por tantos anos que iriam se casar? Pense um pouco nisso, meu rapaz! Talvez encontre um motivo para não desdenhar com tanta facilidade o sagrado dom da vida.
— Pode ser que tenha razão, senhor. Mas para que viver a miséria e a imundície que há nesta prisão?
— É só uma prova que o Criador está fazendo você passar.
— Como assim, bom homem?
— Você me parece tão sábio e no entanto é muito ignorante sobre as maneiras que Deus usa para nos testar, provar ou castigar. Vamos lá para o canto e falaremos um pouco sobre isso, meu rapaz. Agora apanhe o seu prato de comida. Primeiro vou falar-lhe sobre o santo que rege a sua religião para que o conheça como homem que foi, e não como um Deus, como vocês o consideram.

E o bom homem me falou do homem Jesus, o Cristo. Como ele sabia falar! E com que conhecimentos de causa o fazia! Passamos a noite toda conversando. Ou melhor, ele falava e eu ouvia. Quando ele se deu por satisfeito, perguntou:

— E agora, meu rapaz, no que mais deposita sua fé? É no homem Jesus ou na mensagem de que ele era portador e que, como um iluminado, tão bem difundiu, acabando por abalar as estruturas das antigas religiões?

— Na mensagem, bom homem. Do jeito que tão bem colocou o Cristianismo, todos nós podemos ser um Cristo, basta cumprirmos a nossa pequena missão na Terra.

— Ótimo! Você já começa a entender o que estou tentando dizer sobre o dom da vida. O que mais pode deduzir do que já conhecia e do que falei?

— Que todos nós, um dia, temos de tomar nosso cálice de fel, bom homem.

— É um sábio e não tem consciência disso, meu jovem. Assim como o cálice de fel do homem, Jesus foi seu martírio; o seu é o preço a ser pago por ter deixado de ser um homem humilde e ascendido à riqueza de uma hora para outra. Vamos dormir um pouco que estamos com sono. Mais tarde falaremos novamente, e será sobre os humildes e os poderosos.

Quando serviram no dia seguinte a papa gosmenta, eu a comi com certo nojo. Não dava para reconhecer o sabor do que era feito aquilo. O sábio Hakin, este era o seu nome, começou a falar-me dos humildes e dos poderosos. Não foi no sentido que eu havia entendido e sim numa forma muito, mas muito mesmo, iniciática. Ele falou o restante do dia e grande parte da noite.

Quando terminou suas explicações, eu já não era o mesmo Ciro Neri de dois dias atrás.

— Amanhã falarei a você dos sábios e dos tolos.

E ele me falou tudo sobre os sábios e os tolos e, quando terminou, achei-me um tolo.

— Só por se reconhecer como um tolo, já está no caminho da sabedoria, Ciro Neri. Amanhã falaremos do alto e do embaixo.

E quando ele terminou de falar dessas coisas, eu me senti o mais feliz dos homens por conhecê-las.

— Amanhã falaremos da bondade e da maldade.

E ele falou dessas coisas também, e eu, apesar de ser um homem bom para meus semelhantes, achei que faltava muito para poder me considerar um bom homem.

— Isso já é um passo no aperfeiçoamento interior, Ciro Neri! Amanhã falaremos do dia e da noite, ou do sol e da lua.

E quando ele terminou sua fala, eu descobri que ainda caminhava na escuridão, e não na Luz.

— Agora que sabe a diferença, será muito fácil encontrar a verdadeira luz do sol, Ciro Neri! Amanhã falaremos do homem e da mulher, ou do positivo e do negativo.

E quando mestre Hakin terminou sua fala, senti-me o mais feliz dos homens, porque em tudo eu descobria a dupla polaridade de Deus.

— Então amanhã falaremos do bem e do mal como princípios que caminham lado a lado no interior dos homens, e de como eles se desequilibram, causando grandes tormentos à humanidade.

E ele falou sobre esses dois princípios que todos nós temos desde a origem. Quando terminou, eu achei que minha alma imortal estava em desequilíbrio.

— Então amanhã falaremos sobre a alma imortal, Ciro Neri. Também falaremos das leis a que ela está sujeita.

E ele falou sobre essas coisas também e eu pude me situar num universo até então incompreensível para mim.

— Agora que você consegue se situar com solidez no caos, tudo fica fácil e compreensível, Ciro Neri. E por isso amanhã falaremos da pobreza e da riqueza.

E quando ele terminou sua fala, eu me considerei um homem muito, mas muito pobre mesmo, pois tudo o que eu fizera até então por meus semelhantes era porque tinha dinheiro e não porque o faria mesmo se não o tivesse.

— Então vou falar-lhe sobre a morte e a vida, e a vida após a morte, e a morte após a vida.

E quando ele terminou de falar sobre isso, entendi o céu e o inferno, o bem e o mal, Deus e o demônio.

— Amanhã falaremos sobre a natureza humana e os humanos por natureza.

E mestre Hakin falou-me sobre a diferença nas duas colocações e como são tão importantes de se conhecer para nunca cometermos injustiças.

— Então amanhã falaremos sobre a justiça de Deus e o Deus da justiça.

E quando mestre Hakin terminou, eu me senti o mais injusto dos humanos, por ter um dia julgado que Deus havia se esquecido de minha família.

— Agora que entendeu essas coisas, amanhã falaremos das leis do Universo e do universo das leis.

E quando ele terminou, eu me senti totalmente ridículo por pensar, um dia, que eu possuía o direito de julgar um semelhante.

— Então falaremos amanhã de bondade, humildade e caridade e compreenderá que fora disso não há lugar para Deus no coração dos homens.

E quando ele terminou, eu chorei de emoção, pois agora eu sabia como habitar o centro do templo de quatro cantos que havia no interior do meu ser.

— Então, agora que já sabe como sentar no centro do seu templo interior e ouvir o canto dos quatro santos que habitam seus quatro cantos, falaremos sobre o norte, o sul, o leste e o oeste que equilibram o homem sentado no centro do seu templo interior.

E ele demorou quatro dias para me falar sobre essas coisas e, quando terminou, eu não só estava sentado no centro do meu templo interior, como já sabia como ouvir o canto dos meus quatro santos.

— Então, agora que já conhece os pontos cardeais e onde estão assentados os quatro santos do seu templo interior, sente-se em seu centro e ouça o canto de cada um dos quatro santos que habitam nos seus quatro cantos, Ciro Neri.

E por quatro dias e quatro noites eu ouvi o canto dos quatro santos do meu templo interior. Por quatro dias e quatro noites eu não dormi, não comi e não bebi, tampouco me levantei. Apenas relaxei e viajei em espírito aos quatro cantos do meu templo interior. Em cada um eu ouvi o canto do santo que o habitava.

E quando me levantei novamente, chorei como a criança que sai do ventre materno e se sente insegura e desprotegida no primeiro contato com a luz e o ar. Quando parei de chorar, mestre Hakin perguntou:

— E agora, Ciro Neri? Agora que nasceu de novo, o que tem a me dizer sobre sua vida.

— Eu não temo a morte, mas não a desejo. Conheço a vida e quero viver; entretanto, quando a morte chegar, ainda assim continuarei a viver. Já que não há morte entre um lado e outro, apenas uma troca de roupagem, porque o que é útil aqui, útil será lá também.

— Então, o que me diz agora do melhor prato que a cozinha árabe pode oferecer a um prisioneiro?

— É tão bom como qualquer outro, pois apesar de não agradar ao meu paladar, evita que minha alma tenha de abandonar sua morada perecível antes da hora chegada.

— E o que me diz deste local imundo e fétido, Ciro Neri?

— É tão bom como qualquer outro, pois permite que eu prove a mim mesmo que, apesar de estar sujo por fora, posso permanecer limpo por dentro.

— Sabe há quanto tempo estamos aqui nesta prisão, Ciro Neri?

— Não, mestre Hakin. Mas o tempo não conta para quem tem domínio sobre o seu tempo.

— E o que sente após tudo isso que viu, ouviu e passou aqui no interior desta prisão, Ciro Neri?

— Sinto uma vontade imensa de voltar à minha pátria e reconciliar-me com tudo e todos que deixei para trás como se fossem um tormento, quando, na verdade, eram só o meu exterior refletindo em meu interior. Como o interior estava desequilibrado, as imagens refletidas eram todas distorcidas e por isso eu não as compreendia ou identificava.

— Então já é um Cavaleiro Santo, Ciro Neri. Nós o chamamos de "Cavaleiro Kadosh", o que na sua língua significa a mesma coisa.

— O senhor conhece muitas línguas, mestre Hakin?

— Sim.

Escrevi no chão uma palavra que havia num dos livros que ganhei do senhor Zago e perguntei a ele que língua era aquela.

— Esta língua é iniciática, Ciro Neri. Ela já existiu, mas só foi conservada pelos sábios e por eles foi usada para não permitir que os tolos travestidos de sábios se passassem por tais.

— Eu ganhei uns livros de um templário que os adquiriu de um desconhecido. Ele me deu para que eu os traduzisse quando me fosse possível.

— Gostaria de aprendê-la?

— Sim.

— Vou ensiná-la, mas prometa que só a ensinará a outro verdadeiro sábio.

— Eu prometo, mestre Hakin.

Eu passei muitos meses estudando a tal língua. Escrevia no chão batido, e isso quando havia um pouco de iluminação. Falar, eu falava e também compreendia, mas o mais difícil era escrever. Aprendi o alfabeto e a formar sílabas, palavras e orações. Aprendi ainda a decifrar o seu duplo sentido e a codificá-la também. O tempo que levei não sei, eu já falava dez línguas diferentes e ainda assim me foi difícil aprendê-la. Só quando eu provei de fato ao mestre Hakin que a compreendia realmente, ele se deu por satisfeito.

— Agora vou lhe ensinar as orações mais belas guardadas no tempo, Ciro Neri.

E eu aprendi as orações mais bem guardadas pelos iniciados. Havia sete orações. Uma à Vida, outra à Morte, outra ao Tempo, outra à Luz, outra ao Meio, outra ao Fim e a sétima era a do Caminho.

Primeiro, decorei-as; depois, decifrei-as e depois as entendi.

— Então, de agora em diante, fará as sete orações assim que for iniciar o seu dia. Sentará no centro do seu templo interior e, após ouvir rapidamente os quatro cantos dos quatro santos que habitam os quatro cantos, iniciá-las-á voltado totalmente a cada coisa evocada em cada uma delas e assim será senhor absoluto do seu templo interior, onde só você pode morar, junto com o senhor Deus, absoluto, onipresente e onisciente em todo o Universo, pois só assim você se integrará ao universo d'Ele.

— A que ordem iniciática o senhor pertence, mestre Hakin?

— Eu sou minha ordem iniciática, Ciro Neri, assim como agora você também é a sua. Onde quer que esteja, você se adaptará ao culto religioso praticado, pois agora sabe que todos são caminhos que conduzem o ser humano para mais perto de Deus. Agora que você já se assentou no centro do seu templo, não precisa procurar ordem alguma já que é em si mesmo uma ordem iniciática. Isso quer dizer que pode iniciar uma ordem ao seu modo de entender o que são as coisas divinas. Eu aprendi com um mestre que era uma ordem e sigo a meu modo o que ele me ensinou. Mas após me separar de sua tutela, passei a ser minha ordem, pois eu estou sentado no centro do meu templo e posso ouvir os quatro cantos que são entoados pelos habitantes dos quatro cantos do meu interior. Deus ilumina-o, e eu, com minha fé, animo-o. Muitos já entraram no meu templo interior e, após saírem, foram assentar-se no centro dos seus próprios templos interiores. Um dia desses acontecerá com você o que comigo aconteceu muitos anos atrás. Eu estudava, lia, ouvi a e aprendia. Provei um pouco de tudo e tudo eu provei até chegar ao meu destino final. Quando cheguei diante do monte sagrado onde Moisés colheu as tábuas de leis, fiz minhas orações e ouvia a montanha da Lei chamar-me: "Hakin! Hakin!" Então, perguntei: "Quem é Hakin?"

— Tu és Hakin, filho meu! Eu já te aguardava há muito tempo. Por que só agora chegaste até mim?

— Só agora é que eu soube onde encontrá-lo e como me portar diante de vós, o Senhor de minha vida e Luz de minha luz.

— "Então, de agora em diante, antes de te dirigires a mim, dirige-te aos quatro santos que habitam os quatro cantos do teu templo interior, onde Eu habito. Dize a eles o que Hakin quer saber e te responderão. Não responderão ao teu nome profano, mas a Hakin, o nome que eu te dei, jamais negarão informação alguma."

Assim foi comigo, e assim será com você, Ciro Neri.

— Como sabe que assim será, mestre Hakin?

— Porque assim que vi você entrar por esta porta, reconheci-o como mais um dos meus. Só tive de instruí-lo e agora, o resto é com você. A experiência que vivenciará será tão gratificante e tão pessoal que jamais algo semelhante ou tão grandioso lhe acontecerá. Será dessa experiência que se solidificará em seu ser imortal a chama divina que iluminará todo aquele que você vier a convidar para que entre no seu templo interior e saia dele já iluminado. Só dirá a eles o seu nome iniciático, pois só os seus compreenderão o real significado dele. Haverá dois nomes. Um para o mundo e outro para os seus. Restará a você viver o nome de acordo com quem estiver à sua frente ou o que tiver de realizar.

— Está certo, mestre Hakin. Mas onde está o lugar para onde devo me dirigir?

— Isso eu sei. Mas não posso dizer, você é mais um dos caminhos e terá de trilhar o seu livremente. Se eu disser para onde ele o conduzirá, logo irá direto até ele e não o trilharia como se o fizesse livremente. Agindo assim, deixaria de ver, ouvir e aprender muitas coisas, e olharia apenas o fim e não os meios. E às vezes os meios são tão importantes quanto os fins. Caminhe, e um dia encontrará o lugar onde o ouvirá chamá-lo pelo nome com qual Ele o nomeou.

— Mas como vou achar tal lugar, estando eu condenado a viver eternamente nesta prisão?

— Você já sabe que nada deste lado da vida é eterno e, como eu lhe disse, os meios são tão importantes quanto o fim. Observe-os, e um dia encontrará o fim de sua busca.

— Está certo, mestre Hakin. Vou observar atentamente os meios.

— Ótimo, Ciro Neri. Será por meio deles que chegará ao seu fim.

— Há quanto tempo estou aqui, mestre Hakin?

— Não sei. Quer que eu descubra para você com os guardas?

— O senhor tem acesso a eles?

— Sim. Basta eu chamar e logo fico sabendo o que quero.

— Mas como, se é um prisioneiro como todos nós?

— Eu não estou preso por ser inimigo dos muçulmanos, e sim do sultão.

— Não entendi muito bem, mestre Hakin!

— Eu explico, Ciro Neri. O sultão pediu-me para torná-lo um sábio e um iluminado. Ensinei-lhe tudo o que você aprendeu comigo, com exceção da língua velada, que só é ensinada se alguém nos ordena que façamos, ou se o iniciado já a conhece, mas não sabe decifrá-la. Pois bem, como ele não conseguiu se sentar no centro do seu templo interior e ouvir o canto dos quatro santos que habitam os seus quatro cantos, não pôde ir até o seu fim porque não conhecia os meios. Então me acusou de negar-lhe a parte mais importante de sua iniciação e resolveu me manter preso até que me decida a revelar a chave de acesso ao centro do seu templo interior. Ele não sabe que o centro do seu templo interior está tomado pela ambição e pelo materialismo, que ele alimenta no seu ser com muita intensidade.

— Que injustiça! Se me fosse possível eu o libertaria, e caso paguem o meu resgate, eu pagarei por sua libertação.

— Não posso me queixar, já estou nesta prisão há muitos anos e consegui tornar muitos homens, movidos por uma fé intensa, em mestres da Luz. Eles, ao saírem daqui, têm dado continuidade ao meu trabalho em benefício da sabedoria das coisas divinas. Esta prisão é um dos muitos meios que o Criador tem à disposição, e eu, Seu servo humilde, tornei-me um caminho para muitos que aqui passaram e quase todos os que aqui se encontram. Ou não reparou que esta é uma cela silenciosa, onde ninguém tenta tomar o seu prato de comida? Só apanham o que foi recusado e nada mais.

— Eu já havia reparado como ficam atentos às suas palavras e a reverência com que o tratam.

— Então já sabe que quando nos tornamos um caminho, todos os lugares em que estivermos servirá para que muitos passem por nós. Esta é a vantagem de tornar-se um caminho, Ciro Neri!

Neste momento, um homem era conduzido sob protestos à nossa cela.

— Não pode fazer isso comigo, sultão. Eu lhe dei muitos lucros até agora.

— Você já não me serve mais, Sinval! Agora irá conhecer um pouco da minha hospitalidade. Ei, falso príncipe Neri! Olha aí o seu fiel escudeiro. Pode matá-lo com suas próprias mãos que me fará um favor. Este idiota já não me é útil.

— Eu não mato ninguém, sultão!

— Então o que veio fazer nestas terras? Ele me disse que você era um rico príncipe, e sobrinho do mais poderoso dos bispos em Roma.

— Realmente, mas não sou príncipe, pois nasci filho de simples aldeões. Vim junto com os cruzados em peregrinação ao Santo Sepulcro e não para matar os meus irmãos muçulmanos.

— É uma pena. Decidi esvaziar um pouco esta prisão e vou mandar matar a maioria dos prisioneiros. E como a maioria é composta de cristãos, então você também morrerá.

— Sinto pelo senhor, por sua amada esposa Fátima e pelo filho que tanto anseia ter, mas que não conhecerá a luz. Terá de contentar-se em ver um estranho assumir o seu lugar após sua morte, e não um filho seu, já que só tem tido filhas. O único varão que iria ter morrerá juntamente conosco.

— Como sabe que minha Fátima está há poucos dias do parto?

— Eu sei, e apenas isso posso lhe dizer, nobre sultão. Mas eu posso salvá-lo e à sua amada Fátima também. Exijo um preço muito pequeno comparado à alegria que inundará o seu coração com o nascimento do filho tão esperado.

— Como pode saber que é um filho?

— Não só é um filho, como morrerá junto com a mãe. Mas eu, a um custo muito baixo, posso salvá-lo. Consulte os seus sábios e videntes e comprovará a veracidade do que digo. Eles não o avisaram da morte do filho esperado por medo de sua ira diante da impotência deles em evitá-la.

— Vou ver se está dizendo a verdade, peregrino cristão. Se estiver mentindo, mando arrancar o seu couro com você ainda vivo.

— Eu aguardo paciente sua volta, nobre sultão.

Assim que ele saiu da prisão, mestre Hakin falou:

— Você é um ótimo observador dos meios, Ciro Neri! Orgulho-me de sua coragem. Mas diga-me, como soube de tudo isso e até do nome da esposa amada, de um homem que as tem às dezenas?

— Foi tudo inspirado, mestre Hakin. É assim que eu escrevi meus poemas. Eu dava vazão ao que me vinha à mente. Já que ia morrer mesmo, para que temer os riscos de salvar sua esposa e o filho?

— Por que salva a esposa e o filho do sultão?

— Só assim ele terá o coração abrandado de sua ira por não ter um filho por mais que o deseje, apesar de possuir tantas mulheres. Além do mais, a criança será um grande sultão. Nobreza e justiça serão suas maiores qualidades, além de muitas outras.

— Eu acredito nas suas palavras, Ciro Neri. Vamos aguardar o sultão em preces.

Já tarde da noite, ele voltou apavorado até nossa cela e chamou por mim. Assim que fui até a porta, ele me perguntou:

— Como sabia que tudo isso ia me acontecer?

— Só posso dizer que eu sabia, nobre sultão.

— Então, você será poupado da morte, se salvá-los.

— Eu não vou salvá-los somente a troco de minha vida, mas também da vida dos presos que estão aqui. Ou será que a vida de sua esposa amada e do mais sábio dos sultões que esta terra irá ter não valem tão pouco?

— A vida deles vale toda a fortuna do mundo, templário.

— Então vê como sou modesto no meu preço? Só quero a liberdade de uns pobres peregrinos.

— Acompanhe-me, Ciro Neri.

— Preciso do auxílio de mestre Hakin. Só permitirei que ele me auxilie no parto, e sob suas vistas. Nenhum dos seus sábios o assistirá. Se não tiveram coragem de avisá-lo da morte deles e nem sabem como evitá-la, então não merecem ver como o mais sábio dos sultões de sua dinastia virá à luz. É um justo castigo para eles.

— Assim será feito. Acompanhem-me até o local onde serão limpos da sujeira que os impregna.

Nós fomos levados a uma área de banhos dos soldados. Após um longo tempo, pudemos tomar um banho. Nós cheirávamos mal. Acho que pior do que porcos. Sobre nossa pele havia uma camada de sujeira que foi arrancada, após muito esfregá-la com buchas.

Depois do banho e do corte dos cabelos e barbas, éramos homens totalmente diferentes: esquálidos, olhos encovados e brancos como cera.

— Vocês devem estar famintos, não?

— Só um pouco, nobre sultão. Ficaríamos satisfeitos com um bom prato de comida e um copo de água.

— Antes, venha dar uma olhada em minha amada, Fátima.

— Conduza-nos, senhor! — disse eu.

Ele nos levou até ela através do luxuoso palácio. Quando entramos nos aposentos reais, havia dezenas de mulheres, todas ao redor de uma mulher que gemia muito. À sua volta, havia dois velhos sábios. Do rosto dela corriam lágrimas e seu corpo transpirava por todos os poros. Ao vê-la naquele estado, pedi ao sultão que ordenasse a saída de todos. Em instantes, o aposento estava vazio e me pus a fazer as orações de dona Tereza.

Após tê-las feito com muita compenetração, apesar dos gemidos angustiantes da mulher, eu, para espanto do sultão, levantei suas vestes até acima do ventre e massageei sua barriga. Com leves toques, coloquei o bebê na posição correta e, de imediato, cessaram as dores da pobre mulher. Ajudei-a a levantar-se e a caminhar um pouco pelo aposento, depois mandei-a sentar-se e lhe dei um pouco de água fresca. Após beber, perguntei:

— Como se sente, senhora?
— Melhor, senhor. Que Alá o abençoe.

Eu fiz uma reverência de agradecimento por suas palavras e lhe desejei as mesmas bênçãos, acrescentando:

— Pela vontade de Alá, terá um parto pouco dolorido, senhora. Será amanhã ao entardecer. Agora que seu filho foi colocado na posição correta, só sentirá as dores normais. Mas ainda terei de auxiliá-la. Ao amanhecer, as dores voltarão. Então é só me chamar que completo o que iniciei há pouco. Agora procure repousar, pois está muito fraca.

Ela se deitou e nós saímos do quarto, deixando-a aos cuidados de uma mulher que o sultão mandou chamar. Fomos conduzidos a um luxuoso aposento e pouco depois nos serviam uma refeição completa. Pouco comemos, nossos estômagos não estavam acostumados com comidas mais sólidas que a papa gosmenta servida na prisão.

— Por que comem tão pouco, sábios?
— Se saciarmos nossos olhos, iremos pagar um preço muito alto, nobre sultão. Melhor comer um pouco agora, até nos acostumarmos novamente com uma alimentação mais forte.

— Agradeço o que fez por minha esposa Fátima, templário!
— Alá foi quem aliviou as dores de sua amada esposa, evitando que ela viesse a sofrer um colapso ainda esta noite. Se eu não tivesse aliviado as suas dores, ao amanhecer já não viveria mais. Poderíamos dormir um pouco agora, nobre sultão? Amanhã será um longo dia e precisamos estar atentos à sua esposa.

— Acompanhem-me!

O sultão levou-nos ao interior de um confortável aposento. Após sua saída, deitamos nas confortáveis camas. Mestre Hakin só disse uma palavra à guisa de boa-noite e logo dormíamos. Por volta das cinco horas, fomos acordados e levados às pressas até os aposentos da esposa do sultão. Ela estava roxa e gritava de dores. Não tive tempo de fazer as preces e já comecei a massagear todo o seu ventre. Com fortes toques dos meus dedos, o ventre descontraiu-se um pouco.

— Vou ficar ao lado dela de agora em diante. A longa espera começou, sultão! Pode ir repousar, se quiser, pois os sinais já estão começando a aparecer.

— Como posso dormir vendo minha esposa sofrendo tanto?
— Se quiser ajudar, segure a mão dela e ponha-se em preces. Facilitará o trabalho, pois ela estará segura ao seu lado.

De tempo em tempo, eu massageava o ventre dela e auxiliava o bebê a se posicionar melhor. Por volta do meio-dia, rompeu-se a bolsa de água. Sorri aliviado, pois agora era só uma questão de tempo. O sultão mordiscava os lábios aflito e mestre Hakin observava tudo atentamente. Seu olhar, quando cruzava com o meu, era de indagação silenciosa e, em silêncio, eu lhe respondia que estava tudo bem. Logo começaram as contrações que anunciavam o momento esperado. Com um leve auxílio, o corpo começou a se mover e logo sua cabeça despontava. Facilitei-lhe a vinda à luz, mas tive de agir rápido ao ver seu pescoço envolto pelo cordão umbilical. Foi algo que fiz sem saber como, mas eu o fiz. Se o bebê saísse um pouco mais do ventre dela, sufocar-se-ia pela pressão do cordão. Num gesto desesperado, eu o cortei, dando a mestre Hakin as pontas cortadas; puxei o bebê para fora rapidamente, logo libertando os seus pulmões para que recebesse o ar que impediria sua morte. Ele estava todo roxo e pouco a pouco foi clareando com a absorção de oxigênio. Então foi permitida a entrada de algumas mulheres que nos auxiliaram na limpeza do bebê e, após eu limpar o útero da esposa do sultão, lavaram-na com água morna. Trocaram as roupas da cama e a cobriram com um alvo lençol. Só após me assegurar de que ambos passavam bem, fiz as preces de agradecimento a Deus por ter agido por meu intermédio. Depois disso, falei ao sultão:

— Viu porque ambos morreriam, nobre sultão?

— Sim. Que Alá seja louvado por ter salvo meu esperado filho.

— Sim, que seja sempre louvado. Com isso Ele quis apenas dizer que não está satisfeito com sua conduta pouco nobre em relação aos peregrinos cristãos. Quando alguém vem guerrear, tem todo o direito de se defender, pois é a lei da guerra. Mas quando alguém vem apenas para louvar ao seu modo o seu Deus, merece todo o respeito, já que é um ser pacífico que apenas quer se colocar em comunhão com a divindade. Ouça o aviso que Alá lhe envia e grande será seu amado filho.

— Não mais impedirei os peregrinos cristãos de orarem diante do Santo Sepulcro, Ciro Neri.

— Será abençoado até pelo próprio Cristo Jesus, por permitir que aqueles que acreditam nas suas palavras de amor aos semelhantes o cultuem com o respeito que merece dos seus fiéis.

— Vou mandar libertar os prisioneiros cristãos como prometi.

— Não só os liberte como dê a eles condições de voltar aos seus lares. Quase todos estão como nós, famintos, doentes e esquálidos.

—Todos receberão ajuda como prova de minha generosidade. Acompanhem-me e verão que cumpro com o prometido.

Logo estávamos na escura e fétida prisão. Um a um, os prisioneiros foram saindo das enormes celas. Todos choravam de alegria. Quando o meu infiel e falso escudeiro ia passando, o sultão gritou ao guarda.

— Este aí fica! Ele não é um peregrino e não está querendo colocar-se em comunhão com Deus, e sim consigo mesmo e com sua ambição. Foi ele quem me procurou e me propôs cobrar resgate dos cristãos. Morrerá ao amanhecer, sob o fio do machado do carrasco.

— Não deixe que ele me mate, Ciro Neri! — gritou o homem, pondo-se de joelhos.

— Eu nada posso fazer para impedi-lo, escudeiro. O que ele prometeu, está cumprindo, e você não faz parte do nosso acordo.

— Salve-me e lhe revelarei um segredo muito importante, Ciro Neri.

— Fale! Se me convencer da importância, intercederei a seu favor junto ao sultão.
— Eu falo! Eu falo!
— Então fale, escudeiro!
— Fui eu quem escreveu a você a carta que o mandava juntar-se aos exércitos que já haviam partido rumo à Terra Santa. Eu era o maior e mais hábil falsificador de assinaturas de Milão, e a um pedido de Gilberto Sarre, escrevi várias correspondências para induzi-lo a vir para cá, onde eu o entregaria ao sultão e extorquiríamos todo o dinheiro do seu tio, o bispo Benini. Só consegui um resgate muito pequeno, pois ele alegou que não possuía dinheiro suficiente. Como eu disse que não podia garantir sua vida, disse-me que pouco se importava com ela, pois já o deserdara e não o tinha mais na conta de seu discípulo. Voltei uns tempos depois e aleguei que você havia sido morto, entregando a ele sua capa negra, pois eu a guardara comigo da primeira vez. Pedi-lhe algum dinheiro como recompensa por tê-lo enterrado num cemitério cristão. Nem isso me deu, alegando que você não agira como um cristão obediente. Então, voltei para cá e fui preso.
— Você forjou quantas cartas?
— Uma ao bispo, outra ao seu tio Pietro. Esta só foi enviada depois que me juntei a você e tinha certeza de que não mais voltaria. Outra à Mariana, contando sobre seus filhos com Rosa Mazzile.
— Muito bem, e o que houve com Mariana?
— Casou-se com o seu primo Mário Neri. Ele também sabia sobre as cartas forjadas que revelavam que ambos eram irmãos.
— Está certo, escudeiro! Vou interceder a seu favor.
Virei-me para o sultão e lhe pedi:
— Nobre sultão, este homem revelou-me algo importante. Peço-lhe que seja complacente com ele e o livre do machado do carrasco.
— Vou atender ao seu pedido, templário!
Quando o sultão falou isto, o homem jogou-se aos pés dele e o agradeceu comovido.
— Obrigado, generoso sultão!
— Não há por que me agradecer. Irá se arrepender de não ter sido morto. E, gritando para o guarda que afastara o homem de perto dele, ordenou:
— Tranque-o na cela onde estava o templário e jogue a chave fora. Que ele prove pelo resto dos seus dias o pior dos pratos que a cozinha árabe tem a oferecer a um prisioneiro do sultão.
O homem foi arrastado de volta à cela imunda e, aos gritos, implorava por clemência. Foram em vão os seus lamentos, pois o sultão virou-se e saiu amaldiçoando-o por ter-lhe dado ouvidos. Quase perdeu o filho por isso. Também disse que Alá não o perdoaria se deixasse livre um homem como aquele.
Nós voltamos ao aposento de sua esposa e tivemos a gratificante alegria de vê-la sorridente e com o filho no colo.
Assim que nos viu, ela sorriu e falou:

— Que Alá os abençoe e também os recompense pelo que fizeram por mim e meu filho.

— Alá já nos recompensou com o seu sorriso de alegria por ter seu amado filho no colo, nobre senhora! Quanto às Suas bênçãos, que recaiam sobre todos nós e aos Seus filhos em todo o mundo.

— Não fala como os outros cristãos, sábio templário.

— Não sei como falam os outros, mas digo que o fim é o mesmo, tanto para o cristão como para o muçulmano. Se há diferenças, e elas existem, estão nos meios. Mas como eu aprendi um pouco com o mais sábio dos homens que já conheci, mais nada me convence de que exista uma religião melhor do que outra. O que existem são homens mais ou menos esclarecidos sobre elas.

— Quem foi esse homem, sábio templário?

— Ele não foi, nobre senhora! Ainda é o sábio Hakin. O mesmo que participou comigo da vinda do seu amado filho à luz.

— Não sabia que ele era tão sábio assim.

— Eu o recomendaria, se me fosse permitido, como o instrutor de seu filho, quando esse tempo chegar.

— Se meu marido o aceitar, a mim agradará imensamente tê-lo como mestre do meu filho. Assim saberei que ele será o mais sábio dos homens do seu tempo.

— Eu sei que ele será, nobre senhora. Eu vi isso com ele ainda em seu ventre. Mas agora deixo-a com ele e peço a sua licença para que eu possa me retirar. Aconselho-a a repousar também, pois sofreu um grande desgaste físico e agora precisa poupar-se um pouco.

— Obrigada, sábios amigos. Vou repousar logo mais.

Nós saímos do aposento e voltamos ao nosso. Assim que ficamos a sós, mestre Hakin perguntou-me:

— Por que sugeriu meu nome à senhora?

— Muito fácil de se entender, mestre Hakin! O senhor já cumpriu a grande missão de sua vida junto aos seus discípulos. Mas a mais luminosa parte de sua vida será o preparo do menino. Ele será muito poderoso e nada melhor do que o senhor como mestre a moldar-lhe o caráter. Só assim ele será justo, nobre, corajoso e tolerante.

— Você me ligou em definitivo ao destino dele com tal sugestão. Não posso aceitar tal coisa!

— Ouça-me bem, mestre Hakin! O senhor sofreu bastante na prisão. Seu corpo físico debilitou-se muito e já não é um jovem. Nada mais justo do que ser amparado com todo o conforto até o fim de sua missão nesta Terra. Além do mais, o bebê tornar-se-á, com sua ajuda ou sem ela, o maior líder desta região. Portanto, não permita que um fanático ignorante qualquer venha a ocupar função tão importante nos primeiros anos da vida dele. O senhor sabe que depois que lança as suas palavras na direção de alguém, outros não conseguirão persuadi-lo do contrário. Faça isso não mais por alguns homens bem-intencionados, mas sim por alguém que dirigirá o destino de milhões de homens que se inspirarão nele e o seguirão.

— Está bem, Ciro Neri. Talvez tenha razão e eu possa ser mais útil preparando aquele que reinará sobre muitos.

— A meu ver, é uma forma de Deus elevá-lo ainda mais, mestre Hakin. Ele lhe dá um pouco de conforto, acompanhado de mais responsabilidades.

— Mas e quanto a você, para onde irá?

— Vou iniciar minha jornada a lugar nenhum. Eu ia fazê-la quando estava com 14 anos, mas alguém não deixou. Agora que morri para os meus, volto ao ponto onde parei. Vou até o Santo Sepulcro, oro ao Cristo Jesus e peço perdão pelos pecados cometidos. Depois inicio a jornada rumo a lugar nenhum.

— Pensei que retornaria com os outros peregrinos à sua terra.

— Lá já não há mais lugar para Ciro Neri.

— Mas sua vinda para cá foi resultado de uma ardilosa cilada. O certo seria voltar e recuperar o seu lugar.

— Isso não alteraria o fato que me induziu a vir até o Santo Sepulcro. Meu tio deve ter ficado muito magoado. Sei que ele tem muito dinheiro, mestre Hakin; se não quis pagar o resgate, então é porque não me quer mais ao seu lado.

— Ainda acho que deveria voltar até os seus.

— Já me decidi, mestre Hakin. Depois do Santo Sepulcro, qualquer direção me levará ao meu fim. Agora vamos desfrutar de uma longa e agradável noite bem dormida nestes colchões macios.

— Tem razão. Meus ossos doem e meu espírito anseia por um corpo descansado e bem nutrido.

Alguns dias depois, despedi-me dos templários e peregrinos libertados pelo sultão. Foi uma despedida emocionante, todos tinham lágrimas nos olhos. Um barão francês, de sobrenome Rocheville, convidou-me a acompanhá-lo. Ele também havia sido preparado com mestre Hakin.

— Agradeço seu convite, barão, mas vou continuar mais um pouco por aqui até encontrar meu caminho.

— Caso regresse ao nosso continente, procure-me que o acolherei com todo o amor que há no meu coração.

— É nobre e generoso, Barão de Rocheville! Caso eu retorne, não deixarei de procurá-lo.

— Até um dia desses, irmão Ciro Neri!

— Até esse dia, irmão Rocheville. Que Deus guarde o seu retorno!

Eles embarcaram em dois navios contratados pelo sultão para transportá-los até a costa francesa.

# Capítulo XXII

# A Mulher Árabe

Eu voltei ao palácio e fui me despedir do sultão.
— Não posso permitir que parta assim, sem mais nem menos, templário!
— Nós temos um trato, nobre sultão. Espero que não me aprisione novamente.
— Sou-lhe grato demais para cometer tão grande ofensa. Só quero recompensá-lo.
— Nada quero, nobre sultão. Estou feliz em partir com vida e poder orar diante do Santo Sepulcro. Se há alguém que deve ser recompensado, esse deve ser mestre Hakin, que apesar de ter sofrido no cárcere por tantos anos, ainda assim se elevou muito mais aos olhos de Deus.
— Ele viverá confortavelmente no meu palácio e acompanhará a formação do futuro e mais poderoso sultão que o mundo já viu. Eu acredito que suas palavras sobre ele são uma profecia.
— Seu filho será lembrado por muitas gerações como o mais sábio, justo e corajoso dos sultões. Isso eu sei.
— Assim será, templário. Mas então aceite o meu convite e permaneça mais um pouco como meu convidado. Com o que vinha em sua peregrinação?
— Algumas roupas, dois cavalos, uma espada antiga dos guerreiros templários, três livros de capa de couro negro e uma bolsa e meia de moedas de ouro.
—Tudo isto lhe será restituído. O canalha só levou sua espada, o anel, a capa e as bolsas de moedas. Espadas iguais à sua temos aos montes. Os livros foram recolhidos e eu os guardei, apesar de não conseguir ler na língua em que estão escritos. Que língua é aquela?
— Quando eu decifrá-la, aviso-o, nobre sultão. Eu também desejo conhecer o povo que a usa. Vou andar pelo mundo e talvez o encontre.
— Então, ficará alguns dias como meu hóspede?
— Está bem, nobre sultão, aceito o convite, pois ainda sinto o corpo debilitado e, com sua hospitalidade, logo estarei melhor.
— Suas palavras tiram um pouco o peso do meu coração por ter tratado tão mal homens tão bons.

—Tudo tem sua razão de ser, nobre sultão. Se Deus permitiu que eu ficasse tanto tempo vivo em sua prisão, é porque Ele ia precisar de mim no momento de seu filho nascer. Agora que se cumpriu o Seu desígnio, vou caminhar para ver onde Ele me conduz.

— Quem o ensinou a fazer um parto com tanta confiança e perícia?

— Uma mulher que também me salvou e à minha mãe no dia de eu vir à luz.

— Deve ter sido uma grande mulher!

— Realmente foi. Ensinou-me muitas coisas além de fazer um parto.

— É um homem feliz por ter tido uma sábia mulher como mestra.

Eu sorri de suas palavras. Ele se afastou, sumindo nos corredores do seu palácio e eu fiquei a me lembrar de dona Tereza. Foi de recordação em recordação, que acabei me deitando na cama macia e adormecendo. Quando acordei, vi no meu aposento uma espada cruzada igual à minha, os livros, duas bolsas iguais às que eu trazia quando fui preso, ambas cheias de moedas de ouro e algumas pedras preciosas, e uma longa capa negra sarracena.

— Certamente os cavalos estão à minha disposição! — falei para mim mesmo.

— Estão, templário! — exclamou o sultão que entrava naquele momento no meu quarto. — Só não temos uma capa igual à sua. Mas para compensar tão grande perda, trouxe-lhe a doce companhia de algumas jovens ainda no frescor da idade.

A um sinal seu, várias entraram. Eu fiquei rubro de imediato.

— O que o incomoda templário?

— Não devia ter feito isso, nobre sultão.

— Por quê? Não agradam à sua vista?

— Agradam, mas acho que nossos costumes são diferentes e não estou habituado a dividir minha privacidade com várias mulheres ao mesmo tempo. Além do mais, no meu país de origem só nos ligamos à mulher que mais nos toca o coração.

— Não tenciono violentar seus princípios. Portanto, escolha como companheira aquela que mais lhe agradar, é para isso que estão aqui.

— Não posso fazer tal coisa, nobre e generoso sultão!

— Então não aprecia as mulheres do meu reino?

— Não é isso. Minha natureza só permite que eu faça essas coisas se não houver algo mais do que o prazer. Antes eu teria de despertar em mim o desejo por alguma delas e depois ver se é ou não correto envolvê-la comigo.

— Ótimo! Então escolha uma que mais lhe agrade e mando as outras embora. Caso não faça isto, vou pensar que faz pouco caso ou recusa minha generosidade.

— Está bem, nobre sultão. Vou escolher uma como companhia.

Eu comecei a olhar as jovens e, à medida que olhava, umas sorriam, outras não. Uma delas, ao se sentir alvo de minha curiosidade, ficou corada.

— Esta aí está muito bem, nobre sultão.

— Então ela ficará com você para sempre, eu a dou a você. É sua a partir de agora, templário.

A um sinal seu, as outras saíram. Eu, atônito, exclamei:

— Não posso aceitá-la, nobre sultão! É contra os meus princípios!

— Quando alguém recusa um presente de um sultão, se é uma bebida nós costumamos derramar na areia, porque, se não é boa para um amigo, não merece ser bebida. Se é um objeto, nós o quebramos, porque se não agradou a ele, não agradará a ninguém. E se é um cavalo o presente recusado, nós o matamos, pois ninguém mais deve montá-lo. Devo continuar com os exemplos, templário?

— Não, nobre sultão. Eu já entendi.

— É uma questão de costumes.

— Compreendo.

Ele se virou para a jovem e disse:

— Você, de agora em diante, pertence a este homem. Nem eu posso tomá-la para mim, portanto nenhum outro a tomará dele.

— Ouço e obedeço, poderoso sultão. Sou dele para sempre e não olharei para outro homem pelo resto de minha vida.

— Ótimo! Divirta-se, templário. Logo virão servir o seu jantar.

— Obrigado, nobre sultão! É muito generoso com este seu humilde amigo. Que Alá recompense tanta bondade num só homem.

— Assim será, templário! Suas palavras são proféticas.

Ele saiu todo satisfeito e sorridente do quarto, fechando a porta atrás de si. Eu me sentei na cama e olhei para a jovem. Ela enrubesceu novamente. Abaixei a cabeça e cobri o rosto com as mãos. "Que enrascada ele me arrumou!", pensei eu. Meditei por um longo tempo sobre o assunto e cheguei à conclusão de que não poderia tocar naquela jovem tão delicada. Seria mais uma infâmia a acrescentar aos pecados que eu já cometera neste campo. Virei-me para ela e olhei nos seus olhos. Imediatamente, ela ficou rubra como uma pimenta.

— Como se chama, senhorita?

— Zenaide, meu senhor.

— Por que você está aqui?

— O sultão escolheu-me e não posso desobedecê-lo. Seus soldados recolheram-nos na aldeia e disseram que, ou vínhamos por bem, ou nossas famílias seriam aprisionadas. O melhor a ser feito foi obedecê-los.

— Então, assim que eu sair daqui, passamos na sua aldeia, e você voltará a viver com sua família, Zenaide.

— Não posso voltar, meu senhor! Se eu aparecer na aldeia, todos me recusarão.

— Por quê?

— Eu fui trazida para servir no harém do sultão e se for devolvida, todos pensarão que o sultão me possuiu e não gostou de mim, ou viu algum defeito muito grave. Assim, ninguém mais me dará abrigo por lá.
— Mas sua família sim.
— Ela será a primeira a me recusar, pois eu a terei desonrado não agradando ao sultão.
— Então passaremos em outra aldeia e você fica numa delas. O que acha?
— Seria pior ainda, meu senhor! Todos pensariam que sou uma mulher que abandonei minha aldeia e minha família e me acusariam de devassa. Então, o estigma me perseguiria para sempre e só sobreviveria se fosse viver numa casa de diversão para homens.
— Não, isso não! Não vou permitir que se torne o que não é.
— Meu senhor, não há saída para mim! Ou me aceita ou sou uma mulher marcada. O meu destino uniu-me ao seu e se ele for bom ou ruim, terei de vivê-lo ao seu lado.
— Mas isso não é possível! Você não entende?
— Entendo, meu senhor, mas nada posso mudar, porque sou sua e quem tem de se preocupar aqui é o senhor, não eu. Tudo o que fizer, a mim só restará obedecê-lo. É o nosso costume.
— Estranho costume do seu povo, Zenaide! Se uma mulher é tirada de seu lar, nem os seus a aceitam de volta e todos a condenam se alguém a rejeita.
— Não posso mudar o que não foi criado por mim, meu senhor. Sou apenas uma mulher no meio de milhões. Se eu agir diferente, serei vista como uma aberração e sofrerei as consequências.
— Então sairemos deste lugar e iremos a outro país onde os costumes sejam diferentes. Lá poderá ser deixada sem estes riscos tolos.
— Ainda assim serei só uma mulher árabe abandonada à própria sorte num país estranho e então tudo se repetirá, pois não serei vista com bons olhos. Meu destino foi unido ao seu, meu amo. Tudo o que fizer consigo influirá sobre o meu destino pelo resto de minha vida. Se for bom, a alegria refletirá em meu rosto e se não for, a tristeza habitará em minha alma.
— Então, terá de viver a minha vida, Zenaide. Ela poderá não ser a vida que você desejou.
— Eu nunca desejei nada para não me decepcionar. Portanto, como viver, viverei! Se sorrir, sorrirei e se chorar, chorarei.
— Não acha que é muito conformada, Zenaide?
— Fui educada assim, meu senhor. Não posso alterar meu modo de entender o mundo. Será que é tão difícil compreender-me?
— Não, não é tão difícil. Mas não quero aumentar o número de mulheres que magoei com meu modo de entender o mundo à minha volta e de me deixar influenciar por ele.
— Conte-me um pouco de sua vida, meu senhor. Talvez assim eu possa começar a entendê-lo, agora que passaremos a viver juntos.

Nesse momento, o sultão entrou sorridente.

— Vejo que está se dando muito bem com sua escolhida, templário! Aqui está seu jantar. Espero que a noite seja agradável. Até amanhã, Ciro Neri! Vou dormir feliz sabendo que meu presente o agradou.

— Até amanhã, nobre sultão.

Bem, deixaram o jantar no quarto e ficamos a sós.

— Coma, Zenaide! Parece bastante apetitoso.

— Sim, meu senhor. Há muitos anos não provo comida tão apetitosa. Traz sorte a quem se aproxima do senhor.

— Por que diz isso?

— A minha já mudou. Ainda hoje cedo, em minha casa, não tínhamos o que comer no almoço e agora estou diante do que há de melhor na cozinha árabe.

— Mas sua família continua com fome.

— Creio que não, o sultão recompensou-os com uma polpuda bolsa de moedas quando foram me buscar. Acho que neste momento estão todos comemorando a boa sorte que eu trouxe para eles.

— Mas as moedas poderão acabar logo.

— Não creio. Mas se isso acontecer, na certa virão até o sultão e pedirão mais, pois todos irão pensar que estou no seu harém. Ele não poderá dizer que me deu de presente a um templário cristão. Então, ou dará um bom pedaço de terra à minha família ou mais moedas. Não vai servir-se primeiro, meu senhor?

— É mais um dos seus costumes?

— Sim. Só poderei comer depois que tiver se servido. O que deseja que eu lhe sirva?

— Apenas uma dessas deliciosas frutas, Zenaide! Comi muito na última refeição e ainda não estou com fome.

— Por que não me conta um pouco de sua vida, meu senhor?

— Só se depois você me contar a sua!

— Contarei, meu senhor. Posso comer um pouco enquanto fala?

— Sim. Coma o que quiser e quanto quiser.

Eu lhe contei minha vida. Quando terminei, ela estava com os olhos brilhantes. Só falei até quando me juntei aos exércitos dos reis europeus que vinham até a Terra Santa.

— Conte-me a sua agora, Zenaide.

— A minha é tão triste quanto a sua. Acho que não irá gostar de ouvi-la, meu senhor.

— Vou gostar sim. Comece a contá-la.

Zenaide contou-me sua história e chorei ao ouvi-la.

— Eu era uma menina feliz, meu amo. Minha família era alegre, meu pai era o mais amoroso dos pais e minha mãe, a mais carinhosa. Isso até que os soldados do sultão mudassem tudo.

— Acredito que sim, Zenaide. Nossos destinos são muito parecidos. Mas não foi um tio seu que foi buscá-la para livrá-la de sua vida infeliz e sim o próprio sultão.

— As outras moças que viu junto comigo eram as minhas irmãs. Cada uma de nós foi entregue a uma família, e só hoje voltamos a nos ver. Por isso estavam tão felizes. Vê como traz a boa sorte?

— Em parte, Zenaide. Se realmente tenho de levá-la comigo, não sei como será seu futuro.

— Pior do que uma parte do meu passado tenho certeza que não será.

— Não gosto das roupas que usa. São muito ousadas aos meus olhos.

— Nunca as havia vestido antes. Por sugestão do sultão, fomos vestidas assim. Disse que era para que nos visse por inteiro e a que melhor agradasse à sua visão seria a escolhida. Ou todas. Por que preferiu a mim, meu senhor?

— Porque ficou inibida e envergonhada quando eu olhei para você. O seu rubor despertou minha lembrança e minha curiosidade.

— Por que, meu senhor?

— Bem, eu sou assim também, se bem que hoje em dia seja difícil algo que me faça ficar corado deste jeito. Mas não foi por isso que a escolhi e sim porque na vinícola que eu tinha trabalhava uma jovem parecida com você. Quando eu ia lá e ficava vendo as moças esmagarem as uvas, eu gostava de olhar para ela. Sempre que ela percebia que eu a olhava, ficava rubra como uma brasa. Eu gostava do jeito dela, pois fazia eu me lembrar de que não era o único tímido do mundo.

— Era só por isso, meu senhor?

— Não. Para ser sincero, não era só por isto. Eu a achava muito bonita também e, quando ficava envergonhada, mais eu a achava encantadora.

— Certamente ela o achava encantador também, pois o rubor na mulher tímida significa interesse despertado.

— Talvez, mas nunca soube ao certo, pois jamais troquei uma palavra com ela.

— Acho que hoje ela é uma mulher solitária e triste.

— Por quê?

— Ela foi encantada pelo senhor, e no silêncio de sua alma, chora para aliviar sua tristeza e frustração por não tê-la tomado em seus braços.

— Essas coisas não acontecem assim, Zenaide.

— Como não? O senhor mesmo apaixonou-se pela bela Mariana e apesar de ser sua irmã, ainda a ama como a mulher de sua vida e tudo faria para nunca ter descoberto que eram irmãos.

— Tem razão. Eu daria tudo para poder ter Mariana nos meus braços o restante dos meus dias, mas como isso é impossível, não tocarei em outra mulher.

— Não deve agir assim.

— Mas vou.

— Não é preciso tocá-las para torná-las infelizes. Lembre-se da jovem que amassava uvas.

— Está errada, Zenaide. Ela certamente se casou e agora é uma feliz dona de casa.

— Que seja como diz, meu senhor, mas eu não creio nisso, se bem conheço as mulheres.

— Bem, já é tarde.

— Onde me deito, meu senhor?

— Naquela cama ali. Eu continuo na minha.

— Não quer que eu durma ao seu lado, meu senhor?

Fiquei rubro com suas palavras e ela pôs as mãos no meu rosto.

— Fica com as faces quentes como eu, meu senhor. Somos iguais em muitas coisas.

— Já dormiu com outro homem, Zenaide?

— Não, senhor.

— Então, como fala assim? Podemos viver como irmãos até que você encontre alguém que a queira como esposa.

— Não agrado ao meu senhor como mulher? Não sou mais uma criança e já tenho 19 anos.

— Não é isso que tenho em mente, pois não vou arruinar sua vida como já fiz a algumas mulheres.

— Se bem entendi sua história, todas o amavam e ficaram felizes em ser amadas pelo senhor. Também trouxe a boa sorte a todas elas e aquelas que têm filhos estão muito bem amparadas.

— Mas isso não é tudo na vida de uma mulher. Há uma felicidade a ser alcançada e conquistada.

— Onde está a felicidade a ser alcançada senão ao lado do homem amado?

— Que seja assim, mas o tempo as conduziu até mim. Com você é diferente. Foi obrigada a obedecer ao sultão, mas não é obrigada a me servir no leito.

— Acredita que o amor nasça com o tempo, meu senhor?

— Sim. O tempo faz com que as pessoas se amem.

— Então por que com a bela Mariana isso aconteceu de imediato, e com as outras, de sua parte, o que houve foi só uma forte afeição, enquanto elas o amaram de imediato?

— Não sei a resposta.

— Eu sei, meu senhor.

— Qual é?

— Com o amor não há meio termo. Ou amamos, ou apenas gostamos. Quando amamos, nosso coração sabe que não é apenas afeição e nos denuncia isso de imediato. A partir daí, sentimo-lo crescendo cada vez mais no nosso íntimo até que ultrapasse toda a nossa alma e comece a abrasar nossa carne.

— É, acho que foi isso que aconteceu comigo e Mariana. Se me tivesse sido permitido, nós teríamos nos casado com 15 e 16 anos respectivamente. Boa-noite, Zenaide! Já chega de falar neste assunto esta noite.
— Boa-noite, meu senhor. Tenha bons sonhos.
Eu nada respondi e me deitei. Pouco depois, eu dormia profundamente. Acordei com vozes no meu quarto e, ao abrir os olhos, vi o rosto do sultão todo sorridente à minha frente. Ao lado dele, mestre Hakin.
— Como vai, nobre sultão? Que hoje seja um bom dia na sua vida.
— Se for como a sua noite, certamente será. Mas aconselho-o a não puxar mais o lençol, ou deixará descoberto o corpo de sua escolhida.
— Como? Então eu, que costumava dormir com o rosto virado para o lado de fora da cama, olhei para o outro lado e vi Zenaide se cobrindo com o lençol. Perguntei-lhe irritado:
— Por que não dormiu na cama que indiquei, senhorita?
— Estava mais aconchegante ao seu lado, meu senhor. Preferi continuar aqui o resto da noite. Suas vestes estão deste lado, meu amo.
— Minhas vestes? Só então me dei conta de que estava completamente nu e ela, apesar de estar oculta por parte do lençol, também estava nua.
— Mas o que é isso? O que estão fazendo comigo? Eu não toquei nesta jovem a noite toda!
— Não tem importância, templário. Ela é sua desde ontem, mas agora terá de se casar com ela, pois nossas leis são rigorosas neste ponto. Se um amo possui uma escrava, é obrigado a assumi-la como esposa. Vistam-se, pois o sacerdote real será convocado para realizar a cerimônia ao entardecer.
— Poderiam nos deixar a sós, por favor? Preciso me vestir e não costumo fazê-lo na frente de ninguém.
Eles saíram e ficamos a sós. Puxei o lençol com força e a deixei nua sobre a cama. Ela tentou cobrir seu corpo com as mãos.
— Por que tenta cobrir-se agora, se não teve o menor pudor em despir-me enquanto eu dormia?
— Tentei acordá-lo à noite, meu senhor. Mas dorme como uma pedra.
— Durmo o sono dos justos, Zenaide. Vamos, fique de pé.
— Tenho vergonha, meu senhor.
— Ao inferno com a vergonha. Fique de pé, agora! — eu falei bravo, e ela obedeceu de imediato.
— Não tem marcas visíveis de que foi possuída por mim. Vista sua roupa e vamos falar ao sultão que nada houve entre nós durante a noite.
— Não posso, meu senhor. Se eu fizer isso, minhas irmãs morrem ou não sairão da prisão do sultão.
— Só porque não as escolhi também?
— Não. Apenas porque uma de nós tinha de passar a noite no seu leito e seduzi-lo com nossos encantos.

— Por que isso?

— Ele não nos falou. Apenas impôs como condição para libertar as que não fossem escolhidas. Como eu fui a escolhida, resignei-me à minha sorte e fiquei com o senhor. Mas depois que o conheci melhor, achei que não tinha o direito de machucar a sua alma já ferida pelo amor de outras mulheres. Cheguei mesmo a descobrir ontem à noite que o amava, porém não ousei dizê-lo às claras, se bem que procurei insinuar.

— Eu entendi suas insinuações, Zenaide, e vi sua alma através dos seus olhos. Mas, por que passou a noite no meu leito?

— Ou eu me sujeitava a ficar nua e despi-lo também, ou o destino de minhas irmãs iria se tornar negro. Preferi violar minha consciência a acusar-me pelo infortúnio delas. Sou só uma a ser rejeitada pelo meu senhor e elas são quatro correndo risco nas mãos do sultão. Eu não sabia que ele iria obrigá-lo a casar-se comigo, meu senhor. Juro pelo que há de mais sagrado nos céus. Salvei minhas irmãs de um destino ruim e não me importo de ser chamada de leviana pelo meu senhor e dono do meu amor. Sinto não ser sua amada, mas não me incomodarei de amá-lo em silêncio.

— Isto não acontece assim, Zenaide. Não é possível que tenha me amado assim que me conheceu. Isto é impossível!

De seus olhos rolaram duas lágrimas e vi sua alma triste. Fui até a porta e passei a tranca.

Só saímos ao entardecer, quando o sultão bateu à porta e nos chamou.

— Por que fez tal coisa comigo, sultão?

— Esta jovem que irá desposar é filha do sábio Hakin.

— Como?

— Isso mesmo, Ciro Neri. Eu o prendi há onze anos e espalhei suas filhas entre várias famílias. Esta aí é a caçula e agora será sua esposa.

Virei-me para ela e perguntei:

— Você é filha do mestre Hakin?

— Nós o conhecíamos por outro nome, e eu quase me esqueci dele.

— Então por que me ocultou que seu pai era um mestre?

— Eu só tinha 7 anos na época, meu senhor! Sabia que meu pai era um homem importante, mas não sabia o seu outro nome, e nem que era um mestre. Isso altera muito a sua vida?

— Muito, Zenaide. Não só a minha como a de mestre Hakin e a do sultão.

Ele então perguntou assustado:

— Por que a minha?

— Diga-me antes por que fez isso.

— Estando casado com uma das filhas de Hakin terá um motivo muito forte para não partir.

— Está enganado, sultão. Se eu permanecer por mais de sete semanas próximo do seu amado filho, ele morrerá.

— Como?
— É isso mesmo! Ou não notou a minha pressa em partir? Acaso pensa que não gosto de sua hospitalidade?
— Mas eu só queria ter alguém com o poder de ver o futuro ao meu lado! Então, achei que estando casado com uma das filhas do seu mestre seria um bom motivo para ficar por aqui o restante dos seus dias.
Eu, furioso, retruquei:
— Até quando irá tentar possuir o que não lhe pertence? Já não foi o bastante eu ter vindo até seu palácio só para salvar a vida do seu filho? Por que desafia a todo instante os desígnios de Deus? Até quando acha que Ele irá tolerar suas afrontas, interferindo na vida dos que o servem?
— Mas templário, eu só queria ajudá-lo! Aqui teria todo o conforto e riqueza que um homem pode desejar.
— Mas não sou um homem comum, sultão. Antes de partir, eu tinha uma fortuna muito maior do que a sua e era senhor de vários castelos e muitas terras férteis, mais extensas do que seu reino. Deixei tudo por um simples problema de consciência. Não entende que não sou um homem comum? Não preciso de fortuna ou conforto material e sim da paz no meu espírito. Vou me casar com Zenaide, vou assumi-la como minha esposa diante de Deus, mas tenho de partir antes do término das sete semanas após o nascimento do seu filho.
— Bom, se é assim, tudo tem de ser repensado, templário!
— Não como está pensando, sultão. Se me matar, como lhe ocorreu, seu filho morre do mesmo jeito.
— Como sabe que eu pensei isto?
— Eu sei disso e muitas outras coisas, sultão tolo. Não acreditou quando eu lhe disse que tudo o que viu e ouviu no dia que seu filho nasceu foi um aviso de Alá. Não acreditou e continua a interferir na vida dos homens que só querem paz para melhor louvarem a Deus. Vamos, dê-me sua adaga que lhe provo o que estou dizendo em pouco tempo. Eu mesmo atravesso com ela meu coração só para que não tenha tempo de ver seu filho morrer. Quando alcançar o aposento onde ele está, já não respirará mais. Vamos, tolo sultão! Dê-me sua adaga senão eu me degolo com a espada templária.
— Não teria coragem de fazer isto, templário!
— Vou fazê-lo só para provar-lhe que Alá está irado com sua conduta, e só voltará a amá-lo quando deixar os homens de fé em paz.
De um golpe, eu puxei a adaga de sua cintura.
— Vou provar-lhe, tolo sultão, que quem dá a vida pode tirá-la também!
Assim que levantei o punhal com a ponta virada para o meu peito, ele segurou o meu braço e implorou:
— Não faça isso, templário! Vai matar o meu filho amado só porque eu não ouvi suas palavras! Eu juro por meu Deus e pela vida do meu filho que não farei mais isso, e ainda o cobrirei de tesouros.

— Vou exigir algo mais do que isso, tolo sultão. Quero que liberte as outras filhas de mestre Hakin e as cubra com riquezas que as tornarão senhoras dos seus destinos. E isso é por tê-las usado como chantagem, primeiro contra o pai delas e agora comigo.

— Assim será feito, templário. Vou mandar buscá-las agora mesmo e as cobrirei de riquezas.

— Mas há mais uma condição e esta é muito mais importante, pois vem do alto. Orará todo dia, ao acordar, pela saúde do seu filho e por uma longa vida para mim; e ao cair da noite, orará e pedirá perdão por ter matado, torturado e magoado a tantos homens que só queriam um pouco de paz. E se não cumprir tudo o que está sendo acertado entre nós, arrepender-se-á. Onde quer que eu esteja, posso ouvir os seus pensamentos. Jure agora que cumprirá!

— Eu juro, templário. Não quebrarei meu juramento.

— Ótimo! Tome sua adaga e vamos à cerimônia de casamento.

— Se não quiser, não é obrigado a casar-se com ela, você não está sujeito às leis e costumes do meu povo.

Virei-me para a assustada Zenaide e a puxei para mim, dizendo:

— Não vou abandonar uma mulher tão nobre, que se sujeitou só para salvar as irmãs. Zenaide será minha esposa diante dos olhos de Deus daqui a pouco. Vamos até o sacerdote realizar a cerimônia e traga as suas irmãs para que possam felicitá-la por seu matrimônio.

Eu me casei com Zenaide sob as vistas de suas irmãs e seu pai. Todos nos felicitaram e foram até nosso quarto. Mas o sultão não apareceu.

— É uma grande alegria para mim reencontrar minhas filhas, Ciro Neri. Você nos trouxe a alegria da vida.

— Só sinto ter de levar Zenaide comigo. Não mais a verá, mestre Hakin.

— Ainda assim eu sei que ela será a mais feliz das minhas filhas. Deixe-me abraçá-la e sentir nos meus braços minha pequena Zenaide.

Mestre Hakin chorou de alegria, pois pôde abraçar todas as suas filhas. Depois de lhe contar o que houvera entre eu e o sultão, ele comentou:

— Bem feito para ele. Acho que nunca mais irá se envolver com os homens santos. Penso até que acabou o seu desejo de ser um deles. Como se chama o que fez com ele?

— Eu tirei seu coração com minha espada sem sujar minhas mãos com seu sangue e decepei sua cabeça sem deixá-la cair do alto de seu corpo.

— Preciso aprender a fazer isso!

— O senhor já o praticou comigo, mestre Hakin. Tirou o meu coração e o substituiu pelo seu e esvaziou minha cabeça e a inundou com o que há na sua. Agora eu sinto o que sente e penso como o senhor.

— Mas não fez o mesmo com o sultão.

— Como não? Com um homem bom, fazemos isso por meio do amor, mas com um homem mau, temos de fazê-lo pelo medo. Eu não desejo sua morte, pois o amo, e ele não quer a minha, senão perderá o que mais presa, que é a continuidade do seu reinado.

— Compreendi, mestre Ciro Neri! Fez o mesmo com Zenaide?

— Não. Ela fez isso comigo.

Nisso o sultão bateu à porta. Já havia mudado o seu comportamento. Ao abri-la, ele me falou:

— Está tudo pronto para sua partida ao amanhecer, templário. Mandei colocar uma confortável tenda na sua bagagem, pois agora tem uma esposa para proteger.

— Orarei todos os dias de minha longa vida por sua generosidade, nobre sultão.

— Vou devolver a casa do mestre Hakin e assim saldarei um pouco dos meus erros.

— Ele também orará por sua generosidade e senso de justiça.

Assim que ele saiu, abracei mestre Hakin com alegria. Então Zenaide falou:

— Não lhe disse que você trazia sorte, meu amado senhor?

— Se é assim, por que não nos toma também como esposas, mestre Ciro? — falou a mais velha das filhas. — Zenaide fica sendo a primeira do seu harém e nós, as outras que alegrarão os seus dias.

— Nada disso! Já chega uma mulher para cuidar. Contento-me com a que me reservou o destino.

— Vamos, filhas! Deixem-nos a sós. Amanhã voltaremos à nossa antiga e agradável casa. Com a fortuna que o sultão lhes dará, logo estarão todas casadas.

O sorriso tomou conta do rosto delas e, uma a uma, todas nos abraçaram e desejaram boa sorte.

# Capítulo XXIII

# O Encontro com o Divino Mestre

No dia seguinte, Zenaide e eu partimos. Fui escoltado por soldados do sultão até o Santo Sepulcro. Pedi que voltassem, mas eles só se afastaram. Armei nossa tenda e, ao pôr do sol, fui orar e pedir perdão por ter praticado incesto com minha irmã de sangue.

Fiz as sete orações sagradas em frente ao Santo Sepulcro. Ao meu lado, e de joelhos como eu, estava Zenaide. Quando indaguei a ela por que ia orar também se não era cristã, ela disse:

— Nenhuma religião é melhor ou pior do que outra. Nós é que podemos ser melhores ou piores na que abraçamos ao nascer. Mas se orar aqui traz o alívio ao seu coração e lhe dá força e fé para continuar sua vida, eu também participo de sua fé e oro pedindo forças para que eu nunca venha a esmorecer em minha confiança, fé e amor aos nossos semelhantes.

— Então faça comigo esta prece, Zenaide.

— Como se chama ela?

— A Prece do Caminho. Como unimos os nossos destinos, trilharemos o mesmo caminho.

— Então ore-a em voz alta que eu o acompanho em pensamento, meu amado esposo.

E eu a iniciei:

*O Caminho*

*Eu caminho o caminho que me traçou o Senhor dos meus caminhos. Se eu caminho pelo Seu Caminho, então estou no meu caminho.*

*O meu caminho é o caminho dos que caminham em busca do Caminho sem se desviarem por outros caminhos.*

*No meu caminho eu tenho a trilha que me conduz ao Senhor do meu caminho.*

*Todos os caminhos conduzem ao Senhor dos Caminhos, mas eu tenho o meu caminho e não busco outro caminho para chegar ao Senhor do meu caminho.*

*No meu caminho muitos buscam o Senhor dos Caminhos. E muitos encontram os seus caminhos guiando-se pelo Senhor dos Caminhos.*

*Mas muitos se perdem pelos caminhos, ao querer encontrar, no meio deles, o Senhor dos Caminhos.*

*O Senhor dos Caminhos é o próprio caminho por onde eu caminho.*

*Eu não busco o Senhor do meu caminho no seu final, pois ele se acha no lado direito do meu caminho.*

*O meu caminho tem dois caminhos: um caminho que sobe e outro que desce. Mas às vezes, ao descer no meu caminho, estou subindo na minha caminhada; e noutras vezes, ao subir no meu caminho, eu estou descendo na minha caminhada, pois o caminho pertence ao Senhor dos Caminhos e ninguém passa pelos caminhos sem ser visto por Ele.*

*Se cada um fizer o seu caminho sem olhar os outros caminhos nem desviar ninguém do seu caminho, então ele já é um caminho do qual se serve o Senhor dos Caminhos.*

*Muitos vão e muitos vêm. Muitos sobem e muitos descem. Quem muito subiu no seu caminho, às vezes volta pelos diversos caminhos que possui o Senhor dos Caminhos para que possa ver que existem muitos outros caminhos!*

*Quem pouco subiu no seu caminho, às vezes volta ao início e recomeça em outro caminho a sua caminhada rumo ao Senhor dos Caminhos, que a todos observa.*

*Se encontro muitos espinhos, deles não posso me desviar porque foi Ele quem os pôs no meu caminho só para que, ao me ferir, eu saiba e aprenda que o meu caminho não é melhor do que qualquer outro, apenas é o meu caminho!*

*Se o meu caminho está ressecado, eu tenho de aguá-lo com minhas lágrimas, pois este é o meu caminho, e ele não pode estar seco. Mas se meu caminho se encharcar com meu pranto, eu tenho de enxugá-lo, pois ele não pode ser muito úmido senão irei me afundar no lodo que se criará no meu caminho.*

*O meu caminho não é o melhor dos caminhos, mas é o meu caminho. Se eu fizer uma boa caminhada, estarei fazendo um bom caminho por onde outros, ainda sem um caminho, poderão iniciar suas caminhadas rumo ao Senhor dos Caminhos.*

*Eu olho para todos os caminhos e vejo somente caminhos. Todos pertencem e nos conduzem ao Senhor dos Caminhos.*

*No meu caminho, eu tenho, no momento de sede, a fonte de água fresca; no momento de fome, o pão sagrado; no momento de dor, o bálsamo que alivia; no momento de tristezas, tenho o sorriso amigo que alegra minha alma; nos momentos de angústia, a paz que tranquiliza meu espírito; nos momentos de aflições, a palavra que me consola; nos momentos de desespero, a calma que pacifica o meu coração; nos momentos de alegria, a palavra de agradecimento a quem a propicia.*

*Pois este é o meu caminho e nele, de tudo há um pouco. Mas no meu caminho, não há lugar para outro que não seja a trilha única que me conduz ao Senhor dos meus caminhos.*

*Que cada um caminhe o seu caminho consciente de que todos os que caminham os muitos caminhos do Senhor de todos os caminhos, por Ele foram abençoados ao iniciarem suas caminhadas. Que eu não olhe com desprezo para os que estão parados no meio do caminho, pois eles podem estar apenas descansando e reiniciarão suas caminhadas assim que conseguirem forças para isso.*

*Mas se, ao caminhar no meu caminho, eu tiver de diminuir um pouco minha jornada só para ajudar alguém que caminha com dificuldade, muito terei avançado.*

*Se eu repartir o meu pão com alguém que tem fome, não precisarei de muitos pães para aplacar minha fome; se eu repartir minha água com quem tem sede, terei saciado a minha própria sede.*

*Se no meu caminho eu ajudar alguém a encontrar o seu próprio caminho, então eu sou parte de um caminho por onde muitos podem caminhar.*

*No meu caminho, eu caminho com o Senhor dos Caminhos que sempre guia aqueles que com Ele querem caminhar, pois assim diz o Senhor dos meus caminhos: "Se tu caminhas os Meus caminhos, contigo Eu sempre caminharei nos teus muitos caminhos, que são todos caminhos Meus."*

*Amém.*

Assim que terminei a oração, olhei para o rosto de Zenaide e a vi olhando para a frente. Olhei para onde convergiam seus olhos e também vi a figura iluminada. Então, Ele me chamou:

— (...) Eu sou o seu caminho.
— Quem é(...) senhor do meu caminho?
— Você é(...) e eu sou o seu fim.
— Eu sou(...) e vós sois o meu fim, Senhor meu!
— Assim será conhecido pelos quatro santos que estão assentados nos quatro cantos do seu templo interior, ao qual Eu ilumino com a luz do Meu caminho. Se pedir neste nome, a você será dado; se perguntar neste nome, a você será respondido; e se doar neste nome, a você será dado, porque assim foi batizado na sua origem, no seu meio e no seu fim. Assim foi, é e será conhecido pelos que velam por todos os caminhos d'Aquele que é o único e soberano Senhor de todos os caminhos.

— De vossos lábios ouço o nome que fui, sou e sempre serei chamado pelos que velam por todos os caminhos do único e soberano Senhor de todos os caminhos.

— Assim foi, é e sempre será chamado, pois assim Ele o quis na origem, o quer no meio e irá querê-lo no fim.

— Assim fui na origem, sou no meio e serei no fim, pois esta foi, é e sempre será a vontade do meu Senhor.

— Então siga o seu caminho, pois assim lhe ordena Aquele que sempre foi, é e sempre será o único Senhor de todos os que caminham os muitos caminhos que conduzem ao fim único, onde está assentado o Trono Celestial do Senhor dos Caminhos.

— Eu seguirei minha caminhada rumo ao Trono onde está assentado o único e soberano Senhor dos Caminhos.
— Longa é sua jornada.
— Ela é longa, meu Senhor. Mas grande é minha perseverança e muito maior a minha fé ao iniciá-la.
— Enquanto trilhar o seu caminho, à sua direita estarei Eu a conduzi-lo rumo ao fim.
— Vou me manter no meu caminho para ser honrado com vossa magnânima e majestosa companhia, meu Senhor. E entoarei cantos de glória ao vosso santo nome que inundarão não só o meu templo interior mas o templo dos muitos que me ouvirem entoá-los.
— Eu me alegrarei com os seus cantos, filho meu. E meu sorriso alegrará sua alma, pois eu sou a vida e o que viver em mim viverá eternamente no seio do Eterno Doador da Vida.
— Eu vos amarei por todo o sempre, Senhor da minha vida.
— Então eu o inundarei com o meu amor, pois Eu sou a fonte do amor dos que amam o Eterno com todo o seu amor. Eu o amo, muitos o amarão e a muitos amará.
— Eu sei que assim será, meu Senhor, pois tenho fé em vossas palavras benditas.
— Então eu verei aumentada a fé que muitos em mim depositam, pois sei que falará de mim com toda a sua fé e amor.
— Vida, amor e fé são as luzes que iluminam o meu templo interior, meu Senhor.
— Vida, amor e fé serão dádivas que distribuirá em nome do Pai pelo seu caminho, pois Eu sou, fui e sempre serei o Senhor do seu caminho.
— Assim foi, e assim sempre será, Senhor do meu caminho.
— Então viva a vida com fé e amor, filho meu.
— Eu a viverei, Mestre de Luz Divina do Divino Criador.

Sua luz expandiu-se e nos envolveu de um dourado cintilante; depois ele foi subindo e desaparecendo no firmamento. Dos meus olhos lágrimas caíam em abundância. Quando mais nada havia senão a gruta, eu vi o espírito de minha mãe vir caminhando em minha direção. Fiquei olhando emocionado e só consegui dizer:
— Mãe querida! É você mesma?
— Sim, querido filho. Sou sua amada mãe. E venho avisá-lo que ainda não terminou com o que lhe foi pedido pelo espírito do seu avô.
— Tive que me desviar, pois cometi um grave pecado, mãe querida! Por que nunca me contou que eu tinha uma irmã?
— Todas as mulheres são suas irmãs aos olhos de Deus!
— Não é nesse sentido que falo, mãe amada, mas sim no sanguíneo.
— Você foi o único filho que meu ventre gerou na terra. Mariana não foi gerada no meu ventre e só a conheci depois de eu ter deixado o corpo carnal.

— Mas então como se explica o que me envolveu?
— Você foi traído por seu primo Mário e pela mãe dele. Pergunte à sua tia Genoveva, ela está comigo agora.

E tia Genoveva veio para junto dela.

— É a mais pura verdade, Ciro. Deixei o corpo carnal alguns meses atrás, vítima de uma dose de veneno que visou tirar-me do caminho de Matilde, a mãe de Mário e amante de Pietro.

— Como está Mariana?
— Infeliz e solitária.
— Por quê? — perguntei.
— Tiraram-lhe o filho que você semeou em seu ventre.
— Mas por quê?
— Ele nasceu deficiente como eu. Sabe quem era ele?
— Nem imagino, mãe querida.
— Ele é a reencarnação do seu avô e meu pai. Giovanini Neri voltou à carne para passar pela mesma provação que eu. Assim ordenou a Lei e ele a obedeceu. Ele era o homem com a longa capa negra, Ciro Neri.

— Quem o tirou de Mariana?
— Mário levou-o assim que nasceu e disse que ele havia morrido.
— Onde está ele agora?
— Entregue a uma família de aldeões, tal como fizeram comigo.
— Vou voltar e resgatá-lo da sina que a perseguiu.
— É um bom filho e dará a ele o que não tive. Mas também cuide dos seus seis outros filhos.

— Por que seis e não cinco?
— São três de Rosa, dois de Carla e um de Helena.
— Até ela tirou de mim o que tanto desejava?
— Sim.
— Todos tiraram algo que queriam de mim. Só eu não pude ter o que tanto desejei. Por que, mãe amada?
— Porque assim quis o Senhor da Vida. Se alguém quer a vida, dê a vida, e estará cumprindo a vontade d'Ele.
— Mas tudo isso marcou minha alma e pesa em minha consciência. Não paro para pensar a fim de não cair na depressão profunda que há em minha alma.
— Tudo isso foi para impedi-lo de cair, filho querido. Volte o mais breve possível até seu tio Benini e cumpra com o que prometeu ao seu avô. Depois distribua a vida, o amor e a fé, começando com os seus e multiplicando-se no coração de muitos.

— Como encontrarei meu filho se há muitos com a mesma deficiência?
— Ele tem a mesma marca que você tem no peito. Assim não deixará de reconhecê-lo, filho querido.
— Se eu encontrá-lo, a muitos iguais a ele ampararei com minha vida, meu amor e minha fé.

— Não nos verá, mas estaremos ao seu lado.
— Sinto não poder resgatar Mariana também. Sofro só em saber que ela sofre.
— Tem uma ótima companheira. Gosto muito dela, Ciro.
— Eu também gosto dela, mãe querida. Ela é como eu.
— Todas as outras são como você. Uma é o amor, outra o prazer, outra a fé e a outra é a vida, eu sou sua fonte do amor. Mariana é o encanto do amor, Rosa é o prazer do amor, Zenaide é a fé do amor e Carla é a vida do amor.
— Mas falta Helena.
— Ela é a desilusão do amor. Já foi a paixão.
— Por quê?
— Ela o amou com tanta intensidade, que se desiludiu e agora não ama nem ao filho que gerou.
— Buscarei a ela também e farei renascer em seu coração todas as outras coisas positivas do amor. Ninguém ficará esquecido no meu retorno.
— Eu sei que não, filho querido. Agora nós partiremos.
— Como vai dona Tereza?
— Bem, e manda dizer que está feliz por ter aprendido tudo o que ela ensinou.
— Diga a ela que eu sou eternamente agradecido por tudo que ela me ensinou. Quando a verei novamente, mãe querida?
— Quando Ele assim o quiser ou permitir.

Ao dizer isso, ela apontou para o interior da gruta. Fez um aceno com a mão direita e, sem se virar, retornou a ela. Fiquei muito tempo ajoelhado orando e olhando para o interior da gruta. Quando vi que mais ninguém saía, virei-me para Zenaide. Ela estava calada, mas com um sorriso nos lábios.

— Eu também vi minha mãe, Ciro! Ela acabou de partir!
— O que ela lhe disse?
— Foram tantas coisas que é melhor não tentar repeti-las. Mas uma delas foi que também o ama.
— Eu não a conheci, mas certamente eu a amaria como amo minha mãe. Vamos iniciar uma longa jornada agora mesmo, Zenaide. Está preparada?
— Sou sua esposa, não? Então vamos juntos recolher as outras do seu harém. Nenhum sultão que se preze deixa suas mulheres fora do seu palácio.
— Se eu não a tivesse conhecido, e antes ao seu pai, eu teria perdido minha fé no amor à vida. Ele me devolveu a fé na vida e você, no amor que faltava. Vamos então, pois muitos são os pedaços a serem recolhidos. Só espero que não venha a ficar enciumada com elas ou decepcionada por eu tê-las deixado para trás.
— Se isso acontecer, você será o segundo a saber, pois eu serei a primeira.
— Você se parece muito comigo, Zenaide. Tem a aparência de uma menina, mas sua alma já está envelhecida pelas provações a que foi submetida.
— Elas fazem isso conosco, não?
— Como fazem! Uns enlouquecem, outros caem de vez, outros, como nós, amadurecem à força.

— Se eu viesse a me casar com um velho, sofreria pela falta da juventude e energia dele, mas se me casasse com um jovem, sofreria pela sua imaturidade. Sou uma mulher de sorte, tenho um homem jovem e bonito na aparência, mas com uma alma amadurecida nos combates da vida. O que mais eu poderia querer como mulher?

— Uma boa casa onde pudesse ter conforto e segurança e uma porção de filhos a rodeá-la para que não se sentisse só uma mulher desejada.

— A casa e o conforto, o homem maduro proporcionar-me-á. E os filhos, o jovem não deixará de me dar.

Eu sorri do modo como Zenaide falou. Seu senso de humor tinha um charme todo especial que tornava interessante e agradável ouvi-la.

# Capítulo XXIV

# De Volta a Milão

    Nós fomos até uma cidade portuária e embarcamos num navio que se dirigia à Grécia. Lá ficamos alguns dias até conseguirmos embarcar para Gênova. Em Gênova, trocamos nossas roupas árabes por outras que não chamassem tanta atenção.
    Foi uma longa e gostosa viagem até Milão. Chegamos na bela cidade por volta do meio-dia e fomos direto à mansão Benini. Assim que cheguei ao portão, um dos cavaleiros abriu-o e saudou-me:
— Bem-vindo de volta ao seu lar, meu senhor. Muito nos alegra sua volta num momento tão difícil.
— O que está acontecendo de ruim, cavaleiro?
— Seu tio, o bispo, está nos seus últimos dias, meu senhor. Seria bom apressar-se.
— Vou imediatamente até ele.
    Forcei o cavalo com o chicote e logo estava entrando novamente na mansão Benini. Foi emocionado que eu vi boa parte dos meus amigos e da família Neri ali reunida.
    Cumprimentei a todos. Mas em Carla eu dei um longo abraço. Quando nos separamos, nossos olhos estavam cheios de lágrimas.
— Onde estão os gêmeos, querida Carla?
— Deixei-os com minha mãe. Você estava certo ao dizer que seriam dois.
— Como são?
— Lindos como o pai!
— Mas com os cabelos da mãe, pois eu os revi há poucos dias.
— Como os reviu se nunca esteve aqui antes?
— No dia em que nasceram, eu fiquei ao seu lado durante o parto. Ao primeiro que nasceu você deu o nome de Marcos e ao segundo, de Marcelo. Só retornei à prisão quando a vi adormecer.
— Como conseguiu isso?
— O pai de Zenaide ensinou-me. Ajudou-me a viajar mentalmente para ver o seu parto, eu sabia que seria às cinco horas de uma segunda-feira.
— O que mais você sabe?
— Que ainda terá mais dois filhos, mas não gêmeos!

— Mas como se não vou me casar com ninguém?

— Como sei que não teria coragem de se casar com outro homem, eu a ajudarei a conseguir isso também. Conheça agora Zenaide, a filha do homem que me ensinou a viver a vida.

Eu as apresentei e logo subíamos as escadas para ver tio Benini.

Carla perguntou:

— Este ventre saliente é obra sua, não?

— Como sabe disso?

— Preciso ser tão esperta assim para saber que se há uma mulher grávida perto de você, na certa o filho é seu?

— Bem, estamos casados pela lei do país dela.

— Pelo visto esta viagem alterou seus princípios.

— Sempre que visitamos um povo diferente, devemos aprender com eles princípios que melhor se adaptam a nós. A ideia de um harém me pareceu muito interessante.

— Não sei se choro ou se sorrio de alegria com sua volta, apesar de seu tio estar à beira da morte.

Como já estávamos no corredor, segurei-a pelos braços e fiquei admirando-a por uns instantes, então falei:

— Poderá perdoar-me por tê-la abandonado e nem imaginado que talvez eu fosse importante para você, apesar de não dar a mesma importância a você e aos filhos que já se anunciavam? Fui um covarde e canalha da pior espécie que há. Perdoe-me, por favor, querida Carla!

Carla não falou nada, apenas agarrou-se a mim e chorou muito. Eu também nada falei. Nada mais havia a fazer senão pedir-lhe que me perdoasse.

Às vezes, erramos, magoamos e ofendemos aqueles que mais gostam de nós. Eu a apertava contra mim na tentativa de acalmar o seu pranto dolorido. Como eu a fizera sofrer com minha fuga apressada!

— Não a abandonarei mais pelo restante dos nossos dias, minha querida Carla. Isso eu lhe prometo. Diga que me perdoa!

Ainda assim ela não falou, mas olhou para mim com o rosto molhado pelas lágrimas e acenou que sim com a cabeça. Pouco a pouco, seu pranto foi cessando e eu enxuguei seu rosto com a ponta de minha capa. Olhei para Zenaide e notei seu olhar estranho.

— Já está com ciúmes, Zenaide?

— Não, Ciro! Só estou tentando compreender o que o levou a deixá-la para trás.

— Nem eu sei explicar minha conduta. O mais certo teria sido eu ficar com ela e estar ao seu lado nos momentos difíceis por que passou. Não há uma forma de me desculpar pelo que fiz a ela.

— Eu fui participante consciente de tudo, Ciro. Não o acusei de nada uma única vez esse tempo todo — falou Carla.

— Mas imagino o quanto não deve ter ficado magoada!
— Já não tenho mágoas no coração. Agora estou mais feliz do que antes de ter partido. Você também estava magoado ao fazê-lo, não?
— Muito.
— Agora vamos ver seu tio, mas, cuidado, ele está muito mal.

Entrei no quarto onde repousava tio Benini e me assustei com seu estado. Ele, que era um homem alto e corpulento, estava magro como um esqueleto. Assim que me reconheceu, falou:

— Eu sabia que estava vivo, Ciro Neri. Como foi bom eu não ter morrido antes de comprovar isto.
— Como vai, tio Benini?
— Pior do que aparento, Ciro. Ainda bem que chegou a tempo para ouvir minha confissão.
— Não sou padre, tio Benini! — exclamei sorrindo.
— O que tenho a confessar, só você poderá ouvir. Lembra-se do monsenhor Alberto?
— Sim. Como vai, monsenhor?

Tio Benini mandou que ele fosse até onde estavam os parentes e anunciasse que tornava público que Ciro Neri era o seu único e legítimo herdeiro. Apanhou um documento e lhe entregou para que fosse lido na frente de todos.

Assim que ele saiu, eu apresentei Zenaide como minha esposa. Depois pedi que ela e Carla nos deixassem a sós. Assim que fecharam a porta, ele tirou debaixo do seu travesseiro as chaves que eu havia deixado junto com as cartas antes de partir.

— Por que não me esperou, Ciro?
— Não tive coragem, tio Benini. O choque por saber que Mariana era minha irmã foi tão grande que quase enlouqueci.
— Eu só soube disso muito tarde, Ciro. Você as deixou no seu quarto e eu só o abri para guardar sua espada, a capa e o anel. Só então eu vi o que tinham feito a você. A partir desse dia, comecei a morrer. Consegui a falsa carta que Mariana também recebeu e a de Pietro. Todas foram muito bem forjadas. Mas eu sabia que algo estava errado com você a partir da segunda carta que me chegou às mãos. Ela, tal como a primeira, só vinha assinada Ciro Neri e não Ciro V. Neri como era seu hábito ao escrever-me.

Além do mais, eu vi no lombo do cavalo daquele homem uma bolsa preta e outra marrom. Era sinal de que ele estava por trás do seu desaparecimento. Neguei-me a pagar, pois sabia de outros casos em que as famílias davam uma fortuna só para saber como estavam seus entes queridos que não voltavam das peregrinações. Recebi há algum tempo a visita do Barão de Rocheville dando-me contas de que você estava bem. Isso me deu forças para viver até que voltasse a mim.

— Não fale tanto, tio. Está muito fraco e deve poupar-se um pouco. Eu estou bem e logo o senhor também estará.

— Estou partindo, Ciro. Mas gostaria de lhe dizer que fui eu a pessoa que convenceu meu pai a se desfazer de sua mãe quando vimos que ela era deficiente física. Nas famílias que os tinham, eram um estigma, pois diziam que eram um castigo divino. Na época, eu estudava para me tornar um religioso e convenci meu pai a dar Angelina para alguém criar. Eu me arrependi, mas não voltei atrás para corrigir o meu erro. Quando meu pai morreu, ordenou que eu e Pietro a resgatássemos para a família e ainda assim não tivemos coragem de fazê-lo. Tivemos vergonha de nos confessarmos a ela como os únicos culpados de sua rejeição. Lá no esconderijo secreto está tudo guardado e revelado, Ciro. As terras e propriedades, assim como o dinheiro lá escondido, fazem parte da herança deixada à sua mãe por Giovanini Neri. Naquela pasta você encontrará o seu testamento e tudo o mais.

— Por que resolveu ir buscar-me, tio Benini?

— Eu havia gasto minha fortuna só para eleger-me papa, mas na noite anterior à eleição que me consagraria, Giovanini Neri apareceu no meu quarto vestindo sua longa capa negra e ordenou-me que fosse atrás de você, resgatá-lo para a família e devolver-lhe tudo o que nós havíamos lhe tirado. Chegou a apertar-me o pescoço na tentativa de me matar e levar consigo minha alma pecadora. Só não o fez porque prometi e jurei que o resgataria da vida em que nós o havíamos lançado. Como castigo, ele me obrigou a renunciar ao posto de papa que eu tanto havia lutado para conseguir. Só se afastou de mim quando renunciei em favor do meu adversário ao cargo. Dali eu fui para a aldeia onde seus pais moravam. Não tive coragem de me revelar e passei a observá-lo. Na noite em que você, em vez de voltar à paróquia, decidiu fugir, ele apareceu novamente e me ameaçou mais uma vez no caso de não conseguir demovê-lo da fuga. Quando você retornou com a capa negra, eu a reconheci de imediato, assim como já havia reconhecido o anel de pedra negra de meu pai. Só não entendi como ele serviu certo no seu dedo anular.

— Sabendo de tudo isto, por que não me deixou casar com Mariana?

— Você estava desequilibrado, Ciro! Eu queria curá-lo antes e por isso o trouxe para esta mansão e o deixei aos cuidados dos mestres; sua guarda e treinamento eu recomendei ao templário Pierre Albert. Só não previ este golpe contra meus planos, desferido por alguém que não sei quem é. Você sabe?

— Não, tio Benini — eu menti para poupá-lo na sua agonia.

— Você sabe quem foi Mariana no passado?

— Não.

— Mariana é a reencarnação de sua avó, Ciro. Eu prometi a papai que casaria você com ela e não cumpri.

— Como sabe que ela é a reencarnação de vovó.

— Ele me falou na primeira vez que me apareceu. Minha mãe tinha a sua como morta logo depois de nascer, mas alguém contou a ela, muitos anos depois, que não só Angelina vivia, como era deficiente física. Ela ficou louca de tanto desespero e atirou-se do alto da torre do castelo. Um ano depois nasceu Mariana, que hoje se parece com ela. Meu pai, a partir desse dia, apagou-se e nunca mais foi o mesmo. Uma das coisas que eu devia fazer era casá-los para que ele renascesse sob o teto de duas pessoas prejudicadas por ele. Mas nem isso eu consegui. Agora vou encontrá-lo no inferno, esperando por mim!

— Não o encontrará no inferno, tio Benini. Ele já reencarnou no filho que Mariana teve, e que Mário contou a todos estar morto.

— Então foi em vão sua tentativa de voltar à carne.

— Não, ele está vivo e eu voltei para não deixar que aconteça com ele o mesmo que aconteceu com minha mãe.

— Como assim?

— Ele nasceu com a mesma deficiência física que ela possuía e está vivendo num lar de aldeões. Deus deu-lhe como castigo o mesmo tormento que incomodou minha mãe enquanto ela viveu. Mas não vou permitir que seja humilhado e nem que viva na miséria como ela. Isso eu prometi a minha mãe diante do Santo Sepulcro. Por que chora, tio Benini?

— Estou pensando em quão dolorido será o meu tormento quando eu voltar à carne, Ciro! Meu Deus, perdoe-me por ter cometido um pecado tão grande e tudo por ignorância, só ignorância! — clamou ele, agoniado.

Tio Benini chorava convulsivamente e foi assim que morreu. Seu coração não resistiu e teve um colapso.

Logo depois dos funerais, os parentes voltaram às suas casas e fiquei só com Zenaide na imensa mansão. Carla e sua família vieram nos visitar e trouxeram os gêmeos para eu conhecer. Como eram lindos! Tomei-os em meus braços e chorei de tristeza e alegria ao mesmo tempo. Eu os acariciava, apertava contra mim e os beijava. Foi um dia de muitas emoções, aquele domingo.

Almoçamos no já não mais usado refeitório da mansão e não os deixei ir embora naquela noite. Ficamos até tarde conversando na sala de visitas.

— Acompanha-me até Bolonha, senhor D'Ambrósio?

— Algum motivo especial?

— Na viagem até lá lhe conto tudo.

— Está certo, Ciro Neri. Acho que preciso viajar um pouco depois de ter ouvido tantos lamentos de alguém que não quero apontar.

— O senhor prometeu não dizer nada sobre isso, papai! — exclamou Carla, já brava. Sua faces avermelharam-se de imediato.

Então Zenaide, com seu sotaque árabe, falou, apontando-a com a mão:

— Não sou só eu quem fica rubra. Acho que isso é comum no seu harém, meu senhor.

Bem, o jeito foi rir do seu modo charmoso de lançar suas agudas observações. Só tarde da noite nós fomos dormir. Não sei como, mas Zenaide deu um jeito de colocar Carla no quarto ao lado e trocou de lugar com ela, ficando com os gêmeos. Já que ia ser assim, eu me acostumei com a ideia e assumi minha nova condição de sultão. Não ouvi reclamos nem de uma nem de outra nos dias que se seguiram, e até que eu partisse com o senhor D'Ambrósio, se bem que ele não ficou na mansão Benini mais do que uma noite. Demorei uma semana até tomar conhecimento de tudo o que se passara na minha ausência. Carla acabou levando Zenaide, pois não quis deixá-la sozinha na mansão.

Na viagem, contei ao senhor D'Ambrósio sobre Gilberto Sarre e sua maneira criminosa de extorquir dinheiro das famílias dos peregrinos ao Santo Sepulcro.

— Agora que o sultão não mais os receberá como estava acostumado, não duvido que ele venha a matá-los logo que partam e depois diga às famílias, através dos seus comparsas, que ainda estão vivos e prisioneiros dos islâmicos.

— Lá nós esclareceremos tudo, Ciro. Ele terá de pagar pelos crimes cometidos. Deve ser uma quadrilha muito grande.

— Não tenho dúvidas disso, senhor D'Ambrósio.

Nós chegamos alguns dias depois e fomos direto à casa do senhor Lídio. Após lhe contar tudo, ele revelou algo que nos ajudou muito.

— Gilberto Sarre, por intermédio do tio, há alguns anos entrou na Ordem dos Templários e isso explica tudo, pois foi a partir daí que começaram a acontecer os desaparecimentos de peregrinos abastados. Muitas famílias foram arruinadas com isso.

— Mas isso não acontece só em Bolonha. O mesmo tem acontecido em muitas outras cidades da península Itálica. Temos de descobrir quem é o cabeça dessa organização — falou o senhor D'Ambrósio.

— Hoje à noite, começaremos a esclarecer o mistério.

À noite seria realizada uma reunião na sede da Ordem. Todos os membros foram convocados. Eu fiquei escondido até que se iniciasse a abertura da reunião. Lá estava Gilberto sentado ao lado do tio, o monsenhor Sarre. Depois de aberta a reunião, o senhor Zago, que era o príncipe da Ordem em Milão, anunciou que recebiam a visita de um peregrino recém-chegado da Terra Santa. Assim que anunciou meu nome, entrei no grande salão construído ao lado da vinícola do senhor Lídio.

— Boa-noite, meus irmãos da Ordem e guardiões do Santo Sepulcro. Hoje vocês conhecerão a mais torpe traição que temos sofrido. Um dos que dizem ser da nossa sagrada Ordem tem extorquido todos os bens dos familiares daqueles que partem para suas peregrinações até o Santo Sepulcro.

Assim que eu disse isso, Gilberto Sarre levantou-se e pediu licença para sair porque não estava se sentindo muito bem. Não deu dois passos e foi agarrado por dois cavaleiros que me acompanhavam.

— Onde pensa que vai, traidor? — gritei. — Já chega das desgraças praticadas por você, serpente traiçoeira.

— Soltem-me, quero sair daqui! — gritou.

Um dos cavaleiros aplicou-lhe forte bofetada e falou:

— Cale-se, verme asqueroso, ou arranco sua pele com você ainda vivo.

Monsenhor Sarre interveio e quis saber o que estava havendo.

— O senhor Lídio lhes explicará tudo, meus irmãos. Façam silêncio, por favor.

Todos se calaram e tudo foi falado. Quando ele terminou de falar, a indignação era geral. Dois outros membros recentes tentaram sair, mas foram impedidos também. O cavaleiro que ameaçara Gilberto sacou um afiado punhal, enfiou a ponta dele sob a pele do seu braço e perguntou-lhe:

— Quem mais faz parte de sua quadrilha?

— Ninguém mais! — gritou ele.

O cavaleiro fez o mesmo com os outros dois e, depois de ser comprovado serem os únicos, foi exigido o nome dos comparsas na cidade. Todos os nomes foram anotados.

— Agora diga o nome do seu chefe, Gilberto! — gritei eu.

— Não posso falar senão morro.

— Morrer você vai de qualquer forma, canalha. Só escolha a forma menos dolorida — falou o cavaleiro. — Eu sei muitas maneiras de fazer um homem revelar o mais oculto segredo. Vou lhe mostrar uma delas agora. Irá implorar para morrer, pois a próxima tortura será sempre mais dolorida. Primeiro vou tirar os seus olhos com a ponta do meu punhal; depois vou tirar toda a pele do seu rosto e o couro cabeludo desta cabeça que só presta para o mal. Segurem-no firme que agora ele vai provar um pouco da dor que fez tantos dos nossos sofrer nas mãos dos infiéis árabes.

— Não! Eu confesso! — gritou ele apavorado.

— Quem é o seu chefe, canalha? — falou lentamente o cavaleiro enquanto dirigia a ponta do punhal na direção do seu olho direito.

— É o bispo Cúneo. Ele é o chefe de nossa organização em toda a Itália.

— Meu Deus! — exclamei eu. — Como isso é possível? O bispo Cúneo era o maior aliado e depois o maior inimigo do meu tio. Onde se unem as pontas desta meada sem fim, senhor D'Ambrósio?

— Desde que Cúneo perdeu em votação secreta o cargo de rei dos templários da Itália para o seu tio, ele abandonou a Ordem e começou a fazer-lhe oposição dentro do clero. Creio que a partir daí, vingou-se da derrota sofrida, perturbando a vida dos peregrinos.

A uma ordem do guardião dos templários, vários saíram com ele, que levava o papel com o nome dos que faziam parte da quadrilha de Gilberto Sarre. Foram todos executados naquela mesma noite. No dia seguinte, todos foram encontrados degolados.

Ainda na sala de reuniões, o senhor Zago perguntou:

— Quem aqui tem acesso à fortaleza do bispo Cúneo?

— Eu tenho! — gritou lá no fundo um senhor idoso.

— Então leve o executor com o senhor e arranquem de Cúneo quem são os seus lacaios espalhados pela Itália toda.

Virando-se para o executor, disse:

— Quando tiver todos os nomes, cumpra com o seu dever e retorne o mais rápido possível. Vamos limpar a terra de um bando de apóstatas.

Nisso Gilberto, num ato de desespero, tomou o punhal da mão do cavaleiro e avançou contra mim. Seu tio barrou-lhe o passo e segurou seu braço, desarmado. Sem olhar quem o segurava, apunhalou-o mortalmente. Quando viu que era o tio, largou o punhal e começou a chorar.

— Por que você sempre está no meu caminho, Ciro Neri?

— Eu não entrei no seu caminho, verme asqueroso. Já o toquei para fora por duas vezes e você insiste em vir até mim. Agora é hora de iniciar outro caminho que não é o meu, pois o que irá trilhar o conduzirá direto para o inferno, de onde nunca deveria ter saído.

— Eu o odeio, Ciro Neri!

— É um problema seu, pois eu não o odeio. Sinto pena de você. Como é tolo! Leva a desgraça às vidas alheias a troco de umas poucas moedas e só para sustentar os seus vícios mesquinhos.

Ele se abaixou para apanhar novamente o punhal, mas não o levantou pois a longa espada do cavaleiro decepou sua cabeça do resto do corpo.

— Eu devia tê-lo deixado matar esta víbora naquele dia, meu senhor.

— Não tem importância, cavaleiro! O que não me deixou fazer, acaba de assumir com sua espada. Ele só ia se suicidar quando apanhou o punhal.

— Pouco importa então a forma como morreu, meu senhor. Apenas lhe tirei as honras de alegar no inferno que ele mesmo tirou sua vida. Do jeito que chegará lá, nem mesmo saberão quem é esse demônio aí.

Bem, aquela foi uma longa noite. Deixaram o corpo do monsenhor num lugar longe da cidade e o de Gilberto Sarre foi queimado.

Alguns dias mais tarde, fiquei sabendo que o bispo Cúneo havia sido envenenado e que sofrera uma morte horrível. Não sei quantos, mas muitos e em muitas cidades italianas foram degolados pelos guardiões da Ordem do Santo Sepulcro. Nunca mais aconteceu o rapto de peregrinos à Terra Santa. Se alguém mais chegou a pensar em fazer tal coisa, acho que desistiu, pois logo se espalhou a história de que todos os degolados eram criminosos que haviam praticado crimes de rapto e extorsão contra peregrinos.

Assim que saímos do local de reuniões, o senhor D'Ambrósio perguntou:

— Você não sabia que seu tio era o rei eleito pelos templários?

— Não. Eu desconhecia qualquer coisa a esse respeito.

— Ele tinha a intenção de ser substituído por você, Ciro Neri. Seu nome tem muito prestígio em toda a Ordem, e não só na Itália. Na França, a Ordem inspirou-se em você e hoje é tão forte quanto o rei. Se bem que lá o rei da Ordem também é rei da França.

Agora ele começava a abrir as portas secretas do último degrau da Ordem para mim.

— Por que me revela essas coisas agora, senhor D'Ambrósio?

— Quando voltarmos, vou pedir para ser substituído no cargo de príncipe por você. Já estou velho e agora sei que você está apto a me substituir.

— Isso se eu aceitar sua substituição.

Nós dormimos aquela noite na casa do senhor Lídio. No dia seguinte, eu fui em busca do meu filho. Cheguei ao castelo Neri logo cedo e fui recebido com frieza. Ciro Neri já não era bem-vindo na família.

Fui ter com tio Pietro e mostrei-lhe todas as cartas que tio Benini reuniu. Contei-lhe tudo o que Mário tramara para me afastar de Mariana.

— Isso não é possível, Ciro!
— Onde está ele?
— Ainda dormindo, penso eu. Vamos ao seu quarto.

Nós chegamos diante da porta no instante em que ele a abria. Exclamou assustado:

— Ciro Neri! Você aqui! Como é possível isso? Fomos informados de que havia morrido numa prisão árabe.

— Informaram errado, caro primo. Vim buscar meu filho.

— Que filho?

— O que você entregou aos aldeões porque era deficiente físico como minha mãe.

— Não sei do que você está falando, Ciro Neri.

— Sabe sim e vou matá-lo com minha espada se não disser onde ele está.

Nisso Mariana apareceu na porta e, assustada, perguntou:

— Papai, o que está havendo aqui? O que este imundo faz no nosso castelo?

— Só quero o meu filho, Mariana. Nada mais me interessa aqui neste lugar onde a traição fez sua morada muitos anos atrás. Creio que já virou um hábito os Neri livrarem-se dos que não lhes agradam. Primeiro foi minha mãe e agora, meu filho. Vamos, maldito traidor, onde está meu filho?

Eu puxei da longa espada e encostei seu fio no pescoço dele. Mário ficou lívido, tão grande foi o susto que levou.

— Vamos, diga logo ou o degolo como degolaram esta noite o seu amante Gilberto, maldito traidor. Meu filho não irá sofrer o mesmo que minha mãe. Fale ou eu o mato.

— Eu o levo até onde ele está.

— Vamos logo, canalha imundo.

Nós saímos e rumamos até o sul das terras do castelo, onde havia uma casa. Batemos na porta, e uma menina nos atendeu.

— Onde estão os seus pais, criança?

— Trabalhando na lavoura, meu amo.

— E seus irmãos, onde estão?

— Aqui mesmo, senhor.

— Chame-os aqui, menina. Quero vê-los, está bem?

— Sim, senhor!

Logo vinham com ela mais duas meninas e o meu filho, ainda pequenino. Ela o trazia no colo.

— Quem trouxe esta criança para vocês, menina?

— Foi ele, senhor. Eu vi quando ele o entregou à minha mãe.

— Posso pegá-lo?

— Pois não, senhor!

Eu tirei a roupinha toda rota que o cobria e vi no seu peito o mesmo sinal que eu tinha. Mostrei os dois ao tio Pietro.

— É meu filho mesmo! Agora Giovanini Neri vai ter um pouco de paz em sua imensa dor pelo que fez à minha mãe.

Virei-me para a menina e falei:

— Vá chamar seus pais, menina.

— Está bem, senhor. Volto logo com eles.

Pouco depois, eles vieram assustados até onde estávamos.

— Pois não, meu senhor? Em que vos posso ser útil?

— Vim buscar meu filho, aldeão. Quanto lhes ofereceu Mário Neri para que o criassem?

— Nada, senhor. Ele apenas nos ameaçou, caso não o aceitássemos como nosso filho. Nós o criamos com todo o nosso carinho. Se não está melhor vestido ou mais bem cuidado, é porque não podemos lhe dar tais confortos. Nós o amamos como se fosse nosso.

— Está certo. Eu acredito em suas palavras e vou recompensá-lo por tê-lo criado até que eu pudesse vir buscá-lo.

Fui até meu cavalo, apanhei uma bolsa cheia de moedas de ouro e a entreguei ao homem, que não sabia se a pegava ou não.

— Vamos homem, pegue-a, é toda sua. É a justa recompensa por ter cuidado tão bem do meu filho na minha ausência.

— Mas é muito dinheiro, meu senhor.

— É todo seu. Agora vou levar meu filho embora. Caso queiram, podem despedir-se dele. Se aquele homem vier incomodá-lo, aldeão, ou tentar lhe tirar algum dinheiro, vá até Milão e me procure que voltarei aqui e o matarei.

— A quem eu procuro em Milão, meu senhor?

— Ciro Vespasiano, senhor.

— O neto rejeitado do velho Giovanini Neri! Eu ouvi isso na aldeia onde você nasceu.

— Sou ele mesmo, senhor. Sempre que vir alguém fazendo gracejos ou pilhérias com um deficiente, repreenda-o pois ele também é ser humano e foi por acolher um que a fortuna veio às suas mãos.

— Sim, senhor!

Eles abraçaram o pequenino deficiente, eu o enrolei com minha capa e parti rápido.

Quando chegamos no cruzamento que conduzia ao castelo, despedi-me de tio Pietro.

— Vou para a casa do senhor Lídio, tio. Lá estarei mais seguro do que no seu castelo.

— Sinto muito, Ciro. Eu não sabia de nada disso. Quando Mariana estava para ter o bebê, Mário levou-a à casa de sua mãe em Bolonha.

— Sabe quem é esta criança, tio?

— Não.

— É Giovanini Neri reencarnado, pagando o que fez à minha mãe. Faça-me um favor, sim?

— O que deseja que eu faça?

— Dê todas as cartas para Mariana ler. Assim talvez ela compreenda um pouco o que Mário, sua mãe e Gilberto Sarre fizeram conosco. Ao menos isso fará por mim?

— Juro por Deus que ela as terá nas mãos assim que eu chegar ao castelo.

— Até a vista, tio Pietro!

— Até lá, Ciro Neri.

— Ciro Vespasiano, tio Pietro.

— Como queira, Ciro!

Fui para Bolonha com o pequeno Giovanini nos braços. Por ironia do destino, Giovanini Neri era novamente chamado pelo seu nome na outra encarnação. Estava um tanto assustado o meu pequenino, mas assim mesmo esboçava um sorriso de vez em quando. Não sei se o sorriso era por causa de andar a cavalo ou porque se sentia seguro ao ver-se envolvido na longa capa negra. Talvez o passado tivesse marcado fortemente sua memória adormecida. Afinal, quem saberia dizer ao certo o que se passava na mente de uma criança com pouco mais de um ano de vida? Pelos meus cálculos, ele devia estar com um ano e meio, já que os gêmeos estavam com dois anos de idade. Já fazia dois anos e quatro meses que eu havia partido rumo à Terra Santa.

Parei o cavalo diante de uma loja de tecidos e comprei alguns cortes de panos para que alguém lhe confeccionasse algumas peças de roupas. Fiquei esperando na loja por várias horas, até que as fizessem. Como estavam demorando muito, fui até a casa do senhor Lídio alimentar o pequeno Giovanini. A senhora Lídio ficou com ele e prometeu cuidar dele até que eu voltasse com as roupas. Ao vê-lo, o senhor D'Ambrósio comentou:

— Se não dissesse que este menino é seu, ainda assim eu o reconheceria como sendo seu, Ciro Neri. É a sua cara, o garoto! Como se chama?

— Vou chamá-lo de Giovanini Vespasiano.

— Mas e o Neri?

— Eu nasci Ciro Vespasiano e não Neri. Volto a ser um Vespasiano com a morte de tio Benini. Em verdade, eu nunca fui um Neri. Nesse tempo todo eu só vivi um sonho, que terminou para sempre. Agora vou viver o que sou e não o que tio Benini quis que eu fosse.

— Como será este novo Ciro?

—Tudo o que o anterior fazia com a consciência a pesar-lhe, fará agora com ela a seu favor. Tenho um potencial humano a ser extravasado em favor da vida e não irei represá-lo mais. O que antes eu fazia por achar que seria bom se fizesse, agora farei porque me sinto no dever de fazê-lo, e não me perdoarei se não o fizer.

— Gostaria de ser mais jovem para poder acompanhá-lo nesta empreitada, Ciro.

— O senhor ainda participará de boa parte dela, senhor D'Ambrósio. Vou apanhar as roupas do garoto que devem estar prontas.

— Por que ele lhe sorri toda vez que você olha para ele?
— É porque eu o libertei do inferno em espírito e agora também na carne. Este é o outrora altivo, soberbo e poderoso Giovanini Neri, senhor D'Ambrósio.
— Como sabe dessas coisas, Ciro?
— Digamos apenas que eu sei, está bem?

Bem, eu saí em busca das roupas do pequeno Giovanini e não vi que Mariana chegou depois. Por isso me demorei a voltar. Parei numa cantina de um templário para ouvir como havia sido a noite e fiquei estarrecido com o castigo imposto aos lacaios de Gilberto Sarre.

— Bolonha amanheceu sem mais da metade dos seus maus elementos, templário! — disse-me ele.

Dali fui até o senhor Zago, para acertar nossas contas acumuladas por dois anos e pouco. Só voltei à tarde para a casa do senhor Lídio. Trazia comigo os ganhos acumulados e dois bons cavalos.

— São velozes como o vento, Ciro Neri! — assegurou-me ele.
— Vou precisar de cavalos como estes, senhor Zago. Minha vida agora será bastante corrida.
— Se eu descobrir outros mais velozes, envio-lhe.
— Ótimo! Agora vou voltar à casa do senhor Lídio. Como partiremos ao amanhecer, quero me despedir agora, meu irmão. Que Deus o guarde, pois é um homem muito digno.
— Que Ele o guarde também, Ciro Neri ! Ainda ouvirei falar muito de você.
— Só se for na parte interna da Ordem senhor Zago. Vespasiano será o meu nome.
— Vespasiano, não? Gosto mais dele que de Neri.
—Eu também. Assim que eu tiver traduzido aqueles livros, receberá notícias.
— Você já sabe como traduzi-los?
— Foi difícil, mas aprendi. Receberá as traduções em primeira mão, mas não as divulgue, pois são para nosso conhecimento interno, e não para o público.
— Saberei conservá-las longe da curiosidade alheia.
— Adeus, senhor Zago!
— Adeus, Ciro Vespasiano.

De volta à casa do senhor Lídio, deparei-me com Mariana. Depois de haver sido chamado de imundo por ela no castelo Neri, preferi tratá-la o mais frio possível.

— Olá, Mariana.
— Como vai, Ciro Neri?
—Não sou mais um Neri, Mariana. Portanto não me chame por este sobrenome. Sou Ciro Vespasiano, filho de uma mulher acima dos Neri e pai de Giovanini Vespasiano, alguém que não será um Neri.
— Eu não sabia da existência do filho, Ciro. Fiquei desacordada por quase dois dias. Só quando acordei foi que Mário me disse que ele havia morrido.
— Acredito em você, mas isso não altera em nada nossa situação. Agora tudo mudou, Mariana! O sonho em que eu vivia acabou-se assim que recebi a carta

falsa do seu marido e primo Mário. Para mim, já chega de mentiras. Tio Benini já morreu e não há mais necessidade delas.

— Deixe o menino comigo!
— Ele é meu, só meu! Eu vou saber amá-lo.
— Como vai cuidar dele?
— Tenho uma esposa e ela o acolherá como se fosse seu filho. Se ela não quiser, outra o criará, mas ele não será um Neri. Isso não!
— Tudo mudou realmente entre nós.
— Totalmente, Mariana. O sonho acabou há muito tempo!
— Mas eu o gerei em meu ventre e o carreguei comigo por muitos meses.
— Mas por culpa do seu querido primo, enquanto você o gerava, eu apodrecia numa prisão. Acho que é a mesma coisa, não? Com uma diferença; eu saí da prisão completamente mudado para melhor e você não. Enquanto eu limpei de minha alma todo ódio, mágoa ou revolta, você as acumulou. Foi um processo inverso o que vivemos. Enquanto eu ouvia coisas boas, você só ouvia coisas ruins. Mas não se preocupe, eu agora sou um templário e temos como regra de conduta amparar os órfãos. Giovanini era um até hoje cedo. Agora tem um pai para cuidar dele.

Nesse momento, a senhora Lídio trouxe-o até onde estávamos.

— Ele acordou, Ciro. Deixe-me vesti-lo com as roupas novas.

Ela o vestiu e pude ver o sorriso que tomou conta da pequena e sofrida criança. Tomei-o nos braços e logo ele estava puxando a gola da capa negra. Tentava arrancá-la a todo custo. Como dediquei toda a minha atenção a ele, Mariana calou-se. Às vezes trocávamos olhares fugidios, mas logo desviávamos. Em dado momento, ela me perguntou:

— É verdade que a prima Rosa teve três filhos e que você é o pai?
— Sim.
— Como vão eles?
— Não sei, parece que ela não quer um pai para eles. Mas Giovanini terá a companhia de outros dois filhos meus.
— Como! Já tem dois filhos com sua esposa?
— Não são dela. São de Carla, a filha do senhor D'Ambrósio.
— O seu sócio?
— Isso mesmo.
— Ainda tem mais algum filho por aí?
— Só um que ainda não conheço. Mas logo vou buscá-lo e à sua mãe.
— Quem é ela?
— A filha do senhor Pierre Albert. Estão na França e já não os vejo há muitos anos.
— Como irá conciliar tantos filhos e suas mães, se já é casado?
— Zenaide prometeu ajudar-me. Vai ser um tanto trabalhoso, mas não impossível. No fim, tudo ficará bem!
— Por que tantas mentiras, Ciro?
— Tudo começou com mentiras, Mariana. Tio Benini mentia para mim e eu para ele. Ele me mantinha afastado de você e eu mentia para você. No final, só

restou de verdade o amor que senti por você, que é imortal. Foi a única coisa que evitou que eu fizesse algo que me desviasse do compromisso assumido.

— Qual era o compromisso? Nosso noivado?

— Não. A vinda de Giovanini Neri à carne. Pena que alguém teve de se apossar do seu destino quando ele me pertencia. Mas parte dele se cumpriu e não vejo como inútil tudo o que vivemos juntos... Só sinto vê-la tão triste e não poder fazer nada para ajudá-la.

— Eu saberei como curar minha mágoa.

— Estarei em Milão no caso de precisar de auxílio. Só não faça como sua avó e venha a interromper o livre curso de sua vida. Deixe que ele se cumpra até o final dos seus dias, pois quando menos esperar, tudo irá se alterar para melhor.

— Duvido que isso aconteça comigo!

— Por que não? Eu, ao ser ludibriado por Mário, parti, magoado e com a consciência a acusar-me terrivelmente. O tempo passou, tudo se curou e voltei a encarar a vida como algo sagrado. Hoje eu não a jogaria fora por nada deste mundo. Deus não a deu para que nós a destruíssemos. Vou recolher os meus pedaços espalhados e reuni-los ao meu redor. Só assim estarei vivendo a minha vida com dignidade diante d'Ele.

— Com várias mulheres e muitos filhos?

— Bem, eu tive a honra de ver o Divino Mestre diante do Santo Sepulcro e Ele não me repreendeu por ter contribuído para a multiplicação da espécie humana. Creio que só irei desagradá-lo se deixá-los se perderem por este mundo tão difícil de ser compreendido.

— Mas e as mulheres, como fará?

— Bem, não fui eu quem as procurou ou seduziu, e sim elas a mim. Então terão de adaptar-se à nova situação, assim todas serão felizes.

— Mas e você, será feliz?

— Só em parte, pois em minha vida faltará você. E este é um vazio que ninguém ou mulher alguma preencherá. Mas eu a encontrarei nesta criança, e assim não deixarei que o vazio absoluto tome conta novamente de minha alma como aconteceu quando vim à sua procura sem autorização de tio Benini.

— Mas eu estou no vazio absoluto e não sairei dele. A quem eu vou me agarrar?

— A porta de minha casa em Milão está aberta para você.

— Como posso me agarrar à ideia de um homem casado?

— Bem, Carla aceitou-a muito bem e Helena também a aceitará. Quanto a Rosa, nunca quis um marido e sim um reprodutor, senão a aceitaria também.

— Não sei por que dou ouvidos a tão grande e tola ideia. Você tem uma mulher a aquecer o seu leito nas noites frias.

— Zenaide não se importa em dividi-lo. Já fez isso com Carla e também fará com as que voltarem, inclusive você.

— Acha que eu o dividiria com outras?

— Eu não pude tê-la e reuni, naquele tempo, vários pedaços à minha volta, e ainda assim não fui feliz. Se hoje eu aceito tal ideia, é só para poder realizar o que me propus a fazer, e também porque, mesmo que eu somente goste delas, elas me

amam. Então, repartirei o amor que eu sentia por você em vários pedaços, e assim elas serão felizes mesmo não me tendo por inteiro. Só de saber que elas estarão felizes, já me sentirei bem.
— Isso é loucura, Ciro. Ninguém sobrevive a isso.
— Então os árabes estão todos loucos, porque lá o problema é solucionado dessa maneira. Há mais mulheres do que homens e todos convivem muito bem, mas há uma diferença: as mulheres sabem que não podem alterar a situação e convivem pacificamente entre si junto ao marido comum.
— Você voltou louco da prisão árabe?
— Isso eu não aprendi na prisão, e sim com minha esposa árabe. Foi ela quem me ensinou. Ela diz que "quando não podemos ter a morada toda só para nós, o melhor é conseguirmos um lugar no seu interior". Este é só um provérbio deles adaptado à minha situação.
— Deve ser cômodo pensar assim, não?
— Eu diria que é muito prático, pois soluciona alguns casos difíceis.
— O que propõe é a infidelidade.
— Não, afinal ninguém está enganando ninguém. Cada um sabe o seu lugar e respeita o espaço do vizinho do mesmo modo.
— Para você é muito fácil falar assim e solucionar um grande problema de ordem moral, não?
— Ou eu me adapto a esta solução ou haverá uma porção de pessoas que sofrerão as consequências.
— Os seis filhos, não?
— Mais do que seis, pois Zenaide está grávida de vários meses e Carla quer ter muitos outros filhos. Já que tem de ser assim, assim será! Já que não posso mudar nada, então nada mudará, senão eu próprio.
— E pensar que eu o amei por ser diferente dos outros! Como eu me enganei com você. Onde está o Ciro que eu ouvi chorar e lamentar-se ao tio Benini numa noite, há muitos anos, no castelo Neri?
— Ele está na sua memória, mas na minha já morreu quando renasci dentro de uma prisão muito pior do que minha consciência. Agora, mesmo que eu quisesse, não viveria mais em meio a tantas contradições sufocantes.
— Então suas poesias dedicadas a mim foram criações de alguém confuso.
— Não. Elas foram a expressão do ser que há oculto em mim e que só agora começa a dar mostras de todo o seu potencial em favor da vida. Aquelas foram expressões dos momentos em que eu me esquecia de quem eu era. Quando as escrevia, não me lembrava do passado, mas sim expressava tudo o que de sonhador há em minha mente. Não abro mão dos meus sentimentos, mas me recuso a desenterrar um ser que só me fez sofrer.
— Onde estão as juras de amor e fidelidade?
— As de amor permanecem intactas, mas as outras, eu as quebrei todas. Em meio a tantas contradições e pressões, só restou o que é verdadeiro desde o primeiro instante. Só com você o amor se realiza por completo.
— Saiba que ele já não existe em mim.

— Existe sim, Mariana. Só não o sente por causa das contradições que a cercam. Venha comigo para Milão e logo não mais as terá. Eu a ajudarei a livrar-se de todas elas e, a partir daí, passará a encontrar motivos para ser feliz em tudo na sua vida.

— Adeus, Ciro Neri, e divirta-se com sua nova vida. Espero que venha a se lamentar no futuro.

— Só me lamentarei se não puder compartilhá-lo com você, Mariana. Agora que já sabe quem é Mário, largue-o e viva sua vida, não a dele.

— É meu marido.

— Continua a defendê-lo e prefere mentir para si mesma como eu fiz a mim por alguns anos.

— Adeus, Ciro Neri.

— Não sou mais um Neri, Mariana. Esse morreu numa prisão árabe e nada no mundo me fará revivê-lo.

Mariana saiu sem ao menos olhar para o filho. Acho que não acreditava que ele fosse dela.

Assim que ela saiu, eu caí numa tristeza imensa. Perdera a oportunidade de convencê-la a ir comigo para Milão. Um dos pedaços ficava para trás. O meu vaso da vida não seria reconstruído por inteiro e isso já começava a me atormentar. Desviei minha atenção, distraindo-me com o pequeno Giovanini. Então a senhora Lídio resolveu sair do seu mutismo e comentou:

— Ela o marcou demais, não?

— Sim, senhora. Não adianta eu me enganar, pois ela é parte de minha vida. Tudo o mais perde sua razão de ser com a ausência dela. De que me adianta mentir para mim mesmo que vou ser feliz sem minha Mariana?

— Por que gosta tanto dela?

— Quando eu não tinha ninguém para amar, ela surgiu como um anjo luminoso na minha frente e eu, num momento de desespero, depositei nela todo o meu amor. Nunca mais consegui recuperá-lo.

— Quem sabe um dia ela entenda que também foi vítima de tudo o que aconteceu depois que seu tio o resgatou daquela aldeia esquecida?

— Não creio. Mariana está morta por dentro e o melhor que tenho a fazer é esquecê-la para sempre.

— Não será feliz longe dela, Ciro!

— Que importa! Vou dar felicidade a quem quer, não a quem a recusa.

Nós ainda conversamos muito, não só sobre Mariana, mas sobre muitas coisas da vida.

No dia seguinte, logo que amanheceu, partimos de volta a Milão. Eu ia a cavalo e o pequeno Giovanini numa carroça, com o senhor D'Ambrósio. Uma mulher foi contratada para cuidar dele. Quem se preocupou com estes detalhes foi o senhor D'Ambrósio, pois eu nada entendia de crianças. Demoramos três vezes mais tempo para ir até Milão, mas compensou, pois correu tudo bem e o pequeno Giovanini se tornava cada dia mais saudável e bonito. Perdeu sua cor doentia e chegou corado a Milão. Fomos direto à casa do senhor D'Ambrósio e foi só alegria quando viram o pequeno no meu colo. A primeira a tomá-lo nos braços

foi Zenaide. Só a muito custo ela o soltou para que Carla e sua mãe o pegassem também. Logo depois do almoço, o senhor D'Ambrósio e Carla convidaram-me a ir até a biblioteca. Assim que entramos, ele trancou a porta, foi até uma estante e a fez girar sobre si mesma.
— Venha, Ciro.
— O que há aí, senhor D'Ambrósio?
— Acompanhe-me e verá.
Eu os acompanhei e o vi abrir uma porta. Tal como tio Benini, ele também tinha o seu esconderijo secreto.
— Aí está, Ciro Neri. É tudo seu. Foi o que renderam os seus negócios esse tempo em que esteve fora.
— Mas eu não fiz nada! Tudo é fruto do esforço de vocês e se não tivessem cuidado dos negócios, nada disso estaria aí.
— Bem, é seu e não vou ficar com ele. Trate de levá-lo para sua mansão e guardá-lo muito bem, pois é um senhor tesouro.
— Guardem-no. Eu disse que ficaria tudo para os gêmeos, senhor D'Ambrósio.
Carla interveio:
— Nada disso, Ciro! Já não são mais os gêmeos apenas e nós temos a nossa própria fortuna. Já estou avisando a todos que Ciro Neri está de volta e a alegria é muito grande. Logo começarão a procurá-lo com suas ofertas de bons negócios e irá precisar de muito dinheiro para realizá-los.
— Você vai morar na mansão Benini, Carla?
— Por enquanto não, mas posso passar uns dois dias por semana lá e assim ficará com os gêmeos. O que acha?
— Não sei não, mas acho que não conseguirei ficar longe deles tanto tempo. Estou descobrindo que amo meus filhos e os quero perto de mim.
— Venha aqui todos os dias se quiser, pois a porta estará sempre aberta para você e um quarto estará reservado à sua disposição.
— São muito gentis comigo e Zenaide!
— Nossos destinos estão unidos, não?
— Formamos uma grande família. Portanto, vamos viver uns para os outros.
— Assim será, mas deixem este dinheiro guardado aqui. Caso venha a precisar, peço, está bem? Ainda terei de me ausentar um pouco e não é bom deixá-lo lá na mansão Benini.
— Vai atrás de quem agora?
— Helena. Ela é outra que está muito desequilibrada.
— Quem lhe disse isso?
— Minha mãe, quando a vi diante do Santo Sepulcro. Prometi ajudá-la também e farei isso. Só espero não sofrer nova derrota como com Mariana.
— Com Mariana você não sofreu uma derrota, e sim obteve meia vitória. O filho está com você agora! — exclamou o senhor D'Ambrósio.
— Como, se ela não acreditou quando lhe disse que foi Mário quem tramou a nossa separação?
— Com o tempo ela compreenderá que você estava certo.

— É melhor esquecer isso e recolher os que desejam ser felizes, não acha?
— Está certo. Só espero que você realmente creia no que diz — falou Carla.
— Eu creio! Agora vamos sair, pois aqui está muito abafado e não é um bom lugar para se conversar. Prefiro a sua biblioteca.
— Já sabe o que há aqui. No livro de registros está tudo anotado de acordo com as fontes. Você certamente é o comerciante mais rico do mundo, Ciro.
— Não creia nisso, Carla. Há outros muito mais ricos do que nós. Lembre-se de que agora somos nós e não eu.
— Bem, isso é só um detalhe. O que importa é que todos são mais ou menos leais a você.
— Foram escolhidos a dedo, Carla.
O senhor D'Ambrósio pediu licença e foi se reunir com a esposa.
— Quer ver o quarto que lhe reservei?
— Estou curioso, mocinha!
— Eu, mocinha?
— Sim. E bem mais viçosa.
— Isso é alguma insinuação com segundas intenções?
Eu a abracei e beijei longamente.
No dia seguinte, voltei com Zenaide e o pequeno Giovanini para a mansão Benini. Junto ia a babá do menino. Alguns dias depois, parti para um feudo próximo à cidade de Lyon na França. Ia em busca de Helena e nosso filho. Como nunca tinha ido até aquela região, tive um pouco de trabalho para chegar até onde residia o senhor Pierre Albert. Quando descobri o castelo onde ele residia, fiquei admirado com a beleza do lugar. Como era linda a região! Assim que me fiz anunciar, o próprio senhor Albert veio me receber. Foi uma alegria imensa poder abraçar novamente o meu mestre de armas. Conduziu-me até onde estavam a esposa e as filhas. Primeiro abracei sua esposa, depois Clarice e, por fim, a chorosa Helena. Como ela não me soltava, acabamos sendo deixados a sós pelo muito sutil senhor Albert. Helena só parou de chorar quando a beijei.
— Como vai, princesa?
— Eu, princesa?
— Sim. Para morar num lugar tão lindo e num castelo tão majestoso como este, só sendo uma princesa.
— Estou muito feliz. Chorei muito desde que soube que havia morrido.
— Então, de agora em diante, só terá motivos para sorrir. Eu vim para tirá-la de sua família e levá-la comigo para Milão.
— Jura que é verdade?
— Juro. Se bem que estou casado com uma jovem árabe.
— Como? Você se casou por lá?
— Foi a única forma de sair com vida. Mas ela é um encanto e você vai adorá-la. Foi ela quem me aconselhou a vir buscá-la.
— Ciro, você está montando um harém?
— Bem, um pequeno harém por enquanto.
— Você é impossível mesmo! Onde já se viu um cristão com um harém?
— Vou ser o primeiro, então.

— Os bispos irão excomungá-lo!
— Quem irá contar a eles? Será você?
— Eu, não! Imagine se vou perder a oportunidade de finalmente tomar meu pedaço de chão por trás de suas linhas de defesa.

Uma hora mais tarde, fomos ao encontro do restante de sua família. Mas Helena já não chorava e o brilho nos olhos dizia que voltara à vida. Só então conheci o pequeno Ciro Albert. Abracei-o e beijei-o muitas vezes. Eu transbordava de alegria, e isso contagiou a todos, especialmente a Helena, que tomou o filho no colo e começou a dizer:

— Este é o seu papai, meu pequeno. Mamãe não lhe disse que um dia ele viria?

Não havia o que ocultar e eu assumi minha posição junto a Helena. Tomei-a pelo braço e disse:

— Venha, princesa, mostre-me o seu belo castelo! E traga o pequeno Ciro, pois ele não o verá por um longo tempo!

Helena levou-me para conhecer o castelo inteiro. À noite, enquanto jantávamos, contei o que havia me levado à Terra Santa para orar diante do Santo Sepulcro. Contei que havia me casado com uma mulher árabe e tudo o mais que me acontecera, inclusive que minha mãe, em espírito, falara-me sobre Helena e o filho que tivera na minha ausência.

Quando terminei, todos estavam comovidos. Helena pediu desculpas a todos nós e perdão a Deus por ter se deixado abater tanto e haver se esquecido do filho que tanto desejara ter. Só então o senhor Albert comentou como se tornou o senhor do castelo e de toda a região.

— Apliquei aqui sua agressividade nos negócios, Ciro Neri. Acabei dominando a região e conto com os melhores cavaleiros. O nosso sócio faleceu num combate e eu assumi tudo, inclusive a sua parte no castelo. Hoje tenho o título de barão, concedido pelo próprio rei, e um lugar reservado no conselho do reino. Vou buscar a outorga do título para que a veja e não diga que estou mentindo.

Pouco depois, ele voltava com o diploma real que o nomeava barão. Era um documento com o selo e a chancela do rei de França. Depois de ter visto o título, eu disse:

— Vou levar Helena comigo, senhor Albert.

— Se não fizesse isso, eu o prenderia no calabouço do castelo, Ciro Vespasiano! — disse ele sorrindo.

— Por que, senhor Albert?

— Já não aguentava mais ouvir Helena chorar e se lamentar! Ou a leva para Milão ou eu vou com você só para não ouvir mais lamentações.

— Vou livrá-lo desse tormento! Mas ela vai ter que se manter estritamente dentro do território conquistado, pois depois do que sofri por causa da ação covarde do meu primo Mário, não posso nem ouvir falar em fuxicos e traições.

— Não se preocupe que não invadirei o pedaço de solo de nenhuma das outras adversárias e ainda as defenderei, caso sejam ameaçadas por alguma outra inimiga distante.

Acabei me demorando um pouco, pois um mensageiro levou uma correspondência minha ao Barão de Rocheville.

Como fiquei no aguardo de sua resposta mais do que imaginava, participei de um dia de combates entre cavaleiros promovido pelo senhor Albert. No mesmo dia não só o mensageiro como o próprio Barão de Rocheville chegaram.

Foi emocionante nosso reencontro. Apresentei-o ao senhor Albert e família. Desse encontro, surgiu uma sólida amizade entre os dois, que se mostraria muito proveitosa no futuro.

De nossa conversa, surgiu a ideia de criar uma sociedade supranacional de templários. Seria exclusivamente iniciática e os mais afortunados cuidariam de organizá-la e unificar o ritual, de manter-se informados e amparar-se nas dificuldades econômicas ou nas guerras. Recebi uma relação com os mestres italianos que mestre Hakin havia preparado na prisão e fiquei de contatá-los quando voltasse a Milão. Quis voltar logo, mas ele me pediu que ficasse mais uns dias, pois estavam vindo o bispo de Paris e vários outros franceses que haviam estado na prisão do sultão. Quando eu vi o bispo, não acreditei. Ele também havia estado conosco naquele inferno. Abraçamo-nos, carinhosamente.

— Não me identifiquei como bispo para que não me degolassem.

— Fez muito bem, senhor bispo, pois aquele homem era um louco. Obrigou-me a casar com uma jovem árabe só para que eu ficasse no seu reino como seu conselheiro.

Então, contei aos amigos de prisão ali reunidos tudo o que propiciou a libertação de todos nós e tudo o que aconteceu, posteriormente, no Santo Sepulcro. Dos meus olhos caíram lágrimas ao falar do Divino Mestre nomeando-me aos quatro santos do templo interior que havia em mim. Todos ficaram sabendo do meu nome e seu significado.

— Neste caso, você é o herdeiro do mestre Hakin, pois ele nos dizia que o "filho da Luz Divina" nos libertaria, mas, para que isso acontecesse, teríamos de permanecer na fé indestrutível e inquebrável no divino mestre Jesus — falou o bispo de Paris. —Você será o grande mestre da ordem interna e exclusivamente iniciática, Vespasiano. Assim está decidido. Quando acabar de traduzir os três livros iniciáticos, enviar-nos-á cópias para que possamos colher neles o que nos falta em conhecimentos. Dentro do ritual, cada um que passar pelas provas irá se elevando na graduação iniciática e secreta. Tal como você, todos terão dois nomes. Um será profano e público, e o outro, iniciático e sagrado.

— Eu farei as traduções e as enviarei aos seus cuidados em Paris. Lá o senhor reunirá os presentes e lhes repassará o que lhe chegar às mãos. Esta noite teremos nossa primeira reunião como ordem fechada, no castelo do Barão Pierre Albert. Será a ordem iniciática da ordem aberta. Mas, nesta só entrarão os que, eu na Itália e os senhores no reino da França, admitirmos. Nela não haverá traidores como o bispo Cúneo, pois os eliminaremos no dia seguinte em que revelarem algo sobre ela ou mesmo sua existência! Na Ordem dos Templários, aberta a todos os que juraram fortalecê-la, a pena a quem trai um irmão é a morte, mas na nossa a morte será só o primeiro dos castigos pela infidelidade, inconfidência e traição. Aos hoje aqui reunidos ficará o encargo de só deixar entrar na Ordem pessoas de bem e moral inatacável, que serão submetidas a juramentos que enviarão suas almas ao céu, se trilharem o caminho do bem, ou ao inferno, se não o trilharem. Eu já iniciei, na mansão Benini, em Milão, a construção de um templo iniciático nos moldes do que está descrito num dos livros sagrados. Deixarei a cargo do senhor Albert a construção de um igual aqui no seu castelo. Deste, ele será o guardião e se prestará à iniciação de terceiro e segundo graus. O primeiro, os senhores farão como têm feito com os Cruzados Iniciantes. O segundo será o dos Cavaleiros Templários e o terceiro será o dos Cavaleiros Santos. Não teremos uma Ordem de cunho religioso, mas unicamente iniciático, na qual os que ingressarem estudarão os ensinamentos de mestre Hakin e os dos livros sagrados. Nós reembolsaremos o senhor Albert pelos gastos que tiver na construção do templo em seu castelo. Reuniremo-nos daqui a exatamente um ano. De acordo, meus irmãos?

Todos concordaram e à noite foi realizada a primeira reunião em que os trinta e três participantes já iniciados por mestre Hakin tiveram os seus nomes iniciáticos revelados e as senhas foram codificadas. Os nomes dos trinta e três ficaram anotados num livro negro, e o senhor Albert ficou encarregado de guardá-lo como guardião do templo iniciático. No ano de 1150, no mês de maio, em um castelo do sul da França, foi fundada a Ordem Iniciática dos Templários. Não éramos mais cavaleiros idealistas e sim senhores responsáveis pelo renascimento da antiga tradição ocultada pelos mestres da sabedoria que sofriam todo tipo de perseguição por parte do Cristianismo e do Islamismo, duas religiões criadas por iniciados, mas perdidas em inúmeras contradições que surgiram após a morte dos seus iniciadores. Nós não assumiríamos a face religiosa e sim a iniciática das coisas divinas.

Todos éramos responsáveis pelo segredo da Ordem criada naquele dia e guardiões dos mistérios realizados à noite no interior dos calabouços do castelo do senhor Albert. O simbolismo foi adequado ao nosso propósito, que era libertar o homem das cadeias que tanto a religião quanto o poder material lhe impunham. Assim ficou decidido e assim se cumpriu até os dias de hoje, e assim será por toda a eternidade. Ali nascia a Francomaçonaria.

No dia seguinte, durante um almoço oferecido aos membros da nova Ordem, eu comentei com o bispo de Paris como solucionar o impasse em relação a Helena. Acertamos que ele nos casaria com uma data anterior à minha partida à Terra Santa. Só assim o filho seria legal aos olhos da Igreja.

Ciro Vespasiano casou-se com Helena Albert, tendo como testemunhas todos os membros da nova Ordem. Só a data do certificado dado pelo bispo não era correta. Mas isso pouco importava, pois ele batizou o menino e o seu padrinho foi o Barão de Rocheville, ou melhor, o Guardião da Estrela Sagrada de Cinco Pontas, pois este era o seu nome iniciático na língua antiga da tradição quase extinta. No dia seguinte, todos partiram e ficamos, todos nós, meditando no que havíamos iniciado ali.

O senhor Albert fez questão de que eu levasse comigo os rendimentos obtidos na minha longa ausência. Ficou decidido que dali em diante ele não me daria mais nada, pois eu não queria isso.

— Já que não os aceita, guardarei para os netos o que lhe pertence, pois acho que Clarice não se casará.

— Como não?

— É mais uma arrependida de não ter disputado um pedaço do chão defendido pelo nem tanto azarado cavaleiro. Acho que trancou o seu coração para os jovens desta região.

— Não me envolvam mais, por favor! — exclamei.

Todos riram da minha observação, menos Clarice, que fingiu não a ouvir. Mas o seu olhar revelava que um dia ainda tentaria conquistá-lo, pois ficou me encarando desafiadora. Desviei o olhar para o pequeno Ciro e não olhei mais para ela enquanto durou o almoço.

Partimos do castelo do senhor Albert. Alguém ficou muito triste com nossa partida. Na hora das despedidas, ela ainda me cochichou no ouvido: "Eu ainda conquisto o meu pedaço, custe o que custar e demore o tempo que for necessário, Ciro Neri. Você não vai me escapar da próxima vez." Além dos meus cavaleiros, o senhor Albert enviou alguns dos seus para nos guardar durante a viagem de retorno a Milão.

Na primeira parada que fizemos, Helena perguntou:

— Clarice conseguiu o que queria de você?

— Não e nem vai conseguir!

— Será que vai resistir por muito tempo, sabendo agora que ela também o ama?

— Não é justo o que vocês vêm tramando contra mim. Como vou poder confiar numa esposa que larga a irmã a sós comigo com um pretexto qualquer só para que eu deixe cair as minhas linhas de defesa.

— Lembre-se de que somos todas suas inimigas e queremos tudo o que tiver a oferecer ou ser tomado.

Foi uma longa viagem até Milão. Assim que chegamos, fui direto à mansão Benini, pois levava vários baús lotados de moedas e barras de ouro. Não podia ficar com eles muito expostos. Os cavaleiros deixaram-nos na sala e, assim que saíram, nós os levamos para a biblioteca. Depois eu os guardaria melhor. Helena subiu as escadas e escolheu o seu quarto. Ficava ao lado do meu. Chamei um dos pedreiros que trabalhavam nos acabamentos do templo secreto e mandei que abrisse uma passagem e colocasse uma porta entre os dois.

— Amanhã o senhor fará o mesmo deste lado e o ligará ao outro quarto.

— Sim, senhor Ciro Neri.

Já previa que quando Carla viesse hospedar-se lá, isso evitaria muitos desencontros. Ao entardecer, fomos até a casa do senhor D'Ambrósio buscar Zenaide. Só aceitei jantar e voltamos para a mansão Benini. Helena, Zenaide e eu conversamos até tarde da noite às claras, para que nunca houvesse um mal-entendido entre as duas, ou com Carla. Foi uma conversa franca e bem clara sobre tudo o que dizia respeito às regras de conduta, respeito e convivência do harém. Helena dormiu no seu quarto e Zenaide no meu, pois havia ficado os últimos tempos sozinha. Nesse ponto, nunca mais houve novas conversas, pois tudo ficou no seu devido lugar.

No dia seguinte, conversei com o senhor D'Ambrósio, um iniciado como eu, e enviamos emissários convidando os nobres indicados no papel que eu recebera das mãos do Barão de Rocheville. Calculei o tempo para terminar a construção do templo e dos novos alojamentos de hóspedes e marquei uma reunião para dali a três meses.

Zenaide já estava bem avançada na gravidez. Eu sabia que seria um menino e o vi antes mesmo de ligar-se ao ventre materno. O parto eu mesmo realizaria e só os D'Ambrósio ficariam sabendo do nascimento de meu novo filho.

Voltei à plena atividade comercial e assumi todos os negócios junto com o senhor D'Ambrósio. Enquanto negociava e aumentava os interesses comerciais por toda a Península Itálica, eu traduzia os livros, fazia cópias e as enviava a Paris, para o bispo Clement.

Quando se realizou a primeira reunião com os templários italianos, a parte iniciática da Ordem foi um sucesso total entre franceses e italianos. Eu financiei todos os que quiseram se iniciar no comércio e, com o tempo, essa foi a face externa da Ordem. Comerciantes, banqueiros, senhores de terras, alguns príncipes e dois reis europeus faziam parte do círculo fechado, alguns anos mais tarde.

Mas o importante foi a reunião em Milão, realizada na mansão Benini. Os Cavaleiros Santos que saíram dela deram início ao movimento de envolvimento dos homens de bem, e até o clero romano foi seduzido por nós, em grande parte pela participação de monsenhor Alberto e do bispo de Milão, que mais tarde viria a tornar-se papa, por influência e poder econômico da Ordem iniciática. No decorrer das décadas, fizemos mais dois papas antes que o ano de 1200 chegasse.

# Capítulo XXV

# A Próspera Mansão Benini

Os meses se passaram e o terceiro filho de Carla veio à luz; logo mais, veio o segundo de Helena. A mansão Benini deixou de ser um lugar silencioso e passou a ser bem barulhento. Mas isso não me incomodava, pois eu adorava as crianças. Rosa Mazzile acabou ouvindo minhas ponderações e, ou por interesse, ou por ciúme das outras mães dos meus filhos, voltou a frequentar a mansão Benini e integrou seus três filhos aos outros, pois Carla acabou mudando para lá também assim que começou a ficar visível que teria um quarto filho.

Em Milão, o senhor D'Ambrósio e eu compramos uma grande propriedade e construímos um enorme orfanato que abrigou centenas de crianças abandonadas. Com o tempo, muitas outras cidades de porte os tiveram também. O senhor Lídio custeou e sustentou o de Bolonha com a ajuda dos templários de lá. A face externa cuidava dessas coisas, mas era no lado interno que nós resolvíamos tudo.

No ano de 1151, reunimo-nos no castelo do senhor Albert. A reunião contou com os Cavaleiros Santos italianos e franceses, mas vieram ibéricos e germânicos para serem iniciados. Entre os franceses, apadrinhado pelo bispo de Paris e pelo Barão de Rocheville, estava o rei dos francos. O castelo havia sido preparado para receber muitos homens, mas as acomodações foram poucas e dividimos os aposentos entre nós. Quando revelei o nome iniciático do rei dos francos, segundo a língua da antiga tradição, ele retirou um papel do bolso de sua longa túnica negra e leu o que estava escrito. Era o seu nome iniciático recebido em sonho. Contou a todos que havia sido levado durante o sono ao Santo Sepulcro e o receberá do Divino Mestre Jesus.

Todos leram o nome escrito no papel e tiveram a comprovação na tradução. Ele era o servo Guardião da Cruz.

Foram três noites que passamos fazendo as iniciações. Como o próprio rei jurou defender e contribuir com sua fortuna e seu poder para a nova Ordem, nós, por aclamação, elegemo-lo o nosso sumossacerdote dos rituais iniciáticos e grande mestre geral dos franceses. Assim ficou decidido: uma só organização iniciática, mas com duas sedes. Uma próxima de Lyon e a outra em Milão. Eu trouxe os três livros sagrados traduzidos e todo o ritual, já dividido e esquematizado. Passamos mais quatro noites organizando o funcionamento dos templos iniciáticos que surgiriam caso se fizesse necessário. Com o apoio do rei dos francos, outro seria aberto em Orleans sob o comando do Barão de Rocheville.

Tratamos também das relações comerciais dos membros agora inscritos no livro negro, sob a guarda do barão Pierre Albert, e dos negócios transnacionais realizados através dos caminhos visíveis, mas entre os membros invisíveis da Ordem dos Templários.

Por meio do senhor Albert, firmei vários interesses com comerciantes e nobres franceses. O senhor D'Ambrósio voltou com os italianos para Milão. Eu ainda fiquei algum tempo para dar prosseguimento aos negócios particulares e aos da Ordem, agora tornada poderosa, com o ingresso do rei da França. Tivemos de aceitar os convites do rei, para visitar o seu palácio real, e do Barão de Rocheville, para conhecer o seu castelo em Orleans.

Com um nobre francês, fundamos uma sociedade que produzia os vinhos finos do senhor Lídio. Ele entrou com a vinícola, o senhor Albert com as uvas produzidas em suas terras e eu com uma fórmula secreta. A minha parte na sociedade foi colocada no nome do primeiro filho de Helena e o avô, o senhor Albert, cuidaria dos seus interesses.

— Ciro Albert nasceu com muita sorte, Ciro Vespasiano! — falou.

— Tal como o pai e o avô! — repliquei eu.

— A minha sorte e a dele derivam da sua.

— Elas só tornam a sua mais forte. Isso é o que importa, senhor Albert!

— Tem razão, Ciro. Acho que nossos destinos se procuraram por muitos anos até se unirem.

— Não tenha dúvidas, pois o senhor foi o pai que não tive e a verdadeira família de Ciro Neri. Espelhei-me em muitas das suas qualidades nos anos que cavalgamos juntos por toda a região de Milão. Muito do que sou devo ao senhor, e isso não pode ser pago por meios materiais.

— Você já me devolveu tudo ao dar a felicidade a Helena. Como vai ela?

— Radiante como as flores na primavera. Nunca mais a vi chorar. A não ser quando parti para cá, mas isso, tanto Zenaide quanto Carla também fizeram.

— Como organizou os inimigos no seu território?

— Cada uma tem as fronteiras bem definidas e eu abasteço a mesa para que nunca falte o alimento vital.

— Você é um sábio nessas coisas. A tal dona Tereza deve ter sido uma mestra insuperável. Pois só assim consegue harmonizar três mulheres sob um mesmo teto.

— Bem, Carla cuida dos negócios na minha ausência e até mesmo quando tenho de escrever aos membros da Ordem. Helena cuida do grande orfanato que construímos e Zenaide cuida da casa e das crianças. Assim, ninguém fica com o tempo livre para pensar muito. Além do mais, eu ensino a elas tudo o que aprendi com o sábio mestre Hakin. Elas não são integradas à Ordem, mas sabem de todos os mistérios sagrados contidos nos livros santos. Isso as tornou companheiras leais. E ainda sobra um tempo para visitar os meus filhos com Rosa Mazzile, no castelo do pai dela.

— É um sábio mesmo. Torna as donas do seu campo suas defensoras.

— Eu não sei como isso é possível, mas está dando certo.

— Eu, Pierre Albert, fui na mocidade um andarilho e só dava alegria momentânea às mulheres que se apaixonavam por mim. Nenhuma chorou quando parti. Tive muitas ligações, mas nenhuma como as suas, que não são muitas, mas são estáveis e duradouras. Eu o invejo, Ciro. Nunca soube se tive muitos filhos ou não, porque era um andarilho. Mas muitos devem ter ficado sem pai neste mundo, pois conheço a Europa como a palma da minha mão. É uma pena que não tenhamos tido a mesma dona Tereza como mestra.

— Este não é um caso de mestra, e sim de natureza, senhor Albert. Numa época em que há muito mais mulheres que homens, um cavaleiro andarilho está sujeito aos apelos femininos. Mas eu não fui um, e muito menos as procurei. Eu é que fui feito refém e não consegui me libertar do envolvimento delas. Mas pode remediar sua conduta acolhendo os órfãos e as viúvas. Assim estará se redimindo de algum que possa ter ficado sem o pai andarilho. Não custa muito caro manter um bom orfanato ou asilo, crie-os, eduque-os e distribua-os por suas terras. Estará adquirindo muitos créditos para o seu juízo final.

— Acha que assim resgato os que não conheci?

— Certamente que sim, pois a Lei Divina é muito clara: só tem créditos lá no alto quem fizer alguém sorrir de alegria pela vida aqui embaixo.

— Tem razão. Eu nunca deixei uma donzela chorando de amores e desejos por mim quando eu partia!

— Isso é alguma insinuação maliciosa em relação a mim?

— Imagine, caro Ciro! Quem fica chorando de amor e desejos quando parte?

— Agora tenho certeza de que é isto mesmo! Escute, senhor Albert, já tenho problemas demais para pensar e solucionar! Não tire de mim algo que me nego a dar. Quero ter minha consciência livre de mais esta encrenca. Isso é uma loucura! Meu Deus, elas não acham outros homens neste mundo infestado por eles?

— Eu tenho muitas terras e muito dinheiro e você bem sabe disso. Posso abrigar muitas viúvas e amparar muitos órfãos. Se bem que já faço isso em parte, mas prometo construir um grande orfanato e um grande asilo próximo ao castelo para amparar os velhos doentes, sem ninguém que cuide deles, se você tirar o choro da donzela que não só chora nas partidas como o tempo todo.

— Deve haver outro que consiga isso a um custo mais barato, senhor Albert!

— Já tentei de tudo, mas não obtive sucesso. A única coisa que consegui foram promessas de um doloroso suicídio.
— Não, não e não!
— Eu assumo os deveres, caso algo não saia como penso.
— Isso é chantagem, senhor Albert. Não faça isso comigo.
— Vai querer receber qualquer dia desses a notícia de um triste suicídio?
— O que as outras conseguiram sutilmente, o senhor quer me tomar com a ponta da espada?
— Sou um cavaleiro, não?
— Bem, vou pensar no caso. Mas vou adiantando que não conte com isso antecipadamente.
— Está certo! — exclamou ele sorrindo.— Pense se o sacrifício do cavaleiro azarado vale mais do que um suicídio, ou não. Especialmente você que conhece bem as penas impostas pela Lei Divina aos que o praticam.
— Colocando dessa forma, eu sou o responsável pela vida dela!
— Não estou colocando assim. Apenas pense nisso enquanto a leva para passar uns tempos com a irmã; elas são muito ligadas e estão com muitas saudades uma da outra.
— Meu Deus! A única a quem eu consegui resistir contrata o mais implacável cavaleiro para conquistar o seu pedaço de solo no meu já apertado domínio. Se é que eu domino alguma coisa!
— Lembre-se, você não é um cavaleiro de sorte e eu avisei que havia outros inimigos à sua volta! Trate de combatê-los, pois foi isso que eu lhe ensinei como seu mestre de armas. Não quero que me decepcione.

Acabei rindo com ele até não mais poder. No fim, para não beber a segunda taça de vinho colocada sobre a mesa, eu bebi na própria botija de vinho. Nós estávamos numa adega em Lyon quando conversamos essas coisas e acabei voltando com ele para o castelo, completamente bêbado. Assim que me viu entrar carregado pelo pai e mais um cavaleiro, a triste Clarice perguntou, aflita:
— Papai, o que fizeram com Ciro?
— Nada filha, apenas ele aceitou minha sugestão de levá-la até sua irmã Helena. Em comemoração, bebeu um pouco a mais.
— O senhor vai acabar com ele desse jeito. Olha só como está passando mal!
— Isso é assim mesmo, filha. Amanhã ele estará bom novamente. Vamos levá-lo até o quarto dele.

Eu só me lembro de ter desmaiado ao me colocarem na cama e nada mais. Quando acordei, minha cabeça doía tanto que não consegui me sentar na cama.
— Nunca mais bebo vinho em minha vida. Ai como dói minha cabeça!
— Tome um pouco de chá, Ciro. Logo estará curado.
— Obrigado, Clarice. O que é isso? Mais vinho?
— Não, Ciro. É um remédio caseiro para cortar os efeitos da bebedeira.

Eu melhorei da dor de cabeça, mas acho que não foi por causa do remédio e sim porque ela ficou passando suas mãos no meu rosto, testa e cabeça. Clarice acabou conquistando seu espaço naquela noite mesmo, pois não sei como ela conseguiu entrar no meu quarto com um pretexto qualquer e não saiu mais, até que eu a acordasse, assim que o sol começou a iluminar-nos através da janela. Ela se levantou e espreguiçou-se. Toda manhosa, veio até mim de novo e abraçou-me sorridente, dizendo:

— Obrigada, Ciro. Não me esquecerei nunca desta noite!

— Nem eu, Clarice. Nem eu! Vista-se e saia antes que alguém a veja. Que isso fique só entre nós dois.

— Claro, Ciro! Acha que vou sair por aí dizendo a todos que dormi no seu leito?

— Estaria mentindo, pois o máximo que conseguiu foi só um sono rápido. Vamos, vista-se logo!

Foi difícil convencê-la a ir antes que a mãe procurasse por ela. Se bem que eu acho que não iam procurá-la, pois tinha certeza de que ninguém ali se importava muito com o fato de ela ter passado a noite no meu quarto.

Alguns dias depois, partíamos para Milão com ela sorridente e transbordando de tanta felicidade. O senhor Albert falou-me na partida:

— Assim que me for possível, vou buscá-la, Ciro.

— Faça isso, senhor Albert. Não poderei ficar fazendo essas longas viagens, se eu quiser ter um pouco de tranquilidade.

Ele nunca mais foi buscá-la, apesar de eu lhe enviar várias cartas por mensageiros. Mas como eles também levavam cartas dela e de Helena, penso que ele só lia as das filhas.

Veio o Natal e nada do senhor Albert aparecer. Enquanto ceávamos, comentei:

— Acho que seu pai não recebeu minhas cartas, Helena, senão ele teria vindo passar o Natal conosco.

— Chegou uma correspondência dele avisando que não poderia vir. Com o inverno tão forte, ele vai abrigar todos os velhos doentes e pobres da região para evitar que morram com o frio intenso. Ah! Ele disse também que você entenderia, já que está cumprindo o prometido e tem certeza de que você está cumprindo com a sua parte.

— Muito esperto o velho templário! — comentei eu.

— Que acordo é esse, Ciro? — perguntou Carla.

— É um negócio, uma promessa de evitar que desamparados venham a se suicidar por dormirem no frio, sem nada que os aqueça.

Carla soltou uma exclamação e disse:

— Ele os aquece lá e você aqui, não?

— Sim.

— E tudo para evitar que se suicidem, não?

— Isso mesmo! — procurei calar-me, mas não teve jeito.

— Lá ele aquece os velhinhos doentes nos seus albergues e aqui você aquece alguém não tão velhinha e nem tão doente, não é mesmo?

— Gostaria de me ver mentir, Carla?

— Não, não! Eu retiro a pergunta.

— Ótimo. Então vamos mudar de assunto, pois não gosto de falar sobre a minha generosidade para com os desamparados e suicidas em potencial.

Ela olhou para Clarice e perguntou-lhe:

— Você sabia desse acordo entre eles, Clarice?

— Eu? Não, não, Carla! Não me envolvo nos negócios de meu pai e nem nas caridades que Ciro faz. O máximo que faço é admirar sua generosidade. Se pudesse, eu faria o mesmo que ele por toda essa gente que o procura.

— Ótimo! Meu pai está planejando algo igual ao que seu pai está fazendo e se quiser, indico você para dirigir o lugar. Ele precisa de alguém confiável para cuidar do lugar.

— Se eu aceitar, não poderei voltar para a França.

— Isso mesmo. Aceita?

— Terei de ficar para sempre aqui com vocês?

— Sim.

— Bem, se seu pai precisa de mim, eu aceito. Não vou me negar a ajudá-lo em algo tão nobre. Terei de escrever ao meu pai avisando-o para não vir me buscar no início da primavera. Ele queria tanto vir! Acho que está com saudades de mim e de Helena.

— Então escreva convidando-o a nos visitar, assim ele verá com os próprios olhos como você é necessária aqui.

— Mas e se ele quiser me levar para cuidar dos velhinhos dele?

— Nós não deixaremos. Não é mesmo, Ciro?

— Essas coisas vocês decidem sozinhas, pois são muito convincentes. Prefiro não me indispor com o senhor Albert, que é meu mestre de armas!

— Podem deixar que eu as ajudo a convencer meu pai — falou Helena.

— Então está decidido, Clarice! Você fica conosco de agora em diante.

— Que bom! Eu ia sentir muito a falta da companhia de vocês.

— Só da nossa? — perguntou Zenaide.

— Não! — defendeu-se ela. — Das crianças também, pois eu as amo muito. É como se fossem meus filhos!

— Ótimo! — exclamou Carla. — Então os considere como se fossem seus também.

Eu só olhava, divertindo-me a valer com o jogo de palavras das quatro. Escondia meu sorriso por trás de um caneco de vinho. Isso, até Zenaide falar:

— Não seria melhor ela contribuir com algum filho também?

Ela falou isso olhando para mim e no momento em que me decidi a beber o vinho. Acabei me engasgando, pois não desceu goela abaixo. Assim que parei de tossir, ela perguntou:

— Falei algo que o incomodou, Ciro?
— Não, não! Eu é que virei demais o caneco e quase me afoguei.
— Compreendo!
— Não gosto quando usa este tom de voz, Zenaide. No mínimo está tramando mais uma de suas grandes ideias!
— Nem duvide disso, pois estou mesmo! — exclamou ela.
— Então me deixe fora disso, está bem?
— Não sei se vai dar, tudo nesta casa tem a sua participação!
— Tudo?
— Exatamente. Tudo!
— Não dá para me deixar fora desta vez? Prefiro continuar a me preocupar só com os problemas que já tenho.
— Está certo, se você não quer adicionar mais um problema fica tudo como está. Mas não está certo, pois há regras nesta casa.
— Certo. Mas me deixem de fora, é só o que peço.
— Nem sabe o que estou tramando e já quer cair fora?

Eu me calei, pois sabia muito bem do que ela estava falando e também tramando.

Mas alguém chegou naquela hora e o criado veio me chamar:
— Há uma senhora aí fora, meu senhor. Ela quer vê-lo e diz que não irá embora antes de ser recebida pelo senhor.
— Mande-a entrar então e traga-a para cear conosco, pois chegou em boa hora.
— Quem será, Ciro?
— Nem faço ideia. Se fosse Rosa Mazzile, o criado a teria feito entrar.
— Será mais uma viúva em busca de auxílio? — interrogou-me Carla.
— Não sei, Carla. Deixe-a entrar primeiro!
— Se é viúva ou não, eu não sei, mas que precisa de auxílio, isso precisa. Olhe para a porta, Ciro!

Eu olhei e exclamei:
— Mariana! Meu Deus, como você está abatida! O que houve?
— O templário generoso pode dar abrigo a uma viúva desolada?

Fui até ela e a abracei com carinho. Ela começou a chorar.
— Vamos, não chore. Venha sentar-se conosco à mesa.

Ela foi direto até o já não tão pequeno Giovanini e o tomou no colo, apertando-o contra si. O menino não entendia o porquê de tudo aquilo, mas chorou também. Eu o tirei com delicadeza dos braços dela e o entreguei nas mãos de Zenaide. Como não sabia o que dizer, preferi esperar que ela dissesse algo. Só fez isso quando sufocou um pouco a sua dor.
— Estou só no mundo, Ciro! Deus abandonou-me de vez.
— Não sei o que houve com você, mas se veio a esta casa, ele certamente a está libertando de um grande tormento. Até aqui só vêm os que Ele, em Sua

bondade e generosidade, conduz com Suas mãos divinas. Seja bem-vinda a esta casa que é sua também, Mariana. Agora, conte-nos o que houve.

— Meu pai foi levado a um leprosário alguns meses atrás e depois Mário se suicidou. Há duas semanas, meu pai morreu. Minha mãe já havia morrido.

Ela falava algumas palavras e soluçava. Carla serviu-lhe um copo de vinho quente e falou:

— Vamos, beba, Mariana! Você está trêmula, beba-o para se aquecer e depois vamos até meu quarto vestir roupas secas e mais quentes.

Ela bebeu e as duas foram até o quarto de Carla. Eu amparei nas mãos minha cabeça e orei a Deus pelos que haviam partido e por Mariana. Quando ela voltou, eu estava muito triste. Logo, ela já estava mais calma. Sentou-se na cadeira de Giovanini, que sempre ficava ao lado da minha, e serviu-se de mais um pouco de vinho. Assim que o bebeu, criou coragem e perguntou:

— Aceita acolher esta viúva sob o seu teto, Ciro?

— Das viúvas que nós acolhemos será a única com direito a ficar aqui, mas será a acolhida que mais alegrias me traz. Esta casa também é sua a partir de hoje. Eu agradeço a Deus por tê-la conduzido até nós. Aqui esquecerá do passado e viverá a vida, pois o nome desta mansão a partir de hoje passará a ser a mansão da alegria pela vida. Você descobrirá rapidamente. As outras você já conhece, e esta, com Giovanini no colo, é Zenaide.

— Muito prazer, Zenaide. Ciro havia me falado de você com carinho.

— Ele me falou de você com muito amor, Mariana! Bem-vinda à nossa casa. Somos todas suas mais leais e sinceras amigas.

— Sinto muito vir num dia como hoje e estragar a sua ceia, mas ou eu vinha ou desistia de viver, pois a única coisa que me restou foi o filho, que não criei.

— Ou o marido que lhe tiraram, não? — falei.

— Não quero mais um marido. Só peço que me deixem ficar com meu filho, senão minha consciência não terá paz.

— Eu quis trazê-la comigo naquele dia, mas você não acreditou em mim.

— Como eu podia confiar em alguém que mentira tanto para mim? Eu vivi aqueles anos todos sonhando em desposar o mais puro dos homens. Foi um choque muito grande saber que tinha vários filhos. Não quero mais falar disso, Ciro. Estou dentro de sua casa e falando mal de você. Não foi para isso que vim. Vocês estavam tão alegres antes de minha chegada e agora estão todos tristes.

— Eu sou o culpado por sua tristeza, Mariana! — falei.

— Nós também temos um pouco desta culpa, Mariana — falou Carla. — Nós invadimos o reino de Ciro, tomamos um pedaço dele e passamos a ser felizes ao lado dele. Mas há um pedaço dele que nenhuma conseguiu conquistar. Este pedaço é todo seu e ninguém, por mais sábia, bela ou esperta que seja, conseguirá invadi-lo, pois ele foi ocupado por você há muito tempo. Tome-o agora, de uma vez por todas, e aí sim, esta casa será a mais feliz do mundo.

— Não quero interferir no relacionamento de vocês com ele. Talvez eu vá embora assim que me reequilibrar um pouco, pois estou sem rumo na vida.

— Aqui é a sua casa, aqui estou eu e também as mulheres que a amam e respeitam como ninguém mais neste mundo. Se amanhã for embora, a tristeza que existe aqui, mas que nós ocultamos muito bem, só aumentará. Fique conosco e com o tempo descobrirá que seu lugar existe e ninguém o ocupou por respeito e amor.

— Sou uma intrusa em seu meio e só irei desarmonizá-lo com minha angústia e solidão.

— Disso não tenha dúvida, se insistir em ser a única mulher infeliz no mundo. Mas está na hora de parar de dar abrigo às coisas negativas e receber as positivas. Chega de viver no lado triste da vida.

— Como consigo isso, Ciro?

— O primeiro princípio que regula a vida nesta casa a ajudará a dar o primeiro passo na direção da luz da vida.

— Qual é ele?

— É este Mariana: se não consegue encontrar um único motivo para viver a vida com alegria, então não pense nos que a tornam infeliz, já que encontrará tantos que jamais imaginava que existissem. Com isso não conseguirá sair da depressão em que a falta de vida a lançou. Resumindo: se não encontra motivo para a vida, então não dê abrigo em sua mente aos que certamente a conduzirão à morte.

— Como posso me agarrar a tal princípio, Ciro?

— Ouvindo, entendendo e vivendo o segundo dos nossos princípios.

— Qual é ele?

— Se não consegue amar, pois o amor foi suplantado pela dor, então ao menos goste dos que a amam e deixe-se amar, pois assim viverá no amor alheio, já que o seu não a deixa viver feliz. Talvez assim, com o tempo, o seu também se liberte das amarras da dor e volte a pulsar com intensidade em seu coração. Resumindo: se não consegue amar, ao menos deixe que quem ama a ame, pois se não consegue viver no seu amor, pelo menos sobreviverá no amor dos que a amam.

— Como conseguir isso, Ciro?

— Olhe à sua volta. Todos aqui a amam. Até as crianças, que nada entendem, estão tristes com sua tristeza. Não está vendo como até eles se calaram? Todos estão tristes por você e isso significa que eles a amam, porque só os que alimentam este sentimento tão nobre são tocados pela dor dos que sofrem. Quantas mulheres vê à sua frente?

— Quatro.

— São mais belas ou mais feias do que as outras mulheres?

— Não.

— Mas há algo em comum entre elas. Todas querem amar, ser amadas, viver e dar vida à vida. Isso as torna diferentes das que estão no seu estado. Elas sabem que têm motivos para se sentir infelizes, mas não dão abrigo a eles em suas mentes e corações. Vivem o que a vida lhes oferece de bom e recusam-se a viver o que ela lhes negou. Têm filhos e os amam. Têm um lar e o amam. São amigas umas das outras e se amam por isso. Têm a mesa farta e agradecem a Deus por isso. Estão abrigadas, aquecidas e alimentadas enquanto tantas padecem por não ter alguém em condições de dar, se não todas estas coisas, pelo menos algumas delas. Você não imagina como Deus nos tem dado estas condições, Mariana. Esta casa é uma fonte de vida para muitos e a única com que contam muitos que nada mais tinham além de motivos para desejar a morte. Meu Deus! Como esta casa pulsa a vida. Se olhá-la de um ângulo mesquinho, só encontrará devassidão, riqueza e falta de moral cristã. Mas se deixar o sexo de lado, verá só seres humanos que amam a vida e querem vivê-la com intensidade e calor humano. Olhe as crianças! São vidas ainda sendo alimentadas pelo seio materno, mas sabem que aqui viverão e encontrarão tantos motivos para amar a vida, que amarão a todos os seus semelhantes intensamente. Olhe as mulheres e não as verá chorosas e a se lamentar, pois encontraram um motivo para viver a vida. Se não têm um homem para aquecer os seus leitos todas as noites, sabem que têm alguém que aquece dia e noite os seus corações. Não imagina como elas têm um coração iluminado pelo amor que vibram. Mas Deus sabe que só queremos ser felizes e tornar felizes os que estão à nossa volta. Se não somos amados como gostaríamos, amamos como gostaríamos de ser amados. Se não vivemos como gostaríamos, amamos a vida que a Vida nos ofereceu. Se os padres da Igreja oferecem um paraíso para depois da morte, nós então procuramos construir um aqui na terra mesmo. Para que dar tanto trabalho a Deus, se podemos facilitar tanto o d'Ele em nos dar o paraíso, quanto o nosso em alcançá-lo? Deus ama-nos por isso e tudo faz para aumentar a nossa vida, pois sabe que a amamos. Ele vive tanto em nossos corações, como faz desta casa motivo de Sua alegria e faz dela Sua morada também. E isso só nos faz amar muito mais a vida, Mariana.

— Você fala bonito, Ciro.

— Eu só falo o que vivo. Se acha bonitas as minhas palavras, então viva e verá que a vida é tão bonita, que não temos palavras para descrever toda a sua grandeza. Ela é um dom de Deus, e como tal é indescritível. Só pode ser vivido!

— Vou tentar, Ciro.

— Não tente, viva, Mariana! Só vivendo nós encontramos os encantos da vida.

— Como, se olho para o meu filho e o vejo deficiente quando todos os outros à volta são perfeitos?

— Isso significa que ele precisa receber mais amor do que os outros, pois só assim ele entenderá que o amam e que não sentem pena ou compaixão por ser como é.

— Onde você aprendeu isso, Ciro?

— Diante do Santo Sepulcro. Diante do Divino Mestre Jesus. Eu o vi por inteiro e vi nos seus olhos quanto amor ele doou a nós, homens! Vi-me diante dele como um ser imperfeito, deficiente, imoral, pecador e fraco, mas eu sabia que ele me amava mesmo assim. Meu Deus, como ele nos ama! O seu amor por nós deriva de sua fé no Pai Eterno, e minha fé nele deriva do seu amor por nós. Como eu o amo! E como ele me ama por eu amar os meus semelhantes! Não mudei muito o meu modo de ser e agir como homem, mas coloco amor em tudo o que faço. Esta é uma diferença fundamental na nossa vida. Não devemos fazer nada só por fazer, mas porque amamos fazê-lo. Se ama seus semelhantes, faça isso porque é bom fazê-lo e não porque a religião manda fazer. Se ama seu filho, faça-o com intensidade, pois só assim ele saberá como é bom ser amado, e valorizará tanto este sentimento que se transformará numa fonte de amor. Se ama alguém, ame com intensidade, pois só assim despertará nele o mesmo amor que lhe dedica. Se ama a Deus, então viva. Só assim será amada por Ele, que é vida. Quem vive a vida com amor, vive em Deus. Se não gostam de você, então não os odeie. Mas se a odeiam, então os ame; só assim levará vida, que é Deus, onde reina o oposto a ela. Estes são alguns dos meus princípios, Mariana. Viva-os e não terá tempo ou motivo para desejar não viver.

— Como vou fazer isso?

— Comece por abraçar os pequeninos e passe para cada um deles um pouco de sua tristeza, pois ela não é nada comparada à alegria que eles sentem por estarem vivos. E colha com eles um pouco desta alegria que, mesmo sem a compreenderem, querem lhe transmitir. Depois abrace Carla, Zenaide, Helena e Clarice. Deixe com elas mais um pouco de sua tristeza e colha com elas um pouco de amor, que logo também as estará amando tanto quanto elas a amam. Só assim voltará a amar-me e receber todo o amor que tenho em meu coração e que é todo seu.

Mariana fez isso e, ao pegar nos braços o primeiro bebê, começou a chorar. Foi assim com cada um que abraçou. Quando chegou minha vez, seu pranto não era de tristeza e sim de alegria. Eu acolhi em meus braços um ser que renascia para a vida. Suas lágrimas não mais traduziam a morte, mas a vontade de viver.

Quando eu enxuguei o rosto dela, vi seus olhos brilharem novamente de alegria. Então, chorei também.

— Por que chora agora?

— Choro de alegria, pois agora eu tenho junto a mim a minha amada Mariana, tal como a conheci.

— Já não sou a mesma, Ciro. Envelheci muito nesses poucos anos.

— Que importa isso se sua alma brilha novamente? Eu me sinto como se tivesse 200 anos de idade e ainda assim não me sinto velho, pois sei que isso pouco importa para quem ama a vida! Logo você estará tão linda como eu a vejo através dos seus olhos. Agora, sente-se à mesa e integre-se de vez à sua nova família, que tanto a esperava para se tornar completa.

— Esperavam-me?

— Sim. Pergunte a Giovanini quem é Mariana.

Ela perguntou e ele lhe disse:

— É minha mãe! Todos me dizem para eu amar você. Mas você me ama, mãe Mariana?
— Sim, eu o amo. Agora me dê um abraço bem forte e um beijo bem gostoso.

Bem, Giovanini abraçou-a ao seu modo, pois tinha o braço direito e a perna direita deficientes. Mas se agarrou tão forte nela, que até parecia que não iria largá-la mais.

A hora do almoço já havia passado e a comida tinha esfriado, mas o calor humano do amor nos envolvia a todos. O sorriso voltou e as frases alegres também.

Logo foi a vez de dividirem o trabalho de limpeza da mesa, que era uma tarefa comum quando terminavam as ceias. Mariana ajudou-as e, pouco a pouco, foi perdendo a timidez inicial.

Eu, como sempre fazia, levei as crianças para a sala e brincava com elas como se fosse uma criança também. Quando vieram juntar-se a nós, eu estava com uma porção delas agarradas a mim na tentativa de me manterem deitado no tapete da sala. Ninguém se sentou nas cadeiras, todas preferiram vir até onde estávamos, isto é, em cima do tapete e próximos da lareira.

Passamos o restante da tarde ali e só saímos para a ceia da noite, que foi só alegria. Mariana já sorria das frases espirituosas de Zenaide ou das observações sutis de Carla. Mas o mais engraçado foi quando Carla perguntou a Zenaide:

— Como vai a sua trama anterior, Zenaide?
— Tive de alterá-la.
— Por quê?
— Um fato novo vai ocupar minha mente até que eu encontre uma nova solução para acomodar o pouco tempo agora disponível.
— Quanto tempo?
— No mínimo umas seis ou sete noites.

Mariana, que não estava a par do que falavam as duas, perguntou:
— Que trama é essa e qual é o fato novo que vai ocupar sua mente?
— Você é o fato novo! Está com uma aparência horrível e vai precisar de no mínimo umas sete noites para se recuperar totalmente.
— É mesmo! Tenho dormido tão mal ultimamente!
— Agora não vai mais dormir mal.

Pelos sorrisos de todos nós, ela ficou vermelha como uma pimenta, mas acabou sorrindo também.

— A coisa aqui funciona assim? — perguntou.
— Mais ou menos! — exclamou Zenaide. — Se não for assim, um harém deixa de sê-lo e perde a graça do seu sultão.
— Isso é verdade, Ciro? — indagou Mariana.
— Zenaide é a entendida nessas coisas de harém, Mariana. Eu só procuro ser um bom sultão e nada mais.

— Deve ser verdade, pois não vejo ninguém triste por aqui e o número de crianças diz que todas transpiram vida.
— Logo haverá mais algumas por aqui — falou Helena.
— Bom, a conversa está muito boa, mas vou me deitar. Tenho de levantar muito cedo amanhã — falei. — Continuem, estou com sono e, se não dormir agora, vou acordar muito cansado amanhã.
Levantei-me e dei um beijo no rosto de cada uma, menos no de Mariana. Assim que saí, ela indagou o motivo de não ter sido beijada também.
— Para que um beijo no rosto, se nos lábios é muito melhor, Mariana!
— Mas não fui beijada nos lábios, Zenaide!
— Então vá logo, senão ele acaba dormindo.
— Ah, é assim que funcionam as senhas por aqui?
Mariana logo bateu na porta do quarto.
— Entre! — falei.
— Vim receber meu beijo, Ciro.
— Até que enfim tenho-a só para mim. Pensei que este dia nunca viesse a chegar. Como eu a esperei esses anos todos!
— Com todas elas aí e você ainda me desejava?
— Como da primeira vez que a vi! Isso sempre será assim.
— Como explica tal sentimento?
— Segundo minha mãe, é porque você é o encanto do meu amor.
— Verdade que ela lhe disse isso? Quando?
— Antes de eu voltar da Terra Santa. Só voltei porque ela ordenou que fizesse isso.
— Ótimo! Então não deixe o encanto do seu amor tão ansioso para encantá-lo e ser encantada.
— Não deixo mesmo. Não tenha dúvidas sobre isso também.
— Não tenho dúvidas, Ciro. Só não quero atrasá-lo no seu sono, pois terá de acordar cedo amanhã.
— Acabo de me lembrar que o compromisso não é para amanhã e sim para depois do Ano-Novo.
— Melhor ainda, pois temos alguns anos a descontar, não?
— Não diga descontar e sim viver.
Foi uma semana em que o desejo de ter Mariana sob o nosso teto se realizou. Quando completou os sete dias, Carla falou-lhe:
— Ainda não está completamente curada, mas já não corre nenhum risco sério de sofrer uma recaída. Pelo menos agora já engorda um pouco e está com o rosto mais rosado, além de estar sorrindo à toa. Isso é um sinal de vida muito bom, mas Zenaide está um pouco pálida e meio nervosa. Acho que é o frio que está fazendo isto com ela. Não conhece um lugar mais quente nesta casa, Mariana?
— Conheço e recomendo para casos como estes, que precisam de rápida recuperação.
Eu só as observava enquanto armavam suas tramas. Pelo sorriso de Zenaide, calculei que já havia terminado com seus novos planos.

# Capítulo XXVI

# Um Novo Amor

    E assim os anos foram passando. Faleceram os pais de Carla, o senhor Zago, o senhor Lídio; e seis anos depois do dia em que Mariana chegara à mansão Benini, faleceram Clarice e dois dos meus filhos com Carla. O mais velho e o mais novo. Foram vítimas de uma peste que matou milhares e milhares de pessoas em todo o sul da Europa. A despeito dos cuidados que tomamos, não ficamos isentos da visita da morte em nossa morada da vida.
    Foram dias de muita tristeza para todos nós. Foi um tempo em que só pela vontade divina todos nós não fomos dizimados também, pois houve casas onde nenhum dos moradores sobreviveu. Outros lugares que, acredito eu, foram poupados por vontade divina, foram os orfanatos. Nesse tempo, eu já sustentava com meu dinheiro doze deles em doze cidades diferentes e neles residiam alguns milhares de crianças nas idades de 1 até 14 anos, quando então eram encaminhados para as minhas propriedades e lá seguiam o curso livre de suas vidas, todos bem-educados, saudáveis e preparados para viver a vida. Deus poupou-as para que continuassem a cantar sua grandeza e generosidade como faziam todos os dias durante a missa matinal, a que assistiam como primeiro dever do dia.
    Centenas de padres da Igreja Católica Apostólica saíram desses orfanatos e muitos voltaram como instrutores dos pequeninos ali recolhidos. Mesmo depois de minha morte, os orfanatos continuaram a ser sustentados por meus filhos, sem nunca precisarem do auxílio de ninguém. Creio que, junto com os leprosários, os albergues para os velhos, alguns hospitais e as casas de apoio aos deficientes físicos e mentais, eles foram os maiores motivos para Deus me dar tão longa vida e o Divino Mestre ouvir-me quando eu me refugiava na fé que nutria por seu amor à humanidade.
    Numa casa onde se cultuava a vida como o primeiro dos princípios divinos, a morte de Clarice e de dois filhos foi muito triste. O difícil foi consolar Carla e todas as outras, pois foi nesse tempo de medo que nasceram os gêmeos de Mariana. Ela já tinha dado à luz mais três filhos além de Giovanini e agora vinham mais dois. Um paralítico e o outro deficiente mental. Eram os irmãos Benini e Pietro que voltavam à carne.

Tio Pietro voltou deficiente mental e tio Benini, deficiente físico. Hoje poderiam dizer que eram defeitos genéticos, mas eu os vi antes de reencarnarem e já sofriam dessas deficiências, pois seus mentais haviam dado aos seus espíritos essas formas, em razão do carma muito pesado de cada um. Eu sabia de tudo, mas me calava diante da tristeza de Mariana. Não queria aumentá-la ainda mais ao saber que seu pai jazia numa cama mentalmente inutilizado e seu querido tio Benini, o homem que conhecera todo o mundo, agora não poderia sequer andar.

Eu a confortava com palavras de fé e amor. Carla também tinha de ser confortada pela morte dos dois filhos. Zenaide, Helena e eu nos desdobramos para confortá-las e aos muitos filhos, além dos amigos e de Rosa Mazzile, que perdeu seu pai nessa mesma peste. A partir desse tempo, tive de assumir os negócios de seu pai e ela só não perdeu suas propriedades porque Karl, agora um nobre barão germânico, enviou-me em auxílio um grande exército que não só as defendeu, como subjugou dois poderosos castelões próximos. Ele veio pessoalmente à frente do seu exército e em pouco tempo espalhou o medo e a morte nas hostes inimigas. Entregou-me o domínio sobre os dois novos castelos e tudo o que pilhou neles.

— Por que isso, Karl?

— Já estou velho, meu senhor. Eu lhe devo minha lealdade, não porque a exige e sim porque o amo como o filho que nunca tive. Nada quero, pois sei o quanto tem feito aos que nada têm além da vida miserável que lhes restou nesta terra miserável, onde os que têm algum poder só pensam em alimentá-lo à custa da miséria de muitos. Posso ir para o inferno, mas mato a todos os que tentarem isso na região onde tenho o meu castelo, meu senhor. Lá, pelo menos, estamos em paz já há alguns anos.

— Vou rearmar todo o seu exército e vesti-lo, Karl. Ao menos isso lhe devo por ser tão leal e amigo. Se preço houver, pagarei com preces a Deus por uma longa e justa vida para você, como sempre tenho feito.

— Suas preces têm chegado até mim, sempre me lembro de você com alegria no coração. Partirei feliz por ter feito algo pelo meu senhor nesta terra, e que é servo do único Senhor que há no céu. Ore a Ele e peça-lhe que não me abandone depois da passagem para a longa noite.

— Eu farei isso, meu leal amigo.

Karl partiu e eu só tive meus trabalhos aumentados devido aos novos encargos com a administração dos castelos conquistados. Rosa Mazzile passou a viver na mansão Benini conosco e seus filhos se integraram aos nossos. Em pouco tempo, eu tive todo o meu rebanho reunido.

Quanto a Helena, bem, algum tempo depois de Mariana integrar-se ao grupo familiar, ela e Zenaide foram comigo conhecer algumas propriedade. Na vinícola, Zenaide viu uma moça muito bonita olhando para nós. Como ela não se esquecia de nada, perguntou-me:

— É ela a moça que você ficava olhando quando vinha aqui?

— Por que pergunta isso depois de vários anos?

— É ela?

— Quer que eu minta para você?
— Não, e também não retiro a pergunta.
— Sim, é ela.
— Vou falar com ela. Olha só como ficou vermelha só por perceber que estamos olhando para ela.
— Não faça nada. Eu a proíbo de ao menos perguntar-lhe o nome.
— Você não sabe como ela se chama?
— Não. E nem quero saber!
— Estou precisando de uma moça para ajudar na casa e vou convidá-la.
— Você não precisa de ninguém, Zenaide. Já temos muita gente naquela residência.
— Uma a mais não fará diferença alguma.
— Deixe-a em paz, Zenaide. Amanhã mesmo lhe envio não uma, mas várias mulheres em auxílio.
— Eu gostei dela.
— Como, se nem a conhece?
— Quem fica rubra só de ser observada é alguém muito especial.
Mariana interveio na nossa discussão.
— Por que quer tanto ela como auxiliar, Zenaide?
— Depois eu lhe conto, Mariana.
— Você não conta nada a ninguém! Eu a proíbo de fazer isso — falei bravo.
— Então deixe-me levá-la que eu não falo nada. Ou uma ou a outra!
— Ah, faça como quiser! Não vou ficar discutindo com você no meio de estranhos. Vou andar um pouco por aí. Esperem-me na carruagem.
Quando voltei, lá estava ela sentada ao lado de Zenaide, desviou os olhos assim que entrei.
— Vamos começar tudo de novo! — exclamei.
— Elizabete é minha auxiliar e disse que adora crianças. Creio que será útil, pois o que não falta por lá são crianças.
— Você não quer uma auxiliar também, Mariana?
— Não, não, Ciro! Se precisar, Zenaide poderá me ajudar.
— Menos mal.
— Por quê?
— Só tenho o domingo livre agora.
— Mas o que tem o domingo a ver com uma auxiliar?
— Como certas coisas não ficam em segredo naquela casa, logo ficará sabendo. Prefiro ficar de fora das tramas de Zenaide.
— Mais uma?
— Pergunte a ela. Imagino que já a desenrolou toda na sua cabeça que não para de pensar.
Mariana virou-se para ela e perguntou:
— Do que se trata desta vez, Zenaide?
— Ele me proibiu de falar no assunto, portanto desta vez vou calar-me.

Eu havia me recostado no banco e fechado os olhos como se estivesse dormindo. Mas me sentia vigiado por Zenaide, e até via o seu sorriso nos lábios. Só não abria os olhos para não lhe dar este prazer.

Mais tarde, Zenaide acabou de colocar os alimentos nos pratos das crianças e convidou Elizabete para sentar-se à mesa. Ela ficou no meio de Carla e Zenaide. O ataque ia ser mais fulminante a partir dali. Preparei-me para o pior, pois a diversão delas estava apenas começando. Zenaide, Carla, Helena e Mariana esmeraram-se em suas estocadas espirituosas, a ponto de Elizabeth engasgar-se por causa dos trocadilhos e das insinuações que faziam.

Foi um dos mais demorados jantares que tivemos e, sem dúvida, o mais divertido de todos. Eu resolvi ajudar a pobre e tímida Elizabete no meio daquele grupo, mas me dei mal, pois elas acirraram o combate e eu fiquei totalmente exposto.

Elizabete pediu licença para recolher os restos do jantar, mas foi impedida por Mariana.

Saí rapidamente e da sala eu ouvia as gargalhadas. Acabei indo deitar-me, como já faziam as crianças. Como eu estava cansado, dormi rapidamente e nem vi Mariana deitar-se ao meu lado. Acordei já de madrugada e, ao estender o braço sobre ela, notei algo diferente. Era Elizabete quem estava ali e pensei: "Então o jogo é este, não? Vão pagar caro desta vez pela boa brincadeira. A doce uva vai deixá-las azedas desta vez."

Bem, ajeitei-me ao lado dela e voltei a dormi. Na certa iriam estocar-me na hora de irmos à missa dominical. Eu fingi dormir, mesmo estando acordado. Quando vieram bater na porta anunciando que era hora, Elizabete soltou-se dos meus braços, ajeitou a roupa e foi abrir a porta, saindo sem fazer barulho. Mariana então entrou e chamou-me:

— Ciro, vamos logo, pois está na hora da missa dominical.

— Hoje não vou, ainda estou com sono e vou continuar na cama. Vão sem mim hoje.

— O que digo ao padre se perguntar por você?

— Diga-lhe que estou indisposto, mas que no próximo domingo estarei lá. Agora saia e feche a porta.

Mariana foi com todas as outras à missa e continuei na cama até que voltassem. Veio diretamente até o quarto assim que chegou.

— Ainda na cama, Ciro?

— Acho que vou me levantar agora.

— Não sei como dormiu tanto, é seu costume levantar cedo todos os dias.

— Estou muito cansado ultimamente e acho que mereço um bom e reparador sono, não?

— Sim.

Ficou nisso nossa conversa e assim se passou mais uma semana comigo viajando. Só regressei no sábado à tarde. Fiquei até tarde da noite conversando e fui dormir alegando cansaço. Não mentia, pois estava realmente, e dormi logo que me deitei. Quando acordei, lá estava Elizabete novamente. Fiz como no domingo anterior e nova desculpa para não ir à missa. Eu sabia que Elizabete contaria tudo a elas. Mais uma semana de viagens de negócios e só voltei no final do sábado. Mais uma vez tudo se repetiu e a mesma desculpa de sono.

— Mas você nunca voltou tão cansado assim de suas viagens, Ciro!
— Fiquei no lombo do cavalo desde ontem à noite, Zenaide. Cavalgamos a noite toda e o dia também.

Assim que me deitei, fechei os olhos e fingi dormir. Logo Mariana entrou no quarto e, sentando-se do meu lado na cama, acordou-me.

— O que há? Não se pode descansar um pouco depois de uma longa viagem?
— Quer aceitar nossas desculpas, Ciro?
— Desculpas por que ou pelo quê?
— Você sabe do que estou falando. Todas nós estamos envergonhadas pelo que fizemos a você.
— A mim? O que foi desta vez?
— Não me diga que você não notou que Elizabete dormiu com você por três domingos seguidos?
— O quê? Ela vinha até aqui depois que eu dormia e tomava os seus lugares?
— Isso mesmo. Nós achamos que não se importaria e ainda aprovaria a brincadeira.
— Ótima brincadeira, Mariana! Vocês notaram bem o que fizeram?
— Tentamos envolvê-lo com ela. Só isso!
— Por quê? Só por eu ficar olhando para ela enquanto me lembrava de você? Acaso não relacionou uma coisa com a outra? Se eu tivesse algum interesse maior por ela, não teria deixado ela quieta por tantos anos antes de minha partida para a Terra Santa. Vá chamar os escorpiões aqui que vão ouvir algo muito sério. Traga Elizabete também.

Pouco depois, estavam todas ali reunidas. Então comecei a falar.

— Mariana, como foi que tudo começou entre nós?
— No banco do jardim da paróquia.
— Quem estava no banco e quem veio até quem?
— Eu fui até você porque havia olhado para mim no meio de todas as moças da aldeia.
— O que mais eu fiz além de olhar para você?
— Nada.
— Ótimo, já está bom. Agora é sua vez, Helena. Quem invadiu a vida de quem enquanto você e sua família moravam aqui nesta mansão?
— Eu o forcei de todas as formas, Ciro!
— Ótimo. E quanto a Clarice?
— Ela o tentou por muitos anos, até que você ouviu meu pai.
— Já está bom. Agora é a sua vez, Carla. Como tudo começou?
— Eu o procurei na biblioteca depois de ter me recusado aqui.
— Então está claro que eu era tímido nessas coisas, apesar de ser desinibido em todo o resto, não?

Todas concordaram.

— Agora você, Zenaide. Como tudo começou?

— Quando o sultão o obrigou a escolher uma ou todas.

— Por que eu a escolhi?

— Porque eu fiquei vermelha quando você olhou para mim.

— Acredita que foi esse o motivo?

— Sim.

— Não acha que a escolhi devido às palavras dele sobre o que costumava fazer com os presentes recusados, e, para livrá-las de um destino ruim, eu escolhi uma?

— Sim, isso é verdade!

— E já que eu tinha de escolher uma para salvá-las, o melhor era escolher uma que tinha algo em comum comigo, que era uma timidez natural. Não é um impulso natural do ser humano procurar ligar-se aos que têm pelo menos algo em comum? E que mesmo depois de tê-la escolhido, você alegou uma porção de coisas só para que eu não a deixasse em qualquer lugar e continuasse sozinho?

— Sim, é verdade.

— E que você esperou eu dormir para vir para junto de mim e cumprir as ordens dele e salvar suas irmãs?

— Também é verdade.

— E que, depois que partimos, minha mãe aconselhou-me a voltar e recolher os pedaços para não deixar ninguém sofrendo, e você prometeu que me auxiliaria?

— Sim. Você está certo.

— Algum dia eu dei o primeiro passo na direção de alguma de vocês?

— Não.

Foi a resposta de todas.

— Então, com que direito vocês fazem isso com Elizabete?

Zenaide tentou justificar-se.

— Eu só pensei que você a desejasse, Ciro!

— Ainda que isso fosse verdade, mas não era, agiram como alcoviteiras ao forçá-la ou induzi-la a vir até este quarto só porque queriam se divertir comigo. Não lhes passou pela cabeça que há um limite para certo tipo de divertimento e que o limite foi ultrapassado? Acaso não imaginaram que houve uma confluência de destinos entre nós por obra de suas iniciativas, forçadas ou espontâneas? Não lhes passou pela cabeça que quando falo em vida e amor, penso em algo mais que no sentido carnal, pois este é só um detalhe no todo, e já que tive de acolhê-las, dou um direcionamento saudável às ligações, permitindo que os filhos venham naturalmente à luz só para que vivam suas vidas também?

Acaso não imaginam que eu conheça um ou vários métodos para evitar o nascimento de uma criança? Eu conheço todos os métodos de se evitar a gravidez, como também as formas de fazer uma mulher abortar. Mas não os uso, pois isso é um crime perante os homens e uma ofensa aos olhos de Deus. Não os uso, pois se posso lhes dar a oportunidade de tornarem-se grandes diante dos olhos do Senhor da Vida, então faço com satisfação e alegria, e não só por prazer.

— Isso nós sabemos, Ciro.
— Ótimo! Então com que direito violentaram a natureza, tímida nessas coisas, de Elizabete?
— Ela nos confessou que o ama — justificou-se Helena.
— Menos mal para vocês, mas ainda assim não lhes ocorreu que devia haver um bom motivo para ela estar trabalhando lá, mesmo sabendo que eu não a procurei nunca e também que tinha vários filhos, pois sempre os levei comigo quando ia até lá só para mostrar-lhe que não podia ligar o seu destino ao meu e que o melhor era conformar-se e procurar alguém que a amasse? Vocês não sabem, mas quando comprei aquela propriedade, o pai de Elizabete implorou que eu o deixasse continuar morando lá pois era só ele, já velho, e a filha, e que não teriam para onde ir se eu os colocasse para fora. Concordei em deixá-lo morando lá. Logo ele adoeceu gravemente e dei ordens ao encarregado que deixasse a filha na casa enquanto ela assim o desejasse, e também que não a despedisse do seu trabalho na vinícola. Ela era a única empregada fixa o ano todo, até quando quisesse. Entendam que só permiti tal coisa porque prometi isso ao pai dela, e não porque eu a desejasse. Mas o que vocês fizeram com ela é imperdoável. Todos sabem que Ciro é o mais rico e poderoso homem da região e ninguém ousa contradizê-lo ou desafiá-lo, e isso se tratando de homens poderosos! Imaginem como não reagiria uma mulher que vive e trabalha numa propriedade minha e ainda mais, não tendo familiar algum ou para onde ir, caso desagradasse o poderoso senhor ao ser empurrada para o seu leito por suas próprias mulheres. É uma situação absurda e humilhante para Elizabete, não acham?
— Desculpe-me, Ciro! — disse Zenaide. — Eu pensei que estava formando o setenário feminino de que me falou meu pai. Ele me disse que facilitasse e até o ajudasse a formá-lo, pois só assim estaria completado o que ele iniciou na prisão. Ele nunca falou sobre isso com você?
— Não, mas o setenário feminino formou-se quando Clarice veio para cá. Eu sabia dele desde o Santo Sepulcro.
— Mas com ela e Rosa são só seis. Falta uma ainda.
— Rosa Mazzile não faz parte do setenário, então são só cinco, não?
— Então agora faltam duas e não só uma.
— As duas que faltam são minha mãe, que já não voltará mais à carne, e dona Tereza, de quem já falei, que voltará de uma forma que não sei ainda. Você devia ter me falado sobre isso também, Zenaide.
— Perdoe-me, Ciro. Não fiz só por diversão! Vou pedir perdão a Elizabete e levá-la amanhã mesmo de volta à vinícola.
—Acho que todas devem pedir perdão a ela, pois a magoaram muito. Façam isso e me deixem a sós com Elizabete, pois também devo me desculpar com ela.
Uma a uma, todas lhe pediram perdão e a abraçaram. Elizabete ficou com os olhos lacrimosos de tanta tristeza, isso eu vi em sua alma.
Fiquei olhando para Elizabete um longo tempo sem saber por onde começar. Ia ser muito difícil, isso eu sabia.

— Quero que desculpe a elas e perdoe a mim por ter deixado tal coisa acontecer, Elizabete. Acho que tudo foi um abuso da parte delas. Eu devia ter dito na primeira noite em que acordei e não vi Mariana, mas sim você.

— Elas não me obrigaram, meu senhor. Só perguntaram se eu gostaria e aceitei de bom grado, pois finalmente iria me aproximar de quem eu antes só podia contemplar.

— Menos mal. Amanhã mando levá-la para a vinícola. Espero que me perdoe.

— Eu o perdoo, pois também desejei isso. Mas não se preocupe em levar-me de volta, pois já não quero ficar mais lá.

— Por que não?

— Já não há o único motivo que me manteve lá todos estes anos. Estou cansada de esmagar uvas nas safras e engarrafar vinho o ano todo. Minhas pernas já não são de uma mocinha e, se eu voltar, a vida já não será de sonhos e sim um pesadelo.

— Mas não é tão difícil assim de se resolver. Mando-a trabalhar na loja de tecidos.

— O pesadelo continuaria da mesma forma, meu senhor.

— Por quê?

— Eu o contemplei todos esses anos. Só de vê-lo já me sentia a mais feliz das mulheres e viveria o restante de minha vida assim, mas tive de aceitar o convite da senhora e agora pago o preço por pensar que eu poderia ter o que era meu. Como vou poder contemplar e sonhar depois, se me deitei ao seu lado, acariciei o seu rosto e fui envolvida pelos seus braços durante seu sono? Fui acariciada como se fosse ser possuída e senti sua respiração nos meus cabelos.

— Você não dormia quando eu a acariciava?

— Não. Imaginei que fazia isso enquanto dormia e fingi. Ao menor contato, eu já ficava toda desperta. É uma pena, mas só vivi um sonho e agora é hora de partir para lugar nenhum, onde viverei o restante dos meus dias na solidão da minha alma.

— Meu Deus! Você é como eu! Por que não retribuiu as carícias?

— Não me chamou a fazer isso nesses anos todos, e também no leito eu não sabia se era sonho ou se era realidade. Então, achei melhor fingir que dormia, e sonhava acordada.

— Então já não posso deixá-la partir, senão pagará um preço muito alto, agora que mexeram nos nossos destinos.

— Mas já não posso contemplá-lo em silêncio, meu senhor.

— Não contemple e nem sonhe, apenas viva a vida, Elizabete! Não será a melhor delas, mas ao menos descansará e me dará o prazer de poder ter junto a mim o amor da minha contemplação. Este é o oitavo dos amores.

— Como assim, meu senhor?

— Quando nos faltam os sete principais tipos de amor, só nos resta a contemplação do amor de nossa vida. Eu a contemplava e pensava em Mariana, por isso é a contemplação do meu amor. Na ausência dela, nutria os meus olhos com seus encantos e minha alma com o sonho que gostaria de estar vivendo.

— E o preço que terei de pagar?
— Eu a ajudo a pagá-lo.
— Pode ser muito caro, meu senhor!
— Nós dois somos seres de almas muito ricas, resignadas e, acima de tudo, estoicas. Preferimos pagar todos os preços a deixar que alguém os pague por nós.
— Não se incomoda em dividir o meu?
— Se você dividir comigo o seu destino e viver um pouco do meu, o preço se diluirá e nem perceberemos quando o estivermos pagando.
— Então me deixe contemplá-lo um pouco antes de eu retornar ao meu quarto, lá embaixo.
— O seu quarto pelos próximos sete dias será este. Depois veremos qual dos quartos aqui de cima você irá ocupar.
— Mas, e elas? Irão achar ruim!
— Não, só estarão pagando o preço por terem mexido com o seu destino. Você vivia só da contemplação, mas sem prazer. Agora elas dividirão o pouco que têm com você.
— É tão pouco assim? Não as vi infelizes pela falta do prazer.
— É pouco, mas muito intenso. No final, uma coisa compensa a outra.
— E qual será o preço que terei de pagar, meu senhor? É muito alto?
— Tudo é uma questão de recebê-lo bem ou mal.
— Mas qual será?
— Terá de trazer à luz sete lindas meninas e nenhum menino.
— Sabe qual é o seu?
— Sim. Terei de ajudá-la a criá-las.
— Fará isso com amor?
— Sim e as amarei tanto quanto aos filhos que já vieram à luz, ou ainda virão.
— Já o contemplei muito e estou ansiosa para começar a pagá-lo com toda a intensidade que me for possível.

Em seguida, eu a envolvi nos braços e trocamos um longo beijo.
— Mal posso acreditar que meu sonho tenha se tornado realidade, meu senhor.
— Poucos podem viver um sonho estando acordado, Elizabete, e atingir o êxtase do amor!

Bem, então eu a conduzi ao êxtase do amor. Só um ser contemplativo pode atingir tal vibração nas coisas do amor. E nós éramos dois seres contemplativos por excelência.

Elizabete trouxe novo ânimo para mim e, no final, não houve reclamações por parte de ninguém. O que as outras cederam a ela em tempo, ganharam em intensidade, e tudo continuou como sempre na mansão da alegria da vida.

Realmente Elizabete teve sete filhas e cada uma mais linda que a outra.

# Capítulo XXVII

# Novas Perdas

Os anos passaram, a vida fluiu rapidamente, os filhos aumentaram e cresceram, os negócios multiplicaram-se, eu fui eleito rei dos templários da Itália na reunião de todos os príncipes italianos da Ordem do Santo Sepulcro. E só não me tornei o grande mestre da Ordem iniciática criada a partir da reunião no castelo do senhor Pierre Albert porque não aceitei o cargo. Preferi indicar, em substituição, o filho mais velho do Barão de Rocheville, pois ele também foi até o Santo Sepulcro em peregrinação e teve confirmado pelo Divino Mestre o seu nome iniciático. Além do mais, era um clarividente melhor do que eu e tinha mais tempo para cuidar de nossa Ordem secreta. Mas fez questão de me manter como grande mestre substituto no caso de qualquer impedimento seu em dirigir as reuniões anuais que já realizávamos com a participação de Cavaleiros Santos de vários reinos europeus. Foi nesse tempo que um escocês iluminado, e grande estudioso, foi trazido até nós para ser iniciado nos mistérios iniciáticos da Ordem. Passou dois anos com o senhor Rocheville, estudando os livros sagrados e aprendendo tudo sobre a tradição antiga, conservada há muitos milênios pelos mestres egípcios, de cuja fonte muitas religiões foram buscar seus mistérios iniciáticos.

Eu continuei com meus escritos e agora tinha os meus próprios copistas, todos membros da Ordem iniciática. Só assim os ensinamentos doutrinários podiam ter sua propagação secreta de forma contínua.

Poucos foram os Cavaleiros Santos que não tiveram negócios particulares comigo por meio da Ordem externa dos templários.

Atingimos tão grande poder econômico, que até reis nós financiávamos, e éramos temidos por eles. Para a nossa Ordem, não havia fronteiras e até os mercadores "levantinos", que antes predominavam de ponta a ponta no continente europeu, perderam o seu poder econômico.

As maiores casas bancárias eram as nossas, e financiávamos de tudo, desde que atendesse aos nossos interesses.

Meus filhos, à medida que atingiam os 13 anos de idade, iam sendo iniciados, tanto na Ordem externa quanto na interna e iniciática. Desde que eram iniciados e juramentados pelos padrinhos Cavaleiros Santos, começavam a ser preparados para um dia se tornarem grandes Mestres e também Cavaleiros Santos. Ainda jovens, iam se integrando nos negócios e eu ia dando-lhes a direção de vários deles. Iam, cada um, para o negócio de sua preferência e, dentro dele, iam aprendendo tudo. Mas como me tomavam como exemplo, logo transbordavam para outras áreas. Cada um já nascia forte, pois eu lhes dava todo o apoio monetário.

Mas cada um tinha que dedicar uma parte dos ganhos a obras beneficentes, pois isso eu os fazia prometer-me, e jurando diante dos olhos de Deus. Como por encanto, num tempo de pestes, miséria, guerras e muita injustiça, eles prosperavam e multiplicavam a vida dos que viviam às suas sombras.

Eu, à medida que eles cresciam, ia me refluindo e dedicando-me mais aos leprosários, asilos, albergues e orfanatos. Meus negócios ficaram nas mãos de ótimos comerciantes e leais amigos. Aos 14 anos, o filho mais velho de Rosa Mazzile assumiu os domínios do castelo do seu avô e do que nós, de comum acordo, demos-lhe como presente de nascimento. Vários cavaleiros leais o acompanharam na posse. Com o tempo, dei a um outro filho meu com Helena o castelo localizado ao sul. Nos anos em que os três filhos dela ficaram na mansão Benini, eu tive a sensibilidade de educá-los como aos nascidos e criados sob o meu teto e agora começava a colher ótimos frutos, pois se tornaram leais e verdadeiros nobres na acepção da palavra. Até Rosa Mazzile modificou-se muito e, se não me amou, pelo menos admirava-me como ser humano e pai dos seus filhos.

Não me descuidei de nenhum dos meus filhos e eram tão bem orientados que nenhum foi diferente de mim e todos se davam muito bem com homens de mais idade do que eles. Com mulheres também.

Mulheres, este era o problema de todos! Dos que acompanhei de perto, sempre que ia visitá-los, tinha de levar presentes para duas ou mais mulheres deles, pois até nisso saíram-se a mim. Até hoje não sei realmente se era um mal da família ou um bem, pois só os que têm muito amor podem dividi-lo com muitos. Só que eles, enquanto vivi nesta terra abençoada, jamais deixaram um filho bastardo ou rejeitado vagando pelo mundo. Todos passaram a agir como eu e davam a cada um o sobrenome da mãe e a doutrina do pai.

Quando Ciro Albert Vespasiano atingiu os 20 anos de idade, foi para o reino franco assumir o castelo do avô, que morrera naquele ano. Com o tempo, levou os irmãos mais novos, todos ótimos comerciantes e financistas, para junto de si. Aos 21, casou-se e foi o único que não praticou a poligamia. Era valente como o avô, sábio como eu e amoroso como a mãe, Helena. Ainda assisti ao casamento de dois filhos seus com duas filhas de Elizabete. Elas eram um pouco mais velhas do que eles. Mas como se casaram, um com 17 e o outro com 16 anos de idade, acolheram-nas ainda na flor da idade, com 20 e 19 anos, respectivamente. A beleza delas era impressionante, e já se casaram com filhos a caminho. Era o mal da família a que escapara o meu filho Ciro Albert, mas não os netos. Vários anos depois, levaram mais duas para a França e só as vi mais umas poucas vezes. E não me pareceram infelizes com tal situação. Acho que para elas, criadas sob o teto da mansão Benini, aquilo era algo normal e não podia ser de outra forma, pois viviam dizendo que não se casariam.

Em 1175, Carla adoeceu e todos nós nos preocupamos. Sua despedida foi muito triste. Todos os filhos estavam presentes no dia em que ela partiu. Ainda me recordo de suas palavras:

— Minha hora chegou, Ciro amado!

— Não diga isso, Carla querida. Logo estará boa novamente.

— Você sabe que não, então não venha mentir para mim agora que estou velha.

— Quem disse que está velha? Isso de aparentar velhice é apenas superficial. Posso ver sua alma e vejo-a jovem, bela e iluminada.

— Você não mudará nunca, Ciro. Vou esperá-lo do outro lado, mas não se apresse, ainda tem filhos muito pequenos que precisam de você.

— Não importa o tempo, mas um dia viveremos juntos na mansão da alegria da vida que o Senhor da Vida tem reservada para nós à sua direita. Aqueça-a com o seu calor humano até minha chegada, Carla querida!

— Não sei se nela há muitos quartos, mas no meu poderá repousar o seu espírito cansado de nos amparar e a nossos filhos aqui nesta terra abençoada. Até que chegue a ela, o seu lugar estará bem guardado.

— Espero merecer tanta generosidade, minha amada.

— Por que eu não seria generosa no paraíso com quem me deu tantas alegrias aqui na Terra? Cuide bem dos que ficaram com você, Ciro. E não chore com nossa separação momentânea. Orarei por você até sua chegada.

— E todos nós oraremos para que faça uma boa viagem.

Mais eu não disse, pois ela exalou o seu último suspiro ainda nos meus braços. Era a segunda que partia. Ia juntar-se a Clarice na mansão celestial do Senhor da Vida.

Um ano e meio depois foi Helena quem partiu. Foi outro golpe violento em mim e na família toda. Também ela morreu abraçada a mim.

Em 1180, morreu Rosa Mazzile. Suas últimas palavras foram estas:

— Obrigada por ter-me dado o que eu mais queria, Ciro Neri. Espero poder retribuir-lhe um dia tudo o que fez por mim nesta terra.

Não pude dizer nada, pois ela pendeu sua cabeça sobre meu corpo. Também chorei muito por ela.

Em 1181, morreu Mariana, vítima de pneumonia. Foi uma morte muito dolorosa. Quase não podia falar pela aflição causada pela falta do ar nos pulmões. Suas últimas palavras foram de dor:

— Sinto muito tê-lo feito sofrer tanto por mim, Ciro amado. Deixo-lhe um legado pesado de se carregar.

— São os frutos do nosso amor, Mariana! Não são pesados, você sabe disso. Por que o encanto do meu amor tem de partir sem mim?

— Quero estar bem para que quando você chegar ao jardim celestial do templo sagrado de Deus, e assentar triste, calado e todo tímido, eu possa tirá-lo para dançarmos sozinhos, sob o som das músicas divinas. Então eu o encantarei novamente com o meu amor. Lá não haverá a nossa tão triste separação antes de alcançarmos a felicidade eterna.

— Que Deus a ouça, pois com sua partida eu volto a ser um homem vazio.
— Ainda lhe restam Zenaide e Elizabete! Não estará tão solitário assim.
— Elas são a fé e a contemplação do amor, mas me faltará o encanto. Assim que partir, tornar-me-ei apenas um ser que tem fé em Deus e contempla o Seu mundo abençoado. Olhe por mim, Mariana. Não deixe que além de vazio, eu venha a me tornar morto em vida.
— Estarei ao seu lado assim que alguém lá em cima me permitir, Ciro. Até esse dia, meu amado!

Ela não falou mais nada, mas morreu com um sorriso nos lábios e lágrimas nos olhos. Seis meses depois, ela "voltou" para buscar o nosso filho deficiente mental, e mais três anos depois, os dois deficientes físicos. O segundo a ir foi Giovanini. Como eu chorei a morte dele!

Giovanini havia dirigido desde os 13 anos de idade os asilos de amparo aos deficientes e mutilados. Se, como Giovanini Neri, ele havia sido o que conquistava castelos e terras, como Vespasiano ele foi um conquistador de almas. Amparou milhares e milhares de deficientes com meu apoio. Um dia, antes de entrar em profunda agonia, nós conversamos muito.

— Não chore, filho amado. Não será desta vez que irá partir, como não foi das outras.
— Não sei não, pai, mas me sinto agoniado.
— É apenas a doença que lhe provoca isso, filho meu!
— Pai, eu sei que o senhor não mente nunca. Então me diga: meu lado deficiente em meu espírito já se refez como há muito tempo o senhor disse que aconteceria?
— Sim, filho amado. Eu, há algum tempo, já o vejo refeito e brilhante como um cristal exposto ao sol.
— Se eu deixar este abençoado corpo, vou poder ver-me perfeito?
— Lógico, meu filho.
— Eu sei que o senhor está velho e cansado, mas indique alguém que dê continuidade à nossa obra para que muitos possam ver-se livres dos seus defeitos físicos no dia em que deixarem os abençoados corpos que regeneram suas almas.
— O que acha de sua auxiliar, Lucrécia?
— Para mim está ótimo, pai amado.
— Então está decidido, filho! Assim que você puder sair desta cama, dirá pessoalmente a ela que o substituirá quando o Anjo do Senhor vier buscá-lo. Mas seu tempo ainda não chegou.
— Por que tenta mentir para mim agora, pai?
— É que o amo muito e não quero perdê-lo tão jovem.
— Não posso abraçá-lo, pois me falta um dos meus braços, mas faça isto por mim e em mim, pai amado! Estou com medo da morte que se aproxima.

Antes de chorarmos juntos por muito tempo, eu o abracei e ainda lhe disse:
— Não a tema, minha criança. Apenas não perca em momento nenhum sua fé na bondade e na generosidade divinas.
— Isso eu não perco, pai. Mas que estou com medo, estou!

No dia seguinte, ao entardecer, Giovanini partia também. Novo golpe profundo em meu coração. Como eu o amava! Era com ele que toda uma longa jornada, durante a qual semeei a vida, havia começado, no pequeno cemitério de uma pequena aldeia. A ele e sua longa capa negra eu devia tudo o que de bom pudera fazer nesta terra.

— Que Deus o ampare a partir de agora e o abençoe para todo o sempre, Giovanini Neri Vespasiano. Se não pelo que fez nesta sua encarnação que agora se encerra, que seja por ter tido a coragem de fugir das garras do inferno e caminhar nas trevas da longa noite escura em busca da luz radiante do Senhor da Vida. Quando nos reencontrarmos, chorará, não por não poder me abraçar pela falta do braço, e sim de alegria por envolver nos seus braços fortes o espírito cansado do seu velho pai.

Logo eu chegava ao ano de 1190 e já casara todos os filhos e filhas. No dia 2 de janeiro desse ano, um dia depois de ter sido presenteado com uma bela festa de aniversário pelos filhos mais próximos, Elizabete morria de um fulminante ataque cardíaco.

Não pude nem me despedir dela e falei à beira do seu túmulo:

— Tal como quando a conheci, terminamos, querida Elizabete. Eu a contemplei quando chegou em minha vida e a contemplo na sua partida. Não sei para onde irá, mas se quando eu lá chegar estiver por perto, não tenha dúvidas de que voltarei a contemplá-la tal como fiz aqui nesta abençoada terra. Então não se esqueça de contemplar-me também, só assim eu saberei que ainda serei o objeto da contemplação do seu tão terno amor.

Quando terminei minha despedida, Zenaide tomou meu braço e conduziu-me até a carruagem.

— Não chore mais, Ciro. Não tem feito outra coisa nos últimos anos. Você é um sábio e sabe como são estas coisas.

— Eu sei, Zenaide. Mas são muito simbólicas essas mortes. Só havia me restado a contemplação e a fé. Agora só me resta a fé e nada mais.

— Isso quer dizer que a fé será a última a morrer em você.

— Deus permita que ela morra depois de mim.

— O que adiantaria a fé sem você, para tê-la consigo?

— Então, que Ele permita que eu morra junto com minha fé.

— Quem sabe Ele venha antes buscar sua fé na Terra e levá-la para junto de Si, lá no céu? Assim você a encontrará n'Ele ainda aqui na Terra, e à Sua direita, lá no céu.

Mais ela não falou, apenas chorou junto comigo a partida de Elizabete. Mas, uma semana depois, era ela quem se deitava ao meu lado e não despertaria no dia seguinte. Zenaide partiu em espírito para sua longa jornada na luz do paraíso e deixou seu corpo físico ao meu lado. Também foi simbólica a sua morte, pois eu acordara, muitos e muitos anos atrás, e a vira dormindo, nua, ao meu lado, numa cama de um palácio perdido na distante Terra Santa.

Só dois filhos estavam na mansão naquela manhã e só eles e suas famílias acompanharam o enterro dela.

Diante do seu túmulo, eu nada consegui falar. Como poderia dizer algo se o amor de minha fé havia morrido. Quase não conseguia chorar também.

Foram dias de tristeza para mim. A solidão tomou conta de minha alma e meu coração apagou-se na imensa dor que eu sentia.

Alguns meses depois, convoquei todos os príncipes templários da península itálica e transmiti o cargo a um dos que eu julgava o mais capacitado a conduzir a nobre tarefa dali em diante. Recebi uma homenagem emocionante de todos eles e voltei para a mansão Benini mais triste ainda. Enviei uma correspondência a todos os Cavaleiros Santos, convocando-os ao templo em que haviam sido iniciados. Ali também eu transmiti o cargo de Grande Mestre da sabedoria da Ordem dos Templários ao mais fiel seguidor da tradição antiga. Agora, a sede na Itália ia ter o seu templo em Verona. Aquele seria um templo só para os iniciados de Milão.

Depois disso, convoquei meu filho e de Carla, chamado Ciro D'Ambrósio Vespasiano, e o conduzi à biblioteca. Mostrei-lhe como chegar ao subsolo e ao restante da imensa fortuna acumulada.

— Você não precisa de nada disso, D'Ambrósio. E nem vai usá-la em benefício próprio. Irá sustentar com ela parte das instituições beneficentes que nós criamos. Se puder acrescentar um pouco de sua fortuna a esta, então faça-o, pois eu também fiz isso. Mas se não puder e ainda precisar dela, então só retire dez por cento, e quando puder, reponha-os, pois eu também agi assim. Aprendi com seu avô a ser um digno templário e herdei isso da herança deixada pelo meu avô. Cresci, com a graça de Deus e em homenagem a Ele, distribuí a vida a partir desta mansão. Ela será sua assim que eu morrer, mas até lá passará a habitá-la novamente, e daqui reinará absoluto sobre Milão.

Tal como seu avô e seu pai, é agora como o príncipe dos templários de Milão. Tal como nós, é um homem bondoso e justo. Tal como a nós, a Luz Divina iluminará o seu caminho enquanto caminhar na Luz. Tome estes dois molhos com as chaves. O terceiro fica comigo até que eu morra. Para que ninguém mais exija direitos sobre esta propriedade, eu a passei para você. Guarde o mais absoluto segredo sobre esta fortuna, pois foi por ninguém mais saber de sua existência que sobrevivi, enquanto muitos pereceram. Mas muitos viveram graças a este meu segredo.

— Mas e se eu morrer antes de poder avisar alguém, papai?

— Então, ele morrerá com você. Jure-me que fará isto.

— Eu juro, papai.

— Ótimo. Agora apanhe uma bolsa de moedas para você, leve-a consigo e comece a fazer negócios com ela. Trará o ganho advindo dela para cá. Apanhe outra para mim, pois vou viajar um pouco e visitar todos os meus parentes. Na minha ausência, cuidará dos meus negócios também e guardará aqui o que não conseguir gastar em benefício dos que nada têm além da vida. Você já cuida de uma parte deles, agora assuma o resto. No caso de eu morrer durante a viagem, aí está uma pasta com documentos passando-lhe tudo o que ainda conservo. Seus irmãos e demais parentes já receberam as suas partes.

— Mas, e no caso de precisarem de mais alguma coisa?

— Dê-lhes somente o suficiente para que não morram. Se não foram capazes de viver ou multiplicar o que lhes deixei, não adiantará nada você dar-lhes mais. Se isso acontecer, ensine-os como devem agir, caso queiram se reerguer.

— Assim será feito, papai.

— Você foi o último dos meus filhos a nascer e certamente será o último a morrer, portanto viva com intensidade na fé em Deus e no amor à vida, meu filho. Agora vamos subir, pois este não é um bom lugar para se conversar.

Alguns dias depois, ele se mudou para a mansão Benini e então eu parti com um roteiro dos lugares onde iria visitar meus filhos, filhas, netos e alguns bisnetos.

Antes de eu partir, D'Ambrósio trouxe uma jovem de uns 18 anos e a apresentou para mim.

— Papai, esta é a sua companhia para a longa viagem que fará.

— Não preciso de companhia, meu filho. Ainda mais de uma jovem tão bonita como esta, que só irá despertar em mim saudades dos tempos em que eu era mais jovem e tinha minhas amadas, todas sob este teto abençoado.

— Vai levá-la com o senhor. Ela o ajudará no que for preciso para sua boa saúde. Se não a levar, não ficarei tranquilo até retornar a esta mansão.

— Está certo, filho. Se isso o tranquiliza, ela vai comigo.

Nós partimos escoltados por um grupo de cavaleiros que levavam um estandarte do falcão pousando com as garras abertas sobre sete espadas cruzadas entre si e com as pontas para baixo. Era o meu estandarte. Assim que partimos, perguntei o nome dela.

— Chamo-me Tereza, senhor.

— O que faz de bom nesta vida, Tereza?

— Sou enfermeira-parteira, meu senhor.

— Então você é a sétima, Tereza! Sim, agora me lembro. Foi uma jovem loura e bonita, tal como dona Tereza, que eu vi no sonho. Bem-vinda ao seu destino Tereza, e que Deus a abençoe.

— Por que diz essas coisas sem sentido para mim, senhor Ciro?

— É que quando nada mais resta a um velho como eu, o melhor é ele viver seus últimos anos no amor à sabedoria.

Viajei muito e me senti bem em rever todos os filhos e netos. Todos me cobriam de carinho e amor e só a muito custo deixavam-me partir.

Três anos depois, voltei à mansão Benini e fiquei muito feliz em rever meu filho D'Ambrósio. Tornei a ocupar o meu quarto e voltei aos meus livros. Mas agora era a jovem Tereza que escrevia o que eu ditava. Ela dormia numa cama colocada ali pelo meu cuidadoso filho, mas sob protestos!

— Não vou morrer durante o sono, portanto não vou dividir meu quarto com ninguém. Este quarto significa muito para mim.

— Eu sei disso, papai. Mas ela estando aqui o senhor não precisará sair no escuro caso precise de algo durante a noite. Só assim eu dormirei mais tranquilo.

— Você e sua preocupação em relação a mim. Está certo, ela fica, mas não quero mais ninguém no meu quarto.

— Então, boa-noite, papai. Amanhã nos falaremos novamente. E assim os meses foram passando e Tereza ali, só com cuidados comigo.

Para ocupar o tempo, comecei a ensiná-la um pouco e logo se revelou uma ótima discípula. Bem, eu já havia me acostumado com ela ao meu lado e foi no inverno muito frio que ela me falou:
— Senhor Ciro, não está com frio, sozinho aí nesta cama?
— Não. Gosto do frio e sempre dormi melhor no inverno.
— Eu demoro a pegar no sono durante o inverno. Fico tão gelada que não consigo dormir.
— Com algumas pessoas é assim mesmo, Tereza. Isso é normal.
— Posso deitar na sua cama só para me aquecer um pouco? Assim talvez eu durma melhor.
— Não acho uma boa ideia, Tereza!
— Mas estou com tanto frio.
— Está bem. Pode deitar-se aqui ao meu lado, mas não se mexa muito, pois quero dormir logo.
— Sim, senhor!
Logo ela estava deitada sob as mantas de minha cama.
— Você está gelada mesmo! Dê-me suas mãos que as esfrego para você. Logo estarão quentes e dormirá bem.
— Obrigada, senhor Ciro. O senhor é muito bondoso.
— Só falta dizer que sou um pai para você.
— Não é um pai, mas é um mestre. Acho que não há ninguém mais sábio do que o senhor.
— Bondade sua. Sou apenas um velho que gosta de ensinar, mas já não tenho quem me ouça.
— Eu gosto de ouvi-lo.
— Menos mal. Assim não a incomodo com minhas manias de velho mestre.
— Tudo o que quiser ensinar-me, estou pronta para aprender.
— Ótimo. Agora durma, pois suas mãos já estão aquecidas. Boa-noite, Tereza.
— Boa-noite, senhor Ciro. Tenha um bom sono.
Nós dormimos, mas quando acordei de manhã, estava abraçado a ela tal como fazia com minhas esposas. Então eu a soltei, mas ela protestou:
— Por que está fazendo isso, senhor Ciro?
— Você está acordada há muito tempo?
— Há algum tempo.
— Desculpe-me, eu estava dormindo e o que fiz não foi direito. Acho que a proximidade do seu corpo fez com que eu despertasse um velho hábito.
— Isso o incomoda?
— Não. Mas a você sim!
— Quem lhe disse que me incomoda?
— Eu pensei que...
— Não pense mais, senhor Ciro. Torne a me abraçar, pois estou com muito frio. Foi a noite mais quente que já tive nos muitos invernos que já vivi.
Bem, a despeito de estar com quase 69 anos de idade eu ainda reagia muito bem a certas coisas.

Naquela manhã de inverno eu não saí do meu quarto tão cedo e, no almoço, Ciro D'Ambrósio perguntou-me preocupado:
— Algum problema com o senhor, papai?
— Por que, pareço doente?
— Não, mas como demorou a descer esta manhã eu pensei...
Atalhei-o ríspido:
— Você pensa demais e se preocupa mais ainda, Ciro D'Ambrósio! Está tudo bem comigo! Não se preocupe. Se algo não estiver muito bem, minha nova discípula o avisará, está certo?
— Não é mais sua empregada?
— Eu a adotei como discípula e em algumas matérias vou torná-la uma mestra insuperável
Minha nora então observou:
— Então é por isso que Tereza está com um leve sorriso nos lábios e as faces mais coradas, papai?
— Você é ótima observadora, minha filha! Mas não a vejo com o mesmo sorriso.
Ela ficou sem saber o que dizer.
— Talvez isso se deva ao fato de você ser uma discípula muito ciumenta e possessiva. Em certas matérias, quanto maior liberdade de ação e atuação tiver o mestre à sua disposição, mais ele poderá ensinar.
— Mas...
— Eu sou tão bom observador quanto você. Só que não comento nada do que vejo e ainda procuro uma maneira de reverter a meu favor o que vejo despertar a atenção dos outros.
— Qual o segredo, papai? — perguntou ela, já curiosa.
— Vou tentar ensiná-la com poucas palavras, se é que isso é possível. Digamos que você tenha um rico tesouro, mas o oculta de todos e não o divide ou deixa que seja contemplado por mais ninguém. Conclusão: o seu tesouro passa a valer pouco, pois ninguém sabe da sua existência. Perde o seu real valor porque você o guarda num porão mofado. Com isso suas pepitas de ouro perdem o brilho tirando-lhes qualquer possibilidade de multiplicação.
— Isso quer dizer o quê?
— Que há certas coisas que quanto mais se quer para si, menos se é dono dela. Quanto mais a deseja, menos a terá, e quanto mais a esconde perto de si, mais fora do seu alcance ela estará.
— Como pode dizer tal coisa, papai? Isso não é assim nessas coisas.
— Acredite-me, minha filha! Aqui nesta mansão houve um tesouro e seis mulheres se julgavam a dona dele, mas nenhuma nunca proibiu que as outras o tocassem ou desfrutassem do seu valor. Conclusão: o tesouro sentia-se tão valorizado que multiplicou o seu próprio valor e se enriqueceu muito mais. Cada vez que uma delas colhia uma pepita, sentia-se a mulher mais rica do mundo.
— A primeira pepita que eu colhi desse tesouro me enriqueceu muito, minha senhora. Isso posso lhe garantir! — falou Tereza, mas eu a repreendi logo.
— Uma boa discípula não comenta com ninguém o que seu mestre lhe ensina, Tereza.

— Desculpe-me, mestre Ciro. Só quis ajudá-lo.
— Receba a segunda lição do dia, Tereza: se a aula extracurricular que o mestre está dando for útil, valorize seu mestre. Mas se não for, não diga que está recebendo lições inúteis, ou que tem um péssimo mestre. Entendeu?
— Sim, senhor. Nunca devemos revelar o que estamos aprendendo.
— Além do mais, se um dia chegar a ensinar alguém, ele pensará que tudo é criação sua e não dirá que você está apenas passando adiante o que o mestre lhe ensinou.
— Sim, senhor.
— E tem mais uma coisa. Nada se cria, em verdade, neste campo. Mas um bom discípulo pode aprender muito se der liberdade criativa à sua mente, e se for um bom observador e gostar da matéria.

Como todos se calaram, falei mais um pouco.
— Para você, Ciro D'Ambrósio, eu dou um conselho extra. Jamais invista seu potencial criativo nos negócios alheios, pois isso só irá desvalorizar o seu investimento e trazer-lhe complicações. Mas observe como andam os seus negócios nesse campo e veja qual o setor que não anda produzindo muito bem, ou por falta de atenção sua ou por não achar interessante investir muito nesta área. Lembre-se de que nesse campo todas as áreas são importantes e interessantes. Invista bastante em todas elas e as mais eficientes produzirão tanto, que compensarão as mais deficientes. Então verá que o retorno do investimento se refletirá em todas as áreas de atividade de sua agitada vida. Pode ter muitas atividades, mas concentre todo o seu potencial criativo na que você estiver trabalhando. Esqueça as outras nesses momentos, pois de nada adiantará você ficar pensando muito. Agindo assim, você só enfraquecerá seu potencial de ação na que você está dando atenção.
— Está certo, papai. Vou pensar menos e atuar mais em algumas áreas.
— Ótimo, filho! Logo será um homem muito rico nesta área também. Agora vou andar um pouco pelo jardim.
— Posso acompanhá-lo, mestre?
— Venha, Tereza. Vou ensinar-lhe qual é o segredo das flores para sempre exalarem o seu inebriante perfume, frescor e beleza.
— Aceita mais uma discípula para esta lição, papai? — perguntou minha nora.
— Venha, filha. Conheço um bom apreciador de flores que anda meio desencantado com seu jardim. Quem sabe não seja porque as flores estejam cobertas de ervas daninhas, espinhos e muitas folhas e não podem se mostrar tão belas e perfumadas como na verdade são.

Olhei para meu filho e perguntei:
— Você se incomoda que eu fale dos encantos das flores para sua esposa, meu filho?
— Não, desde que aceite meu convite para ir à tarde até a cidade.
— Para quê?
— Assim estará longe das flores e ensinará algumas coisas a um jardineiro que não está sabendo como deixar seu jardim livre das ervas daninhas, espinhos e folhas. Se não fizer isso, logo ele irá colher o frescor, a beleza e o perfume que inebriam os seus sentidos num jardim alheio.

— Se é assim, eu aceito o seu convite. Estou vendo que me preocupei demais em ensinar-lhe muitas coisas para que me sucedesse na direção dos negócios, mas me esqueci de ensiná-lo na direção da casa.

Então Tereza perguntou:

— Como foi que o senhor aprendeu tudo isso, mestre Ciro?

Enquanto caminhávamos de braços dados, falei às duas:

— É uma longa história, mas vou falar-lhes também como uma bela, radiante e nada ciumenta mulher árabe me ensinou a ser o melhor marido de minhas esposas e um ótimo senhor de minha casa.

— Foi uma mulher quem lhe ensinou isso, papai? — perguntou minha nora.

— Sim, e uma outra com o mesmo nome de Tereza me ensinou como eu deveria fazer para manter sempre encantador o jardim a mim confiado por obra do destino.

— Então falaremos a tarde toda, mestre Ciro!

— De vez em quando é bom conversar um pouco, só assim ensinamos e aprendemos, não?

— Tem razão, papai. Fale-nos primeiro da mulher que o ensinou a colher o encanto das flores do seu jardim e assim entenderemos melhor quando falar só do jardim e suas flores.

— Já que preferem assim. Eu era muito jovem nessa época. Devia ter uns 15 anos. Nem era um jardineiro e nem conhecia nada de flores, mas tinha uma vontade imensa de colher algumas flores do jardim. Então certo dia...

Bem contei com palavras trocadas, mas mantendo a fidelidade e autenticidade dos relatos, como aprendi a ser um bom jardineiro com dona Tereza. Quanto a tornar um jardim perfumado e encantador, basta ele ter flores e frescor!

Quando terminei de lhes falar sobre essas coisas, Ciro D'Ambrósio já estava sentado na varanda, esperando por mim.

No dia seguinte, ao ver um leve sorriso nos lábios de minha nora, perguntei-lhe:

— Por que este leve sorriso nos lábios, estes olhos brilhantes e este rosto corado nesta manhã, minha filha?

— Depois de ouvi-lo falar em como as flores fazem para exalar seu perfume inebriante, seu frescor irradiante e suas cores extasiantes, descobri que meu jardim também tem um ótimo jardineiro.

— Menos mal! E você, Ciro D'Ambrósio? Que ar é este que mais parece o de um cavaleiro que acaba de voltar vencedor de uma grande campanha?

— Depois de ouvi-lo falar em como alguém deve ser para cativar a sua montaria, e de como deve cavalgar para tornar a cavalgada prazerosa para ambos, descobri que não preciso ir longe para fazer tal coisa.

— Ótimo! Com o tempo, cada um descobrirá tantos encantos no outro que a montaria achará seu cavaleiro o melhor de todos, e o jardineiro achará o seu jardim o mais belo de todos e se encantará com seu perfume!

— Muito bom, mestre Ciro!

— O que é muito bom, Tereza?

— Ficar ao seu lado. Estou começando a amar a sabedoria do meu mestre que tanto me inspira.

— Ótimo! Vou chamá-la de discípula de minha inspiração da vida e do amor.
— Que bom! Vou ser a mais dedicada discípula que já teve em toda a sua vida.

E assim ela foi uma dedicada discípula da minha sabedoria inspirada até o mês de maio de 1199. Naquele mês, uma doença estranha lançou minha querida Tereza ao leito e a levou embora também. Nossa última conversa foi de mestre e discípula que se amavam muito.

— Sinto muito deixá-lo tão cedo, mestre Ciro. Acho que ainda tinha tanto a aprender com o senhor.

— Eu é que estava aprendendo com você, Tereza. Jamais tive uma discípula tão sábia como você.

— É que eu o procurei muito, mestre Ciro. Sinto meu corpo cansado de tanto procurá-lo! Há mais de mil anos que o procurava, e só agora o encontrei.

— Mas já está partindo novamente! Como posso aceitar uma coisa destas? Só a encontro no final de minha vida e por tão pouco tempo.

— Nós somos assim mesmo, mestre! Só aparecemos quando alguém já está bastante maduro e só quer viver no seu saber inspirado. Não sinto por morrer, mas por ter de deixá-lo para trás. Mas não fique triste com minha partida. Se a sabedoria se vai, logo o mestre irá também. Ele não conseguirá viver muito tempo sem ela. Eu o espero nos jardins inspirados do Senhor de toda a sabedoria, mestre meu! Eu o esperarei ainda que demorem outros mil anos para reencontrá-lo. Até novo encontro, amor de minha sabedoria.

— Até novo encontro, sabedoria do meu amor. Com você completa-se o setenário feminino e encerra-se minha longa jornada nesta terra. Sem você para animar minha vida só me resta aguardar que o Senhor dela venha tirá-la deste corpo cansado de viver, e que já não pode responder a um espírito tão envelhecido como o meu.

Tereza sorriu levemente e enviou-me um último olhar antes de fechar para sempre os seus belos olhos azuis. Com ela eu morria também. Já não tinha mais ninguém a procurar ou esperar. O setenário feminino fechou-se com o reencarne de dona Tereza, para que ela tivesse uma passagem não atribulada nem sofrível, como fora a anterior.

Eu exigi que ela fosse enterrada ao lado das outras, pois com ela tudo se completava.

# Capítulo XXVIII

# O Reencontro

Daquele dia em diante, comecei a definhar rapidamente e meu passatempo era sentar-me na varanda e ficar olhando para lugar nenhum na linha do horizonte. Só saía dali quando alguém vinha pegar-me pelo braço e levar-me para a mesa ou a cama. Eu olhava a linha do horizonte à procura de uma imagem que me agradasse a visão, mas a única coisa que eu via eram meus filhos que chegavam. Uns de perto e outros de bem longe. Por vários dias eu os via chegar com todos os seus familiares. Via os seus rostos já velhos, os dos seus filhos maduros, e os dos meus bisnetos infantis. Eu vi passar à minha frente duas centenas de rostos amigos, leais e amados. Mas não via o rosto que eu tanto ansiava ver. Vi alguns muito parecidos, outros tão belos, mas nenhum igual ao que eu esperava surgir da linha do horizonte.

Todos os que chegavam eram abrigados na imensa mansão ou nas dependências anexas. Mas quem eu tanto esperava não veio.

No almoço, eu ouvi muitas palavras de elogio a mim e às minhas obras, mas não ouvi a voz de quem eu tanto aguardava.

Ouvi muita risada, mas não a que eu tanto ansiava ouvir novamente. Vi muitos rostos sorridentes, mas não o que eu tanto esperava sorrir para mim.

Vi todos olharem para mim, mas quem eu tanto procurava no meio daquela multidão de espíritos afins não estava entre eles, olhando para mim. Todos estavam muito felizes, mas quem me tornaria o mais feliz dos homens não viera com seu sorriso alegre.

Ainda ouvi uma voz dizer-me:

— Diga algo à sua descendência, papai!

Não era a voz que eu tanto ansiava ouvir, mas ainda assim levantei-me com muito esforço da cadeira, levantei minha taça de vinho saudando a todos e a tomei. Depois que alguém a encheu até transbordar eu a tomei novamente, quebrando um hábito que eu conservara por toda a minha vida, e não deixei que a enchessem novamente. Então falei a todos aqueles rostos ansiosos por uma palavra minha:

— Que Deus abençoe todos vocês, como sempre abençoou a mim, com os dons da vida, do amor, da fé e da sabedoria. Agora vivam suas vidas com alegria e me deixem descansar um pouco.

— Eu o levo até seu quarto, papai.

— Obrigado, filho. Você não para de se preocupar comigo, não é mesmo?
— Sim, papai.
— Menos mal para mim, mas muito mal para você, que não se esquecerá de mim tão facilmente. Agora, leve-me ao meu quarto e não deixe ninguém perturbar meu descanso subindo lá antes que a ceia termine.
— Assim será feito, papai.
Quando chegamos ao meu quarto, eu o abracei comovido e falei:
— Obrigado pela festa de despedida, meu filho. Está muito linda, mas a minha hora soou lá no alto e a hora da partida é chegada.
— O que mais eu poderia fazer por quem tanto fez, não só por mim, mas por tantos e durante tantos anos?
— Não precisa chorar agora, filho meu. Não é hora de lágrimas e sim de alegria. Volte para junto deles e assuma o meu lugar de líder da família. Quero que você, ao chegar lá, sente-se na cadeira que sempre esteve reservada para mim.
— Não farei isso, papai. Assim como só hoje o senhor tomou sua segunda taça de vinho, à minha mesa sempre haverá uma cadeira reservada para o senhor. Uma homenagem agradece-se com outra tão importante. Não é assim que diz sempre!
— Sim, é isso mesmo. Agora vá participar da alegria deles, filho meu.
— Como, se estou tão triste por dentro?
— Faça como eu sempre fiz nessas ocasiões e vista a máscara que oculta a dor que lhe passa pela alma.
— Assim será, papai. Boa viagem na nova longa jornada que logo iniciará.
— Assim será, filho.
Ele saiu do quarto aos prantos e, assim que desceu a escada, mandou um criado ficar ali e não deixar ninguém subir.
— Chame dois cavaleiros para ajudá-lo nesta tarefa e também veja se não há ninguém nos outros quartos. Se houver, mande-os descer logo, e mesmo que eu queira subir por esta escada, não permita. Isso é uma ordem e durará até as quatro horas da tarde. Só então você me permitirá subir por ela.
— Por que, senhor?
— É uma ordem do meu pai e não quero que ele se magoe. Portanto, cumpra a ordem dada.
— Sim, senhor.
Assim que ele chegou à mesa, alguém perguntou:
— Por que está chorando, Ciro D'Ambrósio?
— Choro porque, depois de sete meses, papai voltou a falar, e se ele fala novamente, é porque ainda vive.
Quanto a mim, em meu quarto eu fazia as sete preces sagradas e, assim que as terminei, vesti uma roupa que muito me agradava e deitei-me na cama. Cobri meu corpo até o peito com o alvo lençol e fiquei olhando para a porta à espera de sua chegada. Mas como quem eu tanto esperava não entrava pela porta, comecei a soluçar e falar:
— Por que demora tanto? Acaso não está vendo que estou pronto para este momento desde aquele dia em que tanto chorei quando foi embora sem mim? Procurei-a em muitas, e só partes de você eu encontrei nas pessoas. Em alguns, eu encontrei o carinho; noutros, o amor; em outros, a fé; e ainda noutros, a esperança.

Em muitos eu vi a vida, mas em poucos eu encontrei a sabedoria. Eu procurei por você no meio das multidões e sempre que alguém tinha algo de seu, dele eu me aproximava e olhava a sua alma só para ver se naquele corpo você habitava.

Mas não! Lá só havia parte de você. Nunca você.

Meu Deus! Como eu procurei.

Procurei nos homens e nas mulheres, e nem sinal de você.

Por que me abandonou tão solitário aqui nesta terra abençoada? Por que não vem me buscar se o aguardo tão ansiosamente? Não vê que já me levaram tudo? Nem a sabedoria do amor me deixaram. Pensei tê-la encontrado um dia na contemplação, mas nem assim a achei. Assentei-me no centro do meu templo interior e ouvi os quatro cantos dos quatro santos que habitam cada um dos seus quatro cantos. Mas nem assim a encontrei em um deles por inteiro.

Do norte me vinha o canto da vida, entoado pelo santo que o habita: o Santo da Vida.

Do sul me vinha o canto do amor, entoado pela santa que o habita: a Santa do Amor.

Do leste me vinha o canto da fé, entoado pelo santo que o habita: o Santo da Fé.

E do oeste me vinha o canto da sabedoria, entoado pela santa que o habita: a Santa da Sabedoria.

Mas em cada canto entoado por cada um dos quatro santos eu ouvia parte de você. Vi a vida e o amor formarem um lindo casal, mas não tão lindo como nós dois juntos formaríamos. Vi também a fé e a sabedoria formarem outro lindo casal, mas nem assim formaram um casal como nós quando juntos.

Não! Nós dois juntos seria a união da vida e do amor com a fé e a sabedoria. Sim, isso mesmo! Nós uniríamos os quatro santos dos quarto cantos, pois nos assentaríamos no centro do nosso templo interior e a nós eles se achegariam só para ouvir bem de perto o hino que entoaríamos à vida, ao amor, à fé e à sabedoria.

O nosso canto seria um canto muito sábio de amor e fé na vida ou então um canto muito vivo de fé e amor na sabedoria. Ou talvez um canto amoroso e sábio de fé e amor. Mas, quem sabe, entoássemos o sábio e vivo hino de fé no amor, que só quem vive consegue entoar!

Qual deles você preferiria entoar primeiro? Por que não me responde? Você sabe que eu fiz o que fiz porque você me inundou com o amor, a vida, a fé e a sabedoria. Se não tivesse feito isso por mim e em mim, eu nada seria e ainda estaria caminhando para lugar nenhum e sem um rumo definido.

Meu Deus! Por que não vem? Esperei nove meses para que me trouxesse à vida nesta terra abençoada e agora se recusa a vir recolher o fruto do seu ventre?

Por que faz isso comigo? Passe por esta porta e me colha nos seus braços carinhosos como sempre fazia enquanto viveu na carne!

Onde está que não a vejo, mesmo sabendo que a hora chegada já soou para mim lá no alto?

Eu comecei a chorar como a criança que acaba de sair do ventre materno. Meus pulmões ardiam com o ar que neles penetrava e meus olhos queimavam com a claridade que iluminava o quarto.

— Meu Deus, acuda-me, pois estou entrando no delírio da morte e ela não vem! Por que ela se demora tanto?

Então eu ouvi sua doce voz.

— Eu estou aqui, meu querido Ciro!

— Onde, que não a vejo?

— Não me vê porque está olhando para a porta e não é por ela que eu passei para chegar até aqui, meu querido filho.

— Então onde está, se ouço sua voz, mas não vejo o seu rosto?

— Estou ao seu lado, amado meu. Foi ao seu lado que sempre estive e não o abandonei um instante sequer desde o dia em que me viu sair da gruta no Santo Sepulcro.

— Mas como, se eu via todos os espíritos e nunca a vi?

— Não podia me ver, senão sua fonte do amor, da vida, da fé e sabedoria transbordariam e se tornaria inútil ao Divino Mestre. Mas eu sempre estive com você, pois se sou a sua fonte do amor, é para mim todo o encanto de minha fonte. E uma fonte só faz coisas divinas como a vida, o amor, a fé e a sabedoria, se for encantada.

— Eu a ouço e olho e ainda assim não a vejo. Por quê?

— É por causa da presença do Divino Mestre que veio colher a nós dois nesta terra abençoada e levar-nos até a direita do Pai Eterno. Lá há um jardim celestial e juntos formaremos um par que será uma linda fonte de onde jorrará a vida, o amor, a fé e a sabedoria. Olhe agora para a porta e o verá passar por ela, cercado de anjos da Luz! Vê como ele é lindo?

— Sim. Ele é o mais sábio, amoroso, luminoso e abrasante dos mestres da Luz Divina.

— Ele nos chama até ele. Vamos, encanto de minha fonte do amor?

— Conduza-me com sua sabedoria até a fonte de minha fé na vida, minha fonte do amor.

— Por que eu tenho de conduzi-lo?

— Senão posso me atrapalhar com o caminho que devo tomar e me afastar da minha sábia fonte do amor e assim não alcançar a fonte viva de minha fé em Deus. Conduza-me, pois mesmo não podendo vê-la, sinto-me envolto em seus braços e coberto pelo seu manto azul celestial.

— Eu o conduzo. Abrace-me que eu o levo até ele, e nós dois seremos envoltos nos Seus carinhosos braços e cobertos pelo Seu luminoso manto dourado.

— Meu Deus! Eu sinto transbordar do meu peito, e de forma incontrolável, o amor e a vida, a fé e a sabedoria.

Então, ouvi sua voz terna, amorosa e envolvente.

— Isso é porque eu o colhi desta terra abençoada em que viveu na minha fé e começa a viver com amor, fé e sabedoria na minha vida eterna, filho que caminha na Luz.

— Conduza-nos, Divino Mestre!

— Vinde a mim, filhos meus!

E nós fomos até o Mestre da luz, da sabedoria, da fé, do amor e da vida. Meu Deus! Como foi bom ser coberto com seu manto dourado e acolhido nos seus braços. Adormeci assim que me vi nos seus braços e em contato com o seu peito. Ao acordar, estava deitado num jardim de beleza indescritível. Caminhando em minha direção, vinha a minha mãe. Olhei para os lados e vi Mariana, Zenaide, Carla, Helena, Clarice e Tereza.

— Onde está Elizabete?
— Contemplando-o lá de cima, Ciro Neri Vespasiano.
— Por quê?
— É para que tenha alguém mais a procurar em sua vida. Se ela ficasse aqui conosco, acabaria a sua contemplação do amor.
— Não importa, um dia eu a reencontro. Se Deus quiser, eu ainda a verei um dia desses no lugar onde é feito o vinho vivo que é servido na mesa do nosso Senhor da Vida.
— Irá levar-nos junto, Ciro?
— Claro! Que adianta contemplar algo se estamos sem as coisas do amor que tanto ansiamos ver no objeto de nossa contemplação. Olhem! Ela está vindo juntar-se a nós.

Assim que se aproximou, falou:
— Não vim para ficar, Ciro. Só pedi licença ao dono da vinícola em que trabalho agora para poder contemplá-lo um pouco.
— Onde fica essa vinícola?
— Onde são colhidas as uvas da videira viva do Senhor da Vida.
— Fica muito longe daqui?
— Não tanto que não possa alcançá-la.
— Então eu chegarei até ela um dia desses.
— Então lá estarei eu a contemplá-lo, amor de minha contemplação.
— Assim será, contemplação do meu amor.


FIM